suhrkamp taschenbuch
wissenschaft 57

In der *Kritik der Urteilskraft* geht es um eine doppelte »Sache«. In der »Ästhetik« ist die Analyse einer Erfahrung Thema, in der unser auf Gegebenes angewiesener Verstand und die ihrer selbst gewisse, autonome Vernunft in Übereinstimmung stehen. Insofern ist in der Erfahrung des Schönen die Unvereinbarkeit von Natur- und Freiheitsbegriffen, von Sein und Sollen aufgehoben, und das Bild sowie die Versicherung der Einheit aller Erfahrung gegeben. Das Subjekt erfährt diese Einheit als Steigerung seines Selbstgefühls. Schöne Kunst muß diesen Sachverhalt zur Anschauung bringen. Diese Einsicht ist es, von der die große idealistische Kunsttheorie ausgegangen ist und die sie auszubauen versucht hat. Zum anderen gelingt es der *Kritik der Urteilskraft*, Kants »Theorie der Wissenschaften« fortzuentwickeln. Durch den Nachweis, daß »Zweck« und »Zweckmäßigkeit« nicht erklärende, sondern verstehende Kategorien sind, durch die das menschliche Denken sich das einzelne zugänglich macht, hat Kant die Möglichkeit, den Status derjenigen Wissenschaften, die sich beschreibend auf die Phänomene beziehen, wie Geschichte und Biologie, zu bestimmen.

Immanuel Kant
Kritik der Urteilskraft

Suhrkamp

Diese Ausgabe ist text- und seitengleich
mit den Bänden IX und X der Theorie-Werkausgabe
Immanuel Kant, Werke in 12 Bänden, herausgegeben von
Wilhelm Weischedel.
Die Paginierung hat sich geändert: der Seite 9
des vorliegenden Bandes entspricht Seite 173 in Bd. IX
der Theorie-Werkausgabe.

suhrkamp taschenbuch wissenschaft 57
Erste Auflage 1974

Suhrkamp Taschenbuch Verlag
Druck: Nomos, Baden-Baden
Printed in Germany
Umschlag nach Entwürfen
von Willy Fleckhaus und Rolf Staudt

INHALT

ERSTE FASSUNG DER EINLEITUNG IN DIE KRITIK DER URTEILSKRAFT

EINLEITUNG

I. VON DER PHILOSOPHIE ALS EINEM SYSTEM

Wenn Philosophie das System der Vernunfterkenntnis durch Begriffe ist, so wird sie schon dadurch von einer Kritik der reinen Vernunft hinreichend unterschieden, als welche zwar eine philosophische Untersuchung der Möglichkeit einer dergleichen Erkenntnis enthält, aber nicht als Teil zu einem solchen System gehört, sondern so gar die Idee desselben allererst entwirft und prüfet.

Die Einteilung des Systems kann zuerst nur die in ihren formalen und materialen Teil sein, davon der erste (die Logik) bloß die Form des Denkens in einem System von Regeln befaßt, der zweite (reale Teil) die Gegenstände darüber gedacht wird, so fern ein Vernunfterkenntnis derselben aus Begriffen möglich ist, systematisch in Betrachtung zieht.

Dieses reale System der Philosophie selbst kann nun nicht anders als nach dem ursprünglichen Unterschiede ihrer Objekte und der darauf beruhenden wesentlichen Verschiedenheit der Prinzipien einer Wissenschaft, die sie enthält, in theoretische und praktische Philosophie eingeteilt werden; so, daß der eine Teil die Philosophie der Natur, der andere die der Sitten sein muß, von denen die erstere auch empirische, die zweite aber (da Freiheit schlechterdings kein Gegenstand der Erfahrung sein kann) niemals andere als reine Prinzipien a priori enthalten kann.

Es herrscht aber ein großer und selbst der Behandlungsart der Wissenschaft sehr nachteiliger Mißverstand in Ansehung dessen, was man für praktisch, in einer solchen Bedeutung zu halten habe, daß es darum zu einer praktischen Philosophie gezogen zu werden verdiente. Man hat Staatsklugheit und Staatswirtschaft, Haushaltungsregeln, imgleichen die des Umgangs, Vorschriften zum Wohlbefinden und Diätetik, so wohl der Seele als des Körpers, (warum nicht gar alle Gewerbe und Künste?) zur praktischen Philosophie zählen zu können geglaubt; weil sie doch insgesamt einen Inbegriff praktischer Sätze enthalten. Allein praktische Sätze sind zwar der Vorstellungsart, darum aber nicht dem Inhalte nach von den theoretischen, welche die Möglichkeit der Dinge und ihre Bestimmungen enthalten, unterschieden, sondern nur die allein, welche die Freiheit unter Gesetzen betrachten. Die übrigen insgesamt sind nichts weiter, als die Theorie von dem, was zur Natur der Dinge gehört, nur auf die Art, wie sie von uns nach einem Prinzip erzeugt werden können, angewandt, d. i. die Möglichkeit derselben durch eine willkürliche Handlung (die eben so wohl zu den Naturursachen gehört) vorgestellt. So ist die Auflösung des Problems der Mechanik: zu einer gegebenen Kraft, die mit einer gegebenen Last im Gleichgewichte sein soll, das Verhältnis der respektiven Hebelarme zu finden, zwar als praktische Formel ausgedrückt, die aber nichts anders enthält als den theoretischen Satz: daß die Länge der letzteren sich umgekehrt wie die erstern verhalten, wenn sie im Gleichgewichte sind; nur ist dieses Verhältnis, seiner Entstehung nach, durch eine Ursache, deren Bestimmungsgrund die Vorstellung jenes Verhältnisses ist, (unsere Willkür) als möglich vorgestellt. Eben so ist es mit allen praktischen Sätzen bewandt, welche bloß die Erzeugung der Gegenstände betreffen. Wenn Vorschriften, seine Glückseligkeit zu befördern, gegeben werden und, z. B., nur von dem die Rede ist, was man an seiner eigenen Person zu tun habe, um der Glückseligkeit empfänglich zu sein, so werden nur die innere Bedingungen der Möglichkeit derselben, an der Genügsamkeit, an dem Mittelmaße der Neigungen, um nicht Leidenschaft zu werden, u.s.w. als zur Natur des Subjekts gehörig und zugleich die Erzeugungsart dieses Gleichgewichts, als eine durch uns selbst mögliche Kausalität, folglich alles als unmittelbare Folgerung aus der Theorie des Objekts in Beziehung auf die Theorie unserer eigenen Natur (uns selbst als Ursache) vorgestellt: mithin ist hier die praktische Vorschrift zwar der Formel, aber nicht dem Inhalte nach von einem theoretischen [1] unterschieden, bedarf also nicht zu einer [2] besondern Art von Philosophie, um diese Verknüpfung von Gründen mit ihren

[1] Akad.-Ausg.: »einer theoretischen«. – [2] Akad.-Ausg.: »nicht einer«.

Folgen einzusehen. – Mit einem Worte: alle praktischen Sätze, die dasjenige, was die Natur enthalten kann, von der Willkür als Ursache ableiten, gehören insgesamt zur theoretischen Philosophie, als Erkenntnis der Natur, nur diejenigen, welche der Freiheit das Gesetz geben, sind dem Inhalte nach spezifisch von jenen unterschieden. Man kann von den erstern sagen: sie machen den praktischen Teil einer Philosophie der Natur aus, die letztern aber gründen allein eine besondere praktische Philosophie.

Anmerkung

Es liegt viel daran, die Philosophie nach ihren Teilen genau zu bestimmen und zu dem Ende nicht dasjenige, was nur Folgerung oder Anwendung derselben auf gegebene Fälle ist, ohne besondere Prinzipien zu bedürfen, unter die Glieder der Einteilung derselben, als eines Systems, zu setzen.

Praktische Sätze werden von den theoretischen entweder in Ansehung der Prinzipien oder der Folgerungen unterschieden. Im letztern Falle machen sie nicht einen besondern Teil der Wissenschaft aus, sondern gehören zum theoretischen, als eine besondere Art von Folgerungen aus derselben. Nun ist die Möglichkeit der Dinge nach Naturgesetzen von der nach Gesetzen der Freiheit ihren Prinzipien nach wesentlich unterschieden. Dieser Unterschied besteht aber nicht darin, daß bei der letztern die Ursach in einem Willen gesetzt wird, bei der erstern aber außer demselben, in den Dingen selbst. Denn, wenn doch der Wille keine andern Prinzipien befolgt, als die, von welchen der Verstand einsieht, daß der Gegenstand nach ihnen, als bloßen Naturgesetzen, möglich sei, so mag immer der Satz, der die Möglichkeit des Gegenstandes durch Kausalität der Willkür enthält, ein praktischer Satz heißen, er ist doch, dem Prinzip nach, von den theoretischen Sätzen, die die Natur der Dinge betreffen, gar nicht unterschieden, vielmehr muß er das seine von dieser entlehnen, um die Vorstellung eines Objekts in der Wirklichkeit darzustellen.

Praktische Sätze also, die dem Inhalte nach bloß die Möglichkeit eines vorgestellten Objekts (durch willkürliche Handlung) betreffen, sind nur Anwendungen einer vollständigen theoretischen Erkenntnis und können keinen besondern Teil einer Wissenschaft ausmachen. Eine praktische Geometrie, als abgesonderte Wissenschaft, ist ein Unding: obgleich noch so viel praktische Sätze in dieser reinen Wissenschaft enthalten sind, deren die meisten als Probleme einer besonderen Anweisung zur Auflösung bedürfen. Die Aufgabe: mit einer gegebenen Linie und einem gegebenen rechten Winkel ein Quadrat zu konstruieren, ist ein praktischer Satz, aber reine Folgerung aus der Theorie. Auch kann sich die Feldmeßkunst (agrimensoria) den Namen einer praktischen Geometrie keineswegs anmaßen und ein besonderer Teil der Geometrie überhaupt heißen, sondern gehört in Scholien der letzteren, nämlich den Gebrauch dieser Wissenschaft zu Geschäften.*

Selbst in einer Wissenschaft der Natur, so fern sie auf empirischen Prinzipien beruht, nämlich der eigentlichen Physik, können die praktischen Vorrichtungen, um verborgene Naturgesetze zu entdecken, unter dem Namen der Experimentalphysik, zu der Benennung einer praktischen Physik (die eben so wohl ein Unding ist), als eines Teils der Naturphilosophie, keinesweges berechtigen. Denn die Prinzipien, wornach wir Versuche anstellen, müssen immer selbst aus der Kenntnis der Natur, mithin aus der Theorie hergenommen werden. Eben das gilt von den praktischen Vorschriften, welche die willkürliche Hervorbringung eines

* Diese reine und eben darum erhabene Wissenschaft scheint sich etwas von ihrer Würde zu vergeben, wenn sie gesteht, daß sie, als Elementargeometrie, obzwar nur zwei, Werkzeuge zur Konstruktion ihrer Begriffe brauche, nämlich den Zirkel und das Lineal, welche Konstruktion sie allein geometrisch, die der höheren Geometrie dagegen mechanisch nennt, weil zu der Konstruktion der Begriffe der letzteren zusammengesetztere Maschinen erfodert werden. Allein man versteht auch unter den ersteren nicht die wirkliche Werkzeuge (circinus et regula), welche niemals mit mathematischer Präzision jene Gestalten geben könnten, sondern sie sollen nur die einfachste Darstellungsarten der Einbildungskraft a priori bedeuten, der kein Instrument es gleichtun kann.

gewissen Gemütszustandes in uns betreffen (z. B. den der Bewegung oder Bezähmung der Einbildungskraft, die Befriedigung oder Schwächung der Neigungen). Es gibt keine praktische Psychologie, als besondern Teil der Philosophie über die menschliche Natur. Denn die Prinzipien der Möglichkeit seines Zustandes, vermittelst der Kunst, müssen von denen der Möglichkeit unserer Bestimmungen aus der Beschaffenheit unserer Natur entlehnt werden und, obgleich jene in praktischen Sätzen bestehen, so machen sie doch keinen praktischen Teil der empirischen Psychologie aus, weil sie keine besondere Prinzipien haben, sondern gehören bloß zu den Scholien derselben.

Überhaupt gehören die praktischen Sätze (sie mögen rein a priori, oder empirisch sein), wenn sie unmittelbar die Möglichkeit eines Objekts durch unsere Willkür aussagen, jederzeit zur Kenntnis der Natur und dem theoretischen Teile der Philosophie. Nur die, welche direkt die Bestimmung einer Handlung, bloß durch die Vorstellung ihrer Form (nach Gesetzen überhaupt), ohne Rücksicht auf die Mittel[1] des dadurch zu bewirkenden Objekts, als notwendig darstellen, können und müssen ihre eigentümliche Prinzipien (in der Idee der Freiheit) haben, und, ob sie gleich auf eben diese Prinzipien den Begriff eines Objekts des Willens (das höchste Gut) gründen, so gehört dieses doch nur indirekt, als Folgerung, zu der praktischen Vorschrift (welche nunmehr sittlich heißt). Auch kann die Möglichkeit desselben durch die Kenntnis der Natur (Theorie) nicht eingesehen werden. Nur jene Sätze gehören also allein zu einem besondern Teile eines Systems der Vernunfterkenntnisse, unter dem Namen der praktischen Philosophie.

Alle übrige Sätze der Ausübung, an welche Wissenschaft sie sich auch immer anschließen mögen, können, wenn man etwa Zweideutigkeit besorgt, statt praktischer technische Sätze heißen. Denn sie gehören zur Kunst, das zu stande zu bringen, wovon man will, daß es sein soll, die, bei einer vollständigen Theorie, jederzeit eine bloße Folgerung und kein für sich bestehender Teil irgend einer Art von Anwei-

[1] Akad.-Ausg. erwägt: »Materie«.

sung ist. Auf solche Weise gehören alle Vorschriften der Geschicklichkeit zur Technik* und mithin zur theoretischen Kenntnis der Natur als Folgerungen derselben. Wir werden uns aber künftig des Ausdrucks der Technik auch bedienen, wo Gegenstände der Natur bisweilen bloß nur so beurteilt werden, als ob ihre Möglichkeit sich auf Kunst gründe, in welchen Fällen die Urteile weder theoretisch noch praktisch (in der zuletzt angeführten Bedeutung) sind; indem sie nichts von der Beschaffenheit des Objekts, noch der Art, es hervorzubringen, bestimmen, sondern wodurch die Natur selbst, aber bloß nach der Analogie mit einer Kunst, und zwar in subjektiver Beziehung auf unser Erkenntnisvermögen nicht in objektiver auf die Gegenstände beurteilt wird. Hier werden wir nun die Urteile selbst zwar nicht technisch, aber doch die Urteilskraft, auf deren Gesetze sie sich gründen, und ihr gemäß auch die Natur, technisch nennen, welche Technik, da sie keine objektiv bestimmende Sätze enthält, auch keinen Teil der doktrinalen Philosophie, sondern nur der Kritik unserer Erkenntnisvermögen ausmacht.

* Hier ist der Ort, einen Fehler zu verbessern, den ich in der Grundl. zur Met. der Sitten beging. Denn, nachdem ich von den Imperativen der Geschicklichkeit gesagt hatte, daß sie nur bedingterweise und zwar unter der Bedingung bloß möglicher, d. i. problematischer, Zwecke geböten, so nannte ich dergleichen praktische Vorschriften problematische Imperativen, in welchem Ausdruck freilich ein Widerspruch liegt. Ich hätte sie technisch, d. i. Imperativen der Kunst nennen sollen. Die pragmatische, oder Regeln der Klugheit, welche unter der Bedingung eines wirklichen und so gar subjektiv-notwendigen Zweckes gebieten, stehen nun zwar auch unter den technischen (denn was ist Klugheit anders, als Geschicklichkeit, freie Menschen und unter diesen so gar die Naturanlagen und Neigungen in sich selbst, zu seinen Absichten brauchen zu können). Allein daß der Zweck, den wir uns und andern unterlegen, nämlich eigene Glückseligkeit, nicht unter die bloß beliebigen Zwecke gehöret, berechtigt zu einer besondern Benennung dieser technischen Imperativen: weil die Aufgabe nicht bloß, wie bei technischen, die Art der Ausführung eines Zwecks, sondern auch die Bestimmung dessen, was diesen Zweck selbst (die Glückseligkeit) ausmacht, fodert, welches bei allgemeinen technischen Imperativen als bekannt vorausgesetzt werden muß.

II. VON DEM SYSTEM DER OBERN ERKENNTNISVERMÖGEN, DAS DER PHILOSOPHIE ZUM GRUNDE LIEGT

Wenn die Rede nicht von der Einteilung einer Philosophie, sondern unseres Erkenntnisvermögens a priori durch Begriffe (des oberen) ist, d.i. von einer Kritik der reinen Vernunft, aber nur nach ihrem Vermögen zu denken betrachtet (wo die reine Anschauungsart nicht in Erwägung gezogen wird), so fällt die systematische Vorstellung des Denkungsvermögens dreiteilig aus, nämlich erstlich in das Vermögen der Erkenntnis des Allgemeinen (der Regeln), den Verstand, zweitens das Vermögen der Subsumtion des Besondern unter das Allgemeine, die Urteilskraft, und drittens das Vermögen der Bestimmung des Besondern durch das Allgemeine (der Ableitung von Prinzipien), d. i. die Vernunft.

Die Kritik der reinen theoretischen Vernunft, welche den Quellen alles Erkenntnisses a priori (mithin auch dessen, was in ihr zur Anschauung gehört) gewidmet war, gab die Gesetze der Natur, die Kritik der praktischen Vernunft das Gesetz der Freiheit an die Hand und so scheinen die Prinzipien a priori für die ganze Philosophie jetzt schon vollständig abgehandelt zu sein.

Wenn nun aber der Verstand a priori Gesetze der Natur, dagegen Vernunft Gesetze der Freiheit an die Hand gibt, so ist doch nach der Analogie zu erwarten: daß die Urteilskraft, welche beider Vermögen ihren Zusammenhang vermittelt, auch eben so wohl wie jene ihre eigentümliche Prinzipien a priori dazu hergeben und vielleicht zu einem besonderen Teile der Philosophie den Grund legen werde, und gleichwohl kann diese als System nur zweiteilig sein.

Allein Urteilskraft ist ein so besonderes, gar nicht selbständiges Erkenntnisvermögen, daß es weder, wie der Verstand, Begriffe, noch, wie die Vernunft, Ideen, von irgend einem Gegenstande gibt, weil es ein Vermögen ist, bloß unter anderweitig gegebene Begriffe zu subsumieren. Sollte also ein Begriff oder Regel, die ursprünglich aus der Urteilskraft entsprängen, statt finden, so müßte es ein Begriff von

Dingen der Natur sein, so fern diese sich nach unserer Urteilskraft richtet, und also von einer solchen Beschaffenheit der Natur, von welcher man sich sonst gar keinen Begriff machen kann, als nur daß sich ihre Einrichtung nach unserem Vermögen richte, die besondern gegebenen Gesetze unter allgemeinere, die doch nicht gegeben sind, zu subsumieren; mit anderen Worten, es müßte der Begriff von einer Zweckmäßigkeit der Natur zum Behuf unseres Vermögens sein, sie zu erkennen, so fern dazu erfodert wird, daß wir das Besondere als unter dem Allgemeinen enthalten beurteilen und es unter den Begriff einer Natur subsumieren können.

Ein solcher Begriff ist nun der einer Erfahrung als Systems nach empirischen Gesetzen. Denn obzwar diese nach transzendentalen Gesetzen, welche die Bedingung der Möglichkeit der Erfahrung überhaupt enthalten, ein System ausmacht: so ist doch von empirischen Gesetzen eine so unendliche Mannigfaltigkeit und eine so große Heterogeneität der Formen der Natur, die zur besondern Erfahrung gehören würden, möglich, daß der Begriff von einem System nach diesen (empirischen) Gesetzen dem Verstande ganz fremd sein muß, und weder die Möglichkeit, noch weniger aber die Notwendigkeit eines solchen Ganzen begriffen werden kann. Gleichwohl aber bedarf die besondere, durchgehends nach beständigen Prinzipien zusammenhängende Erfahrung auch diesen systematischen Zusammenhang empirischer Gesetze, damit es für die Urteilskraft möglich werde, das Besondere unter das Allgemeine, wie wohl immer noch empirische und so fort an, bis zu den obersten empirischen Gesetzen und denen ihnen gemäßen Naturformen zu subsumieren, mithin das Aggregat besonderer Erfahrungen als System derselben zu betrachten; denn ohne diese Voraussetzung kann kein durchgängig gesetzmäßiger Zusammenhang*, d.i. empirische Einheit derselben statt finden.

* Die Möglichkeit einer Erfahrung überhaupt ist die Möglichkeit empirischer Erkenntnisse als synthetischer Urteile. Sie kann also nicht analytisch aus bloßen verglichenen Wahrnehmungen gezogen werden (wie man gemeiniglich glaubt), denn die Verbindung zweier verschiedenen Wahrnehmungen in dem Begriffe eines Objekts (zum Erkenntnis desselben) ist eine Synthesis, welche nicht anders als nach Prinzipien

Diese an sich (nach allen Verstandesbegriffen) zufällige Gesetzmäßigkeit, welche die Urteilskraft (nur ihr selbst zu Gunsten) von der Natur präsumiert und an ihr voraussetzt, ist eine formale Zweckmäßigkeit der Natur, die wir an ihr schlechterdings annehmen, wodurch aber weder ein theoretisches Erkenntnis der Natur, noch ein praktisches Prinzip der Freiheit gegründet, gleichwohl aber doch für die Beurteilung und Nachforschung der Natur ein Prinzip gegeben wird, um zu besondern Erfahrungen die allgemeinen Gesetze zu suchen, nach welchem wir sie anzustellen haben, um jene systematische Verknüpfung heraus zu bringen, die zu einer zusammenhängenden Erfahrung notwendig ist, und die wir a priori anzunehmen Ursache haben.

Der ursprünglich aus der Urteilskraft entspringende und ihr eigentümliche Begriff ist also der von der Natur als Kunst, mit andern Worten der Technik der Natur in Ansehung ihrer besonderen Gesetze, welcher Begriff keine Theorie begründet und, eben so wenig wie die Logik, Erkenntnis der Objekte und ihrer Beschaffenheit enthält, sondern nur zum Fortgange nach Erfahrungsgesetzen, dadurch die Nachforschung der Natur möglich wird, ein Prinzip gibt. Hierdurch aber wird die Kenntnis der Natur mit keinem besondern objektiven Gesetze bereichert, sondern nur für die Urteilskraft eine Maxime gegründet, sie darnach zu beobachten und die Formen der Natur damit zusammen zu halten.

der synthetischen Einheit der Erscheinungen, d. i. nach Grundsätzen, wodurch sie unter die Kategorien gebracht werden, ein empirisches Erkenntnis, d. i. Erfahrung möglich macht. Diese empirische Erkenntnisse nun machen nach dem, was sie notwendiger weise gemein haben (nämlich jene transzendentale Gesetze der Natur), eine analytische Einheit aller Erfahrung aber nicht diejenige synthetische Einheit der Erfahrung als eines Systems aus, welche die empirische Gesetze auch nach dem was sie Verschiedenes haben (und wo die Mannigfaltigkeit derselben ins Unendliche gehen kann) unter einem Prinzip verbindet. Was die Kategorie in Ansehung jeder besonderen Erfahrung ist, das ist nun die Zweckmäßigkeit oder Angemessenheit der Natur (auch in Ansehung ihrer besonderen Gesetze) zu unserem Vermögen der Urteilskraft, wornach sie nicht bloß als mechanisch sondern auch als technisch vorgestellt wird; ein Begriff, der freilich nicht so wie die Kategorie die synthetische Einheit objektiv bestimmt, aber doch subjektiv Grundsätze abgibt, die der Nachforschung der Natur zum Leitfaden dienen.

Die Philosophie, als doktrinales System der Erkenntnis der Natur sowohl als Freiheit, bekommt hiedurch nun keinen neuen Teil; denn die Vorstellung der Natur als Kunst ist eine bloße Idee, die unserer Nachforschung derselben, mithin bloß dem Subjekte zum Prinzip dient, um in das Aggregat empirischer Gesetze, als solcher, wo möglich einen Zusammenhang, als in einem System, zu bringen, indem wir der Natur eine Beziehung auf dieses unser Bedürfnis beilegen. Dagegen wird unser Begriff von einer Technik der Natur, als ein heuristisches Prinzip in Beurteilung derselben, zur Kritik unseres Erkenntnisvermögens gehören, die anzeigt, welche Veranlassung wir haben, uns von ihr eine solche Vorstellung zu machen, welchen Ursprung diese Idee habe und ob sie in einer Quelle a priori anzutreffen, imgleichen welches der Umfang und Grenze[1] des Gebrauchs derselben sei: mit einem Wort eine solche Untersuchung wird als Teil zum System der Kritik der reinen Vernunft, nicht aber der doktrinalen Philosophie gehören.[2]

III. VON DEM SYSTEM ALLER VERMÖGEN DES MENSCHLICHEN GEMÜTS

Wir können alle Vermögen des menschlichen Gemüts ohne Ausnahme auf die drei zurückführen: das Erkenntnisvermögen, das Gefühl der Lust und Unlust und das Begehrungsvermögen. Zwar haben Philosophen, die wegen der Gründlichkeit ihrer Denkungsart übrigens

[1] Akad.-Ausg.: »der Umfang und die Grentze«. – [2] Die ursprüngliche, bis »zweitens« durchstrichene Fassung dieses Absatzes lautet: »Die Philosophie, als reales System der Naturerkenntnis a priori durch Begriffe, bekömmt also dadurch keinen neuen Teil: Denn jene Betrachtung gehört zum theoretischen Teile derselben. Aber die Kritik der reinen Erkenntnisvermögen bekömmt ihn wohl und zwar einen sehr nötigen Teil, wodurch erstlich Urteile über die Natur, deren Bestimmungsgrund leichtlich unter die empirische gezählt werden möchte, von diesen abgesondert und zweitens andere, welche leichtlich für real und Bestimmung der Gegenstände der Natur gehalten werden, von diesen unterschieden und für formal, d. i. Regeln der bloßen Reflexion über Dinge der Natur, nicht der Bestimmung derselben nach objektiven Grundsätzen erkannt werden.«

allen Lob[1] verdienen, diese Verschiedenheit nur für scheinbar zu erklären und alle Vermögen aufs bloße Erkenntnisvermögen zu bringen gesucht. Allein es läßt sich sehr leicht dartun und seit einiger Zeit hat man es auch schon eingesehen, daß dieser, sonst im echten philosophischen Geiste unternommene Versuch, Einheit in diese Mannigfaltigkeit der Vermögen hineinzubringen, vergeblich sei. Denn es ist immer ein großer Unterschied zwischen Vorstellungen, so fern sie, bloß aufs Objekt und die Einheit des Bewußtseins derselben bezogen, zum Erkenntnis gehören, imgleichen zwischen derjenigen objektiven Beziehung, da sie, zugleich als Ursach der Wirklichkeit dieses Objekts betrachtet, zum Begehrungsvermögen gezählt werden, und ihrer Beziehung bloß aufs Subjekt, da sie für sich selbst Gründe sind, ihre eigene Existenz in demselben bloß zu erhalten und so fern im Verhältnisse zum Gefühl der Lust betrachtet werden; welches letztere schlechterdings kein Erkenntnis ist, noch verschafft, ob es zwar dergleichen zum Bestimmungsgrunde voraussetzen mag.

Die Verknüpfung zwischen dem Erkenntnis eines Gegenstandes und dem Gefühl der Lust und Unlust an der Existenz desselben, oder die Bestimmung des Begehrungsvermögens, ihn hervorzubringen, ist zwar empirisch kennbar gnug; aber, da dieser Zusammenhang auf keinem Prinzip a priori gegründet ist, so machen so fern die Gemütskräfte nur ein Aggregat und kein System aus. Nun gelingt es zwar, zwischen dem Gefühle der Lust und den andern beiden Vermögen eine Verknüpfung a priori herauszubringen, wenn[2] wir ein Erkenntnis a priori, nämlich den Vernunftbegriff der Freiheit mit dem Begehrungsvermögen als Bestimmungsgrund desselben verknüpfen, in dieser objektiven Bestimmung zugleich subjektiv ein in der Willensbestimmung enthaltenes Gefühl der Lust anzutreffen. Aber auf die Art ist das Erkenntnisvermögen nicht vermittelst der Lust oder Unlust mit dem Begehrungsvermögen verbunden; denn sie geht vor diesem nicht vorher, sondern folgt entweder allererst auf die Bestimmung des letzteren, oder

[1] Akad.-Ausg.: »alles Lob«. – [2] Akad.-Ausg.: »und weñ«.

ist vielleicht nichts anders, als die Empfindung dieser Bestimmbarkeit des Willens durch Vernunft selbst, also gar kein besonderes Gefühl und eigentümliche Empfänglichkeit, die unter den Gemütseigenschaften eine besondere Abteilung erforderte. Da nun in der Zergliederung der Gemütsvermögen überhaupt ein Gefühl der Lust, welches, von der Bestimmung des Begehrungsvermögens unabhängig, vielmehr einen Bestimmungsgrund desselben abgeben kann, unwidersprechlich gegeben ist, zu der Verknüpfung desselben aber mit den beiden andern Vermögen in einem System erfodert wird, daß dieses Gefühl der Lust, so wie die beide andere Vermögen, nicht auf bloß empirischen Gründen, sondern auch auf Prinzipien a priori beruhe, so wird zur Idee der Philosophie, als eines Systems, auch (wenn gleich nicht eine Doktrin, dennoch) eine *Kritik des Gefühls der Lust und Unlust*, so fern sie nicht empirisch begründet ist, erfodert werden.

Nun hat das *Erkenntnisvermögen* nach Begriffen seine Prinzipien a priori im reinen Verstande (seinem Begriffe von der Natur), das *Begehrungsvermögen* in der reinen Vernunft (ihrem Begriffe von der Freiheit) und da bleibt noch unter den Gemütseigenschaften überhaupt ein mittleres Vermögen oder Empfänglichkeit, nämlich das *Gefühl der Lust und Unlust*, so wie unter den obern Erkenntnisvermögen ein mittleres, die Urteilskraft, übrig. Was ist natürlicher, als zu vermuten: daß die letztere zu dem erstern eben so wohl Prinzipien a priori enthalten werde.

Ohne noch etwas über die Möglichkeit dieser Verknüpfung auszumachen, so ist doch hier schon eine gewisse Angemessenheit der Urteilskraft zum Gefühl der Lust, um diesen[1] zum Bestimmungsgrunde zu dienen oder ihn darin zu finden, so fern unverkennbar: daß, wenn, in der *Einteilung des Erkenntnisvermögens durch Begriffe*, Verstand und Vernunft ihre Vorstellungen auf Objekte beziehen, um Begriffe davon zu bekommen, die Urteilskraft sich lediglich aufs Subjekt bezieht und für sich allein keine Begriffe von Gegenständen hervorbringt. Eben so, wenn, in

[1] Akad.-Ausg.: »diesem«.

der allgemeinen Einteilung der Gemütskräfte überhaupt, Erkenntnisvermögen sowohl als Begehrungsvermögen eine objektive Beziehung der Vorstellungen enthalten, so ist dagegen das Gefühl der Lust und Unlust nur die Empfänglichkeit einer Bestimmung des Subjekts, so, daß, wenn Urteilskraft überall etwas für sich allein bestimmen soll, es wohl nichts anders als das Gefühl der Lust sein könnte und umgekehrt, wenn dieses überall ein Prinzip a priori haben soll, es allein in der Urteilskraft anzutreffen sein werde.

IV. VON DER ERFAHRUNG ALS EINEM SYSTEM FÜR DIE URTEILSKRAFT

Wir haben in der Kritik der reinen Vernunft gesehen, daß die gesamte Natur, als der Inbegriff aller Gegenstände der Erfahrung, ein System nach transzendentalen Gesetzen, nämlich solchen, die der Verstand selbst a priori gibt (für Erscheinungen nämlich, so fern sie, in einem Bewußtsein verbunden, Erfahrung ausmachen sollen), ausmache. Eben darum muß auch die Erfahrung, nach allgemeinen so wohl als besonderen Gesetzen, so wie sie überhaupt, objektiv betrachtet, möglich ist, (in der Idee) ein System möglicher empirischen Erkenntnisse ausmachen. Denn das fordert die Natureinheit, nach einem Prinzip der durchgängigen Verbindung alles dessen, was in diesem Inbegriffe aller Erscheinungen enthalten ist. So weit ist nun Erfahrung überhaupt nach transzendentalen Gesetzen des Verstandes als System und nicht als bloßes Aggregat anzusehen.

Daraus folgt aber nicht, daß die Natur, auch nach empirischen Gesetzen, ein für das menschliche Erkenntnisvermögen faßliches System sei, und der durchgängige systematische Zusammenhang ihrer Erscheinungen in einer Erfahrung, mithin diese selber als System, den Menschen möglich sei. Denn es könnte die Mannigfaltigkeit und Ungleichartigkeit der empirischen Gesetze so groß sein, daß es uns zwar teilweise möglich wäre, Wahrnehmungen nach gelegentlich entdeckten besondern Gesetzen zu einer Erfahrung zu verknüpfen, niemals aber, diese empirische Gesetze selbst zur Einheit der Verwandtschaft unter einem gemeinschaftlichen Prinzip zu bringen, wenn nämlich, wie es doch an sich möglich ist (wenigstens so viel der Verstand a priori ausmachen kann), die Mannigfaltigkeit und Ungleichartigkeit dieser Gesetze, imgleichen der ihnen gemäßen Naturformen, unendlich groß, uns an[1] diesen ein rohes chaotisches Aggregat und nicht die mindeste Spur eines Systems darlegte, ob wir gleich ein solches nach transzendentalen Gesetzen voraussetzten müssen[2].

Denn Einheit der Natur in Zeit und Raume und Einheit der uns möglichen Erfahrung ist einerlei, weil jene ein Inbegriff bloßer Erscheinungen (Vorstellungsarten) ist, welcher seine objektive Realität lediglich in der Erfahrung haben kann, die, als System, selbst nach empirischen Gesetzen, möglich sein muß, wenn man sich jene (wie es denn geschehen muß) wie ein System denkt. Also ist es eine subjektiv-notwendige transzendentale Voraussetzung, daß jene besorgliche grenzenlose Ungleichartigkeit empirischer Gesetze und Heterogeneität der Naturformen der Natur nicht zukomme, vielmehr sie sich, durch die Affinität der besonderen Gesetze unter allgemeinere, zu einer Erfahrung, als einem empirischen System, qualifiziere.

Diese Voraussetzung ist nun das transzendentale Prinzip der Urteilskraft. Denn diese ist nicht bloß ein Vermögen, das Besondere unter dem Allgemeinen (dessen Begriff gegeben ist) zu subsumieren, sondern auch umgekehrt, zu dem Besonderen das Allgemeine zu finden. Der Verstand aber abstrahiert in seiner transzendentalen Gesetzgebung der Natur von aller Mannigfaltigkeit möglicher empirischer Gesetze; er zieht in jener nur die Bedingungen der Möglichkeit einer Erfahrung überhaupt ihrer Form nach in Betrachtung. In ihm ist also jenes Prinzip der Affinität der besonderen Naturgesetze nicht anzutreffen. Allein die Urteilskraft, welcher es obliegt, die besonderen Gesetze, auch nach dem, was sie unter denselben allgemeinen Naturgesetzen Verschiedenes haben, dennoch unter höhere, obgleich immer noch em-

[1] Akad.-Ausg.: »unendlich groß wäre und uns an«. – [2] Akad.-Ausg.: »voraussetzen müssen«; »müssen« späterer Zusatz von Kants Hand.

pirische Gesetze zu bringen, muß ein solches Prinzip ihrem Verfahren zum Grunde legen. Denn durch Herumtappen unter Naturformen, deren Übereinstimmung unter einander, zu gemeinschaftlichen empirischen aber höheren Gesetzen, die Urteilskraft gleichwohl als ganz zufällig ansähe, würde es noch zufälliger sein, wenn sich besondere Wahrnehmungen einmal glücklicher Weise zu einem empirischen Gesetze qualifizierten; viel mehr aber, daß mannigfaltige empirische Gesetze sich zur systematischen Einheit der Naturerkenntnis in einer möglichen Erfahrung in ihrem ganzen Zusammenhange schickten, ohne durch ein Prinzip a priori eine solche Form in der Natur vorauszusetzen.

Alle jene in Schwang gebrachte Formeln: die Natur nimmt den kürzesten Weg – sie tut nichts umsonst – sie begeht keinen Sprung in der Mannigfaltigkeit der Formen (continuum formarum) – sie ist reich in Arten, aber dabei doch sparsam in Gattungen, u. d. g. sind nichts anders als eben dieselbe transzendentale Äußerung der Urteilskraft, sich für die Erfahrung als System und daher zu ihrem eigenen Bedarf ein Prinzip fest zu setzen. Weder Verstand noch Vernunft können a priori ein solches Naturgesetz begründen. Denn, daß die[1] Natur in ihren bloß formalen Gesetzen (wodurch sie Gegenstand der Erfahrung überhaupt ist) nach unserm Verstande richte, läßt sich wohl einsehen, aber in Ansehung der besondern Gesetze, ihrer Mannigfaltigkeit und Ungleichartigkeit ist sie von allen Einschränkungen unseres gesetzgebenden Erkenntnisvermögens frei und es ist eine bloße Voraussetzung der Urteilskraft, zum Behuf ihres eigenen Gebrauchs, von dem Empirisch-besondern jederzeit zum Allgemeinern gleichfalls Empirischen, um der Vereinigung empirischer Gesetze willen, hinaufzusteigen, welche jenes Prinzip gründet. Auf Rechnung der Erfahrung kann man ein solches Prinzip auch keinesweges schreiben, weil nur unter Voraussetzung desselben es möglich ist, Erfahrungen auf systematische Art anzustellen.

[1] Akad.-Ausg.: »daß sich die«.

V. VON DER REFLEKTIERENDEN URTEILSKRAFT

Die Urteilskraft kann entweder als bloßes Vermögen, über eine gegebene Vorstellung, zum Behuf eines dadurch möglichen Begriffs, nach einem gewissen Prinzip zu reflektieren, oder als ein Vermögen, einen zum Grunde liegenden Begriff durch eine gegebene empirische Vorstellung zu bestimmen, angesehen werden. Im ersten Falle ist sie die reflektierende, im zweiten die bestimmende Urteilskraft. Reflektieren (Überlegen) aber ist: gegebene Vorstellungen entweder mit andern, oder mit seinem Erkenntnisvermögen, in Beziehung auf einen dadurch möglichen Begriff, zu vergleichen und zusammen zu halten. Die reflektierende Urteilskraft ist diejenige, welche man auch das Beurteilungsvermögen (facultas diiudicandi) nennt.

Das Reflektieren (welches selbst bei Tieren, obzwar nur instinktmäßig, nämlich nicht in Beziehung auf einen dadurch zu erlangenden Begriff, sondern eine etwa dadurch zu bestimmende Neigung vorgeht) bedarf für uns eben so wohl eines Prinzips, als das Bestimmen, in welchem der zum Grunde gelegte Begriff vom Objekte der Urteilskraft die Regel vorschreibt und also die Stelle des Prinzips vertritt.

Das Prinzip der Reflexion über gegebene Gegenstände der Natur ist: daß sich zu allen Naturdingen empirisch bestimmte Begriffe finden lassen,* welches eben so viel sagen will, als daß man allemal an ihren Produkten eine

* Dieses Prinzip hat beim ersten Anblick gar nicht das Ansehen eines synthetischen und transzendentalen Satzes, sondern scheint vielmehr tautologisch zu sein und zur bloßen Logik zu gehören. Denn diese lehrt, wie man eine gegebene Vorstellung mit andern vergleichen, und dadurch, daß man dasjenige, was sie mit verschiedenen gemein hat, als ein Merkmal zum allgemeinen Gebrauch herauszieht, sich einen Begriff machen könne. Allein, ob die Natur zu jedem Objekte noch viele andere als Gegenstände der Vergleichung, die mit ihm in der Form manches gemein haben, aufzuzeigen habe, darüber lehrt sie nichts; vielmehr ist diese Bedingung der Möglichkeit der Anwendung der Logik auf die Natur ein Prinzip der Vorstellung der Natur, als eines Systems für unsere Urteilskraft, in welchem das Mannigfaltige, in Gattungen und Arten eingeteilt, es möglich macht, alle vorkommende Naturformen durch Vergleichung auf Begriffe (von mehrerer oder minderer Allge-

Form voraussetzen kann, die nach allgemeinen, für uns erkennbaren Gesetzen möglich ist. Denn dürften wir dieses nicht voraussetzen und legten unserer Behandlung der empirischen Vorstellungen dieses Prinzip nicht zum Grunde, so würde alles Reflektieren bloß aufs Geratewohl und blind, mithin ohne gegründete Erwartung ihrer Zusammenstimmung mit der Natur angestellt werden.

In Ansehung der allgemeinen Naturbegriffe, unter denen überhaupt ein Erfahrungsbegriff (ohne besondere empirische Bestimmung) allererst möglich ist, hat die Reflexion im Begriffe einer Natur überhaupt, d. i. im Verstande, schon ihre Anweisung und die Urteilskraft bedarf keines besondern Prinzips der Reflexion, sondern schematisiert dieselbe a priori und wendet diese Schemata auf jede empirische Synthesis an, ohne welche gar kein Erfahrungsurteil möglich wäre. Die Urteilskraft ist hier in ihrer Reflexion zugleich bestimmend und der transzendentale Schematism derselben dient ihr zugleich zur Regel, unter der gegebene empirische Anschauungen subsumiert werden.

Aber zu solchen Begriffen, die zu gegebenen empirischen Anschauungen allererst sollen gefunden werden, und welche ein besonderes Naturgesetz voraussetzen, darnach allein besondere Erfahrung möglich ist, bedarf die Urteilskraft eines eigentümlichen gleichfalls transzendentalen Prinzips ihrer Reflexion und man kann sie nicht wiederum auf schon bekannte empirische Gesetze hinweisen und die Reflexion

meinheit) zu bringen. Nun lehrt zwar schon der reine Verstand (aber auch durch synthetische Grundsätze), alle Dinge der Natur als in einem transzendentalen System nach Begriffen a priori (den Kategorien) enthalten zu denken; allein die Urteilskraft, die auch zu empirischen Vorstellungen, als solchen, Begriffe sucht (die reflektierende), muß noch überdem zu diesem Behuf annehmen, daß die Natur in ihrer grenzenlosen Mannigfaltigkeit eine solche Einteilung derselben in Gattungen und Arten getroffen habe, die es unserer Urteilskraft möglich macht, in der Vergleichung der Naturformen Einhelligkeit anzutreffen und zu empirischen Begriffen, und dem Zusammenhange derselben untereinander, durch Aufsteigen zu allgemeinern gleichfalls empirischen Begriffen zu gelangen: d. i. die Urteilskraft setzt ein System der Natur auch nach empirischen Gesetzen voraus und dieses a priori, folglich durch ein transzendentales Prinzip.

in eine bloße Vergleichung mit empirischen Formen, für die man schon Begriffe hat, verwandeln. Denn es frägt sich, wie man hoffen könne, durch Vergleichung der Wahrnehmungen zu empirischen Begriffen desjenigen, was den verschiedenen Naturformen gemein ist, zu gelangen, wenn die Natur (wie es doch zu denken möglich ist) in diese, wegen der großen Verschiedenheit ihrer empirischen Gesetze, eine so große Ungleichartigkeit gelegt hätte, daß alle, oder doch die meiste Vergleichung vergeblich wäre, eine Einhelligkeit und Stufenordnung von Arten und Gattungen unter ihnen herauszubringen. Alle Vergleichung empirischer Vorstellungen, um empirische Gesetze und diesen gemäße spezifische, durch dieser ihre Vergleichung aber mit andern auch generisch-übereinstimmende Formen an Naturdingen zu erkennen, setzt doch voraus: daß die Natur auch in Ansehung ihrer empirischen Gesetze eine gewisse unserer Urteilskraft angemessene Sparsamkeit und eine für uns faßliche Gleichformigkeit beobachtet habe, und diese Voraussetzung muß, als Prinzip der Urteilskraft a priori, vor aller Vergleichung vorausgehen.

Die reflektierende Urteilskraft verfährt also mit gegebenen Erscheinungen, um sie unter empirische Begriffe von bestimmten Naturdingen zu bringen, nicht schematisch, sondern technisch, nicht gleichsam bloß mechanisch, wie Instrument[1], unter der Leitung des Verstandes und der Sinne, sondern künstlich, nach dem allgemeinen, aber zugleich unbestimmten Prinzip einer zweckmäßigen Anordnung der Natur in einem System, gleichsam zu Gunsten unserer Urteilskraft, in der Angemessenheit ihrer besondern Gesetze (über die der Verstand nichts sagt) zu der Möglichkeit der Erfahrung als eines Systems, ohne welche Voraussetzung wir nicht hoffen können, uns in einem Labyrinth der Mannigfaltigkeit möglicher besonderer Gesetze zurechte zu finden. Also macht sich die Urteilskraft selbst a priori die Technik der Natur zum Prinzip ihrer Reflexion, ohne doch diese erklären noch näher bestimmen zu können, oder dazu einen objektiven Bestimmungsgrund der

[1] Akad.-Ausg.: »wie ein Instrument«.

allgemeinen Naturbegriffe (aus einem Erkenntnis der Dinge an sich selbst) zu haben, sondern nur, um nach ihrem eigenen subjektiven Gesetze, nach ihrem Bedürfnis, dennoch aber zugleich einstimmig mit Naturgesetzen überhaupt, reflektieren zu können.

Das Prinzip der reflektierenden Urteilskraft, dadurch die Natur als System nach empirischen Gesetzen gedacht wird, ist aber bloß ein Prinzip für den logischen Gebrauch der Urteilskraft, zwar ein transzendentales Prinzip seinem Ursprunge nach, aber nur, um die Natur a priori als qualifiziert zu einem logischen System ihrer Mannigfaltigkeit unter empirischen Gesetzen anzusehen.

Die logische Form eines Systems besteht bloß in der Einteilung gegebener allgemeiner Begriffe (dergleichen hier der einer Natur überhaupt ist), dadurch daß man sich das Besondere (hier das Empirische) mit seiner Verschiedenheit, als unter dem Allgemeinen enthalten, nach einem gewissen Prinzip denkt. Hierzu gehört nun, wenn man empirisch verfährt und vom Besondern zum Allgemeinen aufsteigt, eine Klassifikation des Mannigfaltigen, d. i. eine Vergleichung mehrerer Klassen, deren jede unter einem bestimmten Begriffe steht, untereinander, und, wenn jene nach dem gemeinschaftlichen Merkmal vollständig sind, ihre Subsumtion unter höhere Klassen (Gattungen), bis man zu dem Begriffe gelangt, der das Prinzip der ganzen Klassifikation in sich enthält (und die oberste Gattung ausmacht). Fängt man dagegen vom allgemeinen Begriff an, um zu dem besondern durch vollständige Einteilung herabzugehen, so heißt die Handlung die Spezifikation des Mannigfaltigen unter einem gegebenen Begriffe, da von der obersten Gattung zu niedrigen (Untergattungen oder Arten) und von Arten zu Unterarten fortgeschritten wird. Man drückt sich richtiger aus, wenn man, anstatt (wie im gemeinen Redegebrauch) zu sagen, man müsse das Besondere, welches unter einem Allgemeinen steht, spezifizieren, lieber sagt, man spezifiziere den allgemeinen Begriff, indem man das Mannigfaltige unter ihm anführt. Denn die Gattung ist (logisch betrachtet) gleichsam die Materie, oder das rohe

Substrat, welches die Natur durch mehrere Bestimmung zu besondern Arten und Unterarten verarbeitet, und so kann man sagen, die Natur spezifiziere sich selbst nach einem gewissen Prinzip (oder der Idee eines Systems), nach der Analogie des Gebrauchs dieses Worts bei den Rechtslehrern, wenn sie von der Spezifikation gewisser rohen Materien reden.*

Nun ist klar, daß die reflektierende Urteilskraft es ihrer Natur nach nicht unternehmen könne, die ganze Natur nach ihren empirischen Verschiedenheiten zu klassifizieren, wenn sie nicht voraussetzt, die Natur spezifiziere selbst ihre transzendentale Gesetze nach irgend einem Prinzip. Dieses Prinzip kann nun kein anderes, als das der Angemessenheit zum Vermögen der Urteilskraft selbst sein, in der unermeßlichen Mannigfaltigkeit der Dinge nach möglichen empirischen Gesetzen genugsame Verwandtschaft derselben anzutreffen, um sie unter empirische Begriffe (Klassen) und diese unter allgemeinere Gesetze (höhere Gattungen) zu bringen und so zu einem empirischen System der Natur gelangen zu können. – So wie nun eine solche Klassifikation keine gemeine Erfahrungserkenntnis, sondern eine künstliche ist, so wird die Natur, so fern sie so gedacht wird, daß sie sich nach einem solchen Prinzip spezifiziere, auch als Kunst angesehen und die Urteilskraft führt also notwendig a priori ein Prinzip der Technik der Natur bei sich, welche von der Nomothetik derselben nach transzendentalen Verstandesgesetzen darin unterschieden ist, daß diese ihr Prinzip als Gesetz, jene aber nur als notwendige Voraussetzung geltend machen kann.[1]

* Auch die aristotelische Schule nannte die Gattung Materie, den spezifischen Unterschied aber die Form.

[1] Bemerkung der Handschrift am Rande des Absatzes: »NB Konnte wohl Linnäus hoffen, ein System der Natur zu entwerfen, wenn er hätte besorgen müssen, daß, wenn ein [Akad.-Ausg.: »weñ er einen«] Stein fand, den er Granit nannte, dieser von jedem anderen, der doch eben so aussahe, seiner inneren Beschaffenheit unterschieden [Akad.-Ausg.: »Beschaffenheit nach unterschieden«] sein dürfte und er also immer nur einzelne für den Verstand gleichsam isolierte Dinge nie aber eine Klasse derselben, die unter Gattungs- und Artsbegriffe gebracht werden könnten, anzutreffen hoffen dürfte.«

Das eigentümliche Prinzip der Urteilskraft ist also: die Natur spezifiziert ihre allgemeine Gesetze zu empirischen, gemäß der Form eines logischen Systems, zum Behuf der Urteilskraft.

Hier entspringt nun der Begriff einer Zweckmäßigkeit der Natur und zwar als ein eigentümlicher Begriff der reflektierenden Urteilskraft, nicht der Vernunft; indem der Zweck gar nicht im Objekt, sondern lediglich im Subjekt und zwar dessen bloßem Vermögen zu reflektieren gesetzt wird. – Denn zweckmäßig nennen wir dasjenige, dessen Dasein eine Vorstellung desselben Dinges vorauszusetzen scheint; Naturgesetze aber, die so beschaffen und auf einander bezogen sind, als ob sie die Urteilskraft zu ihrem eigenen Bedarf entworfen hätte, haben Ähnlichkeit mit der Möglichkeit der Dinge, die eine Vorstellung dieser Dinge, als Grund derselben voraussetzt. Also denkt sich die Urteilskraft durch ihr Prinzip eine Zweckmäßigkeit der Natur, in der Spezifikation ihrer Formen durch empirische Gesetze.

Dadurch werden aber diese Formen selbst nicht als zweckmäßig gedacht, sondern nur das Verhältnis derselben zu einander, und die Schicklichkeit, bei ihrer großen Mannigfaltigkeit zu einem logischen System empirischer Begriffe. – Zeigte uns nun die Natur nichts mehr als diese logische Zweckmäßigkeit, so würden wir zwar schon Ursache haben, sie hierüber zu bewundern, indem wir nach den allgemeinen Verstandesgesetzen keinen Grund davon anzugeben wissen; allein dieser Bewunderung würde schwerlich jemand anders als etwa ein Transzendental-Philosoph fähig sein, und selbst dieser würde doch keinen bestimmten Fall nennen können, wo sich diese Zweckmäßigkeit in concreto bewiese, sondern sie nur im allgemeinen denken müssen.

VI. VON DER ZWECKMÄSSIGKEIT DER NATURFORMEN ALS SO VIEL BESONDERER SYSTEME

Daß die Natur in ihren empirischen Gesetzen sich selbst so spezifiziere, als es zu einer möglichen Erfahrung, als einem System empirisches[1] Erkenntnis, erforderlich ist, diese Form der Natur enthält eine logische Zweckmäßigkeit, nämlich ihrer Übereinstimmung zu den subjektiven Bedingungen der Urteilskraft in Ansehung des möglichen Zusammenhangs empirischer Begriffe in dem Ganzen einer Erfahrung. Nun gibt dieses aber keine Folgerung auf ihre Tauglichkeit zu einer realen Zweckmäßigkeit in ihren Produkten, d. i. einzelne Dinge in der Form von Systemen hervorzubringen: denn diese könnten immer, der Anschauung nach, bloße Aggregate und dennoch nach empirischen Gesetzen, welche mit andern in einem System logischer Einteilung zusammenhängen, möglich sein, ohne daß zu ihrer besondren Möglichkeit ein eigentlich darauf angestellter Begriff, als Bedingung derselben, mithin eine ihr zum Grunde liegende Zweckmäßigkeit der Natur, angenommen werden dürfte. Auf solche Weise sehen wir Erden, Steine, Mineralien u.d.g. ohne alle zweckmäßige Form, als bloße Aggregate, dennoch den innern Charaktern und Erkenntnisgründen ihrer Möglichkeit nach so verwandt, daß sie unter empirischen Gesetzen zur Klassifikation der Dinge in einem System der Natur tauglich sind, ohne doch eine Form des Systems an ihnen selbst zu zeigen.

Ich verstehe daher unter einer absoluten Zweckmäßigkeit der Naturformen diejenige äußere Gestalt, oder auch den innern Bau derselben, die so beschaffen sind, daß ihrer Möglichkeit eine Idee von denselben in unserer Urteilskraft zum Grunde gelegt werden muß. Denn Zweckmäßigkeit ist eine Gesetzmäßigkeit des Zufälligen als eines solchen. Die Natur verfährt in Ansehung ihrer Produkte als Aggregate mechanisch, als bloße Natur; aber in Ansehung derselben als Systeme, z. B. Kristallbildungen, allerlei Gestalt der Blumen, oder dem innern Bau der Gewächse und Tiere, technisch, d. i. zugleich als Kunst. Der Unterschied dieser beiderlei Arten, die Naturwesen zu beurteilen, wird bloß durch die reflektierende Urteilskraft gemacht, die es ganz wohl kann und vielleicht auch muß geschehen lassen, was die bestimmende (unter Prinzipien der Ver-

[1] Akad.-Ausg.: »empirischer«.

nunft) ihr, in Ansehung der Möglichkeit der Objekte selbst, nicht einräumte und vielleicht alles auf mechanische Erklärungsart zurückgeführt wissen möchte; denn es kann gar wohl neben einander bestehen, daß die Erklärung einer Erscheinung, die ein Geschäft der Vernunft nach objektiven Prinzipien ist, mechanisch, die Regel der Beurteilung aber desselben Gegenstandes, nach subjektiven Prinzipien der Reflexion über denselben, technisch sei.

Ob nun zwar das Prinzip der Urteilskraft von der Zweckmäßigkeit der Natur in der Spezifikation ihrer allgemeinen Gesetze keinesweges sich so weit erstreckt, um daraus auf die Erzeugung an sich zweckmäßiger Naturformen zu schließen (weil auch ohne sie das System der Natur nach empirischen Gesetzen, welches allein die Urteilskraft zu postulieren Grund hatte, möglich ist), und diese lediglich durch Erfahrung gegeben werden müssen: so bleibt es doch, weil wir einmal der Natur in ihren besondren Gesetzen ein Prinzip der Zweckmäßigkeit unterzulegen Grund haben, immer möglich und erlaubt, wenn uns die Erfahrung zweckmäßige Formen an ihren Produkten zeigt, dieselbe eben demselben Grunde, als worauf die erste beruhen mag, zuzuschreiben.

Obgleich auch dieser Grund selber so gar im Übersinnlichen liegen und über den Kreis der uns möglichen Natureinsichten hinausgerückt sein möchte, so haben wir auch schon dadurch etwas gewonnen, daß wir für die sich in der Erfahrung vorfindende Zweckmäßigkeit der Naturformen ein transzendentales Prinzip der Zweckmäßigkeit der Natur in der Urteilskraft in Bereitschaft haben, welches, wenn es gleich die Möglichkeit solcher Formen zu erklären nicht hinreichend ist, es dennoch wenigstens erlaubt macht, einen so besondren Begriff, als der der Zweckmäßigkeit ist, auf Natur und ihre Gesetzmäßigkeit anzuwenden, ob er zwar kein objektiver Naturbegriff sein kann, sondern bloß vom subjektiven Verhältnisse derselben auf ein Vermögen des Gemüts hergenommen ist.

VII. VON DER TECHNIK DER URTEILSKRAFT ALS DEM GRUNDE DER IDEE EINER TECHNIK DER NATUR

Die Urteilskraft macht es, wie oben gezeigt worden, allererst möglich, ja notwendig, außer der mechanischen Naturnotwendigkeit sich an ihr auch eine Zweckmäßigkeit zu denken, ohne deren Voraussetzung die systematische Einheit in der durchgängigen Klassifikation besonderer Formen nach empirischen Gesetzen nicht möglich sein würde. Zunächst ist gezeigt worden, daß, da jenes Prinzip der Zweckmäßigkeit nur ein subjektives Prinzip der Einteilung und Spezifikation der Natur ist, es in Ansehung der Formen der Naturprodukte nichts bestimme. Auf welche Weise also würde diese Zweckmäßigkeit bloß in Begriffen bleiben und[1] dem logischen Gebrauche der Urteilskraft in der Erfahrung zwar eine Maxime der Einheit der Natur ihren empirischen Gesetzen nach, zum Behuf des Vernunftgebrauchs über ihre Objekte, untergelegt, von dieser besondern Art der systematischen Einheit aber, nämlich der nach der Vorstellung eines Zwecks, keine Gegenstände in der Natur, als mit ihrer Form dieser korrespondierende[2] Produkte, gegeben werden würden. – Die Kausalität nun der Natur, in Ansehung der Form ihrer Produkte als Zwecke, würde ich die Technik der Natur nennen. Sie wird der Mechanik derselben entgegengesetzt, welche in ihrer Kausalität durch die Verbindung des Mannigfaltigen ohne einen der Art ihrer Vereinigung zum Grunde liegenden Begriff besteht, ungefähr so wie wir gewisse Hebezeuge, die ihren zu einem Zwecke abgezielten Effekt, auch ohne eine ihr[3] zum Grunde gelegte Idee haben können, z. B. einen Hebebaum, eine schiefe Fläche, zwar Maschinen, aber nicht Kunstwerke nennen werden; weil sie zwar zu Zwecken gebraucht werden können, aber nicht bloß in Beziehung auf sie möglich sind.

Die erste Frage ist nun hier: Wie läßt sich die Technik der Natur an ihren Produkten wahrnehmen? Der Begriff

[1] Akad.-Ausg.: »also diese Zweckmäßigkeit blos in Begriffen bleiben würde und«. – [2] Akad.-Ausg. erwägt: »als mit dieser ihrer Form korrespondierende«. – [3] Akad.-Ausg.: »ihm«.

der Zweckmäßigkeit ist gar kein konstitutiver Begriff der Erfahrung, keine Bestimmung einer Erscheinung, zu einem empirischen Begriffe vom Objekte gehörig; denn er ist keine Kategorie. In unserer Urteilskraft nehmen wir die Zweckmäßigkeit wahr, so fern sie über ein gegebenes Objekt bloß reflektiert, es sei über die empirische Anschauung desselben, um sie auf irgend einen Begriff (unbestimmt welchen) zu bringen, oder über den Erfahrungsbegriff selbst, um die Gesetze, die er enthält, auf gemeinschaftliche Prinzipien zu bringen. Also ist die Urteilskraft eigentlich technisch; die Natur wird nur als technisch vorgestellt, so fern sie zu jenem Verfahren derselben zusammenstimmt und es notwendig macht. Wir werden so gleich die Art zeigen, wie der Begriff der reflektierenden Urteilskraft, der die innere Wahrnehmung einer Zweckmäßigkeit der Vorstellungen möglich macht, auch zur Vorstellung des Objekts, als unter ihm enthalten, angewandt werden könne.[1]

Zu jedem empirischen Begriffe gehören nämlich drei Handlungen des selbsttätigen Erkenntnisvermögens: 1. die Auffassung (apprehensio) des Mannigfaltigen der Anschauung, 2. die Zusammenfassung, d.i. die synthetische Einheit des Bewußtseins dieses Mannigfaltigen in dem Begriffe eines Objekts (apperceptio comprehensiva), 3. die Darstellung (exhibitio) des diesem Begriff korrespondierenden Gegenstandes in der Anschauung. Zu der ersten Handlung wird Einbildungskraft, zur zweiten Verstand, zur dritten Urteilskraft erfordert, welche, wenn es um einen empirischen Begriff zu tun ist, bestimmende Urteilskraft sein würde.

Weil es aber in der bloßen Reflexion über eine Wahrnehmung nicht um einen bestimmten Begriff, sondern überhaupt nur um die Regel, über eine Wahrnehmung zum Behuf des Verstandes, als eines Vermögens der Begriffe, zu reflektieren, zu tun ist: so sieht man wohl, daß in einem bloß reflektierenden Urteile Einbildungskraft und Verstand in dem Verhältnisse, in welchem sie in der Urteilskraft über-

[1] Bemerkung der Handschrift am Rande des Absatzes: »Wir legen, sagt man, Endursachen in die Dinge hinein und heben sie nicht gleichsam aus ihrer Wahrnehmung heraus.«

haupt gegen einander stehen müssen, mit dem Verhältnisse, in welchem sie bei einer gegebenen Wahrnehmung wirklich stehen, verglichen, betrachtet werden.

Wenn denn die Form eines gegebenen Objekts in der empirischen Anschauung so beschaffen ist, daß die Auffassung des Mannigfaltigen desselben in der Einbildungskraft mit der Darstellung eines Begriffs des Verstandes (unbestimmt welches Begriffs) übereinkommt, so stimmen in der bloßen Reflexion Verstand und Einbildungskraft wechselseitig zur Beförderung ihres Geschäfts zusammen, und der Gegenstand wird als zweckmäßig, bloß für die Urteilskraft, wahrgenommen, mithin die Zweckmäßigkeit selbst bloß als subjektiv betrachtet; wie denn auch dazu gar kein bestimmter Begriff vom Objekte erfordert noch dadurch erzeugt wird, und das Urteil selbst kein Erkenntnisurteil ist. – Ein solches Urteil heißt ein ästhetisches Reflexions-Urteil.

Dagegen, wenn bereits empirische Begriffe und eben solche Gesetze, gemäß dem Mechanism der Natur gegeben sind und die Urteilskraft vergleicht einen solchen Verstandesbegriff mit der Vernunft und ihrem Prinzip der Möglichkeit eines Systems, so ist, wenn diese Form an dem Gegenstande angetroffen wird, die Zweckmäßigkeit objektiv beurteilt und das Ding heißt ein Naturzweck, da vorher nur Dinge als unbestimmt-zweckmäßige Naturformen beurteilt wurden. Das Urteil über die objektive Zweckmäßigkeit der Natur heißt teleologisch. Es ist ein Erkenntnisurteil, aber doch nur der reflektierenden, nicht der bestimmenden Urteilskraft angehörig. Denn überhaupt ist die Technik der Natur, sie mag nun bloß formal oder real sein, nur ein Verhältnis der Dinge zu unserer Urteilskraft, in welcher allein die Idee einer Zweckmäßigkeit der Natur anzutreffen sein kann, und die, bloß in Beziehung auf jene, der Natur beigelegt wird.

VIII. VON DER ÄSTHETIK DES BEURTEILUNGSVERMÖGENS

Der Ausdruck einer ästhetischen Vorstellungsart ist ganz unzweideutig, wenn darunter die Beziehung der Vorstellung auf einen Gegenstand, als Erscheinung, zur Erkenntnis desselben verstanden wird; denn alsdenn bedeutet der Ausdruck des Ästhetischen, daß einer solchen Vorstellung die Form der Sinnlichkeit (wie das Subjekt affiziert wird) notwendig anhänge und diese daher unvermeidlich auf das Objekt (aber nur als Phänomen) übertragen werde. Daher konnte es eine transzendentale Ästhetik als zum Erkenntnisvermögen gehörige Wissenschaft geben. Seit geraumer Zeit aber ist es Gewohnheit geworden, eine Vorstellungsart ästhetisch, d. i. sinnlich, auch in der Bedeutung zu heißen, daß darunter die Beziehung einer Vorstellung nicht aufs Erkenntnisvermögen, sondern aufs Gefühl der Lust und Unlust gemeinet wird. Ob wir nun gleich dieses Gefühl (dieser Benennung gemäß) auch einen Sinn (Modifikation unseres Zustandes) zu nennen pflegen, weil uns ein anderer Ausdruck mangelt, so ist er doch kein objektiver Sinn, dessen Bestimmung zum Erkenntnis eines Gegenstandes gebraucht würde (denn etwas mit Lust anschauen, oder sonst erkennen, ist nicht bloße Beziehung der Vorstellung auf das Objekt, sondern eine Empfänglichkeit des Subjekts), sondern der gar nichts zum Erkenntnisse der Gegenstände beiträgt. Eben darum, weil alle Bestimmungen des Gefühls bloß von subjektiver Bedeutung sind, so kann es nicht eine Ästhetik des Gefühls als Wissenschaft geben, etwa wie es eine Ästhetik des Erkenntnisvermögens gibt. Es bleibt also immer eine unvermeidliche Zweideutigkeit in dem Ausdrucke einer ästhetischen Vorstellungsart, wenn man darunter bald diejenige versteht, welche das Gefühl der Lust und Unlust erregt, bald diejenige, welche bloß das Erkenntnisvermögen angeht, sofern darin sinnliche Anschauung angetroffen wird, die uns die Gegenstände nur als Erscheinungen erkennen läßt.

Diese Zweideutigkeit kann indessen doch gehoben werden, wenn man den Ausdruck ästhetisch, weder von der Anschauung, noch weniger aber von Vorstellungen des Verstandes, sondern allein von den Handlungen der Urteilskraft braucht. Ein ästhetisch Urteil, wenn man es zur objektiven Bestimmung brauchen wollte, würde so auffallend widersprechend sein, daß man bei diesem Ausdruck wider Mißdeutung genug gesichert ist. Denn Anschauungen können zwar sinnlich sein, aber Urteilen gehört schlechterdings nur dem Verstande (in weiterer Bedeutung genommen) zu, und ästhetisch oder sinnlich urteilen, so fern dieses Erkenntnis eines Gegenstandes sein soll, ist selbst alsdann ein Widerspruch, wenn Sinnlichkeit sich in das Geschäft des Verstandes einmengt und (durch ein vitium subreptionis) dem Verstande eine falsche Richtung gibt; das objektive Urteil wird vielmehr immer nur durch den Verstand gefällt, und kann sofern nicht ästhetisch heißen. Daher hat unsere transzendentale Ästhetik des Erkenntnisvermögens wohl von sinnlichen Anschauungen, aber nirgend von ästhetischen Urteilen reden können, weil, da sie es nur mit Erkenntnisurteilen, die das Objekt bestimmen, zu tun hat, ihre Urteile insgesamt logisch sein müssen. Durch die Benennung eines ästhetischen Urteils über ein Objekt wird also so fort angezeigt, daß eine gegebene Vorstellung zwar auf ein Objekt bezogen, in dem Urteile aber nicht die Bestimmung des Objekts, sondern des Subjekts und seines Gefühls verstanden werde. Denn in der Urteilskraft werden Verstand und Einbildungskraft im Verhältnisse gegen einander betrachtet, und dieses kann zwar erstlich objektiv, als zum Erkenntnis gehörig, in Betracht gezogen werden (wie in dem transzendentalen Schematism der Urteilskraft geschah); aber man kann eben dieses Verhältnis zweier Erkenntnisvermögen doch auch bloß subjektiv betrachten, so fern eins das andere in eben derselben Vorstellung befördert oder hindert und dadurch den Gemütszustand affiziert und also ein Verhältnis, welches empfindbar ist (ein Fall, der bei dem abgesonderten Gebrauch keines andern Erkenntnisvermögens statt findet). Obgleich nun diese Empfindung keine sinnliche Vorstellung eines Objekts ist, so kann sie doch, da sie subjektiv mit der Versinnlichung der Verstandesbegriffe durch die Urteilskraft verbunden ist, als sinnliche Vorstellung des Zustandes des Subjekts, das durch einen Actus jenes Vermögens affiziert wird, der Sinnlichkeit beigezählt und ein Urteil ästhetisch, d. i. sinnlich (der subjektiven Wirkung, nicht dem Bestimmungsgrunde nach) genannt werden, obgleich Urteilen (nämlich objektiv) eine

Handlung des Verstandes (als Obern Erkenntnisvermögens überhaupt) und nicht der Sinnlichkeit ist.

Ein jedes bestimmende Urteil ist logisch, weil das Prädikat desselben ein gegebener objektiver Begriff ist. Ein bloß reflektierendes Urteil aber über einen gegebenen einzelnen Gegenstand kann ästhetisch sein, wenn (ehe noch auf die Vergleichung desselben mit andren gesehen wird) die Urteilskraft, die keinen Begriff für die gegebene Anschauung bereit hat, die Einbildungskraft (bloß in der Auffassung desselben) mit dem Verstande (in Darstellung eines Begriffs überhaupt) zusammenhält und ein Verhältnis beider Erkenntnisvermögen wahrnimmt, welches die subjektive bloß empfindbare Bedingung des objektiven Gebrauchs der Urteilskraft (nämlich die Zusammenstimmung jener beiden Vermögen unter einander) überhaupt ausmacht. Es ist aber auch ein ästhetisches Sinnenurteil möglich, wenn nämlich das Prädikat des Urteils gar kein Begriff von einem Objekt sein kann, indem es gar nicht zum Erkenntnisvermögen gehört, z.B. der Wein ist angenehm, da denn das Prädikat die Beziehung einer Vorstellung unmittelbar auf das Gefühl der Lust und nicht aufs Erkenntnisvermögen ausdruckt.

Ein ästhetisches Urteil im allgemeinen kann also für dasjenige Urteil erklärt werden, dessen Prädikat niemals Erkenntnis (Begriff von einem Objekte) sein kann (ob es gleich die subjektive Bedingungen zu einem Erkenntnis überhaupt enthalten mag). In einem solchen Urteile ist der Bestimmungsgrund Empfindung. Nun ist aber nur eine einzige so genannte Empfindung, die niemals Begriff von einem Objekte werden kann, und diese ist das Gefühl der Lust und Unlust. Diese ist bloß subjektiv, da hingegen alle übrigen[1] Empfindung zu Erkenntnis gebraucht werden kann. Also ist ein ästhetisches Urteil dasjenige, dessen Bestimmungsgrund in einer Empfindung liegt, die mit dem Gefühle der Lust und Unlust unmittelbar verbunden ist. Im ästhetischen Sinnes-Urteile ist es diejenige Empfindung, welche von der empirischen Anschauung des Gegenstandes unmittelbar hervorgebracht wird, im ästhetischen Reflexions-

[1] Akad.-Ausg.: »übrige«.

urteile aber die, welche das harmonische Spiel der beiden Erkenntnisvermögen der Urteilskraft, Einbildungskraft und Verstand im Subjekte bewirkt, indem in der gegebenen Vorstellung das Auffassungsvermögen der einen und das Darstellungsvermögen der andern einander wechselseitig beförderlich sind, welches Verhältnis in solchem Falle durch diese bloße Form eine Empfindung bewirkt, welche der Bestimmungsgrund eines Urteils ist, das darum ästhetisch heißt und als subjektive Zweckmäßigkeit (ohne Begriff) mit dem Gefühle der Lust verbunden ist.

Das ästhetische Sinnesurteil enthält materiale, das ästhetische Reflexionsurteil aber formale Zweckmäßigkeit. Aber, da das erstere sich gar nicht aufs Erkenntnisvermögen bezieht, sondern unmittelbar durch den Sinn aufs Gefühl der Lust, so ist nur das letztere als auf eigentümlichen Prinzipien der Urteilskraft gegründet anzusehen. Wenn nämlich die Reflexion über eine gegebene Vorstellung vor dem Gefühle der Lust (als Bestimmungsgrunde des Urteils) vorhergeht, so wird die subjektive Zweckmäßigkeit *gedacht*, ehe sie in ihrer Wirkung *empfunden* wird, und das ästhetische Urteil gehört so fern, nämlich seinen Prinzipien nach, zum obern Erkenntnisvermögen und zwar zur Urteilskraft, unter deren subjektive und doch dabei allgemeine Bedingungen die Vorstellung des Gegenstandes subsumiert wird. Dieweil aber eine bloß subjektive Bedingung eines Urteils keinen bestimmten Begriff von dem Bestimmungsgrunde desselben verstattet, so kann dieser nur im Gefühle der Lust gegeben werden, so doch, daß das ästhetische Urteil immer ein Reflexionsurteil ist: da hingegen ein solches, welches keine Vergleichung der Vorstellung mit den Erkenntnisvermögen, die in der Urteilskraft vereinigt wirken, voraussetzt, ein ästhetisches Sinnenurteil ist, das eine gegebene Vorstellung auch (aber nicht vermittelst der Urteilskraft und ihrem Prinzip) aufs Gefühl der Lust bezieht. Das Merkmal, über diese Verschiedenheit zu entscheiden, kann allererst in der Abhandlung selbst angegeben werden und besteht in dem Anspruche des Urteils auf allgemeine Gültigkeit und Notwendigkeit; denn wenn das ästhetische Urteil dergleichen bei sich führt, so macht es auch Anspruch darauf, daß sein Bestimmungsgrund nicht bloß im Gefühle der Lust und Unlust für sich allein, sondern zugleich in einer Regel der oberen Erkenntnisvermögen, und namentlich hier in der der Urteilskraft, liegen müsse, die also in Ansehung der Bedingungen der Reflexion a priori gesetzgebend ist und Autonomie beweiset; diese Autonomie aber ist nicht (so wie die des Verstandes, in Ansehung der theoretischen Gesetze der Natur, oder der Vernunft, in praktischen Gesetzen der Freiheit) objektiv, d. i. durch Begriffe von Dingen oder möglichen Handlungen, sondern bloß subjektiv, für das Urteil aus Gefühl gültig, welches, wenn es auf Allgemeingültigkeit Anspruch machen kann, seinen auf Prinzipien a priori gegründeten Ursprung beweiset. Diese Gesetzgebung müßte man eigentlich Heautonomie nennen, da die Urteilskraft nicht der Natur, noch der Freiheit, sondern lediglich ihr selbst das Gesetz gibt und kein Vermögen ist, Begriffe von Objekten hervorzubringen, sondern nur mit denen, die ihr anderweitig gegeben sind, vorkommende Fälle zu vergleichen und die subjektive Bedingungen der Möglichkeit dieser Verbindung a priori anzugeben.

Eben daraus läßt sich auch verstehen, warum sie in einer Handlung, die sie für sich selbst (ohne zum Grunde gelegten Begriff von Objekte), als bloß reflektierende Urteilskraft, ausübt, statt einer Beziehung der gegebenen Vorstellung auf ihre eigene Regel mit Bewußtsein derselben, die Reflexion unmittelbar nur auf Empfindung, die, wie alle Empfindungen, jederzeit mit Lust oder Unlust begleitet ist, bezieht (welches von keinem andern obern Erkenntnisvermögen geschieht); weil nämlich die Regel selbst nur subjektiv ist und die Übereinstimmung mit derselben nur an dem, was gleichfalls bloß Beziehung aufs Subjekt ausdrückt, nämlich Empfindung, als dem Merkmale und Bestimmungsgrunde des Urteils, erkannt werden kann; daher es auch ästhetisch heißt, und mithin alle unsere Urteile, nach der Ordnung der obern Erkenntnisvermögen, in theoretische, ästhetische und praktische eingeteilt werden können, wo unter den ästhetischen nur die Reflexionsurteile verstanden werden, welche sich allein auf ein Prinzip der Urteilskraft, als obern Erkenntnisvermögens, beziehen, da hingegen die ästhetische Sinnenurteile es nur mit dem Verhältnis der Vorstellungen zum innern Sinne, so fern derselbe Gefühl ist, unmittelbar zu tun haben.

Anmerkung

Hier ist nun vorzüglich nötig, die Erklärung der Lust, als sinnlicher Vorstellung der Vollkommenheit eines Gegenstandes zu beleuchten. Nach dieser Erklärung würde ein ästhetisches Sinnen- oder Reflexionsurteil jederzeit ein Erkenntnisurteil vom Objekte sein; denn Vollkommenheit ist eine Bestimmung, die einen Begriff vom Gegenstande voraussetzt, wodurch also das Urteil, welches dem Gegenstande Vollkommenheit beilegt, von andern logischen Urteilen gar nicht unterschieden wird, als etwa, wie man vorgibt, durch die Verworrenheit, die dem Begriffe anhängt (die man Sinnlichkeit zu nennen sich anmaßt), die aber schlechterdings keinen spezifischen Unterschied der Urteile ausmachen kann. Denn sonst würde eine unendliche Menge, nicht allein von Verstandes, sondern so gar von Vernunfturteilen, auch ästhetisch heißen müssen, weil in ihnen ein Objekt durch einen Begriff, der verworren ist, bestimmt wird, wie z. B. die Urteile über Recht und Unrecht; denn wie wenig Menschen (so gar Philosophen) haben einen deutlichen Begriff von dem was Recht ist.* Sinnliche Vorstellung der Vollkommenheit ist ein ausdrücklicher Widerspruch, und wenn die Zusammenstimmung des Mannigfaltigen zu Einem Vollkommenheit heißen soll, so muß sie durch einen

* Man kann überhaupt sagen: daß Dinge durch eine Qualität, die in jede andere durch die bloße Vermehrung oder Verminderung ihres Grades übergeht, niemals für spezifisch-verschieden gehalten werden müssen. Nun kommt es bei dem Unterschiede der Deutlichkeit und Verworrenheit der Begriffe lediglich auf den Grad des Bewußtseins der Merkmale, nach dem Maße der auf sie gerichteten Aufmerksamkeit, an, mithin ist sofern eine Vorstellungsart von der andern nicht spezifisch verschieden. Anschauung aber und Begriff unterscheiden sich von einander spezifisch; denn sie gehen in einander nicht über: das Bewußtsein beider, und der Merkmale derselben, mag wachsen oder abnehmen,

Begriff vorgestellt werden, sonst kann sie nicht den Namen der Vollkommenheit führen. Will man, daß Lust und Unlust nichts als bloße Erkenntnisse der Dinge durch den Verstand (der sich nur nicht seiner Begriffe bewußt sei) sein sollen und daß sie uns nur bloße Empfindungen zu sein scheinen, so müßte man die Beurteilung der Dinge durch dieselbe nicht ästhetisch (sinnlich), sondern allerwärts intellektuell nennen und Sinne wären im Grunde nichts als ein (obzwar ohne hinreichendes Bewußtsein seiner eigenen Handlungen) urteilender Verstand, die ästhetische Vorstellungsart wäre von der logischen nicht spezifisch unterschieden, und so wäre, da man die Grenzscheidung beider unmöglich auf bestimmte Art ziehen kann, diese Verschiedenheit der Benennung ganz unbrauchbar. (Von dieser mystischen Vorstellungsart der Dinge der Welt, welche keine von Begriffen überhaupt unterschiedene Anschauung als sinnlich zuläßt, wo alsdann für die erstere wohl nichts als ein anschauender Verstand übrig bleiben würde, hier nichts zu erwähnen.)

Noch könnte man fragen: Bedeutet unser Begriff einer Zweckmäßigkeit der Natur nicht eben dasselbe, was der Begriff der Vollkommenheit sagt, und ist also das empirische Bewußtsein der subjektiven Zweckmäßigkeit, oder das Gefühl der Lust an gewissen Gegenständen, nicht die sinnliche Anschauung einer Vollkommenheit, wie einige die Lust überhaupt erklärt wissen wollen?

Ich antworte: Vollkommenheit, als bloße Vollständigkeit des Vielen, so fern es zusammen Eines ausmacht, ist ein ontologischer Begriff, der mit dem der Totalität (Allheit) eines Zusammengesetzten (durch Koordination des Mannigfaltigen in einem Aggregat, oder zugleich der Subordination der-

wie es will. Denn die größte Undeutlichkeit einer Vorstellungsart durch Begriffe (wie z. B. des Rechts) läßt noch immer den spezifischen Unterschied der letztern in Ansehung ihres Ursprungs im Verstande übrig und die größte Deutlichkeit der Anschauung bringt diese nicht im mindesten den ersteren näher, weil die letztere Vorstellungsart in der Sinnlichkeit ihren Sitz hat. Die logische Deutlichkeit ist auch von der ästhetischen himmelweit unterschieden und die letztere findet statt, ob wir uns gleich den Gegenstand gar nicht durch Begriffe vorstellig machen, das heißt, obgleich die Vorstellung, als Anschauung, sinnlich ist.

selben als Gründe und Folgen in einer Reihe) einerlei[1] ist und der mit dem Gefühle der Lust oder Unlust nicht das mindeste zu tun hat. Die Vollkommenheit eines Dinges in Beziehung seines Mannigfaltigen auf einen Begriff desselben ist nur formal. Wenn ich aber von einer Vollkommenheit (deren es viele an einem Dinge unter demselben Begriffe desselben geben kann) rede, so liegt immer der Begriff von etwas, als einem Zwecke, zum Grunde, auf welchen jener ontologische, der Zusammenstimmung des Mannigfaltigen zu Einem, angewandt wird. Dieser Zweck darf aber nicht immer ein praktischer Zweck sein, der eine Lust an der Existenz des Objekts voraussetzt, oder einschließt, sondern er kann auch zur Technik gehören, betrifft also bloß die Möglichkeit der Dinge und ist die Gesetzmäßigkeit einer an sich zufälligen Verbindung des Mannigfaltigen in demselben. Zu einem Beispiel mag die Zweckmäßigkeit dienen, die man an einem regulären Sechseck in seiner Möglichkeit notwendig denkt, indem es ganz zufällig ist, daß sechs gleiche Linien auf einer Ebene gerade in lauter gleichen Winkeln zusammenstoßen, denn diese gesetzmäßige Verbindung setzt einen Begriff voraus, der, als Prinzip, sie möglich macht. Dergleichen objektive Zweckmäßigkeit an Dingen der Natur beobachtet (vornehmlich an organisierten Wesen) wird nun als objektiv und material gedacht und führt notwendig den Begriff eines Zwecks der Natur (eines wirklichen oder ihr angedichteten) bei sich, in Beziehung auf welchen wir den Dingen auch Vollkommenheit beilegen, darüber das Urteil teleologisch heißt und gar kein Gefühl der Lust bei sich führt, so wie diese überhaupt in dem Urteile über die bloße Kausal-Verbindung gar nicht gesucht werden darf.

Überhaupt hat also der Begriff der Vollkommenheit als objektiver Zweckmäßigkeit mit dem Gefühle der Lust und diese mit jenem gar nichts zu tun. Zu der Beurteilung der ersteren gehört notwendig ein Begriff vom Objekt, zu der durch die zweite ist er dagegen gar nicht nötig und bloße empirische Anschauung kann sie verschaffen. Dagegen ist die Vorstellung einer subjektiven Zweckmäßigkeit eines Ob-

[1] Akad.-Ausg. erwägt: »Aggregat), oder... Reihe einerley«.

jekts mit dem Gefühle der Lust so gar einerlei (ohne daß eben ein abgezogener Begriff eines Zweckverhältnisses dazu gehörte) und zwischen dieser und jener ist eine sehr große Kluft. Denn ob, was subjektiv zweckmäßig ist, es auch objektiv sei, dazu wird eine mehrenteils weitläuftige Untersuchung, nicht allein der praktischen Philosophie, sondern auch der Technik, es sei der Natur oder der Kunst erfordert, d. i., um Vollkommenheit an einem Dinge zu finden, dazu wird Vernunft, um Annehmlichkeit, wird bloßer Sinn, um Schönheit an ihm anzutreffen, nichts als die bloße Reflexion (ohne allen Begriff) über eine gegebene Vorstellung erfordert.

Das ästhetische Reflexionsvermögen urteilt also nur über subjektive Zweckmäßigkeit (nicht über Vollkommenheit) des Gegenstandes: und es frägt sich da, ob nur *vermittelst* der dabei empfundenen Lust oder Unlust, oder sogar *über* dieselbe, so daß das Urteil zugleich bestimme, daß mit der Vorstellung des Gegenstandes Lust oder Unlust verbunden sein *müsse*.

Diese Frage läßt sich, wie oben schon erwähnt, hier noch nicht hinreichend entscheiden. Es muß sich aus der Exposition dieser Art Urteile in der Abhandlung allererst ergeben, ob sie eine Allgemeinheit und Notwendigkeit bei sich führen, welche sie zur Ableitung von einem Bestimmungsgrunde a priori qualifiziere. In diesem Falle würde das Urteil zwar vermittelst der Empfindung der Lust oder Unlust, aber doch auch zugleich über die Allgemeinheit der Regel, sie mit einer gegebenen Vorstellung zu verbinden, durch das Erkenntnisvermögen (namentlich die Urteilskraft) a priori etwas bestimmen. Sollte dagegen das Urteil nichts als das Verhältnis der Vorstellung zum Gefühl (ohne Vermittelung eines Erkenntnisprinzips) enthalten, wie es beim ästhetischen Sinnesurteil der Fall ist (welches weder ein Erkenntnis- noch ein Reflexionsurteil ist), so würden alle ästhetische Urteile ins bloß empirische Fach gehören.

Vorläufig kann noch angemerkt werden: daß vom Erkenntnis zum Gefühl der Lust und Unlust kein Übergang *durch Begriffe* von Gegenständen (so fern diese auf jenes in Beziehung stehen sollen) statt finde, und daß man also nicht erwarten dürfe, den Einfluß, den eine gegebene Vorstellung auf das Gemüt tut, a priori zu bestimmen, so wie wir ehedem in der Krit. d. prakt. V., daß die Vorstellung einer allgemeinen Gesetzmäßigkeit des Wollens zugleich Willen bestimmend und dadurch auch das Gefühl der Achtung erwekkend sein müsse, als ein in unsern moralischen Urteilen und zwar a priori enthaltenes Gesetz, bemerkten, aber dieses Gefühl nichts desto weniger aus Begriffen doch nicht ableiten konnten. Eben so wird das ästhetische Reflexionsurteil uns in seiner Auflösung den in ihr enthaltenen[1] auf einem Prinzip a priori beruhenden Begriff der formalen aber subjektiven Zweckmäßigkeit der Objekte darlegen, der mit dem Gefühle der Lust im Grunde einerlei ist, aber aus keinen Begriffen abgeleitet werden kann; auf deren Möglichkeit überhaupt gleichwohl die Vorstellungskraft Beziehung nimmt, wenn sie das Gemüt, in der Reflexion über einen Gegenstand, affiziert.

Eine Erklärung dieses Gefühls im allgemeinen betrachtet, ohne auf den Unterschied zu sehen, ob es die Sinnesempfindung, oder die Reflexion, oder die Willensbestimmung begleite, muß transzendental sein.*

* Es ist von Nutzen: zu Begriffen, welche man als empirische Prinzipien braucht, eine transzendentale Definition zu versuchen, wenn man Ursache hat zu vermuten, daß sie mit dem reinen Erkenntnisvermögen a priori in Verwandtschaft stehen. Man verfährt alsdenn wie der Mathematiker, welcher die Auflösung seiner Aufgabe dadurch sehr erleichtert, daß er die empirische Data derselben unbestimmt läßt und die bloße Synthesis derselben unter die Ausdrücke der reinen Arithmetik bringt. Man hat mir aber wider eine dergleichen Erklärung des Begehrungsvermögens (Krit. d. p. V., Vorrede Seite 16) den Einwurf gemacht: daß es nicht als das Vermögen, durch seine Vorstellungen Ursache von der Wirklichkeit der Gegenstände dieser Vorstellungen zu sein, definiert werden könne, weil bloße Wünsche auch Begehrungen wären, von denen man sich doch selbst bescheidet, daß sie ihre Objekte nicht hervorbringen können. Dieses beweiset aber nichts weiter, als daß es auch Bestimmungen des Begehrungsvermögens gebe, da dieses mit sich selbst im Widerspruche steht: ein zwar für die empirische Psychologie merkwürdiges Phänomen (wie etwa die Bemerkung des Einflusses, den Vorurteile auf den Verstand haben, für die Logik), welches aber auf die Definition des Begehrungsvermögens objektiv betrachtet, was es nämlich an sich sei, ehe es irgend wodurch von seiner Bestimmung abgelenkt wird, nicht einfließen muß. In der Tat kann der Mensch etwas aufs lebhafteste und anhaltend begehren, wovon er doch überzeugt ist, daß er es nicht ausrichten kann, oder daß es wohl gar schlechterdings unmöglich sei: z. B. das Geschehene als ungeschehen zu

[1] Akad.-Ausg.: »in ihm enthaltenen«.

Sie kann so lauten: Lust ist ein Zustand des Gemüts, in welchem eine Vorstellung mit sich selbst zusammenstimmt, als Grund, entweder diesen bloß selbst zu erhalten (denn der Zustand einander wechselseitig befördernder Gemütskräfte in einer Vorstellung erhält sich selbst), oder ihr Objekt hervorzubringen. Ist das erstere, so ist das Urteil über die gegebene Vorstellung ein ästhetisches Reflexionsurteil. Ist aber das letztere, so ist ein[1] ästhetisch-pathologisches, oder ästhetisch-praktisches Urteil. Man sieht hier leicht, daß Lust oder Unlust, weil sie keine Erkenntnisarten sind, für sich selbst gar nicht können erklärt werden, und gefühlt, nicht eingesehen werden wollen; daß man sie daher nur durch den Einfluß, den eine Vorstellung vermittelst dieses Gefühls auf die Tätigkeit der Gemütskräfte hat, dürftig erklären kann.

wünschen, sehnsüchtig den schnelleren Ablauf einer uns lästigen Zeit zu begehren, u.s.w. Es ist auf für[2] die Moral ein wichtiger Artikel, wider solche leere und phantastische Begehrungen, welche häufig durch Romanen, bisweilen auch durch diesen ähnliche mystische Vorstellungen übermenschlicher Vollkommenheiten und fanatischer Seligkeit, genährt werden, nachdrücklich zu warnen. Aber selbst die Wirkung, welche solche leere Begierden und Sehnsuchten, die das Herz ausdehnen und welk machen, aufs Gemüt haben, das Schmachten desselben durch Erschöpfung seiner Kräfte, beweisen gnugsam, daß diese in der Tat wiederholentlich durch Vorstellungen angespannt werden, um ihr Objekt wirklich zu machen, aber eben so oft das Gemüt in das Bewußtsein seines Unvermögens zurück sinken lassen. Für die Anthropologie ist es auch eine nicht unwichtige Aufgabe zur Untersuchung: warum wohl die Natur in uns zu solchem fruchtlosen Kraftaufwande, als leere Wünsche und Sehnsuchten sind (welche gewiß eine große Rolle im menschlichen Leben spielen), die Anlage gemacht habe. Mir scheint sie hierin, so wie in allen anderen Stücken, ihre Anstalt weislich getroffen zu haben. Denn sollten wir nicht eher, als bis wir uns von der Zulänglichkeit unseres Vermögens zur Hervorbringung des Objekts versichert hätten, durch die Vorstellung desselben zur Kraftanwendung bestimmt werden, so würde diese wohl größtenteils unbenutzt bleiben. Denn gemeiniglich lernen wir unsere Kräfte nur kennen, dadurch daß wir sie versuchen. Die Natur hat also die Kraftbestimmung mit der Vorstellung des Objekts noch vor der Kenntnis unseres Vermögens verbunden, welches oftmals eben durch diese Bestrebung, welche dem Gemüte selbst anfangs ein leerer Wunsch schien, allererst hervorgebracht wird. Nun liegt es der Weisheit ob, diesen Instinkt in Schranken zu setzen, niemals aber wird es ihr gelingen, oder sie wird es niemals nur verlangen, ihn auszurotten.

[1] Akad.-Ausg.: »ist es ein«. – [2] Akad.-Ausg.: »auch für«.

IX. VON DER TELEOLOGISCHEN BEURTEILUNG

Ich verstand unter einer formalen Technik der Natur die Zweckmäßigkeit derselben in der Anschauung: unter der realen aber verstehe ich ihre Zweckmäßigkeit nach Begriffen. Die erste gibt für die Urteilskraft zweckmäßige Gestalten, d.i. die Form, an deren Vorstellung Einbildungskraft und Verstand wechselseitig miteinander zur Möglichkeit eines Begriffs von selbst zusammenstimmen. Die zweite bedeutet den Begriff der Dinge als Naturzwecke, d.i. als solche, deren innere Möglichkeit einen Zweck voraussetzt, mithin einen Begriff, der der Kausalität ihrer Erzeugung, als Bedingung zum Grunde liegt.

Zweckmäßige Formen der Anschauung kann die Urteilskraft a priori selbst angeben und konstruieren, wenn sie solche nämlich für die Auffassung so erfindet, als sie sich zur Darstellung eines Begriffs schickt[1]. Aber Zwecke, d. i. Vorstellungen, die selbst als Bedingungen der Kausalität ihrer Gegenstände (als Wirkungen) angesehen werden, müssen überhaupt irgend woher gegeben werden, ehe die Urteilskraft sich mit den Bedingungen des Mannigfaltigen beschäftigt, dazu zusammen zu stimmen, und sollen es Naturzwecke sein, so müssen gewisse Naturdinge so betrachtet werden können, als ob sie Produkte einer Ursache sein, deren Kausalität nur durch eine Vorstellung des Objekts bestimmt werden könnte. Nun aber können wir, wie und auf wie mancherlei Art Dinge durch ihre Ursachen möglich sind, a priori nicht bestimmen, hierzu sind Erfahrungsgesetze notwendig.

Das Urteil über die Zweckmäßigkeit an Dingen der Natur, die als ein Grund der Möglichkeit derselben (als Naturzwecke) betrachtet wird, heißt ein teleologisches Urteil. Nun sind, wenn gleich die ästhetischen Urteile selbst a priori nicht möglich sind, dennoch Prinzipien a priori in der notwendigen Idee einer Erfahrung, als Systems, gegeben, welche den Begriff einer formalen Zweckmäßigkeit der Natur für unsere Urteilskraft enthalten, und woraus a priori die Möglichkeit ästhetischer Reflexionsurteile, als solcher, die auf Prinzipien a priori gegründet sind, erhellet. Die Na-

[1] Akad.-Ausg.: »schicken«.

tur stimmt notwendiger Weise nicht bloß in Ansehung ihrer transzendentalen Gesetze mit unserem Verstande, sondern auch in ihren empirischen Gesetzen mit der Urteilskraft und ihrem Vermögen der Darstellung derselben in einer empirischen Auffassung ihrer Formen durch die Einbildungskraft, zusammen und das zwar bloß zum Behuf der Erfahrung und da läßt sich die formale Zweckmäßigkeit derselben in Ansehung der letzteren Einstimmung (mit der Urteilskraft) als notwendig noch dartun. Allein nun soll sie, als Objekt einer teleologischen Beurteilung auch mit der Vernunft, nach dem Begriffe, den sie sich von einem Zwecke macht, als ihrer Kausalität nach übereinstimmend gedacht werden; das ist mehr, als der Urteilskraft allein zugemutet werden kann, welche zwar für die Form der Anschauung, aber nicht für die Begriffe der Erzeugung der Dinge eigene Prinzipien a priori enthalten kann. Der Begriff eines realen Naturzwecks liegt also gänzlich über dem Felde der Urteilskraft hinaus, wenn sie für sich allein genommen wird, und da sie als eine abgesonderte Erkenntniskraft nur zwei Vermögen, Einbildungskraft und Verstand, in einer Vorstellung vor allem Begriffe im Verhältnis betrachtet und dadurch subjektive Zweckmäßigkeit des Gegenstandes für die Erkenntnisvermögen in der Auffassung desselben (durch die Einbildungskraft) wahrnimmt, so wird sie in der teleologischen Zweckmäßigkeit der Dinge, als Naturzwecke, die nur durch Begriffe vorgestellt werden kann, den Verstand mit der Vernunft (die zur Erfahrung überhaupt nicht notwendig ist) in Verhältnis setzen müssen, um Dinge als Naturzwecke vorstellig zu machen.

Die ästhetische Beurteilung der Naturformen konnte, ohne einen Begriff vom Gegenstande zum Grunde zu legen, in der bloßen empirischen Auffassung der Anschauung gewisse vorkommende Gegenstände der Natur zweckmäßig finden, nämlich bloß in Beziehung auf die subjektiven Bedingung[1] der Urteilskraft. Die ästhetische Beurteilung erforderte also keinen Begriff vom Objekte und brachte auch keinen hervor: daher sie diese auch nicht für Natur-

[1] Akad.-Ausg.: »Bedingungen«.

zwecke, in einem objektiven Urteile, sondern nur als zweckmäßig für die Vorstellungskraft, in subjektiver Beziehung, erklärte, welche Zweckmäßigkeit der Formen man die figürliche und die Technik der Natur in Ansehung ihrer auch eben so (technica speciosa) benennen kann.

Das teleologische Urteil dagegen setzt einen Begriff vom Objekte voraus und urteilt über die Möglichkeit desselben nach einem Gesetze der Verknüpfung der Ursachen und Wirkungen. Diese Technik der Natur könnte man daher plastisch nennen, wenn man dieses Wort nicht schon in allgemeinerer Bedeutung, nämlich für Naturschönheit so wohl als Naturabsichten, in Schwang gebracht hätte, daher sie, wenn man will, die organische Technik derselben heißen mag, welcher Ausdruck denn auch den Begriff der Zweckmäßigkeit nicht bloß für die Vorstellungsart, sondern für die Möglichkeit der Dinge selbst bezeichnet.

Das Wesentlichste und Wichtigste für diese Nummer ist aber wohl der Beweis: daß der Begriff der Endursachen in der Natur, welcher die teleologische Beurteilung derselben von der nach allgemeinen, mechanischen, Gesetzen absondert, ein bloß der Urteilskraft, und nicht dem Verstande oder der Vernunft, angehöriger Begriff sei, d. i. daß, da man den Begriff der Naturzwecke auch in objektiver Bedeutung, als Naturabsicht brauchen könnte, ein solcher Gebrauch, als schon vernünftelnd, schlechterdings nicht in der Erfahrung gegründet sei, die zwar Zwecke darlegen, aber, daß diese zugleich Absichten sind, durch nichts beweisen kann, mithin, was in dieser zur Teleologie Gehöriges angetroffen wird, lediglich die Beziehung ihrer Gegenstände auf die Urteilskraft und zwar einen Grundsatz derselben, dadurch sie für ihr selbst (nicht für die Natur) gesetzgebend ist, nämlich als reflektierende Urteilskraft enthalte.

Der Begriff der Zwecke und der Zweckmäßigkeit ist zwar ein Begriff der Vernunft, in so fern man ihr den Grund der Möglichkeit eines Objekts beilegt. Allein Zweckmäßigkeit der Natur, oder auch der Begriff von Dingen als Naturzwecken, setzt die Vernunft als Ursache mit solchen Dingen in Verhältnis. darin wir sie durch keine Erfahrung als Grund ihrer Möglichkeit kennen. Denn nur an *Produkten der Kunst* können wir uns der Kausalität der Vernunft von Objekten, die darum zweckmäßig oder Zwecke heißen, bewußt werden und in Ansehung ihrer die Vernunft technisch zu nennen, ist der Erfahrung von der Kausalität unseres eigenen Vermögens angemessen. Allein die Natur, gleich einer Vernunft sich als technisch vorzustellen (und so *der Natur* Zweckmäßigkeit, und so gar Zwecke beizulegen), ist ein besonderer Begriff, den wir in der Erfahrung nicht antreffen können und den nur die Urteilskraft in ihre Reflexion über Gegenstände legt, um nach seiner Anweisung Erfahrung nach besondren Gesetzen, nämlich denen der Möglichkeit eines Systems, anzustellen.

Man kann nämlich alle Zweckmäßigkeit der Natur entweder als *natürlich* (forma finalis naturae spontanea), oder als *absichtlich* (intentionalis) betrachten. Die bloße Erfahrung berechtigt nur zu der erstern Vorstellungsart; die zweite ist eine hypothetische Erklärungsart, die über jenen Begriff der Dinge als Naturzwecke hinzukömmt. Der erstere Begriff von Dingen, als Naturzwecken, gehört ursprünglich der *reflektierenden* (obgleich nicht ästhetisch, sondern logisch reflektierenden), der zweite der *bestimmenden* Urteilskraft zu. Zu dem erstern wird zwar auch Vernunft, aber nur zum Behuf einer nach Prinzipien anzustellenden Erfahrung (also in ihrem *immanenten* Gebrauche), zu dem zweiten aber sich ins Überschwengliche versteigende Vernunft (im transzendenten Gebrauche) erfordert.

Wir können und sollen die Natur, so viel in unserem Vermögen ist, in ihrer Kausalverbindung nach bloß mechanischen Gesetzen derselben in der Erfahrung zu erforschen bemühet sein: denn in diesen liegen die wahren physischen Erklärungsgründe, deren Zusammenhang die wissenschaftliche Naturkenntnis durch die Vernunft ausmacht. Nun finden wir aber unter den Produkten der Natur besondere und sehr ausgebreitete Gattungen, die eine solche Verbindung der wirkenden Ursachen in sich selbst enthalten, der wir den Begriff eines Zwecks zum Grunde legen müssen, wenn wir auch nur Erfahrung, d. i. Beobachtung nach einem ihrer inneren Möglichkeit angemessenen Prinzip, anstellen wollen. Wollten wir ihre Form und die Möglichkeit derselben bloß nach mechanischen Gesetzen, bei welchen die Idee der Wirkung nicht zum Grunde der Möglichkeit ihrer Ursache, sondern umgekehrt genommen werden muß, beurteilen, so wäre es unmöglich, von der spezifischen Form dieser Naturdinge auch nur einen Erfahrungsbegriff zu bekommen, der uns in den Stand setzte, aus der innern Anlage derselben als Ursache auf die Wirkung zu kommen, weil die Teile dieser Maschinen, nicht so fern ein jeder für sich einen abgesonderten, sondern nur alle zusammen einen gemeinschaftlichen Grund ihrer Möglichkeit haben, Ursache von der an ihnen sichtbaren Wirkung sein[1]. Da es nun ganz wider die Natur physischmechanischer Ursachen ist, daß das Ganze die Ursache der Möglichkeit der Kausalität der Teile sei, vielmehr diese vorher gegeben werden müssen, um die Möglichkeit eines Ganzen daraus zu begreifen; da ferner die besondere Vorstellung eines Ganzen, welche vor der Möglichkeit der Teile vorhergeht, eine bloße Idee ist und diese, wenn sie als der Grund der Kausalität angesehen wird, Zweck heißt: so ist klar, daß, wenn es dergleichen Produkte der Natur gibt, es unmöglich sei, ihrer Beschaffenheit und deren Ursache auch nur in der Erfahrung nachzuforschen (geschweige sie durch die Vernunft zu erklären), ohne sie sich ihre Form und Kausalität nach einem Prinzip der Zwecke bestimmt sich vorzustellen[2].

Nun ist klar: daß, in solchen Fällen, der Begriff einer objektiven Zweckmäßigkeit der Natur bloß zum Behuf der Reflexion über das Objekt, nicht zur Bestimmung des Objekts durch den Begriff eines Zwecks, diene und das teleologische Urteil über die innere Möglichkeit eines Naturprodukts ein bloß reflektierendes, nicht ein bestimmendes Urteil sei. So wird z. B. dadurch, daß man sagt, die Kristalllinse im Auge habe den Zweck, durch eine zweite Brechung der Lichtstrahlen die Vereinigung der aus einem Punkte auslaufenden wiederum in einen Punkt auf der Netzhaut des Auges zu bewirken, nur gesagt, daß die Vorstellung eines

[1] Akad.-Ausg.: »sind«. – [2] Akad.-Ausg.: »bestimmt vorzustellen«.

Zwecks in der Kausalität der Natur bei Hervorbringung des Auges darum gedacht werde, weil eine solche Idee zum Prinzip dient, die Nachforschung des Auges, was das genannte Stück desselben betrifft, dadurch zu leiten, imgleichen auch der Mittel wegen, die man ersinnen könnte, um jene Wirkung zu befördern. Dadurch wird nun der Natur noch nicht eine nach der Vorstellung von Zwecken, d. i. absichtlich wirkende Ursache beigelegt, welches ein bestimmendes teleologisches Urteil, und, als ein solches, transzendent sein würde, indem es eine Kausalität in Anregung bringt, die über die Naturgrenzen hinaus liegt.

Der Begriff der Naturzwecke ist also lediglich ein Begriff der reflektierenden Urteilskraft zu ihrem eigenen Behuf, um der Kausalverbindung an Gegenständen der Erfahrung nachzugehen. Durch ein teleologisches Prinzip der Erklärung der innern Möglichkeit gewisser Naturformen wird unbestimmt gelassen, ob die Zweckmäßigkeit derselben absichtlich, oder unabsichtlich sei. Dasjenige Urteil, welches eines von beiden behauptete, würde nicht mehr bloß reflektierend, sondern bestimmend sein, und der Begriff eines Naturzwecks würde auch nicht mehr ein bloßer Begriff der Urteilskraft, zum immanenten (Erfahrungs-) Gebrauche, sondern mit einem Begriffe der Vernunft, von einer über die Natur gesetzten absichtlich wirkenden Ursache, verbunden sein, dessen Gebrauch transzendent ist, man mag in diesem Falle bejahend, oder auch verneinend urteilen wollen.

X. VON DER NACHSUCHUNG EINES PRINZIPS DER TECHNISCHEN URTEILSKRAFT

Wenn zu dem, was geschieht, bloß der Erklärungsgrund gefunden werden soll, so kann dieser entweder ein empirisches Prinzip, oder ein Prinzip a priori, oder auch aus beiden zusammengesetzt sein, wie man es an den physisch-mechanischen Erklärungen der Eräugnisse in der körperlichen Welt sehen kann, die ihre Prinzipien zum Teil in der allgemeinen (rationalen) Naturwissenschaft, zum Teil auch in derjenigen antreffen, welche die empirische Bewegungsgesetze enthält. Das Ähnliche findet statt, wenn man zu dem, was in unserm Gemüte vorgeht, psychologische Erklärungsgründe sucht, nur mit dem Unterschiede, daß, so viel mir bewußt ist, die Prinzipien dazu insgesamt empirisch sind, ein einziges, nämlich das der Stetigkeit aller Veränderungen (weil Zeit, die nur eine Dimension hat, die formale Bedingung der innern Anschauung ist) ausgenommen, welches a priori diesen Wahrnehmungen zum Grunde liegt, woraus man aber so gut wie gar nichts zum Behuf der Erklärung machen kann, weil allgemeine Zeitlehre nicht so wie die reine Raumlehre (Geometrie) genugsamen Stoff zu einer ganzen Wissenschaft hergibt.

Würde es also darauf ankommen, zu erklären, wie das, was wir Geschmack nennen, unter Menschen zuerst aufgekommen sei, woher diese Gegenstände viel mehr als andere denselben beschäftigten und das Urteil über Schönheit unter diesen oder jenen Umständen des Orts und der Gesellschaft in Gang gebracht haben, durch welche Ursache er bis zum Luxus habe anwachsen können u.d.g., so würden die Prinzipien einer solchen Erklärung großen Teils in der Psychologie (darunter man in einem solchen Falle immer nur die empirische versteht) gesucht werden müssen. So verlangen die Sittenlehrer von den Psychologen, ihnen das seltsame Phänomen des Geizes, der im bloßen Besitze der Mittel zum Wohlleben (oder jeder andern Absicht) doch mit dem Vorsatze, nie einen Gebrauch davon zu machen, einen absoluten Wert setzt, oder die Ehrbegierde, die diese im bloßen Rufe, ohne weitere Absicht zu finden glaubt, zu erklären, damit sie ihre Vorschrift darnach richten können, nicht der sittlichen Gesetze selbst, sondern der Wegräumung der Hindernisse, die sich dem Einflusse derselben entgegensetzen; wobei man doch gestehen muß, daß es mit psychologischen Erklärungen, in Vergleichung mit den physischen sehr kümmerlich bestellt sei, daß sie ohne Ende hypothetisch sind und man, zu drei verschiedenen Erklärungsgründen, gar leicht einen vierten, eben so scheinbaren erdenken kann, und daß es daher[1] eine Menge vorgeblicher Psycho-

[1] Akad.-Ausg.: »daß daher«.

logen dieser Art, welche von jeder Gemütsaffektion oder Bewegung, die in Schauspielen, dichterischen Vorstellungen und von Gegenständen der Natur erweckt wird, die Ursachen anzugeben wissen, und diesen ihren Witz auch wohl Philosophie nennen, die gewöhnlichste Naturbegebenheit in der körperlichen Welt wissenschaftlich zu erklären, nicht allein keine Kenntnis, sondern auch vielleicht nicht einmal die Fähigkeit dazu blicken lassen. Psychologisch beobachten (wie Burke in seiner Schrift vom Schönen und Erhabenen), mithin Stoff zu künftigen systematisch zu verbindenden Erfahrungsregeln sammeln, ohne sie doch begreifen zu wollen, ist wohl die einzige wahre Obliegenheit der empirischen Psychologie, welche schwerlich jemals auf den Rang einer philosophischen Wissenschaft wird Anspruch machen können.

Wenn aber ein Urteil sich selbst für allgemeingültig ausgibt und also auf Notwendigkeit in seiner Behauptung Anspruch macht, so mag[1] diese vorgegebene Notwendigkeit auf Begriffen vom Objekte a priori, oder auf subjektiven Bedingungen zu Begriffen, die a priori zum Grunde liegen, beruhen, so wäre es, wenn man einem solchen Urteile dergleichen Anspruch zugesteht, ungereimt, ihn dadurch zu rechtfertigen, daß man den Ursprung des Urteils psychologisch erklärte. Denn man würde dadurch seiner eigenen Absicht entgegen handeln und, wenn die versuchte Erklärung vollkommen gelungen wäre, so würde sie beweisen, daß das Urteil auf Notwendigkeit schlechterdings keinen Anspruch machen kann, eben darum, weil man ihm seinen empirischen Ursprung nachweisen kann.

Nun sind die ästhetischen Reflexionsurteile (welche wir künftig unter dem Namen der Geschmacksurteile zergliedern werden) von der oben genannten Art. Sie machen auf Notwendigkeit Anspruch und sagen nicht, daß jedermann so urteile – dadurch sie eine Aufgabe zur Erklärung für die empirische Psychologie sein würden – sondern daß man so urteilen solle, welches so viel sagt, als: daß sie ein Prinzip a priori für sich haben. Wäre die Beziehung auf ein solches Prinzip nicht in dergleichen Urteilen enthalten, indem es

[1] Akad.-Ausg.: »macht, mag«.

auf Notwendigkeit Anspruch macht, so müßte man annehmen, man könne in einem Urteile darum behaupten, es solle allgemein gelten, weil es wirklich, wie die Beobachtung beweiset, allgemein gilt, und umgekehrt, daß daraus, daß jedermann auf gewisse Weise urteilt, folge, er solle auch so urteilen, welches eine offenbare Ungereimtheit ist.

Nun zeigt sich zwar an ästhetischen Reflexionsurteilen die Schwierigkeit, daß sie durchaus nicht auf Begriffe gegründet und also von keinem bestimmten Prinzip abgeleitet werden können, weil sie sonst logisch wären; die subjektive Vorstellung von Zweckmäßigkeit soll aber durchaus kein Begriff eines Zwecks sein. Allein die Beziehung auf ein Prinzip a priori kann und muß doch immer noch statt finden, wo das Urteil auf Notwendigkeit Anspruch macht, von welchem und der Möglichkeit eines solchen Anspruchs hier auch nur die Rede ist, indessen daß eine Vernunftkritik eben durch denselben veranlaßt wird, nach dem zum Grunde liegenden obgleich unbestimmten Prinzip selbst zu forschen und es ihr auch gelingen kann, es auszufinden und als ein solches anzuerkennen, welches dem Urteile subjektiv und a priori zum Grunde liegt, obgleich es niemals einen bestimmten Begriff vom Objekte verschaffen kann.

* * *

Eben so muß man gestehen, daß das teleologische Urteil auf einem Prinzip a priori gegründet und ohne dergleichen unmöglich sei, ob wir gleich den Zweck der Natur in dergleichen Urteilen lediglich durch Erfahrung auffinden, und ohne diese, daß Dinge dieser Art auch nur möglich sind, nicht erkennen könnten. Das teleologische Urteil nämlich, ob es gleich einen bestimmten Begriff von einem Zwecke, den es der Möglichkeit gewisser Naturprodukte zum Grunde legt, mit der Vorstellung des Objekts verbindet (welches im ästhetischen Urteil nicht geschieht), ist gleichwohl immer nur ein Reflexionsurteil so wie das vorige. Es maßt sich gar nicht an zu behaupten, daß in dieser objektiven Zweckmäßigkeit die Natur (oder ein anderes Wesen durch sie) in der Tat absichtlich verfahre, d. i. in ihr, oder ihrer Ursache, der Gedanke von einem Zwecke die Kausalität bestimme, sondern daß wir nur nach dieser Analogie (Verhältnisse der Ursachen und Wirkungen) die mechanische Gesetze der Natur benutzen müssen, um die Möglichkeit solcher Objekte zu erkennen und einen Begriff von ihnen zu bekommen, der jenen einen Zusammenhang in einer systematisch anzustellenden Erfahrung verschaffen kann.

Ein teleologisches Urteil vergleicht den Begriff eines Naturprodukts nach dem, was es ist, mit dem was es *sein soll*. Hier wird der Beurteilung seiner Möglichkeit ein Begriff (vom Zwecke) zum Grunde gelegt, der a priori vorhergeht. An Produkten der Kunst sich die Möglichkeit auf solche Art vorzustellen, macht keine Schwierigkeit. Aber von einem Produkte der Natur zu denken, daß es etwas hat *sein sollen*, und es darnach zu beurteilen, ob es auch wirklich so sei, enthält schon die Voraussetzung eines Prinzips, welches aus der Erfahrung (die da nur lehrt, was die Dinge sind) nicht hat gezogen werden können.

Daß wir durch das Auge sehen können, erfahren wir unmittelbar, imgleichen die äußere und inwendige Struktur desselben, die die Bedingungen dieses seinen möglichen Gebrauchs enthalten, und also die Kausalität nach mechanischen Gesetzen. Ich kann mich aber auch eines Steins bedienen, um etwas darauf zu zerschlagen, oder darauf zu bauen u.s.w., und diese Wirkungen können auch als Zwekke auf ihre Ursachen bezogen werden; aber ich kann darum nicht sagen, daß er zum Bauen hat dienen sollen. Nur vom Auge urteile ich, daß es zum Sehen hat tauglich sein *sollen*, und, obzwar die Figur, die Beschaffenheit aller Teile desselben und ihre Zusammensetzung, nach bloß mechanischen Naturgesetzen beurteilt, für meine Urteilskraft ganz zufällig ist, so denke ich doch in der Form und in dem Bau desselben eine Notwendigkeit, auf gewisse Weise gebildet zu sein, nämlich nach einem Begriffe, der vor den bildenden Ursachen dieses Organs vorhergeht, ohne welchen die Möglichkeit dieses Naturprodukts nach keinem mechanischen Naturgesetze für mich begreiflich ist (welches der Fall bei jenem Steine nicht ist). Dieses Sollen enthält nun eine Notwendigkeit, welche sich von der physisch-mechanischen, nach welcher ein Ding nach bloßen Gesetzen der (ohne eine vorhergehende Idee desselben) wirkenden Ursachen möglich ist, deutlich unterscheidet, und kann eben so wenig durch bloß physische (empirische) Gesetze, als die Notwendigkeit des ästhetischen Urteils durch psychologische, bestimmt werden, sondern erfordert ein eigenes Prinzip a priori in der Urteilskraft, so fern sie reflektierend ist, unter welchem das teleologische Urteil steht und woraus es auch seiner Gültigkeit und Einschränkung nach muß bestimmt werden.

Also stehen alle Urteile über die Zweckmäßigkeit der Natur, sie mögen nun ästhetisch oder teleologisch sein, unter Prinzipien a priori und zwar solchen, die der Urteilskraft eigentümlich und ausschließlich angehören, weil sie bloß reflektierende, nicht bestimmende Urteile sind. Eben darum gehören sie auch unter die Kritik der reinen Vernunft (in der allgemeinsten Bedeutung genommen), welcher die letztern mehr, als die erstern, bedürfen, indem sie, sich selbst überlassen, die Vernunft zu Schlüssen einladen, die sich ins Überschwengliche verlieren können, anstatt daß die ersteren eine mühsame Nachforschung erfordern, um nur zu verhüten, daß sie sich nicht, selbst ihrem Prinzip nach lediglich aufs Empirische einschränken und dadurch ihre Ansprüche auf notwendige Gültigkeit für jedermann vernichten.

XI. ENZYKLOPÄDISCHE INTRODUKTION DER KRITIK DER URTEILSKRAFT IN DAS SYSTEM DER KRITIK DER REINEN VERNUNFT

Alle Einleitung eines Vortrages ist entweder die in eine vorhabende Lehre oder der Lehre selbst in ein System, wohin sie als ein Teil gehört. Die erstere geht vor der Lehre vorher, die letztere sollte billig nur den Schluß derselben ausmachen, um ihr ihre Stelle in dem Inbegriffe der Lehren, mit welchen sie durch gemeinschaftliche Prinzipien zusammenhängt, nach Grundsätzen anzuweisen. Jene ist eine *propädeutische*, diese kann eine *enzyklopädische* Introduktion heißen.

Die propädeutischen Einleitungen sind die gewöhnlichen, als welche zu einer vorzutragenden Lehre vorbereiten, indem sie die dazu nötige Vorerkenntnis aus andern schon vorhandenen Lehren oder Wissenschaften anführen, um den Übergang möglich zu machen. Wenn man sie darauf richtet, um die der neu auftretenden Lehre eigene Prinzipien (domestica), von denen, welche einer andern angehören (peregrinis), sorgfältig zu unterscheiden, so dienen sie zur Grenzbestimmung der Wissenschaften, einer Vorsicht, die nie zu viel empfohlen werden kann, weil ohne sie keine Gründlichkeit, vornehmlich im philosophischen Erkenntnisse zu hoffen ist.

Eine enzyklopädische Einleitung aber setzt nicht etwa eine verwandte und zu der sich neu ankündigenden vorbereitende Lehre, sondern die Idee eines Systems voraus, welches durch jene allererst vollständig wird. Da nun ein solches nicht durch Aufraffen und Zusammenlesen des Mannigfaltigen, welches man auf dem Wege der Nachforschung gefunden hat, sondern nur alsdann, wenn man die subjektiven oder objektiven Quellen einer gewissen Art von Erkenntnissen vollständig anzugeben im Stande ist, durch den formalen Begriff eines Ganzen, der zugleich das Prinzip einer vollständigen Einteilung a priori in sich enthält, möglich ist, so kann man leicht begreifen, woher enzyklopädische Einleitungen, so nützlich sie auch wären, doch so wenig gewöhnlich sind.

Da dasjenige Vermögen, wovon hier das eigentümliche Prinzip aufgesucht und erörtert werden soll (die Urteilskraft), von so besonderer Art ist, daß es für sich gar kein Erkenntnis (weder theoretisches noch praktisches) hervorbringt und, unerachtet ihres Prinzips a priori dennoch keinen Teil zur Transzendentalphilosophie, als objektiver Lehre, liefert, sondern nur den Verband zweier anderer obern Erkenntnisvermögen (des Verstandes und der Vernunft ausmacht)[1]: so kann es mir erlaubt sein, in der Bestimmung der Prinzipien eines solchen Vermögens, das keiner Doktrin, sondern bloß einer Kritik fähig ist, von der sonst überall notwendigen

[1] Akad.-Ausg.: »Vernunft) ausmacht«.

Ordnung abzugehen und eine kurze enzyklopädische Introduktion derselben und zwar nicht in das System der Wissenschaften der reinen Vernunft, sondern bloß in die Kritik aller a priori bestimmbaren Vermögen des Gemüts, so fern sie unter sich ein System im Gemüte ausmachen, voranzuschicken und auf solche Art die propädeutische Einleitung mit der enzyklopädischen zu vereinigen.

Die Introduktion der Urteilskraft in das System der reinen Erkenntnisvermögen durch Begriffe beruhet gänzlich auf ihrem transzendentalen ihr eigentümlichen Prinzip: daß die Natur der[1] Spezifikation der transzendentalen Verstandesgesetze (Prinzipien ihrer Möglichkeit als Natur überhaupt), d. i. in der Mannigfaltigkeit ihrer empirischen Gesetze der[2] Idee eines Systems der Einteilung derselben zum Behuf der Möglichkeit der Erfahrung als empirischen Systems verfahre. – Dieses gibt zuerst den Begriff einer objektiv zufälligen, subjektiv aber (für unser Erkenntnisvermögen) notwendigen Gesetzmäßigkeit, d. i. einer Zweckmäßigkeit der Natur, und zwar a priori, an die Hand. Ob nun zwar dieses Prinzip nichts in Ansehung der besondern Naturformen bestimmt, sondern die Zweckmäßigkeit der letztern jederzeit empirisch gegeben werden muß, so gewinnt doch das Urteil über diese Formen einen Anspruch auf Allgemeingültigkeit und Notwendigkeit, als bloß reflektierendes Urteil, durch die Beziehung der subjektiven Zweckmäßigkeit der gegebenen Vorstellung für die Urteilskraft auf jenes Prinzip der Urteilskraft a priori, von der Zweckmäßigkeit der Natur in ihrer empirischen Gesetzmäßigkeit überhaupt, und so wird ein ästhetisches reflektierendes Urteil auf einem Prinzip a priori beruhend angesehen werden können (ob es gleich nicht bestimmend ist) und die Urteilskraft in demselben sich zu einer Stelle in der Kritik der oberen reinen Erkenntnisvermögen berechtigt finden.

Da aber der Begriff einer Zweckmäßigkeit der Natur (als einer technischen Zweckmäßigkeit, die von der praktischen wesentlich unterschieden ist), wenn er nicht bloße Erschleichung dessen, was wir aus ihr machen, für das was sie

[1] Akad.-Ausg.: »Natur in der«. – [2] Akad.-Ausg.: »Gesetze, nach der«.

ist, sein soll, ein vor aller[1] dogmatischen Philosophie (der theoretischen so wohl als praktischen) abgesonderter Begriff ist, der sich lediglich auf jenem Prinzip der Urteilskraft gründet, das vor den empirischen Gesetzen vorhergeht und ihre Zusammenstimmung zur Einheit eines Systems derselben allererst möglich macht, so ist daraus zu ersehen, daß von den zwei Arten des Gebrauchs der reflektierenden Urteilskraft (der ästhetischen und teleologischen) dasjenige Urteil, welches vor allem Begriffe vom Objekte vorhergeht, mithin das ästhetische reflektierende Urteil, ganz allein seinen Bestimmungsgrund der Urteilskraft, unvermengt mit einem andern Erkenntnisvermögen, habe, dagegen das teleologische Urteil den[2] Begriff eines Naturzwecks, ob er gleich in dem Urteile selbst nur als Prinzip der reflektierenden, nicht der bestimmenden Urteilskraft gebraucht wird, doch nicht anders als durch Verbindung der Vernunft mit empirischen Begriffen gefället werden kann. Die Möglichkeit eines teleologischen Urteils über die Natur läßt sich daher leicht zeigen, ohne ihm ein besonderes Prinzip der Urteilskraft zum Grunde legen zu dürfen, denn diese folgt bloß dem Prinzip der Vernunft. Dagegen die Möglichkeit eines ästhetischen und doch auf einem Prinzip a priori gegründeten Urteils der bloßen Reflexion, d. i. eines Geschmacksurteils, wenn bewiesen werden kann, daß dieses wirklich zum Anspruche auf Allgemeingültigkeit berechtigt sei, einer Kritik der Urteilskraft als eines Vermögens eigentümlicher transzendentaler Prinzipien (gleich dem Verstande und der Vernunft) durchaus bedarf, und sich dadurch allein qualifiziert, in das System der reinen Erkenntnisvermögen aufgenommen zu werden; wovon der Grund ist, daß das ästhetische Urteil, ohne einen Begriff von seinem Gegenstande vorauszusetzen, dennoch ihm Zweckmäßigkeit und zwar allgemeingültig beilegt, wozu also das Prinzip in der Urteilskraft selbst liegen muß, da hingegen das teleologische Urteil einen Begriff vom Objekte, den die Vernunft unter das Prinzip der Zweckverbindung bringt, voraussetzt, nur daß dieser Begriff eines Naturzwecks von der Urteilskraft bloß im reflektierenden, nicht bestimmenden Urteile gebraucht werde.

[1] Akad.-Ausg.: »ein von aller«. – [2] Akad.-Ausg.: »Urtheil über den«.

Es ist also eigentlich nur der Geschmack und zwar in Ansehung der Gegenstände der Natur, in welchem allein sich die Urteilskraft als ein Vermögen offenbart, welches sein eigentümliches Prinzip hat und dadurch auf eine Stelle in der allgemeinen Kritik der obern Erkenntnisvermögen gegründeten Anspruch macht, den man ihr vielleicht nicht zugetrauet hätte. Ist aber das Vermögen der Urteilskraft, sich a priori Prinzipien zu setzen, einmal gegeben, so ist es auch notwendig, den Umfang desselben zu bestimmen, und zu dieser Vollständigkeit der Kritik wird erfordert, daß ihr ästhetisches Vermögen, mit dem teleologischen zusammen, als in einem Vermögen enthalten und auf demselben Prinzip beruhend, erkannt werde, denn auch das teleologische Urteil über Dinge der Natur gehört, eben so wohl als das ästhetische, der reflektierenden (nicht der bestimmenden) Urteilskraft zu.

Die Geschmackskritik aber, welche sonst nur zur Verbesserung oder Befestigung des Geschmacks selbst gebraucht wird, eröffnet, wenn man sie in transzendentaler Absicht behandelt, dadurch, daß sie eine Lücke im System unserer Erkenntnisvermögen ausfüllt, eine auffallende und wie mich dünkt viel verheißende Aussicht in ein vollständiges System aller Gemütskräfte, so fern sie in ihrer Bestimmung nicht allein aufs Sinnliche, sondern auch aufs Übersinnliche bezogen sind, ohne doch die Grenzsteine zu verrücken, welche eine unnachsichtliche Kritik dem letzteren Gebrauche derselben gelegt hat. Es kann vielleicht dem Leser dazu dienen, um den Zusammenhang der nachfolgenden Untersuchungen desto leichter übersehen zu können, daß ich einen Abriß dieser systematischen Verbindung, der freilich nur, wie die gegenwärtige ganze Nummer, seine Stelle eigentlich beim Schlusse der Abhandlung haben sollte, schon hier entwerfe.

Die Vermögen des Gemüts lassen sich nämlich insgesamt auf folgende drei zurückführen:

Erkenntnisvermögen
Gefühl der Lust und Unlust
Begehrungsvermögen

Der Ausübung aller liegt aber doch immer das Erkenntnisvermögen, ob zwar nicht immer Erkenntnis (denn eine zum Erkenntnisvermögen gehörige Vorstellung kann auch Anschauung, reine oder empirische, ohne Begriffe sein), zum Grunde. Also kommen, so fern vom Erkenntnisvermögen nach Prinzipien die Rede ist, folgende obere neben den Gemütskräften überhaupt zu stehen:

Erkenntnisvermögen ------ Verstand
Gefühl der Lust und Unlust ---- Urteilskraft
Begehrungsvermögen ----- Vernunft

Es findet sich, daß Verstand eigentümliche Prinzipien a priori für das Erkenntnisvermögen, Urteilskraft nur für das Gefühl der Lust und Unlust, Vernunft aber bloß fürs Begehrungsvermögen enthalte. Diese formale Prinzipien begründen eine Notwendigkeit, die teils objektiv, teils subjektiv, teils aber auch dadurch, daß sie subjektiv ist, zugleich von objektiver Gültigkeit ist, nach dem sie, durch die neben ihnen stehende obern Vermögen, die diesen korrespondierende Gemütskräfte bestimmen:

Erkenntnisvermögen ----	Verstand ---	Gesetzmäßigkeit
Gefühl der Lust und Unlust ----	Urteilskraft ---	Zweckmäßigkeit
Begehrungsvermögen ----	Vernunft ---	Zweckmäßigkeit, die zugleich Gesetz ist (Verbindlichkeit)

Endlich gesellen sich zu den angeführten Gründen a priori der Möglichkeit der Formen auch diese, als Produkte derselben:

Vermögen des Gemüts	Obere Erkenntnisvermögen	Prinzipien a priori	Produkte
Erkenntnisvermögen –	Verstand –	Gesetzmäßigkeit –	Natur
Gefühl der Lust und Unlust –	Urteilskraft –	Zweckmäßigkeit –	Kunst

Begehrungsvermögen –	Vernunft –	Zweckmäßigkeit, die zugleich Gesetz ist (Verbindlichkeit) –	Sitten

Die Natur also gründet ihre Gesetzmäßigkeit auf Prinzipien a priori des Verstandes als eines Erkenntnisvermögens; die Kunst richtet sich in ihrer Zweckmäßigkeit a priori nach der Urteilskraft in Beziehung aufs Gefühl der Lust und Unlust; endlich die Sitten (als Produkt der Freiheit) stehen unter der Idee einer solchen Form der Zweckmäßigkeit, die sich zum allgemeinen Gesetze qualifiziert, als einem Bestimmungsgrunde der Vernunft in Ansehung des Begehrungsvermögens. Die Urteile, die auf diese Art aus Prinzipien a priori entspringen, welche jedem Grundvermögen des Gemüts eigentümlich sind, sind theoretische, ästhetische und praktische Urteile.

So entdeckt sich ein System der Gemütskräfte, in ihrem Verhältnisse zur Natur und der Freiheit, deren jede ihre eigentümliche, bestimmende Prinzipien a priori haben und um deswillen die zwei Teile der Philosophie (die theoretische und praktische) als eines doktrinalen Systems ausmachen, und zugleich ein Übergang vermittelst der Urteilskraft, die durch ein eigentümliches Prinzip beide Teile verknüpft, nämlich von dem sinnlichen Substrat der erstern zum intelligibelen der zweiten Philosophie, durch die Kritik eines Vermögens (der Urteilskraft), welches nur zum Verknüpfen dient und daher für sich zwar kein Erkenntnis verschaffen oder zur Doktrin irgend einen Beitrag liefern kann, dessen Urteile aber unter dem Namen der ästhetischen (deren Prinzipien bloß subjektiv sind), indem sie sich von allen, deren Grundsätze objektiv sein müssen (sie mögen nun theoretisch oder praktisch sein), unter dem Namen der logischen unterscheiden, von so besonderer Art sind, daß sie sinnliche Anschauungen auf eine Idee der Natur beziehen, deren Gesetzmäßigkeit ohne ein Verhältnis derselben zu einem übersinnlichen Substrat nicht verstanden werden kann; wovon, in der Abhandlung selbst, der Beweis geführt werden wird.

Wir werden die Kritik dieses Vermögens in Ansehung der ersteren Art Urteile nicht Ästhetik (gleichsam Sinnenlehre), sondern Kritik der ästhetischen Urteilskraft nennen, weil der erstere Ausdruck von zu weitläuftiger Bedeutung ist, indem er auch die Sinnlichkeit der Anschauung, die zum theoretischen Erkenntnis gehört und zu logischen (objektiven) Urteilen den Stoff hergibt, bedeuten könnte, daher wir auch schon den Ausdruck der Ästhetik ausschließungsweise für das Prädikat, was in Erkenntnisurteilen zur Anschauung gehört, bestimmt haben. Eine Urteilskraft aber ästhetisch zu nennen, darum, weil sie die Vorstellung eines Objekts nicht auf Begriffe und das Urteil also nicht aufs Erkenntnis bezieht (gar nicht bestimmend, sondern nur reflektierend ist), das läßt keine Mißdeutung besorgen; denn für die logische Urteilskraft müssen Anschauungen, ob sie gleich sinnlich (ästhetisch) sind, dennoch zuvor zu Begriffen erhoben werden, um zum Erkenntnisse des Objekts zu dienen, welches bei der ästhetischen Urteilskraft nicht der Fall ist.

XII. EINTEILUNG DER KRITIK DER URTEILSKRAFT

Die Einteilung eines Umfanges von Erkenntnissen gewisser Art, um ihn als System vorstellig zu machen, hat ihre nicht gnug eingesehene Wichtigkeit, aber auch ihre eben so oft verkannte Schwierigkeit. Wenn man die Teile zu einem solchen möglichen Ganzen schon als vollständig gegeben ansieht, so geschieht die Einteilung mechanisch, zu Folge einer bloßen Vergleichung und das Ganze wird Aggregat (ungefähr so wie die Städte werden, wenn, ohne Rücksicht auf Polizei, ein Boden, unter sich meldende Anbauer, nach jedes seinen Absichten, eingeteilt wird). Kann und soll man aber die Idee von einem Ganzen nach einem gewissen Prinzip vor der Bestimmung der Teile voraussetzen, so muß die Einteilung szientifisch geschehen, und nur auf diese Art wird das Ganze ein System. Die letztere Forderung findet allemal statt, wo von einem Umfange der Erkenntnis a priori (die mit ihren Prinzipien auf einem besondern gesetzgebenden Vermögen des Subjekts beruht) die Rede ist, denn da ist der Umfang des Gebrauchs dieser Gesetze durch die eigentümliche Beschaffenheit dieses Vermögens, daraus aber auch die Zahl und das Verhältnis der Teile zu einem Ganzen der Erkenntnis, gleichfalls a priori bestimmt. Man kann aber keine gegründete Einteilung machen, ohne zugleich das Ganze selbst zu machen und in allen seinen Teilen, obzwar nur nach der Regel der Kritik, vorher vollständig darzustellen, welches nachher in die systematische Form einer Doktrin (wofern es in Ansehung der Natur dieses Erkenntnisvermögens dergleichen überhaupt geben kann) zu bringen nichts als Ausführlichkeit der Anwendung auf das Besondere und die Eleganz der Präzision damit zu verknüpfen erfordert.

Um nun eine Kritik der Urteilskraft (welches Vermögen gerade ein solches ist, das, obzwar auf Prinzipien a priori gegründet, doch niemals den Stoff zu einer Doktrin abgeben kann) einzuteilen, ist die Unterscheidung zum Grunde zu legen, daß nicht die bestimmende, sondern bloß die reflektierende Urteilskraft eigene Prinzipien a priori habe; daß die erstere nur schematisch, unter Gesetzen eines andern Vermögens (des Verstandes), die zweite aber allein technisch (nach eigenen Gesetzen), verfahre und daß dem letztern Verfahren ein Prinzip der Technik der Natur, mithin der Begriff einer Zweckmäßigkeit, die man an ihr a priori voraussetzen muß, zum Grunde liege, welche zwar nach dem Prinzip der reflektierenden Urteilskraft nur als subjektiv, d. i. beziehungsweise auf dieses Vermögen selbst notwendig von ihm vorausgesetzt wird, aber doch auch den Begriff einer möglichen objektiven Zweckmäßigkeit, d. i. der Gesetzmäßigkeit der Dinge der Natur als Naturzwecke, bei sich führt.

Eine bloß subjektiv beurteilte Zweckmäßigkeit, die sich also auf keinen Begriff gründet, noch, so fern als sie bloß subjektiv beurteilt wird, gründen kann, ist die Beziehung aufs Gefühl der Lust und Unlust, und das Urteil über dieselbe ist ästhetisch (zugleich die einzige mögliche Art, ästhetisch zu urteilen). Weil aber, wenn dieses Gefühl bloß die Sinnenvorstellung des Objekts, d. i. die Empfindung desselben, begleitet, das ästhetische Urteil empirisch ist und zwar eine besondere Rezeptivität, aber keine besondere Urteilskraft erfordert, weil ferner, wenn diese als bestimmend angenommen würde, ein Begriff von Zwecke[1] zum Grunde liegen mußte, die Zweckmäßigkeit also als objektiv nicht ästhetisch, sondern logisch beurteilt werden mußte: so wird unter der ästhetischen Urteilskraft, als einem besondern Vermögen, notwendig keine andere, als die reflektierende Urteilskraft, das Gefühl der Lust (welches mit der Vorstellung der subjektiven Zweckmäßigkeit einerlei ist) nicht als der Empfindung in einer empirischen Vorstellung des Objekts, auch nicht als dem Begriffe desselben, folglich nur als der Reflexion und deren Form (die eigentümliche Handlung der Urteilskraft), wodurch sie von empirischen Anschauungen zu Begriffen überhaupt strebt, anhängend und mit ihr nach einem Prinzip a priori verknüpft, angesehen werden müssen. Es wird also die Ästhetik der reflektierenden Urteilskraft einen Teil der Kritik dieses Vermögens beschäftigen, so wie die Logik eben desselben Vermögens, unter dem Namen der Teleologie, den andern Teil derselben ausmacht. Bei beiden aber wird die Natur selbst als technisch, d. i. als zweckmäßig in ihren Produkten betrachtet, einmal subjektiv, in Absicht auf die bloße Vorstellungsart des Subjekts, in dem zweiten Falle aber als objektiv zweckmäßig in Beziehung auf die Möglichkeit des Gegenstandes selbst. Wir werden in der Folge sehen: daß die Zweckmäßigkeit der Form in der Erscheinung die Schönheit, und das Beurteilungsvermögen derselben der Geschmack sei. Hieraus würde nun zu folgen scheinen, daß die Einteilung der Kritik der Urteilskraft, in die ästhetische und teleologische, bloß die Geschmackslehre und physische Zweckslehre (der Beurteilung der Dinge der Welt als Naturzwecke) in sich fassen müßte.

Allein man kann alle Zweckmäßigkeit, sie mag subjektiv oder objektiv sein, in innere und relative eintei-

[1] Akad.-Ausg.: »vom Zwecke«.

len, davon die erstere in der Vorstellung des Gegenstandes an sich, die zweite bloß im zufälligen Gebrauche derselben gegründet ist. Diesem gemäß kann die Form eines Gegenstandes erstlich schon für sich, d. i. in der bloßen Anschauung ohne Begriffe für die reflektierende Urteilskraft als zweckmäßige wahrgenommen werden, und alsdenn wird die subjektive Zweckmäßigkeit dem Dinge und der Natur selbst beigelegt, zweitens mag das Objekt für die Reflexion bei der Wahrnehmung nicht das mindeste Zweckmäßige zu Bestimmung seiner Form an sich haben, gleichwohl aber kann dessen Vorstellung, auf eine a priori im Subjekte liegende Zweckmäßigkeit, zur Erregung eines Gefühls derselben, (etwa der übersinnlichen Bestimmung der Gemütskräfte des Subjekts) angewandt, ein ästhetisches Urteil gründen, welches sich auch auf ein (zwar nur subjektives) Prinzip a priori bezieht, aber nicht, so wie das erstere, eine[1] Zweckmäßigkeit der Natur in Ansehung des Subjekts, sondern nur einen[2] möglichen zweckmäßigen Gebrauch gewisser sinnlicher Anschauungen ihrer Form nach vermittelst der bloß reflektierenden Urteilskraft. Wenn also das erstere Urteil den Gegenständen der Natur Schönheit beilegt, das zweite aber Erhabenheit und zwar beide bloß durch ästhetische (reflektierende) Urteile, ohne Begriffe vom Objekt, bloß in Rücksicht auf subjektive Zweckmäßigkeit, so würde für das letztere doch keine besondere Technik der Natur vorauszusetzen sein, weil es dabei bloß auf einen zufälligen Gebrauch der Vorstellung, nicht zum Behuf der Erkenntnis des Objekts, sondern eines andern Gefühls, nämlich dem der innern Zweckmäßigkeit in der Anlage der Gemütskräfte, ankommt. Gleichwohl würde das Urteil über das Erhabene in der Natur von der Einteilung der Ästhetik der reflektierenden Urteilskraft nicht auszuschließen sein, weil es auch eine subjektive Zweckmäßigkeit ausdrückt, die nicht auf einem Begriffe vom Objekte beruht.

Mit der objektiven Zweckmäßigkeit der Natur, d. i. der Möglichkeit der Dinge als Naturzwecke, worüber das Urteil nur nach Begriffen von diesen, d. i. nicht ästhetisch (in Be-

[1] Akad.-Ausg.: »erstere, auf eine«. – [2] Akad.-Ausg.: »nur auf einen«.

ziehung aufs Gefühl der Lust oder Unlust) sondern logisch gefället wird, und teleologisch heißt, ist es eben so bewandt. Die objektive Zweckmäßigkeit wird entweder der inneren Möglichkeit des Objekts, oder der relativen Möglichkeit seiner äußeren Folgen zum Grunde gelegt. Im ersteren Falle betrachtet das teleologische Urteil die Vollkommenheit eines Dinges nach einem Zwecke, der in ihm selbst liegt (da das Mannigfaltige in ihm zueinander sich wechselseitig als Zweck und Mittel verhält), im zweiten geht das teleologische Urteil über ein Naturobjekt nur auf dessen Nützlichkeit, nämlich die Übereinstimmung zu einem Zwecke, der in anderen Dingen liegt.

Diesem gemäß enthält die Kritik der ästhetischen Urteilskraft erstlich die Kritik des Geschmacks (Beurteilungsvermögen des Schönen), zweitens die Kritik des Geistesgefühls, denn so nenne ich vorläufig das Vermögen, an Gegenständen eine Erhabenheit vorzustellen. – Weil die teleologische Urteilskraft ihre Vorstellung von Zweckmäßigkeit nicht vermittelst der Gefühle, sondern durch Begriffe auf den Gegenstand bezieht, so bedarf es zu Unterscheidung der in ihr enthaltenen Vermögen, inneren so wohl als relativen (in beiden Fällen aber objektiver Zweckmäßigkeit) keiner besondern Benennungen; weil sie ihre Reflexion durchgehends auf Vernunft (nicht aufs Gefühl) bezieht.

Noch ist anzumerken: daß es die Technik in der Natur und nicht die der Kausalität der Vorstellungskräfte des Menschen, welche man Kunst (in der eigentlichen Bedeutung des Worts) nennt, sei, in Ansehung deren hier die Zweckmäßigkeit als ein regulativer Begriff der Urteilskraft nachgeforscht wird, und nicht das Prinzip der Kunstschönheit oder einer Kunstvollkommenheit nachgesucht werde, ob man gleich die Natur, wenn man sie als technisch (oder plastisch) betrachtet, wegen einer Analogie, nach welcher ihre Kausalität mit der der Kunst vorgestellt werden muß, in ihrem Verfahren technisch, d. i. gleichsam künstlich nennen darf. Denn es ist um das Prinzip der bloß reflektierenden, nicht der bestimmenden Urteilskraft (dergleichen allen menschlichen Kunstwerken zum Grunde liegt) zu tun, bei der also die Zweckmäßigkeit als unabsichtlich betrachtet werden soll, und die also nur der Natur zukommen kann. Die Beurteilung der Kunstschönheit wird nachher als bloße Folgerung aus denselbigen Prinzipien, welche dem Urteile über Naturschönheit zum Grunde liegen, betrachtet werden müssen.

Die Kritik der reflektierenden Urteilskraft in Ansehung der Natur wird also aus zwei Teilen bestehen, aus der Kritik des ästhetischen und der des teleologischen Beurteilungsvermögens der Dinge der Natur.

Der erste Teil wird zwei Bücher enthalten, davon das erste die Kritik des Geschmacks oder der Beurteilung des Schönen, das zweite die Kritik des Geistesgefühls (in der bloßen Reflexion über einen Gegenstand) oder der Beurteilung des Erhabenen sein wird.

Der zweite Teil enthält eben so wohl zwei Bücher, davon das erste die Beurteilung der Dinge als Naturzwecke in Ansehung ihrer innern Möglichkeit, das andere aber das Urteil über ihre relative Zweckmäßigkeit unter Prinzipien bringen wird.

Jedes dieser Bücher wird in zweien Abschnitten eine Analytik und eine Dialektik des Beurteilungsvermögens enthalten.

Die Analytik wird, in eben so vielen Hauptstücken, erstlich die Exposition und dann die Deduktion des Begriffs einer Zweckmäßigkeit der Natur zu verrichten suchen.

KRITIK DER URTEILSKRAFT

TITEL DER ERSTEN AUFLAGE (A)

Critik der Urtheilskraft
von Immanuel Kant.

Berlin und Libau,
bey Lagarde und Friederich
1790.

TITEL DER ZWEITEN AUFLAGE (B)

Critik der Urtheilskraft
von Immanuel Kant.

Zweyte Auflage.

Berlin,
bey F. T. Lagarde,
1793.

TITEL DER DRITTEN AUFLAGE (C)

Critik der Urtheilskraft
von Immanuel Kant.

Dritte Auflage.

Berlin,
bey F. T. Lagarde.
1799.

|| VORREDE
ZUR ERSTEN AUFLAGE, 1790[1]

Man kann das Vermögen der Erkenntnis aus Prinzipien a priori die reine Vernunft, und die Untersuchung der Möglichkeit und Grenzen derselben überhaupt die Kritik der reinen Vernunft nennen: ob man gleich unter diesem Vermögen nur die Vernunft in ihrem theoretischen Gebrauche versteht, wie es auch in dem ersten Werke unter jener Benennung geschehen ist, ohne noch ihr Vermögen, als praktische Vernunft, nach ihren besonderen Prinzipien in Untersuchung ziehen zu wollen. Jene geht alsdann bloß auf unser Vermögen, Dinge a priori zu erkennen; und beschäftigt sich also nur mit dem Erkenntnisvermögen, mit Ausschließung des Gefühls der Lust und Unlust und des Begehrungsvermögens; und unter den Erkenntnisvermögen mit dem Verstande nach seinen Prinzipien a priori, mit Ausschließung der Urteilskraft || und der Vernunft (als zum theoretischen Erkenntnis gleichfalls gehöriger Vermögen), weil es sich in dem Fortgange findet, daß kein anderes Erkenntnisvermögen, als der Verstand, konstitutive Erkenntnisprinzipien a priori an die Hand geben kann. Die Kritik *also*, welche sie insgesamt, nach dem Anteile, den jedes der anderen an dem baren Besitz der Erkenntnis aus eigener Wurzel zu haben vorgeben möchte, sichtet, läßt nichts übrig, als was der Verstand a priori als Gesetz für die Natur, als *den* Inbegriff von Erscheinungen (deren Form eben sowohl a priori gegeben ist), vorschreibt; verweiset aber alle andere reine Begriffe unter die Ideen, die[2] für unser theoretisches Erkenntnisvermögen überschwenglich, dabei aber doch nicht etwa unnütz oder entbehrlich sind, sondern als regulative Prinzipien *dienen*[1]: teils die besorglichen Anmaßungen des Verstandes, als ob er (indem er a priori die Bedingungen der Möglichkeit aller Dinge, die er erkennen kann, anzugeben vermag) dadurch auch die Möglichkeit aller Dinge

[1] Zusatz von B u. C. – [2] A: »Hand geben kann: *so daß* die Kritik, welche ... sichtet, nichts übrig läßt, als was ... als Inbegriff ... vorschreibt, alle andere reine Begriffe aber unter die Ideen verweiset, die«.

überhaupt in diesen Grenzen beschlossen habe, zurück zu halten, teils um ihn selbst in der Betrachtung der Natur nach einem Prinzip der Vollständigkeit, wiewohl er sie nie | er|reichen kann, zu leiten, und dadurch die Endabsicht alles Erkenntnisses zu befördern.

Es war also eigentlich der Verstand, der sein eigenes Gebiet und zwar im Erkenntnisvermögen hat, sofern er konstitutive Erkenntnisprinzipien a priori enthält, welcher durch die im allgemeinen so benannte Kritik der reinen Vernunft gegen alle übrige Kompetenten in sicheren aber einigen[1] Besitz gesetzt werden sollte. Eben so ist der Vernunft, welche nirgend als lediglich in Ansehung des Begehrungsvermögens konstitutive Prinzipien a priori enthält, in der Kritik der praktischen Vernunft ihr Besitz angewiesen worden.

Ob nun die Urteilskraft, die in der Ordnung unserer Erkenntnisvermögen zwischen dem Verstande und der Vernunft ein Mittelglied ausmacht, auch für sich Prinzipien a priori habe; ob diese konstitutiv oder bloß regulativ sind (und also kein eigenes Gebiet beweisen), und ob sie dem Gefühle der Lust und Unlust, als dem Mittelgliede zwischen dem Erkenntnisvermögen und Begehrungsvermögen (eben so, wie der Verstand dem ersteren, die Vernunft aber dem letzteren a priori Gesetze *vor|schreiben*[2]), a priori die Regel gebe: das ist es, wo|mit sich gegenwärtige Kritik der Urteilskraft beschäftigt.

Eine Kritik der reinen Vernunft, d. i. unseres Vermögens, nach Prinzipien a priori zu urteilen, würde unvollständig sein, wenn die der Urteilskraft, welche für sich als Erkenntnisvermögen darauf auch Anspruch macht, nicht als ein besonderer Teil derselben abgehandelt würde; obgleich ihre Prinzipien in einem System der reinen Philosophie keinen besonderen Teil zwischen der theoretischen und praktischen ausmachen dürfen, sondern im Notfalle jedem von beiden gelegentlich angeschlossen werden können. Denn, wenn ein solches System unter dem allgemeinen Namen der Metaphysik einmal zu Stande kommen soll (welches ganz voll-

[1] Akad.-Ausg.: »alleinigen«. – [2] A: »*vorschreibt*«.

|B V, VI |A V, VI

ständig zu bewerkstelligen möglich und für den Gebrauch der Vernunft in aller Beziehung höchst wichtig ist): so muß die Kritik den Boden zu diesem Gebäude vorher so tief, als die erste Grundlage des Vermögens von der Erfahrung unabhängiger Prinzipien liegt, erforscht haben, damit es nicht an irgend einem Teile sinke, welches den Einsturz des Ganzen unvermeidlich nach sich ziehen würde.

|| Man kann aber aus der Natur der Urteilskraft (deren richtiger Gebrauch so notwendig und allgemein erforderlich ist, daß daher unter dem Namen des gesunden Verstandes kein anderes, als eben dieses Vermögen gemeinet wird) leicht abnehmen, daß es mit großen Schwierigkeiten begleitet sein müsse, ein eigentümliches Prinzip derselben auszufinden (denn irgend eins muß es[1] a priori in sich enthalten, weil es[1] sonst nicht, als ein besonderes Erkenntnisvermögen, selbst der gemeinsten Kritik ausgesetzt sein würde), welches gleichwohl nicht aus Begriffen a priori abgeleitet sein muß; denn die gehören dem Verstande an, und die Urteilskraft geht nur auf die Anwendung derselben. Sie soll also selbst einen Begriff angeben, durch den eigentlich kein Ding erkannt wird, sondern der nur ihr selbst zur Regel dient, aber nicht zu einer objektiven, der sie ihr Urteil anpassen kann, weil dazu wiederum eine andere Urteilskraft erforderlich sein würde, um unterscheiden zu können, ob es der Fall der Regel sei oder nicht.

Diese Verlegenheit wegen eines Prinzips (es sei nun ein subjektives oder objektives) findet sich hauptsächlich in denjenigen Beurteilungen, die man || ästhetisch nennt, die das Schöne und Erhabne, der Natur oder der Kunst, betreffen. Und gleichwohl ist die kritische Untersuchung eines Prinzips der Urteilskraft in denselben das wichtigste Stück einer Kritik dieses Vermögens. Denn, ob sie gleich für sich allein zum Erkenntnis der Dinge gar nichts beitragen, so gehören sie doch dem Erkenntnisvermögen allein an, und beweisen eine unmittelbare Beziehung dieses Vermögens auf das Gefühl der Lust oder Unlust nach irgend einem Prinzip a priori, ohne es mit dem, was Bestimmungsgrund des Be-

[1] Akad.-Ausg.: »sie«.

|B VII, VIII |A VII, VIII

gehrungsvermögens sein kann, zu vermengen, weil dieses seine Prinzipien a priori in Begriffen der Vernunft hat. – Was aber die logische[1] Beurteilung der Natur anbelangt, da, wo die Erfahrung eine Gesetzmäßigkeit an Dingen aufstellt, welche zu verstehen oder zu erklären der allgemeine Verstandesbegriff vom Sinnlichen nicht mehr zulangt, und die Urteilskraft aus sich selbst ein Prinzip der Beziehung des Naturdinges auf das unerkennbare Übersinnliche nehmen kann, es auch nur in Absicht auf sich selbst zum Erkenntnis der Natur brauchen muß, da kann und muß ein solches Prinzip a priori zwar zum Erkenntnis der Weltwesen angewandt || werden, und eröffnet zugleich Aussichten, die für die praktische Vernunft vorteilhaft sind: aber es hat keine unmittelbare Beziehung auf das Gefühl der Lust und Unlust, die gerade das Rätselhafte in dem Prinzip der Urteilskraft ist, welches eine besondere Abteilung in der Kritik für dieses Vermögen notwendig macht, da die logische Beurteilung nach Begriffen (aus welchen niemals eine unmittelbare Folgerung auf das Gefühl der Lust und Unlust gezogen werden kann) allenfalls dem theoretischen Teile der Philosophie, samt einer kritischen Einschränkung derselben, hätte angehängt werden können.

Da die Untersuchung des Geschmacksvermögens, als ästhetischer Urteilskraft, hier nicht zur Bildung und Kultur des Geschmacks (denn diese wird auch ohne alle solche Nachforschungen, wie bisher, so fernerhin, ihren Gang nehmen), sondern bloß in transzendentaler Absicht angestellt wird: so wird sie, wie ich mir schmeichle, in Ansehung der Mangelhaftigkeit jenes Zwecks auch mit Nachsicht beurteilt werden. Was aber die letztere Absicht betrifft, so muß sie sich auf die strengste Prüfung gefaßt machen. Aber auch da kann die große Schwierigkeit, ein Problem, welches die Natur so verwickelt hat, aufzulösen, einiger nicht || ganz zu vermeidenden Dunkelheit in der Auflösung desselben, wie ich hoffe, zur Entschuldigung dienen, wenn nur, daß das Prinzip richtig angegeben worden, klar genug dargetan ist; gesetzt, die Art, das Phänomen der Urteilskraft davon ab-

[1] Akad.-Ausg. erwägt: »teleologische«.

zuleiten, habe nicht alle Deutlichkeit, die man anderwärts, nämlich von einem Erkenntnis nach Begriffen, mit Recht fordern kann, die ich auch im zweiten Teile dieses Werks erreicht zu haben glaube.

Hiemit endige ich also mein ganzes kritisches Geschäft. Ich werde ungesäumt zum Doktrinalen schreiten, um, wo möglich, meinem zunehmenden Alter die dazu noch einigermaßen günstige Zeit noch abzugewinnen. Es versteht sich von selbst, daß für die Urteilskraft darin kein besonderer Teil sei, weil in Ansehung derselben die Kritik statt der Theorie dient; sondern daß, nach der Einteilung der Philosophie in die theoretische und praktische, und der reinen in eben solche Teile, die Metaphysik der Natur und die der Sitten jenes Geschäft ausmachen werden.

|| EINLEITUNG

I. VON DER EINTEILUNG DER PHILOSOPHIE

Wenn man die Philosophie, sofern sie Prinzipien der Vernunfterkenntnis der Dinge (nicht bloß, wie die Logik, *Prinzipien* der Form[1] des Denkens überhaupt, ohne Unterschied der Objekte) durch Begriffe enthält, wie gewöhnlich, in die theoretische und praktische einteilt: so verfährt man ganz recht. Aber alsdann müssen auch die Begriffe, welche den Prinzipien dieser Vernunfterkenntnis ihr Objekt anweisen, spezifisch verschieden sein, weil sie sonst zu keiner Einteilung berechtigen würden, welche jederzeit eine Entgegensetzung der Prinzipien, der zu den verschiedenen Teilen einer Wissenschaft gehörigen Vernunfterkenntnis, voraussetzt.

Es sind aber nur zweierlei Begriffe, welche eben so viel verschiedene Prinzipien der Möglichkeit ihrer Gegenstände zulassen: nämlich die Naturbegriffe, und der Freiheitsbegriff. Da nun die ersteren ein theo|reti|sches Erkenntnis nach Prinzipien a priori möglich machen, der zweite aber in Ansehung derselben nur ein negatives Prinzip (der bloßen Entgegensetzung) schon in seinem Begriffe bei sich führt, dagegen für die Willensbestimmung erweiternde Grundsätze, welche darum praktisch heißen, errichtet: so wird die Philosophie in zwei, den Prinzipien nach ganz verschiedene, Teile, in die theoretische als Naturphilosophie, und die praktische als Moralphilosophie (denn so wird die praktische Gesetzgebung der Vernunft nach dem Freiheitsbegriffe genannt) mit Recht eingeteilt. Es hat aber bisher ein großer Mißbrauch mit diesen Ausdrücken zur Einteilung der verschiedenen Prinzipien, und mit ihnen auch der Philosophie, geherrscht: indem man das Praktische nach Naturbegriffen mit dem Praktischen nach dem Freiheitsbegriffe für einerlei nahm, und so, unter denselben Benennungen einer theoretischen und praktischen Philosophie, eine Einteilung machte, durch welche (da beide Teile einerlei Prinzipien haben konnten) in der Tat nichts eingeteilt war.

[1] A: »Logik *tut, die* der Form«.

Der Wille, als Begehrungsvermögen, ist nämlich eine von den mancherlei Naturursachen in der Welt, nämlich diejenige, welche nach Begriffen wirkt; und alles, was als durch einen Willen möglich (oder notwendig) vorgestellt wird, heißt praktisch-möglich (oder notwendig): zum Unterschiede von der physischen Möglichkeit oder Notwendigkeit einer Wirkung, wozu die || Ursache nicht durch Begriffe (sondern, wie bei der leblosen Materie, durch Mechanism, und, bei Tieren, durch Instinkt) zur Kausalität bestimmt wird. – Hier wird nun in Ansehung des Praktischen unbestimmt gelassen: ob der Begriff, der der Kausalität des Willens die Regel gibt, ein Naturbegriff, oder ein Freiheitsbegriff sei.

Der letztere Unterschied aber ist wesentlich. Denn, ist der die Kausalität bestimmende Begriff ein Naturbegriff, so sind die Prinzipien technisch-praktisch; ist er aber ein Freiheitsbegriff, so sind diese moralisch-praktisch: und weil es in der Einteilung einer Vernunftwissenschaft gänzlich auf diejenige Verschiedenheit der Gegenstände ankommt, deren Erkenntnis verschiedener Prinzipien bedarf, so werden die ersteren zur theoretischen Philosophie (als Naturlehre) gehören, die *andern*[1] aber ganz allein den zweiten Teil, nämlich (als Sittenlehre) die praktische Philosophie, ausmachen.

Alle technisch-praktische Regeln (d. i. die der Kunst und Geschicklichkeit überhaupt, oder auch der Klugheit, als einer Geschicklichkeit, auf Menschen und ihren Willen Einfluß zu haben), so fern ihre Prinzipien auf Begriffen beruhen, müssen nur als Korollarien zur theoretischen Philosophie gezählt werden. Denn sie betreffen nur die Möglichkeit der Dinge nach Naturbegriffen, wozu nicht allein die Mittel, die in der Natur dazu anzutreffen sind, sondern selbst der Wille (als Begehrungs-, mithin als Naturvermögen) gehört, sofern er durch Triebfe||dern der Natur jenen Regeln gemäß bestimmt werden kann. Doch heißen dergleichen praktische Regeln nicht Gesetze (etwa so wie physische), sondern nur Vorschriften: und zwar darum, weil der Wille nicht bloß unter dem Naturbegriffe, sondern auch unter dem Freiheitsbegriffe steht, in Beziehung auf welchen die Prinzipien des-

[1] A: *»zweiten«*.

|B XIII, XIV |A XIII, XIV

selben Gesetze heißen, und, mit ihren Folgerungen, den zweiten Teil der Philosophie, nämlich den praktischen, allein ausmachen.

So wenig also die Auflösung der Probleme der reinen Geometrie zu einem besonderen Teile derselben gehört, oder die Feldmeßkunst den Namen einer praktischen Geometrie, zum Unterschiede von der reinen, als ein zweiter Teil der Geometrie überhaupt verdient: so, und noch weniger, darf die mechanische oder chemische Kunst der Experimente, oder der Beobachtungen, für einen praktischen Teil der Naturlehre, endlich die Haus-, Land-, Staatswirtschaft, die Kunst des Umganges, die Vorschrift der Diätetik, selbst nicht die allgemeine Glückseligkeitslehre, sogar nicht einmal die Bezähmung der Neigungen und Bändigung der Affekten zum Behuf der letzteren, zur praktischen Philosophie gezählt werden, oder die letzteren wohl gar den zweiten Teil der Philosophie überhaupt ausmachen; weil sie insgesamt nur Regeln der Geschicklichkeit, die mithin nur technisch-praktisch sind, enthalten, um eine Wirkung hervorzubringen, die nach Naturbegriffen der Ursachen und Wirkungen mög||lich ist, welche, da sie zur theoretischen Philosophie gehören, jenen Vorschriften als bloßen Korollarien aus derselben (der Naturwissenschaft) *unterworfen sind, und also*[1] keine Stelle in einer besonderen Philosophie, die praktische genannt, verlangen können. Dagegen machen die moralisch-praktischen Vorschriften, die sich gänzlich auf dem Freiheitsbegriffe, mit völliger Ausschließung der Bestimmungsgründe des Willens aus der Natur, gründen, eine ganz besondere Art von Vorschriften aus: welche auch, gleich denen Regeln, *welchen*[2] die Natur gehorcht, schlechthin Gesetze heißen, aber nicht, wie diese, auf sinnlichen Bedingungen, sondern auf einem übersinnlichen Prinzip beruhen, und, neben dem theoretischen Teile der Philosophie, für sich ganz allein, einen anderen Teil, unter dem Namen der praktischen Philosophie, fordern.

Man siehet hieraus, daß ein Inbegriff praktischer Vorschriften, welche die Philosophie gibt, nicht einen besonderen, dem theoretischen zur Seite gesetzten, Teil derselben

[1] Zusatz von B u. C. – [2] A: *»denen«*.

darum ausmache, weil sie praktisch sind; denn das könnten sie sein, wenn ihre Prinzipien gleich gänzlich aus der theoretischen Erkenntnis der Natur hergenommen wären (als technisch-praktische Regeln); sondern, weil und wenn ihr Prinzip gar nicht vom Naturbegriffe, der jederzeit sinnlich bedingt ist, entlehnt ist, mithin auf dem Übersinnlichen, welches der Freiheitsbegriff allein durch formale Gesetze kenn|bar macht, be|ruht, und sie also moralisch-praktisch, d. i. nicht bloß Vorschriften und Regeln in dieser oder jener Absicht, sondern, ohne vorgehende[1] Bezugnehmung auf Zwecke und Absichten, Gesetze sind.

II. VOM GEBIETE DER PHILOSOPHIE ÜBERHAUPT

So weit Begriffe a priori ihre Anwendung haben, so weit reicht der Gebrauch unseres Erkenntnisvermögens nach Prinzipien, und mit ihm die Philosophie.

Der Inbegriff aller Gegenstände aber, worauf jene Begriffe bezogen werden, um, wo möglich, ein Erkenntnis derselben zu Stande zu bringen, kann, nach der verschiedenen Zulänglichkeit oder Unzulänglichkeit unserer Vermögen zu dieser Absicht, eingeteilt werden.

Begriffe, sofern sie auf Gegenstände bezogen werden, unangesehen, ob ein Erkenntnis derselben möglich sei oder nicht, haben ihr Feld, welches bloß nach dem Verhältnisse, das ihr Objekt zu unserem Erkenntnisvermögen überhaupt hat, bestimmt wird. – Der Teil dieses Feldes, worin für uns Erkenntnis möglich ist, ist ein Boden (territorium) für diese Begriffe und das dazu erforderliche Erkenntnisvermögen. Der Teil des Bodens, worauf diese gesetzgebend sind, ist das Gebiet (ditio) dieser Begriffe, und der ihnen zustehenden Erkenntnisvermögen. Erfahrungsbegriffe haben also | zwar ihren Boden in der Natur, als dem Inbegriffe aller | Gegenstände der Sinne, aber kein Gebiet (sondern nur ihren Aufenthalt, domicilium); weil sie zwar gesetzlich erzeugt werden, aber nicht gesetzgebend sind, sondern die auf sie gegründeten Regeln empirisch, mithin zufällig, sind.

[1] Akad.-Ausg.: »vorhergehende«.

Unser gesamtes Erkenntnisvermögen hat zwei Gebiete, das der Naturbegriffe, und das des Freiheitsbegriffs; denn durch beide ist es a priori gesetzgebend. Die Philosophie teilt sich nun auch, diesem gemäß, in die theoretische und *die*[1] praktische. Aber der Boden, auf *welchem* ihr Gebiet errichtet, und ihre[2] Gesetzgebung ausgeübt wird, ist immer doch nur der Inbegriff der Gegenstände aller möglichen Erfahrung, sofern sie für nichts mehr als bloße Erscheinungen genommen werden; denn ohnedas würde keine Gesetzgebung des Verstandes in Ansehung derselben gedacht werden können.

Die Gesetzgebung durch Naturbegriffe geschieht durch den Verstand, und ist theoretisch. Die Gesetzgebung durch den Freiheitsbegriff geschieht von der Vernunft, und ist bloß praktisch. Nur allein im Praktischen kann die Vernunft gesetzgebend sein; in Ansehung des theoretischen Erkenntnisses (der Natur) kann sie nur (als gesetzkundig, vermittelst des Verstandes) aus gegebenen Gesetzen durch Schlüsse Folgerungen ziehen, die doch immer nur bei der Natur stehen bleiben. Umgekehrt aber, wo Regeln | praktisch sind, ist die Vernunft | nicht darum sofort gesetzgebend, weil *sie*[3] auch technisch-praktisch sein können.

Verstand und Vernunft haben also zwei verschiedene Gesetzgebungen auf einem und demselben Boden der Erfahrung, ohne daß eine der anderen Eintrag tun darf. Denn so wenig der Naturbegriff auf die Gesetzgebung durch den Freiheitsbegriff Einfluß hat, eben so wenig stört dieser die Gesetzgebung der Natur. – Die Möglichkeit, das Zusammenbestehen beider Gesetzgebungen und der dazu gehörigen Vermögen in demselben Subjekt sich wenigstens ohne Widerspruch zu denken, bewies die Kritik der r. V., indem sie die Einwürfe dawider durch Aufdeckung des dialektischen Scheins in denselben vernichtete.

Aber, daß diese zwei verschiedenen Gebiete, die sich zwar nicht in ihrer Gesetzgebung, aber doch in ihren Wirkungen in der Sinnenwelt unaufhörlich *einschränken*[4], nicht eines

[1] Zusatz von B u. C. – [2] A: »auf *dem* ihr Gebiet errichtet *wird*, und *auf welchem* ihre«. – [3] C: »*jene*«. – [4] A: »*einschränkten*«.

|B XVIII |A XVIII

ausmachen, kommt daher: daß der Naturbegriff zwar seine Gegenstände in der Anschauung, aber nicht als Dinge an sich selbst, sondern als bloße Erscheinungen, der Freiheitsbegriff dagegen in seinem Objekte zwar ein Ding an sich selbst, aber nicht in der Anschauung vorstellig machen, mithin keiner von beiden ein theoretisches Erkenntnis von seinem Objekte (und selbst dem denkenden Subjekte) als Dinge an sich verschaffen kann, welches das Übersinnliche sein würde, wovon man die Idee zwar der Möglichkeit aller jener ¦ Gegenstände der | Erfahrung unterlegen muß, sie selbst aber niemals zu einem Erkenntnisse erheben und erweitern kann.

Es gibt also ein unbegrenztes, aber auch unzugängliches Feld für unser gesamtes Erkenntnisvermögen, nämlich das Feld des Übersinnlichen, worin wir keinen Boden für uns finden, also auf demselben weder für die Verstandes- noch Vernunftbegriffe ein Gebiet zum theoretischen Erkenntnis haben können; ein Feld, welches wir zwar zum Behuf des theoretischen sowohl als praktischen Gebrauchs der Vernunft mit Ideen besetzen müssen, denen wir *aber*[1], in Beziehung auf die Gesetze aus dem Freiheitsbegriffe, keine andere als praktische Realität verschaffen können, wodurch demnach unser theoretisches Erkenntnis nicht im mindesten zu dem Übersinnlichen erweitert wird.

Ob nun zwar eine unübersehbare Kluft zwischen dem Gebiete des Naturbegriffs, *als*[2] dem Sinnlichen, und dem Gebiete des Freiheitsbegriffs, als dem Übersinnlichen, befestigt ist, so daß von dem ersteren zum anderen (also vermittelst des theoretischen Gebrauchs der Vernunft) kein Übergang möglich ist, gleich als ob es so viel verschiedene Welten wären, *deren* erste[3] auf die zweite keinen Einfluß haben kann: so s o l l doch diese auf jene einen Einfluß haben, nämlich der Freiheitsbegriff *soll*[1] den durch seine Gesetze aufgegebenen Zweck in der Sinnenwelt wirklich machen; und die Natur muß folg¦lich auch so gedacht werden können, daß die Gesetzmäßigkeit ihrer Form | wenigstens zur Möglichkeit der in ihr zu bewirkenden Zwecke nach Frei-

[1] Zusatz von B u. C. – [2] A: »*also*«. – [3] A: »*davon die* erste«.

heitsgesetzen zusammenstimme. – Also muß es doch einen Grund der Einheit des Übersinnlichen, *welches*[1] der Natur zum Grunde liegt, mit dem, was der Freiheitsbegriff praktisch enthält, geben, *wovon*[2] der Begriff, wenn er gleich weder theoretisch noch praktisch zu einem Erkenntnisse desselben gelangt, mithin kein eigentümliches Gebiet hat, dennoch den Übergang von der Denkungsart nach den Prinzipien der einen, zu der nach Prinzipien der anderen, möglich macht.

III. VON DER KRITIK DER URTEILSKRAFT, ALS EINEM VERBINDUNGSMITTEL DER ZWEI TEILE DER PHILOSOPHIE ZU EINEM GANZEN

Die Kritik der Erkenntnisvermögen in Ansehung dessen, was sie a priori leisten können, hat eigentlich kein Gebiet in Ansehung der Objekte; weil sie keine Doktrin ist, sondern nur, ob und wie, nach der Bewandtnis, die es mit unseren Vermögen hat, eine Doktrin durch sie möglich sei, zu untersuchen hat. Ihr Feld erstreckt sich auf alle Anmaßungen derselben, um sie in die Grenzen ihrer Rechtmäßigkeit zu setzen. Was aber nicht in die Einteilung der Philosophie kommen kann, | das kann doch, als ein Hauptteil, in die Kritik des reinen Erkenntnisvermögens überhaupt kommen, wenn es nämlich Prinzipien | enthält, die für sich weder zum theoretischen noch praktischen Gebrauche tauglich sind.

Die Naturbegriffe, welche den Grund zu allem theoretischen Erkenntnis a priori enthalten, beruheten auf der Gesetzgebung des Verstandes. – Der Freiheitsbegriff, der den Grund zu allen sinnlich-unbedingten praktischen Vorschriften a priori enthielt, beruhete auf der Gesetzgebung der Vernunft. Beide Vermögen also haben, außer dem, daß sie der logischen Form nach auf Prinzipien, welchen Ursprungs sie auch sein mögen, angewandt werden können, überdem noch jedes seine eigene Gesetzgebung dem Inhalte nach, über die es keine andere (a priori) gibt, und die daher die Einteilung der Philosophie in die theoretische und praktische rechtfertigt.

[1] A: »*was*«. – [2] A: »*davon*«.

|B XXI |A XXI

Allein in der Familie der oberen Erkenntnisvermögen gibt es doch noch ein Mittelglied zwischen dem Verstande und der Vernunft. Dieses ist die Urteilskraft, von welcher man Ursache hat, nach der Analogie zu vermuten, daß sie eben sowohl, wenn gleich nicht eine eigene Gesetzgebung, doch ein ihr eigenes Prinzip, nach Gesetzen zu suchen, allenfalls ein bloß subjektives a priori, in sich enthalten dürfte: welches, wenn ihm gleich kein Feld der Gegenstände als sein Gebiet zustände, doch irgend einen Boden haben kann, und eine gewisse | Beschaffenheit desselben, wofür gerade nur dieses Prinzip geltend sein möchte.

| Hierzu kommt aber noch (nach der Analogie zu urteilen) ein neuer Grund, die Urteilskraft mit einer anderen Ordnung unserer Vorstellungskräfte in Verknüpfung zu bringen, welche von noch größerer Wichtigkeit zu sein scheint, als die der Verwandtschaft mit der Familie der Erkenntnisvermögen. Denn alle Seelenvermögen, oder Fähigkeiten, können auf die drei zurück geführt werden, welche sich nicht ferner aus einem gemeinschaftlichem Grunde ableiten lassen: das Erkenntnisvermögen, das Gefühl der Lust und Unlust, und das Begehrungsvermögen.* Für |

* *Es ist von Nutzen: zu Begriffen, welche man als empirische Prinzipien braucht, wenn man Ursache hat zu vermuten, daß sie mit dem reinen Erkenntnisvermögen a priori in Verwandtschaft stehen, dieser Beziehung wegen, eine transzendentale Definition zu versuchen: nämlich durch reine Kategorien, sofern diese allein schon den Unterschied des vorliegenden Begriffs von anderen hinreichend angeben. Man folgt hierin dem Beispiel des Mathematikers, der die empirischen Data seiner Aufgabe unbestimmt läßt, und nur ihr Verhältnis in der reinen Synthesis derselben unter die Begriffe der reinen Arithmetik bringt, und sich dadurch die Auflösung derselben verallgemeinert. – Man hat mir aus einem ähnlichen Verfahren (Krit. der prakt. V., S. 16 der Vorrede) einen Vorwurf gemacht, und die Definition des Begehrungsvermögens, als Vermögens, durch seine Vorstellungen Ursache von der Wirklichkeit der Gegenstände dieser Vorstellungen zu sein, getadelt: weil | bloße Wünsche doch auch Begehrungen wären, von denen sich doch jeder bescheidet, daß er durch dieselben allein ihr Objekt nicht hervorbringen könne. – Dieses aber beweiset nichts weiter, als daß es auch Begehrungen im Menschen gebe, wodurch derselbe mit sich selbst im Widerspruche steht: indem er durch seine Vorstellung allein zur Hervorbringung des Objekts hinwirkt, von der er doch keinen Erfolg erwarten kann, weil er sich bewußt ist, daß seine mechanischen Kräfte (wenn ich die nicht psychologischen so nennen soll),*

das Erkenntnisvermögen ist allein der Verstand gesetzgebend, wenn jenes (wie es auch geschehen muß, wenn es | für sich, ohne Vermischung mit dem Begehrungsvermögen, betrachtet wird) als Vermögen eines theoretischen Erkenntnisses auf die Natur bezogen wird, in Ansehung deren allein (als Erscheinung) es uns möglich ist, durch Naturbegriffe a priori, welche eigentlich reine Verstandesbegriffe sind, Gesetze zu geben. – Für das Begehrungsvermögen, als ein oberes Vermögen nach dem Freiheitsbegriffe, ist allein die Vernunft (in der allein dieser Begriff Statt hat) a priori gesetzgebend. – Nun ist zwischen dem Erkenntnis- und *dem*[1] Begehrungsvermögen das Gefühl der Lust, so wie zwischen dem Verstande und der Vernunft die Urteilskraft,

die durch jene Vorstellung bestimmt werden müßten, um das Objekt (mithin mittelbar) zu bewirken, entweder nicht zulänglich sind, oder gar auf etwas Unmögliches gehen, z. B. das Geschehene ungeschehen zu machen (O mihi praeteritos, etc.[2]*), oder im ungeduldigen Harren die Zwischenzeit, bis zum herbeigewünschten Augenblick, vernichten zu können. – Ob wir uns gleich in solchen phantastischen Begehrungen der Unzulänglichkeit unserer Vorstellungen (oder gar ihrer Untauglichkeit), Ursache ihrer Gegenstände zu sein, bewußt sind: so ist doch die Beziehung derselben, als Ursache, mithin die Vorstellung ihrer Kausalität, in jedem Wunsche enthalten, und vornehmlich alsdann sichtbar, wenn dieser ein Affekt, nämlich Sehnsucht, ist. Denn diese beweisen dadurch, daß sie das Herz ausdehnen und welk machen und so die Kräfte erschöpfen, daß die Kräfte durch Vorstellungen wiederholentlich angespannt werden, aber das Gemüt bei der Rücksicht auf die Unmöglichkeit unaufhörlich wiederum in Ermattung zurück sinken lassen. Selbst die Gebete um Abwendung großer und, soviel man einsieht, unvermeidlicher Übel, und manche abergläubische Mittel zur Erreichung natürlicherweise unmöglicher Zwecke, beweisen die Kausalbeziehung der Vorstellungen auf ihre | Objekte, die sogar durch das Bewußtsein ihrer Unzulänglichkeit zum Effekt von der Bestrebung dazu nicht abgehalten werden kann. – Warum aber in unsere Natur der Hang zu mit Bewußtsein leeren Begehrungen gelegt worden, das ist eine anthropologisch-teleologische Frage. Es scheint: daß, sollten wir nicht eher, als bis wir uns von der Zulänglichkeit unseres Vermögens zu Hervorbringung eines Objekts versichert hätten, zur Kraftanwendung bestimmt werden, diese großenteils unbenutzt bleiben würde. Denn gemeiniglich lernen wir unsere Kräfte nur dadurch allererst kennen, daß wir sie versuchen. Diese Täuschung in leeren Wünschen ist also nur die Folge von einer wohltätigen Anordnung in unserer Natur.*[1]

[1] Zusatz von B u. C. – [2] Übersetzung des Herausgebers: »O (wenn doch Jupiter) mir die vergangenen (Jahre zurückgäbe)«.

|B XXIV Anm.: |B XXIV

enthalten. Es ist also wenigstens vorläufig zu vermuten, daß die Urteilskraft eben so wohl für sich ein Prinzip a priori enthalte, und, | da mit dem Begehrungsvermögen notwendig Lust oder Unlust verbunden ist (es sei, daß sie, | wie beim unteren, vor dem Prinzip desselben vorhergehe, oder, wie beim oberen, nur aus der Bestimmung desselben durch das moralische Gesetz folge), eben so wohl einen Übergang von[1] reinen Erkenntnisvermögen, d. i. vom Gebiete der Naturbegriffe zum Gebiete des Freiheitsbegriffs, bewirken werde, als sie im logischen Gebrauche den Übergang vom Verstande zur Vernunft möglich macht.

Wenn also gleich die Philosophie nur in zwei Hauptteile, die theoretische und praktische, eingeteilt werden kann; wenn gleich alles, was wir von den eignen Prinzipien der Urteilskraft zu sagen haben möchten, in ihr zum theoretischen Teile, d. i. dem Vernunfterkenntnis nach Naturbegriffen, gezählt werden müßte: so besteht doch die Kritik der reinen Vernunft, die alles dieses vor der Unternehmung jenes Systems, zum Behuf der Möglichkeit desselben, ausmachen muß, aus drei Teilen: der Kritik des reinen Verstandes, der reinen Urteilskraft, und der reinen Vernunft, welche Vermögen darum rein genannt werden, weil sie a priori gesetzgebend sind.

IV. VON DER URTEILSKRAFT, ALS EINEM A PRIORI GESETZGEBENDEN VERMÖGEN

Urteilskraft überhaupt ist das Vermögen, das Besondere als enthalten unter dem Allgemeinen zu denken. || Ist das Allgemeine (die Regel, das Prinzip, das Gesetz) gegeben, so ist die Urteilskraft, welche das Besondere darunter subsumiert, (auch, wenn sie, als transzendentale Urteilskraft, a priori die Bedingungen angibt, *welchen*[2] gemäß allein unter jenem Allgemeinen subsumiert werden kann) bestimmend. Ist aber nur das Besondere gegeben, wozu sie das Allgemeine finden soll, so ist die Urteilskraft bloß reflektierend.

[1] Akad.-Ausg.: »vom«. – [2] A: *»denen«*.

|B XXV, XXVI |A XXIII, XXIV

Die bestimmende Urteilskraft unter allgemeinen transzendentalen Gesetzen, die der Verstand gibt, ist nur subsumierend; das Gesetz ist ihr a priori vorgezeichnet, und sie hat also nicht nötig, für sich selbst auf ein Gesetz zu denken, um das Besondere in der Natur dem Allgemeinen unterordnen zu können. – Allein es sind so mannigfaltige Formen der Natur, gleichsam so viele Modifikationen der allgemeinen transzendentalen Naturbegriffe, die durch jene Gesetze, welche der reine Verstand a priori gibt, weil dieselben nur auf die Möglichkeit einer Natur (als Gegenstandes der Sinne) überhaupt gehen, unbestimmt gelassen werden, daß dafür doch auch Gesetze sein müssen, die zwar, als empirische, nach unserer Verstandeseinsicht zufällig sein mögen, die aber doch, wenn sie Gesetze heißen sollen (wie es auch der Begriff einer Natur erfordert), aus einem, wenn gleich uns unbekannten, Prinzip der Einheit des Mannigfaltigen, als notwendig angesehen werden müssen. – Die reflektierende Urteilskraft, die von dem Besondern in der || Natur zum Allgemeinen aufzusteigen die Obliegenheit hat, bedarf also eines Prinzips, welches sie nicht von der Erfahrung entlehnen kann, weil es eben die Einheit aller empirischen Prinzipien unter gleichfalls empirischen aber höheren Prinzipien, und also die Möglichkeit der systematischen Unterordnung derselben unter einander, begründen soll. Ein solches transzendentales Prinzip kann also die reflektierende Urteilskraft sich nur selbst als Gesetz geben, nicht anderwärts hernehmen (weil sie sonst bestimmende Urteilskraft sein würde), noch der Natur vorschreiben; weil die Reflexion über die Gesetze der Natur sich nach der Natur, und diese nicht[1] nach den Bedingungen richtet, nach welchen wir einen in Ansehung dieser ganz zufälligen Begriff von ihr zu erwerben trachten.

Nun kann dieses Prinzip kein anderes sein, als: daß, da allgemeine Naturgesetze ihren Grund in unserem Verstande haben, der sie der Natur (ob zwar nur nach dem allgemeinen Begriffe von ihr als Natur) vorschreibt, die besondern empirischen Gesetze in Ansehung dessen, was in ihnen durch jene

[1] Akad.-Ausg.: »diese sich nicht«.

unbestimmt gelassen ist, nach einer solchen Einheit betrachtet werden müssen, als ob gleichfalls ein Verstand (wenn gleich nicht der unsrige) sie zum Behuf unserer Erkenntnisvermögen, um ein System der Erfahrung nach besonderen Naturgesetzen möglich zu machen, gegeben hätte. Nicht, als wenn auf diese Art wirklich ein solcher Verstand angenommen werden müßte (denn es ist nur die reflektierende Urteilskraft, der diese || Idee zum Prinzip dient, zum Reflektieren, nicht zum Bestimmen); sondern dieses Vermögen gibt sich dadurch nur selbst, und nicht der Natur, ein Gesetz.

Weil nun der Begriff von einem Objekt, sofern er zugleich den Grund der Wirklichkeit dieses Objekts enthält, der *Zweck*, und die Übereinstimmung eines Dinges mit derjenigen Beschaffenheit der Dinge, die nur nach Zwecken möglich ist, die *Zweckmäßigkeit* der Form derselben[1] heißt: so ist das Prinzip der Urteilskraft, in Ansehung der Form der Dinge der Natur unter empirischen Gesetzen überhaupt, die *Zweckmäßigkeit der Natur* in ihrer Mannigfaltigkeit. D. i. die Natur wird durch diesen Begriff so vorgestellt, als ob ein Verstand den Grund der Einheit des Mannigfaltigen ihrer empirischen Gesetze enthalte.

Die Zweckmäßigkeit der Natur ist also ein besonderer Begriff a priori, der lediglich in der reflektierenden Urteilskraft seinen Ursprung hat. Denn den Naturprodukten kann man so etwas, als Beziehung der Natur an ihnen auf Zwecke, nicht beilegen, sondern diesen Begriff nur brauchen, um über sie in Ansehung der Verknüpfung der Erscheinungen in ihr, die nach empirischen Gesetzen gegeben ist, zu reflektieren. Auch ist dieser Begriff von der praktischen Zweckmäßigkeit (der menschlichen Kunst oder auch der Sitten) ganz unterschieden, ob er zwar nach einer Analogie mit derselben gedacht wird.

[1] Akad.-Ausg.: »desselben«.

|B XXVIII |A XXVI

|| V. DAS PRINZIP DER FORMALEN ZWECKMÄSSIGKEIT DER NATUR IST EIN TRANSZENDENTALES PRINZIP DER URTEILSKRAFT

Ein transzendentales Prinzip ist dasjenige, durch welches die allgemeine Bedingung a priori vorgestellt wird, unter der allein Dinge Objekte unserer Erkenntnis überhaupt werden können. Dagegen heißt ein Prinzip metaphysisch, wenn es die Bedingung a priori vorstellt, unter der allein Objekte, deren Begriff empirisch gegeben sein muß, a priori weiter bestimmet werden können. So ist das Prinzip der Erkenntnis der Körper, als Substanzen und als veränderlicher Substanzen, transzendental, wenn dadurch gesagt wird, daß ihre Veränderung eine Ursache haben müsse; es ist aber metaphysisch, wenn dadurch gesagt wird, ihre Veränderung müsse eine äußere Ursache haben: weil im ersteren Falle der Körper nur durch ontologische Prädikate (reine Verstandesbegriffe), z. B. als Substanz, gedacht werden darf, um den Satz a priori zu erkennen; im zweiten aber der empirische Begriff eines Körpers (als eines beweglichen Dinges im Raum) diesem Satze zum Grunde gelegt werden muß, alsdann aber, daß dem Körper das letztere Prädikat (der Bewegung nur durch äußere Ursache) zukomme, völlig a priori eingesehen werden kann. – So ist, wie ich sogleich zeigen werde, das Prinzip der | Zweckmäßigkeit der | Natur (in der Mannigfaltigkeit ihrer empirischen Gesetze) ein transzendentales Prinzip. Denn der Begriff von den Objekten, sofern sie als unter diesem Prinzip stehend gedacht werden, ist nur der reine Begriff von Gegenständen des möglichen Erfahrungserkenntnisses überhaupt, und enthält nichts Empirisches. Dagegen wäre das Prinzip der praktischen Zweckmäßigkeit, die in der Idee der Bestimmung eines freien Willens gedacht werden muß, ein metaphysisches Prinzip; weil der Begriff eines Begehrungsvermögens als eines Willens doch empirisch gegeben werden muß (nicht zu den transzendentalen Prädikaten gehört). Beide Prinzipien aber sind dennoch nicht empirisch, sondern Prinzipien a priori: weil es zur Verbindung des Prädikats mit dem empirischen Begriffe des Subjekts ihrer Urteile keiner weiteren Erfahrung bedarf, sondern jene völlig a priori eingesehen werden kann.

Daß der Begriff einer Zweckmäßigkeit der Natur zu den transzendentalen Prinzipien gehöre, kann man aus den Maximen der Urteilskraft, die der Nachforschung der Natur a priori zum Grunde gelegt werden, und die dennoch auf nichts, als die Möglichkeit der Erfahrung, mithin der Erkenntnis der Natur, aber nicht bloß als Natur überhaupt, sondern als durch eine Mannigfaltigkeit besonderer Gesetze bestimmten Natur, gehen, hinreichend ersehen. – Sie kommen, als Sentenzen der metaphysischen Weisheit, bei Gelegenheit mancher Re||geln, deren Notwendigkeit man nicht aus Begriffen dartun kann, im Laufe dieser Wissenschaft oft genug, aber nur zerstreut, vor. »Die Natur nimmt den kürzesten Weg (lex parsimoniae); sie tut gleichwohl keinen Sprung, weder in der Folge ihrer Veränderungen, noch der Zusammenstellung spezifisch verschiedener Formen (lex continui in natura); ihre große Mannigfaltigkeit in empirischen Gesetzen ist gleichwohl Einheit unter wenigen Prinzipien (principia praeter necessitatem non sunt multiplicanda)«; u. d. g. m.

Wenn man aber von diesen Grundsätzen den Ursprung anzugeben denkt, und es auf dem psychologischen Wege versucht, so ist dies dem Sinne derselben gänzlich zuwider. Denn sie sagen nicht was geschieht, d. i. nach welcher Regel unsere Erkenntniskräfte ihr Spiel wirklich treiben, und wie geurteilt wird, sondern wie geurteilt werden soll; und da kommt diese logische objektive Notwendigkeit nicht heraus, wenn die Prinzipien bloß empirisch sind. Also ist die Zweckmäßigkeit der Natur für unsere Erkenntnisvermögen und ihren Gebrauch, welche offenbar aus ihnen hervorleuchtet, ein transzendentales Prinzip der Urteile, und bedarf also auch einer transzendentalen Deduktion, vermittelst deren der Grund, so zu urteilen, in den Erkenntnisquellen a priori aufgesucht werden muß.

Wir finden nämlich in den Gründen der Möglichkeit einer Erfahrung zuerst freilich etwas Notwendiges, || nämlich die allgemeinen Gesetze, ohne welche Natur überhaupt (als Gegenstand der Sinne) nicht gedacht werden kann; und diese beruhen auf den Kategorien, angewandt auf die formalen Bedingungen aller uns möglichen Anschauung, sofern sie gleichfalls a priori gegeben ist. Unter[1] diesen Gesetzen *nun*[2] ist die Urteilskraft bestimmend; denn sie hat nichts zu tun, als unter gegebnen Gesetzen zu subsumieren. Z. B. der Verstand sagt: Alle Veränderung hat ihre Ursache (allgemeines Naturgesetz); die transzendentale Urteilskraft hat nun nichts weiter zu tun, als die Bedingung der Subsumtion unter dem vorgelegten Verstandesbegriff a priori anzugeben: und das ist die Sukzession der Bestimmungen eines und desselben Dinges. Für die Natur nun überhaupt (als Gegenstand möglicher Erfahrung) wird jenes Gesetz als schlechterdings notwendig erkannt. – Nun sind aber die Gegenstände der empirischen Erkenntnis, außer jener formalen Zeitbedingung, noch auf mancherlei Art bestimmt, oder, so viel man a priori urteilen kann, bestimmbar, sodaß spezifisch-verschiedene Naturen, außerdem[3], was sie, als zur Natur überhaupt gehörig, gemein haben, noch auf unendlich mannigfaltige Weise Ursachen sein können; und eine jede dieser Arten muß (nach dem Begriffe einer Ursache überhaupt) ihre Regel haben, die Gesetz ist, mithin Notwendigkeit bei sich führt: ob wir gleich, nach der Beschaffenheit und den Schranken unserer Erkenntnisvermögen, diese Notwendigkeit gar || nicht einsehen. Also müssen wir in der Natur, in Ansehung ihrer bloß empirischen Gesetze, eine Möglichkeit unendlich mannigfaltiger empirischer Gesetze denken, die für unsere Einsicht dennoch zufällig sind (a priori nicht erkannt werden können); und in deren Ansehung[4] beurteilen wir die Natureinheit nach empirischen Gesetzen, und die Möglichkeit der Einheit der Erfahrung (als Systems nach empirischen Gesetzen), als zufällig. Weil aber doch eine solche Einheit notwendig vorausgesetzt und angenommen werden muß, *da*[5] sonst kein durchgängiger Zusammenhang empirischer Erkenntnisse zu einem Ganzen

[1] A: »ist, *und* unter«. – [2] Zusatz von B u. C. – [3] Akad.-Ausg.: »außer dem«. – [4] A: »in Ansehung deren«. – [5] A: »*weil*«.

|B XXXIII |A XXXI

der Erfahrung Statt finden würde, indem die allgemeinen Naturgesetze zwar einen solchen Zusammenhang unter den Dingen ihrer Gattung nach, als Naturdinge überhaupt, aber nicht spezifisch, als solche besondere Naturwesen, an die Hand geben: so muß die Urteilskraft für ihren eigenen Gebrauch es als Prinzip a priori annehmen, daß das für die menschliche Einsicht Zufällige in den besonderen (empirischen) Naturgesetzen dennoch eine, für uns zwar nicht zu ergründende aber doch denkbare, gesetzliche Einheit, in der Verbindung ihres Mannigfaltigen zu einer an sich möglichen Erfahrung, enthalte. Folglich, weil die gesetzliche Einheit in einer Verbindung, die wir zwar einer notwendigen Absicht (einem Bedürfnis) des Verstandes gemäß, aber zugleich doch als an sich zufällig erkennen, als Zweckmäßigkeit der Objekte (hier der || Natur) vorgestellt wird: so muß die Urteilskraft, die, in Ansehung der Dinge unter möglichen (noch zu entdeckenden) empirischen Gesetzen, bloß reflektierend ist, die Natur in Ansehung der letzteren nach einem Prinzip der Zweckmäßigkeit für unser Erkenntnisvermögen denken, welches dann in obigen Maximen der Urteilskraft ausgedrückt wird. Dieser transzendentale Begriff einer Zweckmäßigkeit der Natur ist nun weder ein Naturbegriff, noch ein Freiheitsbegriff, weil er gar nichts dem Objekte (der Natur) beilegt, sondern nur die einzige Art, wie wir in der Reflexion über die Gegenstände der Natur in Absicht auf eine durchgängig zusammenhängende Erfahrung verfahren müssen, vorstellt, folglich ein subjektives Prinzip (Maxime) der Urteilskraft; daher wir auch, gleich als ob es ein glücklicher unsre Absicht begünstigender Zufall wäre, erfreuet (eigentlich eines Bedürfnisses entledigt) werden, wenn wir eine solche systematische Einheit unter bloß empirischen Gesetzen antreffen[1]: ob wir gleich notwendig annehmen mußten, es sei eine solche Einheit, ohne daß wir sie doch einzusehen und zu beweisen vermochten.

Um sich von der Richtigkeit dieser Deduktion des vorliegenden Begriffs, und der Notwendigkeit, ihn als transzendentales Erkenntnisprinzip anzunehmen, zu überzeugen, be-

[1] A: »Zufall wäre, wenn ... antreffen, erfreuet (...) werden«.

|B XXXIV |A XXXII

denke man nur die Größe der Aufgabe: aus gegebenen Wahrnehmungen einer allenfalls unendliche Mannigfaltigkeit empirischer Gesetze enthaltenden || Natur eine zusammenhängende Erfahrung zu machen, welche Aufgabe a priori in unserm Verstande liegt. Der Verstand ist zwar a priori im Besitze allgemeiner Gesetze der Natur, ohne welche sie gar kein Gegenstand einer Erfahrung sein könnte: aber er bedarf doch auch überdem noch einer gewissen Ordnung der Natur, in den besonderen Regeln derselben, die ihm nur empirisch bekannt werden können, und die in Ansehung seiner zufällig sind. Diese Regeln, ohne welche kein Fortgang von der allgemeinen Analogie einer möglichen Erfahrung überhaupt zur besonderen Statt finden würde, muß er sich als Gesetze (d. i. als notwendig) denken: weil sie sonst keine Naturordnung ausmachen würden, ob er gleich ihre Notwendigkeit nicht erkennt, oder jemals einsehen könnte. Ob er also gleich in Ansehung derselben (Objekte) a priori nichts bestimmen kann, so muß er doch, um diesen empirischen sogenannten Gesetzen nachzugehen, ein Prinzip a priori, daß nämlich nach ihnen eine erkennbare Ordnung der Natur möglich sei, aller Reflexion über dieselbe zum Grunde legen, dergleichen Prinzip nachfolgende Sätze ausdrücken: daß es in ihr eine für uns faßliche Unterordnung von Gattungen und Arten gebe; daß jene sich einander wiederum einem[1] gemeinschaftlichen Prinzip nähern, damit ein Übergang von einer zu der anderen, und dadurch zu einer höheren Gattung möglich sei; daß, da für die spezifische Verschiedenheit der Naturwirkungen eben so viel verschiedene Arten der || Kausalität annehmen zu müssen unserem Verstande anfänglich unvermeidlich scheint, sie dennoch unter einer geringen Zahl von Prinzipien stehen mögen, mit deren Aufsuchung wir uns zu beschäftigen haben, u.s.w. Diese Zusammenstimmung der Natur zu unserem Erkenntnisvermögen wird von der Urteilskraft, zum Behuf ihrer Reflexion über dieselbe, nach ihren empirischen Gesetzen, a priori vorausgesetzt; indem sie der Verstand zugleich objektiv als zufällig anerkennt, und bloß die Urteils-

[1] Akad.-Ausg.: »nach einem«.

Suhrkamp

Wissenschaft Kritik Dokumentation

1. Halbjahr 1974

Adorno

Benjamin

Kracauer

Lorenzer

Wissenschaftliches Hauptprogramm

Walter Benjamin: Gesammelte Schriften
Bd. I, 1/2. Abhandlungen

Herausgegeben von Rolf Tiedemann und Hermann Schweppenhäuser
2 Bde. Etwa 1000 Seiten, je Bd. ca. DM 56,–. Kart. ca. DM 48,–
Subskriptionspreis: Leinen. ca. DM 43,–. Kart. ca. 38,–

Der erste Band der gesammelten Schriften von Benjamin enthält die größeren Abhandlungen (u. a. *Der Begriff der Kunstkritik in der deutschen Romantik, Goethes Wahlverwandtschaften, Ursprung des deutschen Trauerspiels, Charles Baudelaire – ein Lyriker im Zeitalter des Hochkapitalismus).* Diese Arbeiten sind bereits bekannt, Überraschungen sind also nicht zu erwarten – und doch wird gerade dieser Band den Streit darüber, welche Position Benjamin *wirklich* eingenommen hat, klären helfen. Er stellt z. B. die beiden Fassungen des Kunstwerk-Aufsatzes nebeneinander und publiziert im Anhang überdies die französische Übertragung, die Benjamin selbst angefertigt hat.

Theodor W. Adorno: Gesammelte Schriften
Band 11: Noten zur Literatur

Herausgegeben von Rolf Tiedemann
Etwa 540 Seiten. Leinen. ca. DM 38,–. Kart. ca. DM 24,–

Adornos *Noten zur Literatur,* deren drei erste Teile in den 50er und 60er Jahren erschienen, liegen nunmehr, um einen vierten Teil erweitert, in einem Band vor. Sie enthalten – im emphatischen Sinn – Essays. Sie setzten zu einer Zeit, da es um die literarische Kritik in der Bundesrepublik nicht zum besten stand, neue Standards der literarischen Kritik und Deutung. Die *Noten zur Literatur* geben – etwa mit den Arbeiten über Hölderlin, Eichendorff, Heine, Balzac, Proust, Valéry – Modelle für ein reflektiertes Verhältnis zur geistigen Tradition und liefern überdies Modelle für ein produktives Verhältnis zum Ästhetischen, das immer auch ein gesellschaftlich Vermitteltes ist.

Siegfried Kracauer: Schriften, Band 2
Von Caligari zu Hitler

Erste vollständige Ausgabe
Herausgegeben und übersetzt von Karsten Witte
Etwa 430 Seiten. Leinen. ca. DM 38,–. Kart. ca. DM 28,–

Kracauers gleichermaßen filmhistorisch wie ideologiekritisch orientiertes Buch *From Caligari to Hitler* erschien zuerst 1947 und wurde zu einem großen internationalen Erfolg. Nur eben in der

Jacques Derrida: Grammatologie

Aus dem Französischen von Hans-Jörg Rheinberger und Hanns Zischler
Etwa 500 Seiten. Leinen. ca. DM 58,–

Mit Derridas Büchern *Die Schrift und die Differenz* und *Grammatologie* ist der französische Strukturalismus in das Stadium seiner Selbstreflexion und seiner Selbstüberwindung eingetreten.
Im ersten Teil des Buches, »Die Schrift vor dem Buchstaben«, werden eine theoretische Grundlage entworfen, historische Wegmarken gewiesen und eine Reihe von kritischen Begriffen vorgeschlagen. Der zweite Teil, »Natur, Kultur, Schrift«, überprüft diese Begriffe an einem Beispiel, das ein Schlüsseltext des europäischen Logozentrismus ist: Rousseaus *Essai sur l'origine des langues.*

Roland Barthes: Sade, Fourier, Loyola

Aus dem Französischen von Maren Sell und Jürgen Hoch
Etwa 280 Seiten. Leinen. ca. DM 30,–

Die Arbeiten von Roland Barthes sind mehr oder weniger alle Untersuchungen zu einer allgemeinen Zeichenlehre oder Semiologie, wie sie von Saussure gefordert worden ist. Diese allgemeine Zeichenlehre soll nicht nur die geschriebenen und gesprochenen Sprachen umfassen, sondern alle anderen Zeichensysteme der Massenkommunikation wie Bildwerbung, Warenformen, Architektur, Symbolsysteme usw. Barthes: »Dieses Buch beschäftigt sich nicht mit dem Inhalt der Schriften dieser drei Autoren – das ist zur Genüge geschehen –, sondern es behandelt Sade, Fourier und Loyola als Formulierer, Erfinder von Schreibweisen, Textoperateure.«

Rudolf zur Lippe: Naturbeherrschung am Menschen

Band 1: Körpererfahrung als Entfaltung von Sinnen und Beziehungen in der Ära des italienischen Kaufmannskapitals
Band 2: Die Geometrisierung des Menschen und die Repräsentation des Privaten im französischen Absolutismus
2 Bde. zusammen etwa 680 Seiten.
Bd. 1 Leinen. ca. DM 34,–. Kart. ca. DM 22,–
Bd. 2 Leinen. ca. DM 44,–. Kart. ca. DM 32,–

Ballett ist sicherlich die künstlichste der überkommenen Kunstgattungen; und doch könnte Tanz so etwas sein wie ein Sichversichern der individuellen körperlichen Basis unserer menschlichen Existenz. Aufgrund einer so herausgearbeiteten Spannung kann Rudolf zur Lippe das zentrale Motiv der *Dialektik der Aufklärung* an der Geschichte der choreographierten Bewegung in Europa aufnehmen; ja gerade der ästhetische Einstieg in die gesellschaftstheoretische, geschichtsphilosophische Frage nach der Veränderbarkeit der Resultate der Klassengeschichte ermöglicht es, die Dialektik von Naturbeherrschung und innerer Verelendung der Menschen epochenspezifisch zu rekonstruieren.

Jean Starobinski: Psychoanalyse und Literatur

Aus dem Französischen von Eckhart Rohloff
Etwa 280 Seiten. Kart. ca. DM 20,–

Die vieldiskutierte Frage nach dem Einfluß der psychoanalytischen Theorie auf die Literatur wird hier zunächst einmal umgedreht: Welchen Einfluß hatten die literarischen und philosophischen Bildersprachen auf die Herausbildung dieser Theorie und ihre pseudowissenschaftlichen Vorläufer?
Der Genfer Romanist Jean Starobinski ist einer der wichtigsten Vertreter der psychoanalytisch orientierten Literaturkritik.

Edith Jacobson: Das Selbst und die Objektwelt

Aus dem Amerikanischen von Klaus Kennel
Etwa 280 Seiten. Kart. ca. DM 20,–

In dieser Untersuchung geht es um die Identitätserfahrung und ihre Störungen. Dabei werden klinische Beobachtungen mit den gegenwärtigen analytischen Begriffen konfrontiert und das Werkzeug des Analytikers wird nach den neuesten Entwicklungen der psychoanalytischen Theorie bewertet. Auf diese Weise erscheinen alte Probleme in einem neuen Licht, und neue Probleme werden zum ersten Mal gestellt.

Bereits erschienen

Max Schur: Sigmund Freud, Leben und Sterben

Aus dem Amerikanischen von Gert Müller
696 Seiten. Leinen. DM 54,–

Sigmund Freud begründete seine Theorie auf der Analyse der Krankheit, deren Kenntnis er zum Mittel der Erkenntnis des Menschen selbst, seiner widersprüchlichen Verhaltensweise, seiner Zivilisation machte. Wie aber steht es mit der Krankheit von Sigmund Freud? Inwieweit fußt seine Theorie auf der Erforschung seines eigenen Krankseins? Auf diese Frage könnte nur sein Arzt eine Antwort geben, vorausgesetzt, dieser Arzt ist selbst mit der psychoanalytischen Theorie vertraut. Dieser außerordentliche Glücksfall ist nun gegeben. Freuds langjähriger Hausarzt, Max Schur, der tatsächlich auch psychoanalytisch ausgebildet war, hat 1969 sein langes Schweigen gebrochen und endlich das für die Erkenntnis dieser Theorie entscheidende Buch geschrieben.
Insofern »gehört Max Schurs nachgelassenes Werk zu den wichtigsten Veröffentlichungen des vergangenen Herbstes. Wir haben es mit einem Buch zu tun, das weit über den Kreis der fachlich Betroffenen hinaus Freunde finden sollte«. *Jean Améry, Die Zeit*

Theorie-Diskussion: Supplement 2
Theorie der Gesellschaft oder Sozialtechnologie

Neue Beiträge zur Habermas-Luhmann-Diskussion
Herausgegeben von Franz Maciejewski
Etwa 150 Seiten. Kart. ca. DM 10,–

Kaum ein anderes Buch dürfte in den letzten Jahren eine solche Resonanz quer durch die Sozialwissenschaften gefunden haben wie der Diskussionsband, in dem J. Habermas und N. Luhmann über die Frage »Theorie der Gesellschaft oder Sozialtechnologie« stritten. Der nun vorliegende Band setzt die Diskussion fort und führt sie zurück zu ihrem soziologischen und politologischen Kerngehalt.

Literatur der Psychoanalyse

Herausgegeben von Alexander Mitscherlich

Karl Menninger: Selbstzerstörung

Psychoanalyse des Selbstmords
Aus dem Amerikanischen von Hildegard Weller
Etwa 520 Seiten. Leinen. ca. DM 58,–

Das vorliegende Buch ist die erste und bisher in dieser Ausführlichkeit wohl einzige umfassende Darstellung der Problematik des Selbstmords in seinen verschiedensten Erscheinungsformen. Die dabei von Menninger zugrunde gelegten psychoanalytischen Gesichtspunkte haben trotz der gewaltigen politischen und sozialen Umwälzungen, die die letzten Jahrzehnte mit sich brachten, nichts von ihrer Gültigkeit verloren.

Fünf Minuten pro Patient

Psychotherapeutische Möglichkeiten des praktischen Arztes
Balints »flash«- Therapie
Herausgegeben von Enid Balint und J. S. Morell
Aus dem Englischen von Käte Hügel
Etwa 220 Seiten. Kart. ca. DM 20,–

Das Forschungsprojekt dieses letzten Balint-Seminars hat sich die Frage gestellt, ob der psychologisch interessierte Arzt lernen kann, innerhalb seiner Routinepraxis eine Methode zu handhaben, die es ihm erlaubt, seine Patienten zu verstehen. Diese Methode ist der »flash«, das blitzlichthafte Aufleuchten eines gegenseitigen Verständnisses zwischen Patient und Arzt.

Studientexte

Ulrich Anacker: Natur und Intersubjektivität

Elemente zu einer Theorie der Aufklärung
Etwa 224 Seiten. Kart. ca. DM 20,–

In seiner Arbeit kommt Anacker zu dem Resultat, daß die spekulative Philosophie des Idealismus, versteht man sie als eine allgemeine Handlungstheorie, zu einer Einheit von theoretischer und praktischer Vernunft kommt, die es ermöglicht, die Gültigkeit des diskursiven Prinzips auszuweisen, es zu verallgemeinern derart, daß klar wird, unter welchen Bedingungen Handeln als zweckhaftes angesehen werden kann.

Friedemann Grenz: Adornos Philosophie in Grundbegriffen

Auflösung einiger Deutungsprobleme
Etwa 320 Seiten. Kart. ca. DM 24,–

Das von Friedemann Grenz gewählte, nahezu lexikographische Verfahren ist bestechend, zeigt es doch zweierlei: Adornos Denken hat die vermutete monolithische Struktur oder, mit Rolf Tiedemann gesagt, »unterirdisch [kommuniziert] noch die peripherste Konzertkritik mit Werken wie der *Negativen Dialektik*«; und Adornos Denken ist im wesentlichen Geschichtsphilosophie.

Wissenschaftliche Sonderausgaben

Fredrick C. Redlich und Daniel X. Freedman: Theorie und Praxis der Psychiatrie

2 Bde. zusammen etwa 1200 Seiten. Leinenkaschiert. ca. DM 38,–

»Als Lehrbuch der Psychiatrie bietet das Buch von Redlich und Freedman weit mehr als herkömmliche deutsche Lehrbücher in diesem medizinischen Bereich. Es nimmt in aller Ausführlichkeit in die Psychiatrie die Forschungsergebnisse anderer Sozialwissenschaften auf, so daß man einen guten Überblick über die »moderne« Psychiatrie und ihre Grenzgebiete bekommt« *Das Argument*

Stephan Körner: Erfahrung und Theorie

Ein wissenschaftstheoretischer Versuch
Etwa 304 Seiten. Leinenkaschiert. ca. DM 20,–

Die Arbeit von Körner will die allgemeine Struktur wissenschaftlicher Theorien, ihre Beziehung zur Erfahrung und ihre Beziehung zu nichtwissenschaftlichen Systemen und Denkweisen darstellen.

Theorie

Herausgegeben von Jürgen Habermas, Dieter Henrich und Jacob Taubes

Antonio Labriola: Über den historischen Materialismus

Aus dem Italienischen von Anneheide Ascheri
Einleitung von Claudio Pozzoli
Etwa 300 Seiten. Kart. ca. DM 26,–

Antonio Labriola (1843–1904), den Engels einen »strikten Marxisten« nannte, war zu Beginn seiner intellektuellen Entwicklung neukantianischer Idealist. Erst Anfang der 90er Jahre lernte er den Marxismus kennen, und zwar, was für seine ganze theoretische Orientierung entscheidend ist, auf dem Weg über Hegel.
Für Labriola ist »der historische Materialismus in gewissem Sinne der ganze Marxismus«, und die marxistische Philosophie konzipiert er wesentlich als »Philosophie der Praxis«. Von dieser Position aus kritisierte er entschieden die damals grassierende Faktorentheorie: die Gesellschaft ist für ihn ein komplexes Ganzes, das nur in seinen historischen Veränderungen verstanden, nicht jedoch deterministisch erklärt werden kann.

Erving Goffman: Das Individuum im öffentlichen Austausch

Mikrostudien zur öffentlichen Ordnung
Aus dem Englischen von R. und R. Wiggershaus
Etwa 400 Seiten. Kart. ca. DM 24,–

Wenn Goffman in seinen Büchern *Stigma* und *Asyle* dem Blick auf das Fremdartige und Abnorme in unserer Gesellschaft Einsichten über deren Normalität abgewann, so ist es in dieser neuen Arbeit (ähnlich wie in den *Interaktionsritualen*) der verfremdende Blick auf das Normale und Alltägliche, der dessen Doppelbödigkeit und Komplexität auslotet, bis hin zur Pathogenität von Schauplätzen und Situationen.

Emmanuel Terray: Zur politischen Ökonomie der »primitiven« Gesellschaften Zwei Studien

Aus dem Französischen von Eva Szabó
Etwa 180 Seiten. Kart. ca. DM 18,–

In der ersten dieser beiden Studien prüft der französische Anthropologe die theoretische Tradition in der Ethnologie, ausgehend von einem Schlüsselwerk, das heute wieder im Brennpunkt der Diskussion steht, dem von Morgan. Besonders Morgans *Ancient Society* ist zum Streitobjekt zwischen Idealisten und Materialisten geworden. In seiner zweiten Studie analysiert Terray die Ergebnisse von Meillassoux und zieht daraus theoretische Folgerungen für die ökonomische Interpretation der »primitiven« Gesellschaftsformationen, die für die ganze ethnologische Forschung und die Frage der sozialen Evolution von einzigartiger Bedeutung sind.

Charles A. Beard: Eine ökonomische Interpretation der amerikanischen Verfassung

Aus dem Englischen von Ulrich Bracher
Einleitung von Johann Baptist Müller
Etwa 350 Seiten. Kart. ca. DM 28,–

So bedeutend der Einfluß Beards auf das historische und politologische Denken der Vereinigten Staaten ist, so gering ist seine bisherige Ausstrahlung auf den deutschen Kulturbereich. Mit seiner ökonomischen Geschichtsbetrachtung, d. h. seinem Versuch, die wirtschaftlichen Antriebe des politischen Handelns aufzuzeigen, hat er sich zu Anfang des Jahrhunderts der herrschenden historiographischen und politologischen Tradition entgegengestemmt. Das epochemachende Werk über die amerikanische Verfassung ist bisher noch nie ins Deutsche übersetzt worden.
Heute jedenfalls kann eine ernsthafte Beschäftigung mit dem Verhältnis zwischen Ökonomie und Politik an dem klassischen Werk von Beard nicht mehr vorübergehen.

Theorie-Diskussion: Theorien der Wissenschaftsgeschichte

Beiträge zur diachronischen Wissenschaftstheorie
Herausgegeben von Werner Diederich
Etwa 280 Seiten. Kart. ca. DM 14,–

Die Wissenschaftstheorie wird gegenwärtig stark von der Auseinandersetzung mit der Wissenschaftsgeschichte bestimmt, herausgefordert durch Thomas S. Kuhns Buch *Die Struktur wissenschaftlicher Revolutionen.*
Die Aufsätze dieses Bandes stehen in dem Kontext einer international geführten Diskussion, die sie reflektieren und weitertreiben.

Arthur C. Danto: Analytische Philosophie der Geschichte

Aus dem Englischen von Jürgen Behrens
Etwa 460 Seiten. Kart. ca. DM 26,–

Dieses den deutschen Leser, dem die angelsächsische Schule analytischer Philosophie nicht eben vertraut ist, vielleicht eigenwillig anmutende Buch ist ein wichtiger Beitrag zur methodologischen Diskussion innerhalb der bürgerlichen Historiographie, die in Deutschland noch immer weitgehend von dualistischen Konzeptionen neukantianischer Provenienz beherrscht wird.

Tilmann Moser: Lehrjahre auf der Couch

Bruchstücke meiner Psychoanalyse
Etwa 240 Seiten. Kart. ca. DM 20,–

Wir wissen viel davon, wie Psychoanalytiker ihre Patienten sehen und wie Psychoanalytiker ihre Behandlungen beschreiben und verstehen. Es ist immer die Sicht derer, die hinter der Couch sitzen.
Tilmann Moser mit seinem Analysebericht *Lehrjahre auf der Couch* ist kein naiver Patient. Er ist selbst Psychoanalytiker und beschreibt die emotionalen Krisen seiner eigenen Lehranalyse, die er als depressiver Patient, nicht als Ausbildungskandidat begonnen hatte.
Der Leser erlebt nach, wie einer, trotz vieler theoretischer Vorkenntnisse und mißglückter Therapieversuche, hineingerissen wird in die Regression auf frühe, ja früheste Stadien seiner seelischen Existenz, in den Sog der Übertragung, in der diese frühen Stadien nachgelebt werden am unsichtbaren Therapeuten hinter der Couch. Moser schreibt so unzensiert, wie es das Prinzip der Psychoanalyse erfordert, man könnte sagen: schonungslos, oder auch: schamlos. Es wird nichts verschwiegen, und doch hat das Buch nichts mit Pornographie zu tun. Es ist ein Stück psychoanalytischer Forschung: die Untersuchung einer Neurose und des Versuchs ihrer Heilung aus der Sicht des Erkrankten. Leitgedanke ist die Nachzeichnung des Übertragungsverlaufs sowie der Deutungstechnik und der Haltung des Psychoanalytikers. In diese Nachzeichnung des Übertragungsverlaufs reihen sich noch die intimsten Details ein, so daß allmählich eine Struktur sichtbar wird, eine Landschaft des Unbewußten, die sich, aus den Fugen geraten, im Laufe einer fünfjährigen Analyse allmählich wieder ordnet.

suhrkamp taschenbücher wissenschaft

(Die römischen Ziffern in Klammern geben das voraussichtliche Erscheinungsquartal an.)

Theodor W. Adorno
Philosophische Terminologie 2
stw 50 (I)

Helmut Arnaszus
Spieltheorie und Nutzenbegriff
stw 51 (I)

W. Ross Ashby
Einführung in die Kybernetik
stw 34 (II)

Hans Barth
Wahrheit und Ideologie
stw 68 (II)

Walter Benjamin
Charles Baudelaire
stw 47 (I)

Rudolf Bilz
Studien über Angst und Schmerz
stw 44 (I)

Abram Deborin/Nikolai Bucharin
Kontroversen über dialektischen und mechanistischen Materialismus
stw 64 (I)

Alfred Lorenzer
Theorie des psychoanalytischen Verfahrens

Ein historisch-materialistischer Entwurf
Etwa 320 Seiten. Leinen. ca. DM 24,–

Lorenzers neues Buch bildet den vorläufigen »Abschluß« seiner bisherigen Arbeiten insofern, als es nach der Untersuchung der therapeutischen Operation der Psychoanalyse – deren Gegenstand und zentrale Thematik – nun die Untersuchung der psychoanalytischen Theoriebildung bringt. Indem Lorenzer die Frage nach der wissenschaftlichen Valenz der Psychoanalyse stellt, kommt dem Buch innerhalb der Lorenzerschen Publikationen eine Schlüsselrolle zu.
Radikaler als Apel und Habermas – radikaler, weil er seine Metatheorie explizit in der Perspektive des historischen Materialismus entfaltet – begründet Lorenzer, im Gegensatz zu der bislang dominanten Lehre von der Psychoanalyse als einer »Naturwissenschaft des Seelischen«, das psychoanalytische Verfahren als kritisch-hermeneutische Operation. Der durch Marx gesetzte gesellschaftstheoretische Rahmen erlaubt es dem Autor, die traditionelle psychoanalytische Theorie so zu befragen, daß deren ideologische Befangenheit durchschaut werden kann. Es geht, mit einem Wort, darum, ob Psychoanalyse als Anpassungstechnik oder als emanzipativer Prozeß anzusehen ist.

Gilles Deleuze/Félix Guattari: Anti-Ödipus

Aus dem Französischen von Bernd Schwips
Etwa 600 Seiten. Leinen. ca. DM 48,–

Der *Anti-Ödipus*, der im Frühjahr 1972 in Paris erschien, löste eine Art Sensation aus, die weit über Frankreichs Grenzen hinausdrang – wie ein Gerücht über den Sturz eines Monarchen. Der Monarch heißt Ödipus, der von Freud nicht inthronisierte, sondern nur namhaft gemachte heimliche Herrscher über unsere psychischen Mechanismen, ja über die ganze menschliche Kultur. Der wahre Kern dieses Gerüchts ist, daß Deleuze und Guattari, der Philosoph und der Psychiater, die von der Psychoanalyse behauptete Universalität und Ubiquität des Ödipuskomplexes in Frage stellen, ihn als kulturspezifisches, nämlich abendländisch-bürgerliches Phänomen sehen, das allerdings von Europa aus exportiert und anderen Völkern oktroyiert wurde. Der Ödipus als imperialistischer Komplex – das wäre eine Kurzformel für dieses Buch, die aber seinen Inhalt bei weitem nicht ausschöpft. Das Buch ist überreich an Materialien, Deutungen und Spekulationen, an Thesen und Hypothesen, an Metaphern und Neologismen, die neue Einsichten mehr freisetzen als einfangen möchten.

Bundesrepublik blieb ihm die rechte Wirkung versagt. Die deutsche Ausgabe – *Von Caligari bis (!) Hitler* – kam spät (1958) und verstümmelt auf den Markt. Den starken Kürzungen fielen gerade jene Passagen zum Opfer, die uns heute als die interessantesten erscheinen: Analysen der Machart, der Technik, der Form. Aber auch die Inhaltsanalysen und ihre Bezüge zur Zeitgeschichte wurden durch die Übersetzung bewußt nivelliert und entschärft.
Erst durch die nun vorgelegte sorgfältige Neuübertragung, die den vollständigen Text bringt, wird dem deutschen Leser die von Kracauer gezogene Linie »von Caligari zu Hitler« einsichtig werden können.

Ludwig Wittgenstein
Bemerkungen über die Grundlagen der Mathematik

Etwa 448 Seiten. Leinen. ca. DM 38,–

Die *Bemerkungen über die Grundlagen der Mathematik und Logik* erscheinen als Band VI der Schriften Wittgensteins. Sie entstanden in den Jahren 1937 bis 1944. Der Band stellt eine von den Wittgenstein-Herausgebern G. H. von Wright, R. Rhees und G. E. M. Anscombe erarbeitete Auswahl aus einer Reihe von umfangreichen Manuskripten dar, die Wittgenstein zu jener Zeit verfaßte. Später ist er zu diesem Gegenstand nicht zurückgekehrt. Ursprünglich scheint es seine Absicht gewesen zu sein, die Abhandlungen zur Philosophie der Mathematik in die *Philosophischen Untersuchungen* miteinzubeziehen, in deren Kontext sie gedanklich gehören. Die fünf Teile dieser Sammlung wurden von den Herausgebern chronologisch geordnet und numeriert.

Predrag Vranicki
Geschichte des Marxismus

Aus dem Serbokroatischen von Stanislava Rummel und Vkekoslava Wiedmann
2. Band. Etwa 700 Seiten. Leinen. ca. DM 36,–. Kart. ca. DM 24,–

Der zweite Band von Vranickis großer Geschichte des Marxismus behandelt zum einen die Entwicklung der marxistischen Theorie nach der Großen Sozialistischen Oktoberrevolution (Bucharin, Trotzki, Stalin in der Sowjetunion, Lukács, Korsch, Gramsci u. a. in den westlichen Ländern) und die dramatischen und folgenreichen Kontroversen innerhalb der Dritten Internationale, zum anderen erörtert er die Entwicklung der sozialistischen Gesellschaften in der gegenwärtigen Epoche, wobei er auch die durch die chinesische Revolution gewonnenen Perspektiven in die Diskussion miteinbezieht. Ebenso werden neomarxistische Positionen – wie etwa die von Bloch, Marcuse, Adorno, Fromm, Lefebvre, Sartre, Althusser, della Volpe, Dobb u. a. – kritisch gewürdigt. Der Schlußteil des Buches entfaltet breit die besondere Entwicklung marxistischer Theorie und Praxis in Jugoslawien.

Materialien zu Jürgen Habermas' »Erkenntnis und Interesse«
stw 49 (II)

Immanuel Kant zum 250. Geburtstag

Immanuel Kant
Kritik der reinen Vernunft
stw 55 (II)

Immanuel Kant
Kritik der praktischen Vernunft
stw 56 (II)

Immanuel Kant
Kritik der Urteilskraft
stw 57 (II)

Materialien zu Kants »Kritik der reinen Vernunft«
stw 58 (III)

Materialien zu Kants »Kritik der praktischen Vernunft«
stw 59 (III)

Materialien zu Kants »Kritik der Urteilskraft«
stw 60 (II)

Immanuel Kant zu ehren
stw 61 (II)

Anthony Kenny
Wittgenstein
stw 69 (II)

Paul Lorenzen
Methodisches Denken
stw 73 (I)

Robert Minder
Glaube, Skepsis und Rationalismus
stw 43 (I)

Jürgen Mittelstraß
Die Möglichkeit von Wissenschaft
stw 62 (II)

Wolfgang Mommsen
Max Weber
stw 53 (II)

Barrington Moore
Soziale Ursprünge von Diktatur und Demokratie
stw 54 (I)

Willard van Orman Quine
Grundzüge der Logik
stw 65 (II)

Helmuth Plessner
Die verspätete Nation
stw 66 (II)

Paul Ricoeur
Die Interpretation
Ein Versuch über Freud
stw 76 (I)

Seminar:
Medizin, Gesellschaft, Geschichte
stw 67 (II)

Seminar: Planung und Krise
Politische Ökonomie in Italien
stw 46 (II)

Seminar:
Primatenkommunikation
stw 63 (II)

Seminar: Religion und gesellschaftliche Entwicklung
stw 38 (I)

Derek J. de Solla Price
Little Science, Big Science
stw 48 (I)

Helmut Spinner
Pluralismus und kritischer Rationalismus
stw 32 (II)

Peter Szondi
Poetik und Geschichtsphilosophie I
stw 40 (I)

Suhrkamp Verlag, 6 Frankfurt 1, Lindenstr. 29–35, Postfach 4229
(Redaktionsschluß: 2. 1. 1974, Titelnummer 88/99095)

kraft sie der Natur als transzendentale Zweckmäßigkeit (in Beziehung auf das Erkenntnisvermögen des Subjekts) beilegt: weil wir, ohne diese vorauszusetzen, keine Ordnung der Natur nach empirischen Gesetzen, mithin keinen Leitfaden für eine mit diesen nach aller ihrer Mannigfaltigkeit anzustellende Erfahrung und Nachforschung derselben haben würden.

Denn es läßt sich wohl denken: daß, ungeachtet aller der Gleichförmigkeit der Naturdinge nach den allgemeinen Gesetzen, ohne welche die Form eines Erfahrungserkenntnisses überhaupt gar nicht Statt finden würde, die spezifische Verschiedenheit der empirischen Gesetze der Natur, samt ihren Wirkungen, dennoch so groß sein könnte, daß es für unseren Verstand unmöglich wäre, in ihr eine faßliche Ordnung zu entdecken, ihre Produkte in Gattungen und Arten einzuteilen, um die Prinzipien der Erklärung und des Verständnisses des einen auch zur Erklärung und Begreifung des an||dern zu gebrauchen, und aus einem für uns so verworrenen (eigentlich nur unendlich mannigfaltigen, unserer Fassungskraft nicht angemessenen) Stoffe eine zusammenhängende Erfahrung zu machen.

Die Urteilskraft hat also auch ein Prinzip a priori für die Möglichkeit der Natur, aber nur in subjektiver Rücksicht, in sich, wodurch sie, nicht der Natur (als Autonomie), sondern ihr selbst (als Heautonomie) für die Reflexion über jene, ein Gesetz vorschreibt, welches man das Gesetz der Spezifikation der Natur in Ansehung ihrer empirischen Gesetze nennen könnte, das sie a priori an ihr nicht erkennt, sondern zum Behuf einer für unseren Verstand erkennbaren Ordnung derselben in der Einteilung, die sie von ihren allgemeinen Gesetzen macht, annimmt, wenn sie diesen eine Mannigfaltigkeit der besondern unterordnen will. Wenn man also sagt: die Natur spezifiziert ihre allgemeinen Gesetze nach dem Prinzip der Zweckmäßigkeit für unser Erkenntnisvermögen, d. i. zur Angemessenheit mit dem menschlichen Verstande in seinem notwendigen Geschäfte: zum Besonderen, welches ihm die Wahrnehmung darbietet, das Allgemeine, und zum Verschiedenen (für jede Spezies zwar Allgemeinen) wiederum Verknüpfung in der Einheit des Prinzips zu finden: so schreibt man dadurch weder der Natur ein Gesetz vor, noch lernt man eines von ihr durch Beobachtung (ob zwar jenes Prinzip durch diese bestätigt werden kann). Denn es ist nicht ein Prinzip der || bestimmenden, sondern bloß der reflektierenden Urteilskraft; man will nur, daß man, die Natur mag ihren allgemeinen Gesetzen nach eingerichtet sein wie sie wolle, durchaus nach jenem Prinzip und den sich darauf gründenden Maximen ihren empirischen Gesetzen nachspüren müsse, weil wir, nur so weit als jenes Statt findet, mit dem Gebrauche unseres Verstandes in der Erfahrung fortkommen und Erkenntnis erwerben können.

VI. VON DER VERBINDUNG DES GEFÜHLS DER LUST MIT DEM BEGRIFFE DER ZWECKMÄSSIGKEIT DER NATUR

Die gedachte Übereinstimmung der Natur in der Mannigfaltigkeit ihrer besonderen Gesetze zu unserem Bedürfnisse, Allgemeinheit der Prinzipien für sie aufzufinden, muß, nach aller unserer Einsicht, als zufällig beurteilt werden, gleichwohl aber doch, für unser Verstandesbedürfnis, als unentbehrlich, mithin als Zweckmäßigkeit, *wodurch*[1] die Natur mit unserer, aber nur auf Erkenntnis gerichteten, Absicht übereinstimmt. – Die allgemeinen Gesetze des Verstandes, welche zugleich Gesetze der Natur sind, sind derselben eben so notwendig (obgleich aus Spontaneität entsprungen), als die Bewegungsgesetze der Materie; und ihre Erzeugung setzt keine Absicht mit unseren Erkenntnisvermögen voraus, weil wir nur durch dieselben von dem, was Erkenntnis der || Dinge (der Natur) sei, zuerst einen Begriff erhalten, und sie der Natur, als Objekt unserer Erkenntnis überhaupt, notwendig zukommen. Allein, daß die Ordnung der Natur nach ihren besonderen Gesetzen, bei aller unsere Fassungskraft übersteigenden wenigstens möglichen Mannigfaltigkeit und Ungleichartigkeit, doch dieser wirklich angemessen sei, ist, so viel wir einsehen können, zufällig; und die Auffindung

[1] A: »*dadurch*«.

derselben ist ein Geschäft des Verstandes, welches mit Absicht zu einem notwendigen Zwecke desselben, nämlich Einheit der Prinzipien in sie hineinzubringen, geführt wird: welchen Zweck dann die Urteilskraft der Natur beilegen muß, weil der Verstand ihr hierüber kein Gesetz vorschreiben kann.

Die Erreichung jeder[1] Absicht ist mit dem Gefühle der Lust verbunden; und, ist die Bedingung der erstern eine Vorstellung a priori, wie hier ein Prinzip für die reflektierende Urteilskraft überhaupt, so ist das Gefühl der Lust auch durch einen Grund a priori und für jedermann gültig bestimmt; und zwar bloß durch die Beziehung des Objekts auf das Erkenntnisvermögen, ohne daß der Begriff der Zweckmäßigkeit hier im mindesten auf das Begehrungsvermögen Rücksicht nimmt, und sich also von aller praktischen Zweckmäßigkeit der Natur gänzlich unterscheidet.

In der Tat, da wir von dem Zusammentreffen der Wahrnehmungen mit den Gesetzen nach allgemeinen Naturbegriffen (den Kategorien) nicht die mindeste ¦ Wir|kung auf das Gefühl der Lust in uns antreffen, auch nicht antreffen können, weil der Verstand damit unabsichtlich nach seiner Natur notwendig verfährt: so ist andrerseits die entdeckte Vereinbarkeit zweier oder mehrerer empirischen heterogenen Naturgesetze unter einem sie beide befassenden Prinzip der Grund einer sehr merklichen Lust, oft sogar einer Bewunderung, selbst einer solchen, die nicht aufhört, ob man schon mit dem Gegenstande derselben genug bekannt ist. Zwar spüren wir an der Faßlichkeit der Natur, und ihrer Einheit der *Abteilung*[2] in Gattungen und Arten, wodurch allein empirische Begriffe möglich sind, durch welche wir sie nach ihren besonderen Gesetzen erkennen, keine merkliche Lust mehr: aber sie ist gewiß zu ihrer Zeit gewesen, und nur weil die gemeinste Erfahrung ohne sie nicht möglich sein würde, ist sie allmählich mit dem bloßen Erkenntnisse vermischt, und nicht mehr besonders bemerkt worden. – Es gehört also etwas, *das*[3] in der Beurteilung der Natur auf die Zweckmäßigkeit derselben für unsern Verstand auf-

[1] Akad.-Ausg. erwägt: »jener«. – [2] C: *»Abteilungen«*. – [3] A: *»was«*.

merksam macht, ein Studium: ungleichartige Gesetze derselben, wo möglich, unter höhere, obwohl immer noch empirische, zu bringen, dazu, um, wenn es gelingt, an dieser Einstimmung derselben für unser Erkenntnisvermögen, die wir als bloß zufällig ansehen, Lust zu empfinden. Dagegen würde uns eine Vorstellung der Natur durchaus mißfallen, durch welche man uns *voraus sagte*[1], daß, bei der min|desten Nachforschung über die | gemeinste Erfahrung hinaus, wir auf eine Heterogeneität[2] ihrer Gesetze stoßen würden, *welche*[3] die Vereinigung ihrer besonderen Gesetze unter allgemeinen empirischen für unseren Verstand unmöglich machte; weil *dies*[4] dem Prinzip der subjektiv-zweckmäßigen Spezifikation der Natur in ihren Gattungen, und unserer reflektierenden Urteilskraft in der Absicht der letzteren, widerstreitet.

Diese Voraussetzung der Urteilskraft ist gleichwohl darüber so unbestimmt: wie weit jene idealische Zweckmäßigkeit der Natur für unser Erkenntnisvermögen ausgedehnt werden solle, daß, wenn man uns sagt, eine tiefere oder ausgebreitetere Kenntnis der Natur durch Beobachtung müsse zuletzt auf eine Mannigfaltigkeit von Gesetzen stoßen, die kein menschlicher Verstand auf ein Prinzip zurückführen kann, wir es auch zufrieden sind, ob wir es gleich lieber hören, wenn andere uns Hoffnung geben: daß, je mehr wir die Natur im Inneren kennen würden, oder mit äußeren uns für jetzt unbekannten Gliedern vergleichen könnten, wir sie in ihren Prinzipien um desto einfacher, und, bei der scheinbaren Heterogeneität ihrer empirischen Gesetze, einhelliger finden würden, je weiter unsere Erfahrung fortschritte. Denn es ist ein Geheiß unserer Urteilskraft, nach dem Prinzip der Angemessenheit der Natur zu unserem Erkenntnisvermögen zu verfahren, so weit es reicht, ohne (weil es keine bestimmende Urteilskraft ist, die uns diese Regel gibt) | auszumachen, ob es irgendwo seine Grenzen habe, oder | nicht; weil wir zwar in Ansehung des rationalen Gebrauchs unserer Erkenntnisvermögen Grenzen bestimmen können, im empirischen Felde aber keine Grenzbestimmung möglich ist.

[1] C: »*vorhersagte*«. – [2] A: »eine *solche* Heterogeneität«. – [3] A: »*die*«. – [4] A: »*das*«.

VII. VON DER ÄSTHETISCHEN VORSTELLUNG DER ZWECKMÄSSIGKEIT DER NATUR

Was an der Vorstellung eines Objekts bloß subjektiv ist, d. i. ihre Beziehung auf das Subjekt, nicht auf den Gegenstand ausmacht, ist die ästhetische Beschaffenheit derselben; was aber an ihr zur Bestimmung des Gegenstandes (zum Erkenntnisse) dient, oder gebraucht werden kann, ist ihre logische Gültigkeit. In dem Erkenntnisse eines Gegenstandes der Sinne kommen beide Beziehungen zusammen vor. In der Sinnenvorstellung der Dinge außer mir ist die Qualität des Raums, *worin*[1] wir sie anschauen, das bloß Subjektive meiner Vorstellung derselben (*wodurch*[2], was sie als Objekte an sich sein *mögen*[3], unausgemacht bleibt), um welcher Beziehung willen der Gegenstand auch dadurch bloß als Erscheinung gedacht wird; der Raum ist aber, seiner bloß subjektiven Qualität ungeachtet, gleichwohl doch ein Erkenntnisstück der Dinge als Erscheinungen. Empfindung (hier die äußere) drückt eben sowohl das bloß Subjektive unserer Vorstellun||gen der Dinge außer uns aus, aber eigentlich das Materielle (Reale) derselben (wodurch etwas Existierendes gegeben wird), so wie der Raum die bloße Form a priori der Möglichkeit ihrer Anschauung; und gleichwohl wird jene auch zum Erkenntnis der Objekte außer uns gebraucht.

Dasjenige Subjektive aber an einer Vorstellung, was gar kein Erkenntnisstück werden kann, ist die mit ihr verbundene Lust oder Unlust; denn durch sie erkenne ich nichts an dem Gegenstande der Vorstellung, obgleich sie wohl die Wirkung irgend einer Erkenntnis sein kann. Nun ist die Zweckmäßigkeit eines Dinges, sofern sie in der Wahrnehmung vorgestellt wird, auch keine Beschaffenheit des Objekts selbst (denn eine solche kann nicht wahrgenommen werden), ob sie gleich aus einem Erkenntnisse der Dinge gefolgert werden kann. Die Zweckmäßigkeit also, die vor dem Erkenntnisse eines Objekts vorhergeht, ja sogar, ohne[4] die

[1] A: »*darin*«. – [2] A: »*dadurch*«. – [3] Zusatz von B u. C. – [4] A: »ja ohne sogar«.

Vorstellung desselben zu einem Erkenntnis brauchen zu wollen, gleichwohl mit ihr unmittelbar verbunden wird, ist das Subjektive derselben, was gar kein Erkenntnisstück werden kann. Also wird der Gegenstand alsdann nur darum zweckmäßig genannt, weil seine Vorstellung unmittelbar mit dem Gefühle der Lust verbunden ist; und diese Vorstellung selbst ist eine ästhetische Vorstellung der | Zweckmäßigkeit. – Es fragt sich nur, ob es überhaupt eine solche Vorstellung der Zweckmäßigkeit gebe.

Wenn mit der bloßen Auffassung (apprehensio) der Form eines Gegenstandes der Anschauung, ohne Beziehung derselben auf einen Begriff zu einem bestimmten Erkenntnis, Lust verbunden ist: so wird die Vorstellung dadurch nicht auf das Objekt, sondern lediglich auf das Subjekt bezogen; und die Lust kann nichts anders als die Angemessenheit desselben zu den Erkenntnisvermögen, die in der reflektierenden Urteilskraft im Spiel sind, und sofern sie darin sind, also bloß eine subjektive formale Zweckmäßigkeit des Objekts ausdrücken. Denn jene Auffassung der Formen in die Einbildungskraft kann niemals geschehen, ohne daß die reflektierende Urteilskraft, auch unabsichtlich, sie wenigstens mit ihrem Vermögen, Anschauungen auf Begriffe zu beziehen, vergliche. Wenn nun in dieser Vergleichung die Einbildungskraft (als Vermögen der Anschauungen a priori) zum Verstande, als Vermögen der Begriffe, durch eine gegebene Vorstellung unabsichtlich in Einstimmung versetzt und dadurch ein Gefühl der Lust erweckt wird, so muß der Gegenstand alsdann als zweckmäßig für die reflektierende Urteilskraft angesehen werden. Ein solches Urteil ist ein ästhetisches Urteil über die Zweckmäßigkeit des Objekts, welches sich auf keinem vorhandenen Begriffe vom Gegenstande gründet, und keinen von ihm verschafft. *Wessen Gegenstandes* Form[1] (nicht das || Materielle seiner Vorstellung, als Empfindung) in der bloßen Reflexion über dieselbe (ohne Absicht auf einen von ihm zu erwerbenden Begriff) als der Grund einer Lust an der Vorstellung eines solchen Objekts beurteilt wird: mit dessen Vorstellung wird diese

[1] A: »*Ein Gegenstand dessen* Form«.

Lust auch als notwendig verbunden geurteilt, folglich als nicht bloß für das Subjekt, welches diese Form auffaßt, sondern für jeden Urteilenden überhaupt. Der Gegenstand heißt alsdann schön; und das Vermögen, durch eine solche Lust (folglich auch allgemeingültig) zu urteilen, der Geschmack. Denn da der Grund der Lust bloß in der Form des Gegenstandes für die Reflexion überhaupt, mithin in keiner Empfindung des Gegenstandes, und auch ohne Beziehung auf einen Begriff, der irgend eine Absicht enthielte, gesetzt wird: so ist es allein die Gesetzmäßigkeit im empirischen Gebrauche der Urteilskraft überhaupt (Einheit der Einbildungskraft mit dem Verstande) in dem Subjekte, mit der die Vorstellung des Objekts in der Reflexion, deren Bedingungen a priori allgemein gelten, zusammen stimmt; und da diese Zusammenstimmung des Gegenstandes mit den Vermögen des Subjekts zufällig ist, so bewirkt sie die Vorstellung einer Zweckmäßigkeit desselben in Ansehung der Erkenntnisvermögen des Subjekts.

Hier ist nun eine Lust, die, wie alle Lust oder Unlust, welche nicht durch den Freiheitsbegriff (d. i. durch die vorhergehende Bestimmung des oberen Begehrungsver||mögens durch reine Vernunft) gewirkt wird, niemals aus Begriffen, als mit der Vorstellung eines Gegenstandes notwendig verbunden, eingesehen werden kann, sondern jederzeit nur durch reflektierte Wahrnehmung als mit dieser verknüpft erkannt werden muß, folglich, wie alle empirische Urteile, keine objektive Notwendigkeit ankündigen und auf Gültigkeit a priori Anspruch machen kann. Aber, das Geschmacksurteil macht auch nur Anspruch, wie jedes andere empirische Urteil, für jedermann zu gelten, welches, ungeachtet der inneren Zufälligkeit desselben, immer möglich ist. Das Befremdende und Abweichende liegt nur darin: daß es nicht ein empirischer Begriff, sondern ein Gefühl der Lust (folglich gar kein Begriff) ist, welches doch durch das Geschmacksurteil, gleich als ob es ein mit dem Erkenntnisse des Objekts verbundenes Prädikat wäre, jedermann zugemutet und mit der Vorstellung desselben verknüpft werden soll.

|B XLVI |A XLIV

Ein einzelnes Erfahrungsurteil, z. B. von dem, der in einem Bergkristall einen beweglichen Tropfen Wasser wahrnimmt, verlangt mit Recht, daß ein jeder andere es eben so finden müsse, weil er dieses Urteil, nach den allgemeinen Bedingungen der bestimmenden Urteilskraft, unter den Gesetzen einer möglichen Erfahrung überhaupt gefället hat. Eben so macht derjenige, welcher in der bloßen Reflexion über die Form eines Gegenstandes, ohne Rücksicht auf einen Begriff, Lust empfindet, ob zwar || dieses Urteil empirisch und einzelnes[1] Urteil ist, mit Recht Anspruch auf jedermanns Beistimmung; weil der Grund zu dieser Lust in der allgemeinen obzwar subjektiven Bedingung der reflektierenden Urteile, nämlich der zweckmäßigen Übereinstimmung eines Gegenstandes (er sei Produkt der Natur oder der Kunst) mit dem Verhältnis der Erkenntnisvermögen unter sich, die zu jedem empirischen Erkenntnis erfordert wird[2] (der Einbildungskraft und des Verstandes), angetroffen wird. Die Lust ist also im Geschmacksurteile zwar von einer empirischen Vorstellung abhängig, und kann a priori mit keinem Begriffe verbunden werden (man kann a priori nicht bestimmen, welcher Gegenstand dem Geschmacke gemäß sein werde, oder nicht, man muß ihn versuchen); aber sie ist doch der Bestimmungsgrund dieses Urteils nur dadurch, daß man sich bewußt ist, sie beruhe bloß auf der Reflexion und den allgemeinen, obwohl nur subjektiven, Bedingungen der Übereinstimmung derselben zum Erkenntnis der Objekte überhaupt, für welche die Form des Objekts zweckmäßig ist.

Das ist die Ursache, warum die Urteile des Geschmacks ihrer Möglichkeit nach, weil diese ein Prinzip a priori voraussetzt, auch einer Kritik unterworfen sind, obgleich dieses Prinzip weder ein Erkenntnisprinzip für den Verstand, noch ein praktisches für den Willen, und also a priori gar nicht bestimmend ist.

|| Die Empfänglichkeit einer Lust aus der Reflexion über die Formen der Sachen (der Natur sowohl als der Kunst) bezeichnet aber nicht allein eine Zweckmäßigkeit der Objekte

[1] A: »*ein* einzelnes«. – [2] Akad.-Ausg.: »werden«.

in Verhältnis auf die reflektierende Urteilskraft, gemäß dem Naturbegriffe, am Subjekt, sondern auch umgekehrt des Subjekts in Ansehung der Gegenstände ihrer Form, ja selbst ihrer Unform nach, zufolge dem Freiheitsbegriffe; und dadurch geschieht es: daß das ästhetische Urteil, nicht bloß, als Geschmacksurteil, auf das Schöne, sondern auch, als aus einem Geistesgefühl entsprungenes, auf das Erhabene bezogen [1], und so jene Kritik der ästhetischen Urteilskraft in zwei diesen gemäße Hauptteile zerfallen muß.

VIII. VON DER LOGISCHEN VORSTELLUNG DER ZWECKMÄSSIGKEIT DER NATUR

An einem in der Erfahrung gegebenen Gegenstande kann Zweckmäßigkeit vorgestellt werden: entweder aus einem bloß subjektiven Grunde, als Übereinstimmung seiner Form, in der Auffassung (apprehensio) desselben vor allem Begriffe, mit den Erkenntnisvermögen, um die Anschauung mit Begriffen zu einem Erkenntnis überhaupt zu vereinigen; oder aus einem objektiven, als Übereinstimmung seiner Form mit der Möglichkeit des Dinges selbst, nach einem Begriffe von ihm, der || vorhergeht und den Grund dieser Form enthält. Wir haben gesehen: daß die Vorstellung der Zweckmäßigkeit der ersteren Art auf der unmittelbaren Lust an der Form des Gegenstandes in der bloßen Reflexion über sie beruhe; die also von der Zweckmäßigkeit der zweiten Art, da sie die Form des Objekts nicht auf die Erkenntnisvermögen des Subjekts in der Auffassung derselben, sondern auf ein bestimmtes Erkenntnis des Gegenstandes unter einem gegebenen Begriffe bezieht, hat nichts mit einem Gefühle der Lust an den Dingen, sondern mit dem Verstande in Beurteilung derselben zu tun. Wenn der Begriff von einem Gegenstande gegeben ist, so besteht das Geschäft der Urteilskraft im Gebrauche desselben zum Erkenntnis in der Darstellung (exhibitio), d. i. darin, dem Begriffe eine korrespondierende Anschauung zur Seite zu stellen: es sei, daß dieses durch unsere eigene Einbildungskraft geschehe, wie

[1] Akad.-Ausg.: »bezogen wird«.

|B XLIX |A XLVII

in der Kunst, wenn wir einen vorhergefaßten Begriff von einem Gegenstande, der für uns Zweck ist, realisieren, oder durch die Natur, in der Technik derselben (wie bei organisierten Körpern), wenn wir ihr unseren Begriff vom Zweck zur Beurteilung ihres Produkts unterlegen; in welchem Falle nicht bloß Zweckmäßigkeit der Natur in der Form des Dinges, sondern dieses ihr Produkt als Naturzweck vorgestellt wird. – Obzwar unser Begriff von einer subjektiven Zweckmäßigkeit der Natur in ihren Formen, nach empirischen Gesetzen, gar kein Begriff vom Objekt || ist, sondern nur ein Prinzip der Urteilskraft, sich in dieser ihrer übergroßen Mannigfaltigkeit Begriffe zu verschaffen (in ihr orientieren zu können): so legen wir ihr doch hiedurch gleichsam eine Rücksicht auf unser Erkenntnisvermögen nach der Analogie eines Zwecks bei; und so können wir die Naturschönheit als Darstellung des Begriffs der formalen (bloß subjektiven), und die Naturzwecke als Darstellung des Begriffs einer realen (objektiven) Zweckmäßigkeit ansehen, deren eine wir durch Geschmack (ästhetisch, vermittelst des Gefühls der Lust), die andere durch Verstand und Vernunft (logisch, nach Begriffen) beurteilen.

Hierauf gründet sich die Einteilung der Kritik der Urteilskraft in die der ästhetischen und teleologischen[1]; indem unter der ersteren das Vermögen, die formale Zweckmäßigkeit (sonst auch subjektive genannt) durch das Gefühl der Lust oder Unlust, unter der zweiten das Vermögen, die reale Zweckmäßigkeit (objektive) der Natur durch Verstand und Vernunft zu beurteilen, verstanden wird.

In einer Kritik der Urteilskraft ist der Teil, welcher die ästhetische Urteilskraft enthält, ihr wesentlich angehörig, weil diese allein ein Prinzip enthält, welches die Urteilskraft völlig a priori ihrer Reflexion über die Natur zum Grunde legt, nämlich das einer formalen Zweckmäßigkeit der Natur nach ihren besonderen (empirischen) Gesetzen für unser Erkenntnisvermögen, ohne || welche sich der Verstand in sie nicht finden könnte: anstatt daß gar kein Grund a priori angegeben werden kann, ja nicht einmal die Möglichkeit da-

[1] C: »und *der* teleologischen«.

von aus dem Begriffe einer Natur, als *Gegenstande*[1] der Erfahrung im allgemeinen sowohl, als im besonderen, erhellet, daß es objektive Zwecke der Natur, d. i. Dinge, die nur als Naturzwecke möglich sind, geben müsse; sondern nur die Urteilskraft, ohne ein Prinzip dazu a priori in sich zu enthalten, in vorkommenden Fällen (gewisser Produkte), um zum Behuf der Vernunft von dem Begriffe der Zwecke Gebrauch zu machen, die Regel enthalte[2], nachdem jenes transzendentale Prinzip schon den Begriff eines Zwecks (wenigstens der Form nach) auf die Natur anzuwenden den Verstand vorbereitet hat.

Der transzendentale Grundsatz aber, sich eine Zweckmäßigkeit der Natur in subjektiver Beziehung auf unser Erkenntnisvermögen an der Form eines Dinges als ein Prinzip der Beurteilung derselben vorzustellen, läßt es gänzlich unbestimmt, wo und in welchen Fällen ich die Beurteilung, als die eines Produkts nach einem Prinzip der Zweckmäßigkeit, und nicht vielmehr bloß nach allgemeinen Naturgesetzen anzustellen habe, und überläßt es der ästhetischen Urteilskraft, im Geschmacke die Angemessenheit desselben (seiner Form) zu unseren Erkenntnisvermögen (sofern diese nicht durch Übereinstimmung mit Begriffen, sondern durch das Gefühl entscheidet) auszumachen. Dagegen gibt die teleologisch-gebrauchte || Urteilskraft die Bedingungen bestimmt an, unter denen etwas (z. B. ein organisierter Körper) nach der Idee eines Zwecks der Natur zu beurteilen sei; kann aber keinen Grundsatz aus dem Begriffe der Natur, als Gegenstandes der Erfahrung, für die Befugnis anführen, ihr eine Beziehung auf Zwecke a priori beizulegen, und auch nur unbestimmt dergleichen von der wirklichen Erfahrung an solchen Produkten anzunehmen: *wovon*[3] der Grund ist, daß viele besondere Erfahrungen angestellt und unter der Einheit ihres Prinzips betrachtet werden müssen, um eine objektive Zweckmäßigkeit an einem gewissen Gegenstande nur empirisch erkennen zu können. – Die ästhetische Urteilskraft ist also ein besonderes Vermögen, Dinge nach einer Regel, aber nicht nach Begriffen, zu beurteilen. Die teleo-

[1] C: »*Gegenstandes*«. – [2] Akad.-Ausg.: »enthält«. – [3] A: »*davon*«.

|B LII |A L

logische ist kein besonderes Vermögen, sondern nur die reflektierende Urteilskraft überhaupt, sofern sie, wie überall im theoretischen Erkenntnisse, nach Begriffen, aber in Ansehung gewisser Gegenstände der Natur nach besonderen Prinzipien, nämlich einer bloß reflektierenden nicht Objekte bestimmenden Urteilskraft, verfährt, also ihrer Anwendung nach zum theoretischen Teile der Philosophie gehöret, und der besonderen Prinzipien wegen, die nicht, wie es in einer Doktrin sein muß, bestimmend sind, auch einen besonderen Teil der Kritik ausmachen muß; anstatt daß die ästhetische Urteilskraft zum Erkenntnis ihrer Gegenstände nichts beiträgt, und also nur zur Kritik des urteilenden Subjekts und der ¦ Er-| kenntnisvermögen desselben, sofern sie der Prinzipien a priori fähig sind, von welchem Gebrauche (dem theoretischen oder praktischen) diese übrigens auch sein mögen, gezählt werden muß, welche die Propädeutik aller Philosophie ist.

IX. VON DER VERKNÜPFUNG DER GESETZGEBUNGEN DES VERSTANDES UND DER VERNUNFT DURCH DIE URTEILSKRAFT

Der Verstand ist a priori gesetzgebend für die Natur als Objekt der Sinne, zu einem theoretischen Erkenntnis derselben in einer möglichen Erfahrung. Die Vernunft ist a priori gesetzgebend für die Freiheit und ihre eigene Kausalität, als das Übersinnliche in dem Subjekte, zu einem unbedingt-praktischen Erkenntnis. Das Gebiet des Naturbegriffs, unter der einen, und das des Freiheitsbegriffs, unter der anderen Gesetzgebung, sind gegen allen wechselseitigen Einfluß, den sie für sich (ein jedes nach seinen Grundgesetzen) auf einander haben *könnten*[1], durch die große Kluft, welche das Übersinnliche von den Erscheinungen trennt, gänzlich abgesondert. Der Freiheitsbegriff bestimmt nichts in Ansehung der theoretischen Erkenntnis der Natur; der Naturbegriff eben sowohl nichts in Ansehung der praktischen Gesetze der Freiheit: und es ist in sofern nicht ¦ möglich, eine Brücke von einem Gebiete zu dem andern | hin-

[1] C: »*können*«.

überzuschlagen. – Allein, wenn die Bestimmungsgründe der Kausalität nach dem Freiheitsbegriffe (und der praktischen Regel die er enthält) gleich nicht in der Natur belegen sind, und das Sinnliche das Übersinnliche im Subjekte nicht bestimmen kann: so ist dieses doch umgekehrt (zwar nicht in Ansehung des Erkenntnisses der Natur, aber doch der Folgen aus dem ersteren auf die letztere) möglich, und schon in dem Begriffe einer Kausalität durch Freiheit enthalten, deren Wirkung diesen ihren formalen Gesetzen gemäß in der Welt geschehen soll, obzwar das Wort Ursache, von dem Übersinnlichen gebraucht, nur den Grund bedeutet, die Kausalität der Naturdinge zu einer Wirkung, gemäß ihren[1] eigenen Naturgesetzen, zugleich aber doch auch mit dem formalen Prinzip der Vernunftgesetze einhellig, zu bestimmen, wovon die Möglichkeit zwar nicht eingesehen, aber der Einwurf von einem vorgeblichen Widerspruch, der sich darin fände, hinreichend widerlegt werden kann.* | – Die Wirkung nach dem | Freiheitsbegriffe ist der Endzweck, der (oder dessen Erscheinung in der Sinnenwelt) existieren soll, wozu die Bedingung der Möglichkeit desselben in der Natur (des Subjekts als Sinnenwesens, nämlich als Mensch) vorausgesetzt wird. Das, was diese a priori und ohne Rücksicht auf das Praktische voraussetzt, die Urteilskraft, gibt

* Einer von den verschiedenen vermeinten Widersprüchen in dieser gänzlichen Unterscheidung der Naturkausalität von der durch Freiheit ist der, da man ihr den Vorwurf macht: daß, wenn ich von Hindernissen, die die Natur der Kausalität nach Freiheitsgesetzen (den moralischen) legt, oder ihrer Beförderung durch dieselbe rede, ich doch der ersteren auf die letztere einen Einfluß einräume. Aber, wenn man das Gesagte nur verstehen will, so ist die Mißdeutung | sehr leicht zu verhüten. Der Widerstand, oder die Beför|derung, ist nicht zwischen der Natur und *der*[2] Freiheit, sondern der ersteren als Erscheinung und den Wirkungen der letztern als Erscheinungen in der Sinnenwelt; und selbst die Kausalität der Freiheit (der reinen *und*[2] praktischen Vernunft) ist die Kausalität einer jener untergeordneten Natursache (des Subjekts, als Mensch, folglich als Erscheinung betrachtet), von deren Bestimmung das Intelligible, welches unter der Freiheit gedacht wird, auf eine übrigens (eben so wie eben dasselbe, was das übersinnliche Substrat der Natur ausmacht) unerklärliche Art, den Grund enthält.

[1] A: »gemäß *dieser* ihren«. – [2] Zusatz von B u. C.

|B LV |A LIII Anm.: |B LV |A LIII

den vermittelnden Begriff zwischen den Naturbegriffen und dem Freiheitsbegriffe, der den Übergang von der reinen theoretischen zur reinen praktischen, von der Gesetzmäßigkeit nach der ersten zum Endzwecke nach dem letzten möglich macht, in dem Begriffe einer Zweckmäßigkeit der Natur an die Hand; denn dadurch wird die Möglichkeit des Endzwecks, der allein in der Natur und mit Einstimmung ihrer Gesetze wirklich werden kann, erkannt.

Der Verstand gibt, durch die Möglichkeit seiner Gesetze a priori für die Natur, einen Beweis davon, | daß diese von uns nur als Erscheinung erkannt werde, | mithin zugleich Anzeige auf ein übersinnliches Substrat derselben; aber läßt dieses gänzlich unbestimmt. Die Urteilskraft verschafft durch ihr Prinzip a priori der Beurteilung der Natur, nach möglichen besonderen Gesetzen derselben, ihrem übersinnlichen Substrat (in uns sowohl als außer uns) Bestimmbarkeit durch das intellektuelle Vermögen. Die Vernunft aber gibt eben demselben durch ihr praktisches Gesetz a priori die Bestimmung; und so macht die Urteilskraft den Übergang vom Gebiete des Naturbegriffs zu dem des Freiheitsbegriffs möglich.

In Ansehung der Seelenvermögen überhaupt, sofern sie als obere, d. i. als solche, die eine Autonomie enthalten, betrachtet werden, ist für das Erkenntnisvermögen (das theoretische der Natur) der Verstand dasjenige, welches die konstitutiven Prinzipien a priori enthält; für das Gefühl der Lust und Unlust ist es die Urteilskraft, unabhängig von Begriffen und Empfindungen, die sich auf Bestimmung des Begehrungsvermögens beziehen und dadurch unmittelbar praktisch sein könnten; für das Begehrungsvermögen die Vernunft, welche ohne Vermittelung irgend einer Lust, woher sie auch komme, praktisch ist, und demselben, als oberes Vermögen, den Endzweck bestimmt, der zugleich das reine intellektuelle Wohlgefallen am Objekte mit sich führt. - Der Begriff der Urteilskraft von | ei|ner Zweckmäßigkeit der Natur ist noch zu den Naturbegriffen gehörig, aber nur als regulatives Prinzip des Erkenntnisvermögens; obzwar das ästhetische Urteil über gewisse Gegenstände (der Natur oder der Kunst), welches ihn veranlasset, in Ansehung des Gefühls der Lust oder Unlust ein konstitutives Prinzip ist. Die Spontaneität im Spiele der Erkenntnisvermögen, deren Zusammenstimmung den Grund dieser Lust enthält, macht den gedachten Begriff zur Vermittelung der Verknüpfung der Gebiete des Naturbegriffs mit dem Freiheitsbegriffe in ihren Folgen tauglich, indem diese zugleich die Empfänglichkeit des Gemüts für das moralische Gefühl befördert. – Folgende Tafel kann die Übersicht aller oberen Vermögen ihrer systematischen Einheit nach erleichtern.*

* Man hat es bedenklich gefunden, daß meine Einteilungen in der reinen Philosophie fast immer dreiteilig ausfallen. Das liegt aber in der Natur der Sache. Soll eine Einteilung a priori geschehen, so wird sie entweder analytisch sein, nach dem Satze des Widerspruchs; und da ist sie jederzeit zweiteilig (quodlibet ens est aut A aut non A). Oder sie ist synthetisch; und, wenn sie in diesem Falle aus Begriffen a priori (nicht, wie in der Mathematik, aus der a priori dem Begriffe korrespondierenden Anschauung) soll geführt werden, so muß, nach demjenigen, was zu der synthetischen Einheit überhaupt erforderlich ist, nämlich 1) Bedingung, 2) ein Bedingtes, 3) der Begriff, der aus der Vereinigung des Bedingten mit seiner Bedingung entspringt, die Einteilung notwendig Trichotomie sein.

‖ Gesamte Vermögen des Gemüts	Erkenntnisvermögen	Prinzipien a priori	Anwendung auf
Erkenntnisvermögen	Verstand	Gesetzmäßigkeit	Natur
Gefühl der Lust und Unlust	Urteilskraft	Zweckmäßigkeit	Kunst
Begehrungsvermögen	Vernunft	Endzweck	Freiheit

|B LVIII |A LVI

|| EINTEILUNG DES GANZEN WERKS

[1] Die Seitenzahlen beziehen sich auf B bzw. A. (Ausführliches Inhaltsverzeichnis des Herausgebers am Schluß des Bandes.) – [2] A: »73«. – [3] A: »228«. – [4] A: »261«. – [5] A: »267«. – [6] A: »307«. – [7] A: »359«.

|B LIX, LX |A LVII, LVIII

|| DER KRITIK DER URTEILSKRAFT
ERSTER TEIL

KRITIK
DER ÄSTHETISCHEN
URTEILSKRAFT

|B 1 |A 1

|| ERSTER ABSCHNITT
ANALYTIK DER ÄSTHETISCHEN URTEILSKRAFT

ERSTES BUCH
ANALYTIK DES SCHÖNEN

ERSTES MOMENT DES GESCHMACKSURTEILS,* DER QUALITÄT NACH

§ 1. DAS GESCHMACKSURTEIL IST ÄSTHETISCH

Um zu unterscheiden, ob etwas schön sei oder nicht, beziehen wir die Vorstellung nicht durch den Verstand auf das Objekt zum Erkenntnisse, sondern durch die Einbil||dungskraft (vielleicht mit dem Verstande verbunden) auf das Subjekt und das Gefühl der Lust oder Unlust desselben. Das Geschmacksurteil ist also kein Erkenntnisurteil, mithin nicht logisch, sondern ästhetisch, worunter man dasjenige versteht, dessen Bestimmungsgrund nicht anders als subjektiv sein kann. Alle Beziehung der Vorstellungen, selbst die der Empfindungen, aber kann objektiv sein (und da bedeutet sie das Reale einer empirischen Vorstellung); nur nicht die auf das Gefühl der Lust und Unlust, wodurch gar nichts im Objekte bezeichnet wird, sondern in der das Subjekt, wie es durch die Vorstellung affiziert wird, sich selbst fühlt.

Ein regelmäßiges, zweckmäßiges Gebäude mit seinem Erkenntnisvermögen (es sei in deutlicher oder verworrener Vorstellungsart) zu befassen, ist ganz etwas anders, als sich dieser Vorstellung mit der Empfindung des Wohlgefallens bewußt zu sein. Hier wird die Vorstellung gänzlich auf das Subjekt, und zwar auf das Lebensgefühl desselben, unter dem Namen des Gefühls der Lust oder Unlust, bezogen: welches

* Die Definition des Geschmacks, welche hier zum Grunde gelegt wird, ist: daß er das Vermögen der Beurteilung des Schönen sei. Was aber dazu erfordert wird, um einen Gegenstand schön zu nennen, das muß die Analyse der Urteile des Geschmacks entdecken. Die Momente, worauf diese Urteilskraft in ihrer Reflexion Acht hat, habe ich, nach || Anleitung der logischen Funktionen zu urteilen, aufgesucht (denn im Geschmacksurteile ist immer noch eine Beziehung auf den Verstand enthalten). Die der Qualität habe ich zuerst in Betrachtung gezogen, weil das ästhetische Urteil über das Schöne auf diese zuerst Rücksicht nimmt.

|B 3, 4 |A 3, 4 Anm.: |B 4 |A 4

ein ganz besonderes Unterscheidungs- und Beurteilungsvermögen gründet, das zum Erkenntnis nichts beiträgt, sondern nur || die gegebene Vorstellung im Subjekte gegen das ganze Vermögen der Vorstellungen hält, dessen sich das Gemüt im Gefühl seines Zustandes bewußt wird. Gegebene Vorstellungen in einem Urteile können empirisch (mithin ästhetisch) sein; das Urteil aber, das durch sie gefällt wird, ist logisch, wenn jene nur im Urteile auf das Objekt bezogen werden. Umgekehrt aber, wenn die gegebenen Vorstellungen gar rational wären, würden aber in einem Urteile lediglich auf das Subjekt (sein Gefühl) bezogen, so sind sie sofern jederzeit ästhetisch.

§ 2. DAS WOHLGEFALLEN, WELCHES DAS GESCHMACKSURTEIL BESTIMMT, IST OHNE ALLES INTERESSE

Interesse wird das Wohlgefallen genannt, *was*[1] wir mit der Vorstellung der Existenz eines Gegenstandes verbinden. Ein solches hat daher immer zugleich Beziehung auf das Begehrungsvermögen, entweder als Bestimmungsgrund desselben, oder doch als mit dem Bestimmungsgrunde desselben notwendig zusammenhängend. Nun will man aber, wenn die Frage ist, ob etwas schön sei, nicht wissen, ob uns, oder irgend jemand, an der Existenz der Sache irgend etwas gelegen sei, oder auch nur gelegen sein könne; sondern, wie wir sie in der bloßen Betrachtung (Anschauung oder Reflexion) beurteilen. Wenn mich jemand fragt, ob ich den Palast, den ich || vor mir sehe, schön finde: so mag ich zwar sagen: ich liebe dergleichen Dinge nicht, die bloß für das Angaffen gemacht sind, oder, wie jener irokesische Sachem, ihm gefalle in Paris nichts besser als die Garküchen; ich kann noch überdem auf die Eitelkeit der Großen auf gut Rousseauisch schmälen[2], welche den Schweiß des Volks auf so entbehrliche Dinge verwenden; ich kann mich endlich gar leicht überzeugen, daß, wenn ich mich auf einem unbewohnten Eilande, ohne Hoffnung, jemals wieder zu Menschen zu kommen, befände, und ich durch meinen blo-

[1] C: »*das*«. – [2] C: »auf gut Rousseauisch auf die Eitelkeit der Großen schmälen«.

ßen Wunsch ein solches Prachtgebäude hinzaubern könnte, ich mir auch nicht einmal diese Mühe darum geben würde, wenn ich schon eine Hütte hätte, die mir bequem genug *wäre*[1]. Man kann mir alles dieses einräumen und gutheißen; nur davon ist jetzt nicht die Rede. Man will nur wissen, ob die bloße Vorstellung des Gegenstandes in mir mit Wohlgefallen begleitet sei, so gleichgültig ich auch immer in Ansehung der Existenz des Gegenstandes dieser Vorstellung sein mag. Man sieht leicht, daß es auf dem, was ich aus dieser Vorstellung in mir selbst mache, nicht auf dem, worin ich von der Existenz des Gegenstandes abhänge, ankomme, um zu sagen, er sei schön, und zu beweisen, ich habe Geschmack. Ein jeder muß eingestehen, daß dasjenige Urteil über Schönheit, worin sich das mindeste Interesse mengt, sehr parteilich und kein reines Geschmacksurteil sei. Man muß nicht im mindesten für die Existenz der Sache eingenommen, || sondern in diesem Betracht ganz gleichgültig sein, um in Sachen des Geschmacks den Richter zu spielen.

Wir können aber diesen Satz, der von vorzüglicher Erheblichkeit ist, nicht besser erläutern, als wenn wir dem reinen uninteressierten* Wohlgefallen im Geschmacksurteile dasjenige, was mit Interesse verbunden ist, entgegensetzen: vornehmlich wenn wir zugleich gewiß sein können, daß es nicht mehr Arten des Interesse gebe, als die eben[2] jetzt namhaft gemacht werden sollen.

§ 3. DAS WOHLGEFALLEN AM ANGENEHMEN IST MIT INTERESSE VERBUNDEN

Angenehm ist das, was den Sinnen in der Empfindung gefällt. Hier zeigt sich nun sofort die Gelegen-

* Ein Urteil über einen Gegenstand des Wohlgefallens kann ganz uninteressiert, aber doch sehr interessant sein, d. i. es gründet sich auf keinem Interesse, aber es bringt ein Interesse hervor; dergleichen sind alle reine moralische Urteile. Aber die Geschmacksurteile begründen an sich auch gar kein Interesse. Nur in der Gesellschaft wird es interessant, Geschmack zu haben, wovon der Grund in der Folge angezeigt werden wird.

[1] A: »*ist*«. – [2] A: »die *so* eben«.

|B 7 |A 7

heit, eine ganz gewöhnliche Verwechselung der doppelten Bedeutung, die das Wort Empfindung haben kann, zu rügen und darauf aufmerksam zu machen. Alles Wohlgefallen (sagt oder denkt man) ist selbst Empfindung (einer Lust). Mithin ist alles, was || gefällt, eben hierin, daß es gefällt, angenehm (und nach den verschiedenen Graden oder auch Verhältnissen zu andern angenehmen Empfindungen anmutig, lieblich, ergötzend, erfreulich u.s.w.). Wird aber das eingeräumt, so sind die Eindrücke der Sinne, welche die Neigung, oder Grundsätze der Vernunft, *welche* den[1] Willen, oder bloße reflektierte Formen der Anschauung, *welche* die[2] Urteilskraft bestimmen, was die Wirkung auf das Gefühl der Lust betrifft, gänzlich einerlei. Denn diese wäre die Annehmlichkeit in der Empfindung seines Zustandes, und, da doch endlich alle Bearbeitung unserer Vermögen aufs Praktische ausgehen und sich darin als in ihrem Ziele vereinigen muß, so könnte man ihnen keine andere Schätzung der Dinge und ihres Werts zumuten, als die in dem Vergnügen besteht, welches sie versprechen. Auf die Art, wie sie dazu gelangen, kömmt es am Ende gar nicht an; und da die[3] Wahl der Mittel hierin allein einen Unterschied machen kann, so könnten Menschen einander wohl der Torheit und des Unverstandes, niemals aber der Niederträchtigkeit und Bosheit beschuldigen: weil sie doch alle, ein jeder nach seiner Art, die Sachen zu sehen, nach einem Ziele laufen, *welches* für[4] jedermann das Vergnügen ist.

Wenn eine Bestimmung des Gefühls der Lust oder Unlust Empfindung genannt wird, so bedeutet dieser Ausdruck etwas ganz anderes, als wenn ich *die*[5] Vorstellung einer Sache (durch Sinne, als *eine*[6] zum *Erkennt|nis|vermögen*[7] gehörige Rezeptivität) Empfindung nenne. Denn im letztern Falle wird die Vorstellung auf das Objekt, im ersten aber lediglich auf das Subjekt bezogen, und dient zu gar keinem Erkenntnisse, auch nicht zu demjenigen, *wodurch*[8] sich das Subjekt selbst erkennt.

Wir verstehen aber in der obigen Erklärung unter dem Worte Empfindung eine objektive Vorstellung der Sinne;

[1] A: »*die* den«. – [2] A: »*die* die«. – [3] A: »da *nur* die«. – [4] A: »*das* für«. – [5] A: »*eine*«. – [6] Zusatz von B u. C. – [7] A: »*Erkenntnis*«. – [8] A: »*dadurch*«.

|B 8, 9 |A 8, 9

und, um nicht immer Gefahr zu laufen, mißgedeutet zu werden, wollen wir das, was jederzeit bloß subjektiv bleiben muß und schlechterdings keine Vorstellung eines Gegenstandes ausmachen kann, mit dem sonst üblichen Namen des Gefühls benennen. Die grüne Farbe der Wiesen gehört zur objektiven Empfindung, als Wahrnehmung eines Gegenstandes des Sinnes; die Annehmlichkeit derselben aber zur subjektiven Empfindung, wodurch kein Gegenstand vorgestellt wird: d.i. zum Gefühl, *wodurch*[1] der Gegenstand als Objekt des Wohlgefallens (welches kein Erkenntnis desselben ist) betrachtet wird.

Daß nun mein Urteil über einen Gegenstand, *wodurch*[1] ich ihn für angenehm erkläre, ein Interesse an demselben ausdrücke, ist daraus schon klar, daß es durch Empfindung eine Begierde nach dergleichen Gegenständen[2] rege macht, mithin das Wohlgefallen nicht das bloße Urteil über ihn, sondern die Beziehung seiner Existenz auf meinen Zustand, sofern er durch ein solches Objekt affiziert wird, voraussetzt. Daher man von dem Ange||nehmen nicht bloß sagt, es gefällt, sondern es vergnügt. Es ist nicht ein bloßer Beifall, den ich ihm widme, sondern Neigung wird dadurch erzeugt; und zu dem, was auf die lebhafteste Art angenehm ist, gehört so gar kein Urteil über die Beschaffenheit des Objekts, daß diejenigen, *welche* immer[3] nur auf das Genießen ausgehen (denn das ist das Wort, womit man das Innige des Vergnügens bezeichnet), sich gerne alles Urteilens überheben.

§ 4. DAS WOHLGEFALLEN AM GUTEN IST MIT INTERESSE VERBUNDEN

Gut ist das, was vermittelst der Vernunft, durch den bloßen Begriff, gefällt. Wir nennen einiges wozu gut (das Nützliche), was nur als Mittel gefällt; ein anderes aber an sich gut, was für sich selbst gefällt. In beiden ist immer der Begriff eines Zwecks, mithin das Verhältnis der Vernunft zum (wenigstens möglichen) Wollen, folglich ein Wohl-

[1] A: »*dadurch*«. – [2] Akad.-Ausg.: »Gegenstande«. – [3] A: »*so* immer«.

gefallen am Dasein eines Objekts oder einer Handlung, d. i. irgend ein Interesse, enthalten.

Um etwas gut zu finden, muß ich jederzeit wissen, was der Gegenstand für ein Ding sein solle, d. i. einen Begriff von demselben haben. Um Schönheit woran zu finden, habe ich das nicht nötig. Blumen, freie Zeichnungen, ohne Absicht in einander geschlungene Züge, || unter dem Namen des Laubwerks, bedeuten nichts, hängen von keinem bestimmten Begriffe ab, und gefallen doch. Das Wohlgefallen am Schönen muß von der Reflexion über einen Gegenstand, die zu irgend einem Begriffe (unbestimmt welchem) führt, abhängen, und unterscheidet sich dadurch auch vom Angenehmen, *welches*[1] ganz auf der Empfindung beruht.

Zwar scheint das Angenehme mit dem Guten in vielen Fällen einerlei zu sein. So wird man gemeiniglich sagen: alles (vornehmlich dauerhafte) Vergnügen ist an sich selbst gut; welches ungefähr so viel heißt, als: dauerhaftangenehm oder gut sein ist einerlei. Allein man kann bald bemerken, daß dieses bloß eine fehlerhafte Wortvertauschung sei, da die Begriffe, welche diesen Ausdrücken eigentümlich anhängen, keinesweges gegen einander ausgetauscht werden können. Das Angenehme, das, als ein solches, den Gegenstand lediglich in Beziehung auf den Sinn vorstellt, muß allererst durch den Begriff eines Zwecks unter Prinzipien der Vernunft gebracht werden, um es, als Gegenstand des Willens, gut zu nennen. Daß dieses aber alsdann eine ganz andere Beziehung auf das Wohlgefallen sei, wenn ich das, was vergnügt, zugleich gut nenne, ist daraus zu ersehen, daß beim Guten immer die Frage ist, ob es bloß mittelbar-gut oder unmittelbar-gut (ob nützlich oder an sich gut) sei; da hingegen beim Angenehmen hierüber gar nicht die Frage sein kann, indem das Wort jederzeit || etwas bedeutet, was unmittelbar gefällt. (Eben so ist es auch mit dem, was ich schön nenne, bewandt.)

Selbst in den gemeinsten Reden unterscheidet man das Angenehme vom Guten. Von einem durch Gewürze und andre Zusätze den Geschmack erhebenden Gerichte sagt

[1] A: *»das«*.

man ohne Bedenken, es sei angenehm, und gesteht zugleich, daß es nicht gut sei: weil es zwar unmittelbar den Sinnen behagt, mittelbar aber, d. i. durch die Vernunft, die auf die Folgen hinaus sieht, betrachtet, mißfällt. Selbst in der Beurteilung der Gesundheit kann man noch diesen Unterschied bemerken. Sie ist jedem, der sie besitzt, unmittelbar angenehm (wenigstens negativ, d. i. als Entfernung aller körperlichen Schmerzen). Aber, um zu sagen, daß sie gut sei, muß man sie noch durch die Vernunft auf Zwecke richten, nämlich daß sie ein Zustand ist, der uns zu allen unsern Geschäften aufgelegt macht. *In Absicht* der Glückseligkeit[1] glaubt endlich doch jedermann, die größte Summe (der Menge sowohl als Dauer nach) der Annehmlichkeiten des Lebens ein wahres, ja sogar das höchste Gut nennen zu können. Allein auch dawider sträubt sich die Vernunft. Annehmlichkeit ist Genuß. Ist es aber auf diesen allein angelegt, so wäre es töricht, skrupulös in Ansehung der Mittel zu sein, die ihn uns verschaffen, ob er leidend, von der Freigebigkeit der Natur, oder durch Selbsttätigkeit und unser eignes Wirken erlangt wäre. Daß aber eines Menschen Existenz *an sich*[2] einen Wert | habe, | *welcher* bloß[3] lebt (und in dieser Absicht noch so sehr geschäftig ist), um zu genießen, sogar wenn er dabei andern, die alle eben so wohl nur aufs Genießen ausgehen, als Mittel dazu aufs beste beförderlich wäre, und zwar darum, weil er durch Sympathie alles Vergnügen mit genösse: das wird sich die Vernunft nie überreden lassen. Nur durch das, was er tut, ohne Rücksicht auf Genuß, in voller Freiheit und unabhängig von dem, was ihm die Natur auch leidend verschaffen könnte, gibt er seinem Dasein als der Existenz einer Person einen *absoluten*[2] Wert; und die Glückseligkeit ist, mit der ganzen Fülle ihrer Annehmlichkeit, bei weitem nicht ein unbedingtes Gut.*

* Eine Verbindlichkeit zum Genießen ist eine offenbare Ungereimtheit. Eben das muß also auch eine vorgegebene Verbindlichkeit zu allen Handlungen sein, die zu ihrem Ziele bloß das Genießen haben: dieses mag nun so geistig ausgedacht (oder verbrämt) sein, wie es wolle, und wenn es auch ein mystischer sogenannter himmlischer Genuß wäre.

[1] A: »*Aber von* der Glückseligkeit«. – [2] Zusatz von B u. C. – [3] A: »*der nur* bloß«.

Aber, ungeachtet aller dieser Verschiedenheit zwischen dem Angenehmen und Guten, kommen beide doch darin überein: daß sie jederzeit mit einem Interesse an ihrem Gegenstande verbunden sind, nicht allein das Angenehme (§ 3), und das mittelbar Gute (das Nützliche), welches als Mittel zu irgend einer Annehmlichkeit gefällt, sondern auch das schlechterdings und in aller Absicht Gute, nämlich das moralische, welches das höchste Interesse bei sich führt. Denn das Gute ist das Objekt ‖ des Willens (d. i. eines durch Vernunft bestimmten Begehrungsvermögens). Etwas aber wollen, und an dem Dasein desselben ein Wohlgefallen haben, d. i. daran ein Interesse nehmen, ist identisch.

§ 5. VERGLEICHUNG DER DREI SPEZIFISCH VERSCHIEDENEN ARTEN DES WOHLGEFALLENS

Das Angenehme und Gute haben beide eine Beziehung auf das Begehrungsvermögen, und führen sofern, jenes ein pathologisch-bedingtes (durch Anreize, stimulos), dieses ein reines praktisches Wohlgefallen bei sich, welches nicht bloß durch die Vorstellung des Gegenstandes, sondern zugleich durch die vorgestellte Verknüpfung des Subjekts mit der Existenz desselben bestimmt wird. *Nicht bloß der Gegenstand, sondern auch die Existenz desselben gefällt.*[1] Daher[2] ist das Geschmacksurteil bloß kontemplativ, d. i. ein Urteil, welches, indifferent in Ansehung des Daseins eines Gegenstandes, nur seine Beschaffenheit mit *dem*[1] Gefühl der Lust und Unlust zusammenhält. Aber diese Kontemplation selbst ist auch nicht auf Begriffe gerichtet; denn das Geschmacksurteil ist kein Erkenntnisurteil (*weder*[1] ein theoretisches *noch praktisches*[1]), und daher auch nicht auf Begriffe gegründet, oder auch auf solche abgezweckt.

Das Angenehme, das Schöne, das Gute bezeichnen also drei verschiedene Verhältnisse der Vorstellungen | zum Gefühl der Lust und Unlust, in Beziehung auf wel|ches wir Gegenstände, oder Vorstellungsarten, von einander unterscheiden. Auch sind die jedem angemessenen Ausdrücke,

[1] Zusatz von B u. C. – [2] Akad.-Ausg.: »Dagegen«.

womit man die Komplazenz in denselben bezeichnet, nicht einerlei. Angenehm heißt jemandem das, was ihn vergnügt; schön, was ihm bloß gefällt; gut, was geschätzt, *gebilligt*[1], d. i. worin von ihm ein objektiver Wert gesetzt wird. Annehmlichkeit gilt auch für vernunftlose Tiere; Schönheit nur für Menschen, d. i. tierische, aber doch vernünftige Wesen, *aber auch nicht bloß als solche (z. B. Geister) sondern zugleich als tierische*[1]; das Gute aber für jedes vernünftige Wesen überhaupt. Ein Satz, der nur in der Folge seine vollständige Rechtfertigung und Erklärung bekommen kann. Man kann sagen: daß, unter allen diesen drei Arten des Wohlgefallens, das des Geschmacks am Schönen einzig und allein ein uninteressiertes und freies Wohlgefallen sei; denn *kein* Interesse, *weder* das der Sinne, *noch* das[2] der Vernunft, zwingt den Beifall ab. Daher könnte man von dem Wohlgefallen sagen: es beziehe sich in den drei genannten Fällen auf Neigung, oder Gunst, oder Achtung. Denn Gunst ist das *einzige*[3] freie Wohlgefallen. Ein Gegenstand der Neigung, und *einer, welcher* durch[4] ein Vernunftgesetz uns zum Begehren auferlegt wird, lassen uns keine Freiheit, uns selbst irgend woraus einen Gegenstand der Lust zu machen. Alles Interesse setzt Bedürfnis vor|aus, oder bringt eines hervor; und, als Bestimmungsgrund des Beifalls, läßt es das Urteil über den Gegenstand nicht mehr frei sein.

| Was das Interesse der Neigung beim Angenehmen betrifft, so sagt jedermann: Hunger ist der beste Koch, und Leuten von gesundem Appetit schmeckt alles, was nur eßbar ist; mithin beweiset ein solches Wohlgefallen keine Wahl nach Geschmack. Nur wenn das Bedürfnis befriedigt ist, kann man unterscheiden, wer unter vielen Geschmack habe, oder nicht. Eben so gibt es Sitten (Konduite) ohne Tugend, Höflichkeit ohne Wohlwollen, Anständigkeit ohne Ehrbarkeit u.s.w. Denn wo das sittliche Gesetz spricht, da gibt es, *objektiv*, weiter[5] keine freie Wahl in Ansehung dessen, was zu tun sei; und Geschmack in seiner Aufführung (oder *in*[1]

[1] Zusatz von B u. C. – [2] A: »denn *ein* Interesse, *sowohl* . . . *als* das«. – [3] C: »*einzig*«. – [4] A: »und *der, so* durch«. – [5] A: »es *auch* weiter«.

|B 16 |A 16

Beurteilung anderer ihrer) zeigen ist etwas ganz anderes, als seine moralische Denkungsart äußern: denn diese enthält ein Gebot und bringt ein Bedürfnis hervor, da hingegen der sittliche Geschmack mit den Gegenständen des Wohlgefallens nur spielt, ohne sich an eines[1] zu hängen.

Aus dem ersten Momente gefolgerte Erklärung des Schönen

Geschmack ist das Beurteilungsvermögen eines Gegenstandes oder einer Vorstellungsart durch ein Wohlgefallen, oder Mißfallen, ohne alles Interesse. Der Gegenstand eines solchen Wohlgefallens heißt schön.

|| ZWEITES MOMENT DES GESCHMACKSURTEILS, NÄMLICH SEINER QUANTITÄT NACH

§ 6. DAS SCHÖNE IST DAS, WAS OHNE BEGRIFFE, ALS OBJEKT EINES ALLGEMEINEN WOHLGEFALLENS VORGESTELLT WIRD

Diese Erklärung des Schönen kann aus der vorigen Erklärung desselben, als eines Gegenstandes des Wohlgefallens ohne alles Interesse, gefolgert werden. Denn das, wovon jemand sich bewußt ist, daß das Wohlgefallen an demselben bei ihm selbst ohne alles Interesse sei, das kann derselbe nicht anders als so beurteilen, daß es einen Grund des Wohlgefallens für jedermann enthalten müsse. Denn da es sich nicht auf irgend eine Neigung des Subjekts (noch auf irgend ein anderes überlegtes Interesse) gründet, sondern *da*[2] der Urteilende sich in Ansehung des Wohlgefallens, welches er dem Gegenstande widmet, völlig frei fühlt: so kann er keine Privatbedingungen als Gründe des Wohlgefallens auffinden, an die sich sein Subjekt allein hinge, und muß es daher als in demjenigen begründet ansehen, was er auch bei jedem andern voraussetzen kann; folglich muß er glauben Grund zu haben, jedermann ein ähnliches Wohlgefallen zuzumuten. Er wird daher vom Schö||nen so sprechen, als ob Schönheit eine Beschaffenheit des Gegenstandes und das

[1] Akad.-Ausg.: »einen«. – [2] Zusatz von B u. C.

Urteil logisch (durch Begriffe vom Objekte eine Erkenntnis desselben *ausmache*[1]) wäre; ob es gleich nur ästhetisch ist und bloß eine Beziehung der Vorstellung des Gegenstandes auf das Subjekt enthält: darum, weil es doch mit dem logischen die Ähnlichkeit hat, daß man die Gültigkeit desselben für jedermann daran voraussetzen kann. Aber aus Begriffen kann diese Allgemeinheit auch nicht entspringen. Denn von Begriffen gibt es keinen Übergang zum Gefühle der Lust *oder*[2] Unlust (ausgenommen in reinen praktischen Gesetzen, die aber ein Interesse bei sich führen, dergleichen mit dem reinen Geschmacksurteile nicht verbunden ist). Folglich muß dem Geschmacksurteile, mit dem Bewußtsein der Absonderung in demselben von allem Interesse, ein Anspruch auf Gültigkeit für jedermann, ohne auf Objekte gestellte Allgemeinheit anhängen, d. i. es muß damit ein Anspruch auf subjektive Allgemeinheit verbunden sein.

§ 7. VERGLEICHUNG DES SCHÖNEN MIT DEM ANGENEHMEN UND GUTEN DURCH OBIGES MERKMAL

In Ansehung des Angenehmen bescheidet sich ein jeder: daß sein Urteil, welches er auf ein Privatgefühl gründet, und wodurch er von einem Gegenstande sagt, daß er ihm gefalle, sich auch bloß auf seine Person ein||schränke. Daher ist er es gern zufrieden, daß, wenn er sagt: der Kanariensekt ist angenehm, ihm ein anderer den Ausdruck verbessere und ihn erinnere, er solle sagen: er ist mir angenehm; und so nicht allein im Geschmack der Zunge, des Gaumens und des Schlundes, sondern auch *in*[3] dem, was für Augen und Ohren jedem angenehm sein mag. Dem einen ist die violette Farbe sanft und lieblich, dem andern tot und erstorben. Einer liebt den Ton der Blasinstrumente, der andre den von den Saiteninstrumenten. Darüber in der Absicht zu streiten, um das Urteil anderer, welches von dem unsrigen verschieden ist, gleich als ob es diesem logisch entgegen gesetzt wäre, für unrichtig zu schelten, wäre Torheit;

[1] A: *»ausmachen«*; Akad.-Ausg.: »ausmachend«. – [2] A: *»und«*. – [3] Zusatz von B u. C.

in[1] Ansehung des Angenehmen gilt *also*[2] der Grundsatz: ein jeder hat seinen *eigenen*[3] Geschmack (der Sinne).

Mit dem Schönen ist es ganz anders bewandt. Es wäre (gerade umgekehrt) lächerlich, wenn jemand, der sich auf seinen Geschmack etwas einbildete, sich damit zu rechtfertigen gedächte: dieser Gegenstand (das Gebäude, was wir sehen, das Kleid, was jener trägt, das Konzert, was wir hören, das Gedicht, welches zur Beurteilung aufgestellt ist) ist für mich schön. Denn er muß es nicht schön nennen, wenn es bloß ihm gefällt. Reiz[4] und Annehmlichkeit mag für ihn vieles haben, darum bekümmert sich niemand; wenn er aber etwas für schön ausgibt, so mutet er andern eben | dasselbe Wohlgefallen zu: er urteilt nicht bloß für sich, | sondern für jedermann, und spricht alsdann von der Schönheit, als wäre sie eine Eigenschaft der Dinge. Er sagt daher, die Sache ist schön; und rechnet nicht etwa darum auf *anderer*[5] Einstimmung in sein Urteil des Wohlgefallens, weil er *sie*[6] mehrmalen mit dem seinigen einstimmig befunden hat, sondern fordert es von ihnen. Er tadelt sie, wenn sie anders urteilen, und spricht ihnen den Geschmack ab, von dem er doch verlangt, daß sie ihn haben sollen; und sofern kann man nicht sagen: ein jeder hat seinen besondern Geschmack. Dieses würde so viel *heißen*[7], als: es gibt gar keinen Geschmack, d. i. kein ästhetisches Urteil, welches auf jedermanns Beistimmung rechtmäßigen Anspruch machen könnte.

Gleichwohl findet man auch in Ansehung des Angenehmen, daß in der Beurteilung desselben sich Einhelligkeit unter Menschen antreffen lasse, in Absicht auf welche man doch einigen den Geschmack abspricht, andern ihn zugesteht, und zwar nicht in der Bedeutung als Organsinn, sondern als Beurteilungsvermögen in Ansehung des Angenehmen überhaupt. So sagt man von jemanden, der seine Gäste mit Annehmlichkeiten (des Genusses durch alle Sinne) so zu unterhalten weiß, daß es ihnen insgesamt gefällt: er habe Geschmack. Aber hier wird die Allgemeinheit nur komparativ genommen; und da gibt es nur generale *(wie die empi-*

[1] A: »Torheit *und* in«. – [2] Zusatz von B u. C. – [3] A: »seinen *besondern*«. – [4] A: »*Einen* Reiz«. – [5] A: »*andere*«. – [6] A: »*es*«. – [7] A: »*sagen*«.

rischen alle sind)[1], nicht universale Regeln, welche letzteren das Geschmacksurteil über das | Schöne sich unternimmt oder | darauf Anspruch macht. Es ist ein Urteil in Beziehung auf die Geselligkeit, sofern sie auf empirischen Regeln beruht. In Ansehung des Guten machen die Urteile zwar auch mit Recht auf Gültigkeit für jedermann Anspruch; allein das Gute wird nur durch einen Begriff als Objekt eines allgemeinen Wohlgefallens vorgestellt, welches weder beim Angenehmen noch *beim*[1] Schönen der Fall ist.

§ 8. DIE ALLGEMEINHEIT DES WOHLGEFALLENS WIRD IN EINEM GESCHMACKSURTEILE NUR ALS SUBJEKTIV VORGESTELLT

Diese besondere Bestimmung der Allgemeinheit eines ästhetischen Urteils, die sich in einem Geschmacksurteile antreffen läßt, ist eine Merkwürdigkeit, zwar nicht für den Logiker, aber wohl für den Transzendental-Philosophen, welche *seine*[2] nicht geringe Bemühung auffordert, um den Ursprung derselben zu entdecken, dafür aber auch eine Eigenschaft unseres Erkenntnisvermögens aufdeckt, welche, ohne diese Zergliederung, unbekannt geblieben wäre.

Zuerst muß man sich davon völlig überzeugen: daß man durch das Geschmacksurteil (über das Schöne) das Wohlgefallen an einem Gegenstande jedermann ansinne, ohne sich doch auf einem Begriffe zu gründen (denn da wäre es das Gute); und daß dieser An|spruch | auf Allgemeingültigkeit so wesentlich zu einem Urteil gehöre, *wodurch*[3] wir etwas für schön erklären, daß, ohne dieselbe dabei zu denken, es niemand in die Gedanken kommen würde, diesen Ausdruck zu gebrauchen, sondern alles, was ohne Begriff gefällt, zum Angenehmen gezählt werden würde, in Ansehung dessen man *jeglichem*[4] seinen Kopf für sich haben läßt, und keiner dem andern Einstimmung zu seinem Geschmacksurteile zumutet, welches doch im Geschmacksurteile über Schönheit jederzeit geschieht. Ich kann den ersten den Sinnen-Geschmack, den zweiten den Reflexions-Ge-

[1] Zusatz von B u. C. – [2] A: *»ihre«*. – [3] A: *»dadurch«*. – [4] C: *»jeglichen«*.

schmack nennen: sofern der erstere bloß Privaturteile, der zweite aber vorgebliche gemeingültige (publike), beiderseits aber ästhetische (nicht praktische) Urteile über einen Gegenstand, *bloß*[1] in Ansehung des Verhältnisses seiner Vorstellung zum Gefühl der Lust und Unlust, fället. Nun ist es doch befremdlich, daß, da von dem Sinnengeschmack nicht allein die Erfahrung zeigt, daß sein Urteil (der Lust oder Unlust an irgend etwas) nicht allgemein gelte, sondern jedermann auch von selbst so bescheiden ist, diese Einstimmung andern nicht eben anzusinnen (ob sich gleich wirklich öfter eine sehr ausgebreitete Einhelligkeit auch in diesen Urteilen vorfindet), der Reflexions-Geschmack, der doch auch oft genug, mit seinem Anspruche auf die allgemeine Gültigkeit seines Urteils (über das Schöne) für jedermann, abgewiesen wird, wie die Erfahrung lehrt, gleichwohl es möglich finden | könne (welches | er auch wirklich tut), sich Urteile vorzustellen, die diese Einstimmung allgemein fordern könnten, und sie in der Tat für jedes seiner Geschmacksurteile jedermann zumutet, ohne daß die Urteilenden wegen der Möglichkeit eines solchen Anspruchs in Streite sind, sondern sich nur in besondern Fällen wegen der richtigen Anwendung dieses Vermögens nicht einigen können.

Hier ist nun allererst zu merken, daß eine Allgemeinheit, die nicht auf Begriffen vom Objekte (wenn gleich nur empirischen) beruht, gar nicht logisch, sondern ästhetisch sei, d. i. keine objektive Quantität des Urteils, sondern nur eine subjektive enthalte, für welche ich auch den Ausdruck Gemeingültigkeit, welcher die Gültigkeit nicht von der Beziehung einer Vorstellung auf das Erkenntnisvermögen, sondern auf das Gefühl der Lust und Unlust für jedes Subjekt *bezeichnet*[1], gebrauche. (Man kann sich aber auch desselben Ausdrucks für die logische Quantität des Urteils bedienen, wenn man nur dazusetzt objektive Allgemeingültigkeit, zum Unterschiede von der bloß subjektiven, welche allemal ästhetisch ist.)

Nun ist ein objektiv allgemeingültiges Urteil auch jederzeit subjektiv, d. i. wenn das Urteil für alles, was unter

[1] Zusatz von B u. C.

|B 23 |A 23

einem gegebenen Begriffe enthalten ist, gilt, so gilt es auch für jedermann, der sich einen Gegenstand durch diesen Begriff vorstellt. Aber von einer subjektiven Allgemeingültigkeit, d. i. der ästhetischen, die | auf keinem Begriffe beruht, läßt sich nicht auf die logische | schließen; weil jene Art Urteile gar nicht auf das Objekt geht. Eben darum aber muß auch die ästhetische Allgemeinheit, die einem Urteile beigelegt wird, von besonderer Art sein, weil *sich*[1] das Prädikat der Schönheit nicht mit dem Begriffe des Objekts, in seiner ganzen *logischen*[2] Sphäre betrachtet, verknüpft, und doch eben dasselbe über die ganze Sphäre der Urteilenden ausdehnt.

In Ansehung der logischen Quantität sind alle Geschmacksurteile einzelne Urteile. Denn weil ich den Gegenstand unmittelbar an mein Gefühl der Lust und Unlust halten muß, und doch nicht durch Begriffe, so *kann es* nicht die Quantität *eines* objektiv-*gemeingültigen Urteils* haben[3]; obgleich, wenn die einzelne Vorstellung des Objekts des Geschmacksurteils nach den Bedingungen, die das letztere bestimmen, durch Vergleichung in einen Begriff verwandelt wird, ein logisch allgemeines Urteil daraus werden kann: z. B. die Rose, die ich anblicke, erkläre ich durch ein Geschmacksurteil für schön. Dagegen ist das Urteil, welches durch Vergleichung vieler einzelnen entspringt: die Rosen überhaupt sind schön, nunmehr nicht bloß als ästhetisches, sondern als ein auf einem ästhetischen gegründetes logisches Urteil ausgesagt. Nun ist das Urteil: die Rose ist (im Gebrauche[4]) angenehm, zwar auch ein ästhetisches und einzelnes, aber kein Geschmacks-, sondern *ein*[2] Sinnenurteil. Es unterscheidet sich nämlich vom ersteren | darin: daß das Geschmacksurteil eine ästhetische Quantität | der Allgemeinheit, d. i. der Gültigkeit für jedermann bei sich führt, welche im Urteile über das Angenehme nicht angetroffen werden kann. Nur allein die Urteile über das Gute, ob sie gleich auch das Wohlgefallen an einem Gegenstande bestim-

[1] A: »*sie*«. – [2] Zusatz von B u. C. – [3] C: »so *können jene* nicht die Quantität objektiv-*gemeingültiger Urteile* haben«. – [4] Akad.-Ausg.: »im Geruche«.

|B 24, 25 |A 24, 25

men, haben logische, nicht bloß ästhetische Allgemeinheit; denn sie gelten vom Objekt, als Erkenntnisse desselben, und darum für jedermann.

Wenn man Objekte bloß nach Begriffen beurteilt, so geht alle Vorstellung der Schönheit verloren. Also kann es auch keine Regel geben, nach der jemand genötigt werden sollte, etwas für schön anzuerkennen. Ob ein Kleid, ein Haus, eine Blume schön sei: dazu läßt man sich sein Urteil durch keine Gründe oder Grundsätze *beschwatzen*[1]. Man will das Objekt seinen eignen Augen unterwerfen, gleich als ob sein Wohlgefallen von der Empfindung abhinge; und dennoch, wenn man den Gegenstand alsdann schön nennt, glaubt[2] man eine allgemeine Stimme für sich zu haben, und macht Anspruch auf den Beitritt von jedermann, da hingegen jede Privatempfindung nur für *ihn* allein[3] und sein Wohlgefallen entscheiden würde.

Hier ist nun zu sehen, daß in dem Urteile des Geschmacks nichts postuliert wird, als eine solche allgemeine Stimme, in Ansehung des Wohlgefallens ohne Vermittelung der Begriffe; mithin die Möglichkeit | eines ästhetischen Urteils, *welches* zugleich[4] als für jedermann gültig *betrachtet*[5] werden könne. Das Geschmacksurteil | selber postuliert nicht jedermanns Einstimmung (denn das kann nur ein logisch allgemeines, weil es Gründe anführen kann, tun); es sinnet nur jedermann diese Einstimmung an, als einen Fall der Regel, in Ansehung dessen *er* die[6] Bestätigung nicht von Begriffen, sondern von anderer Beitritt erwartet. Die allgemeine Stimme ist also nur eine Idee (worauf sie beruhe, wird hier noch nicht untersucht). Daß der, welcher ein Geschmacksurteil zu fällen glaubt, in der Tat dieser Idee gemäß urteile, kann ungewiß sein; aber daß er es doch darauf beziehe, mithin daß es ein Geschmacksurteil sein solle, kündigt er durch den Ausdruck der Schönheit an. Für sich selbst aber kann er durch das bloße Bewußtsein der Absonderung alles dessen, was zum Angenehmen

[1] A: »*abschwatzen*«; C: »*aufschwatzen*«. – [2] A: »*so* glaubt«. – [3] C: »für *den Betrachtenden* allein«. – [4] A: »*das* zugleich«. – [5] C: »*angesehen*«. – [6] C: »*es* die«.

|B 26 |A 26

und Guten gehört, von dem Wohlgefallen, was ihm noch übrig bleibt, davon gewiß werden; und das ist alles, wozu er sich die Beistimmung von jedermann verspricht: ein Anspruch, *wozu*[1] unter diesen Bedingungen er auch berechtigt sein würde, *wenn* er *nur* wider *sie nicht öfter fehlte* und darum ein irriges Geschmacksurteil *fällete*[2].

|| § 9. UNTERSUCHUNG DER FRAGE: OB IM GESCHMACKSURTEILE DAS GEFÜHL DER LUST VOR DER BEURTEILUNG DES GEGENSTANDES, ODER DIESE VOR JENER VORHERGEHE

Die Auflösung dieser Aufgabe ist der Schlüssel zur Kritik des Geschmacks, und daher aller Aufmerksamkeit würdig.

Ginge die Lust an dem gegebenen Gegenstande vorher, und nur die allgemeine Mitteilbarkeit derselben sollte im Geschmacksurteile der Vorstellung des Gegenstandes zuerkannt werden, so würde ein solches Verfahren mit sich selbst im Widerspruche stehen. Denn dergleichen Lust würde keine andere, als die bloße Annehmlichkeit in der Sinnenempfindung sein, und daher ihrer Natur nach nur Privatgültigkeit haben können, weil sie von der Vorstellung, *wodurch*[3] der Gegenstand gegeben wird, unmittelbar abhinge.

Also ist es die allgemeine Mitteilungsfähigkeit des Gemütszustandes in der gegebenen Vorstellung, welche, als subjektive Bedingung des Geschmacksurteils, demselben zum Grunde liegen, und die Lust an dem Gegenstande zur Folge haben muß. Es kann aber nichts allgemein mitgeteilt werden, als Erkenntnis, und Vorstellung, sofern sie zum Erkenntnis gehört. Denn sofern ist die letztere nur allein objektiv, und hat nur dadurch || einen allgemeinen Beziehungspunkt, womit die Vorstellungskraft aller zusammenzustimmen genötiget wird. Soll nun der Bestimmungsgrund des Urteils über diese allgemeine Mitteilbarkeit der Vorstellung bloß subjektiv, nämlich ohne einen Begriff vom Gegenstande gedacht werden, so kann er kein anderer als der Gemüts-

[1] A: »*dazu*«. – [2] A: »würde, wider *die* er *aber öfters fehlt* und darum ein irriges Geschmacksurteil *fället*«. – [3] A: »*dadurch*«.

|B 27, 28 |A 27, 28

zustand sein, der im Verhältnisse der Vorstellungskräfte zu einander angetroffen wird, sofern sie eine gegebene Vorstellung auf Erkenntnis überhaupt beziehen.

Die Erkenntniskräfte, die durch diese Vorstellung ins Spiel gesetzt werden, sind hiebei in einem freien Spiele, weil kein bestimmter Begriff sie auf eine besondere Erkenntnisregel einschränkt. Also muß der Gemütszustand in dieser Vorstellung der eines Gefühls des freien Spiels der Vorstellungskräfte *an*[1] einer gegebenen Vorstellung zu einem Erkenntnisse überhaupt sein. Nun gehören zu einer Vorstellung, *wodurch*[2] ein Gegenstand gegeben wird, damit überhaupt daraus Erkenntnis werde, Einbildungskraft für die Zusammensetzung des Mannigfaltigen der Anschauung, und Verstand für die Einheit des Begriffs, der die Vorstellungen vereinigt. Dieser[3] Zustand eines freien Spiels der Erkenntnisvermögen, bei einer Vorstellung, *wodurch*[2] ein Gegenstand gegeben wird, muß sich allgemein mitteilen lassen: weil Erkenntnis, als Bestimmung des Objekts, womit gegebene Vorstellungen (in welchem Subjekte es | auch sei) | zusammen stimmen sollen, die einzige Vorstellungsart ist, die für jedermann gilt.

Die subjektive allgemeine Mitteilbarkeit der Vorstellungsart in einem Geschmacksurteile, da sie, ohne einen bestimmten Begriff vorauszusetzen, Statt finden soll, kann nichts anders als der Gemütszustand in dem freien Spiele der Einbildungskraft und des Verstandes (sofern sie unter einander, wie es zu einem Erkenntnisse überhaupt erforderlich ist, zusammen stimmen) sein, indem wir uns bewußt sind, daß dieses zum Erkenntnis überhaupt schickliche subjektive Verhältnis eben so wohl für jedermann gelten und folglich allgemein mitteilbar sein müsse, als es eine jede bestimmte Erkenntnis ist, die doch immer auf jenem Verhältnis als subjektiver Bedingung beruht.

Diese bloß subjektive (ästhetische) Beurteilung des Gegenstandes, oder der Vorstellung, *wodurch*[2] er gegeben wird, geht nun vor der Lust an demselben vorher, und ist der Grund dieser Lust an der Harmonie der Erkenntnisvermögen; auf jener All-

[1] C: »*in*«. – [2] A: »*dadurch*«. – [3] A: »vereinigt, *und* dieser«.

|B 29 |A 29

gemeinheit aber der subjektiven Bedingungen der Beurteilung der Gegenstände gründet sich allein diese allgemeine subjektive Gültigkeit des Wohlgefallens, welches wir mit der Vorstellung des Gegenstandes, den wir schön nennen, verbinden.

Daß, seinen Gemütszustand, selbst auch nur in Ansehung der Erkenntnisvermögen, mitteilen zu können, eine Lust bei sich führe: könnte man aus dem natür||lichen Hange des Menschen zur Geselligkeit (empirisch und psychologisch) leichtlich dartun. Das ist aber zu unserer Absicht nicht genug. Die Lust, die wir fühlen, muten wir jedem andern im Geschmacksurteile als notwendig zu, gleich als ob es für eine Beschaffenheit des Gegenstandes, die an ihm nach Begriffen bestimmt ist, anzusehen wäre, wenn wir etwas schön nennen; da doch Schönheit ohne Beziehung auf das Gefühl des Subjekts für sich nichts ist. Die Erörterung dieser Frage aber müssen wir uns bis zur Beantwortung derjenigen: ob und wie ästhetische Urteile a priori möglich sind, vorbehalten.

Jetzt beschäftigen wir uns noch mit der mindern Frage: auf welche Art wir uns einer wechselseitigen subjektiven Übereinstimmung der Erkenntniskräfte *unter einander*[1] im Geschmacksurteile bewußt werden, ob ästhetisch durch den bloßen innern Sinn und Empfindung, oder intellektuell durch das Bewußtsein unserer absichtlichen Tätigkeit, womit wir jene ins Spiel setzen.

Wäre die gegebene Vorstellung, welche das Geschmacksurteil veranlaßt, ein Begriff, welcher Verstand und Einbildungskraft in der Beurteilung des Gegenstandes zu einem Erkenntnisse des Objekts vereinigte, so wäre das Bewußtsein dieses Verhältnisses intellektuell (wie im objektiven Schematism der Urteilskraft, wovon die Kritik handelt). Aber das Urteil wäre auch alsdenn nicht in Beziehung auf Lust und Unlust gefället, || mithin kein Geschmacksurteil. Nun bestimmt aber das Geschmacksurteil, unabhängig von Begriffen, das Objekt in Ansehung des Wohlgefallens und des Prädikats der Schönheit. Also kann jene subjektive Einheit des Verhältnisses sich nur durch Empfindung kenntlich machen. Die Belebung beider Vermögen (der Einbildungs-

[1] Zusatz von B u. C.

|B 30, 31 |A 30, 31

kraft und des Verstandes) zu *unbestimmter*[1], aber doch, vermittelst des Anlasses der gegebenen Vorstellung, einhelliger Tätigkeit, derjenigen nämlich, die zu einem Erkenntnis überhaupt gehört, ist die Empfindung, deren allgemeine Mitteilbarkeit das Geschmacksurteil postuliert. Ein objektives Verhältnis kann zwar nur gedacht, aber, *so fern*[2] es seinen Bedingungen nach subjektiv ist, doch in der Wirkung auf das Gemüt empfunden werden; und bei einem Verhältnisse, welches keinen Begriff zum Grunde legt (wie das der Vorstellungskräfte zu einem Erkenntnisvermögen überhaupt), ist auch kein anderes Bewußtsein desselben, als durch Empfindung der Wirkung, die im erleichterten Spiele beider durch wechselseitige Zusammenstimmung belebten Gemütskräfte (der Einbildungskraft und des Verstandes) besteht, möglich. Eine Vorstellung, die, als einzeln und ohne Vergleichung mit andern, dennoch eine Zusammenstimmung zu den Bedingungen der Allgemeinheit hat, welche das Geschäft des Verstandes überhaupt ausmacht, bringt die Erkenntnisvermögen in die proportionierte Stimmung, die wir zu allem Erkenntnisse fordern, | und daher auch | für[3] jedermann, der durch Verstand und Sinne in Verbindung zu urteilen bestimmt ist (*für*[4] jeden Menschen), gültig halten.

Aus dem zweiten Moment gefolgerte Erklärung des Schönen

Schön ist das, was ohne Begriff allgemein gefällt.

DRITTES MOMENT DER GESCHMACKSURTEILE, NACH DER RELATION DER ZWECKE, WELCHE IN IHNEN IN BETRACHTUNG GEZOGEN WIRD

§ 10. VON DER ZWECKMÄSSIGKEIT ÜBERHAUPT

Wenn man, was ein Zweck sei, nach seinen transzendentalen Bestimmungen (ohne etwas Empirisches, dergleichen das Gefühl der Lust ist, vorauszusetzen) erklären will: so ist Zweck der Gegenstand eines Begriffs, sofern dieser als die

[1] C: »*bestimmter*«. – [2] A: »*wenn*«. – [3] A: »auch *als* für«. – [4] Zusatz von B u. C.

|B 32 |A 32

Ursache von jenem (der reale Grund seiner Möglichkeit) angesehen wird; und die Kausalität eines Begriffs in Ansehung seines Objekts ist die Zweckmäßigkeit (forma finalis). Wo also nicht etwa bloß die Erkenntnis von einem Gegenstande, sondern der Gegenstand selbst (die Form oder Existenz desselben) als Wirkung, nur als durch einen Begriff von der letztern möglich gedacht wird, da denkt man sich einen Zweck. | Die | Vorstellung der Wirkung ist hier der Bestimmungsgrund ihrer Ursache, und geht vor der letztern vorher. Das Bewußtsein der Kausalität einer Vorstellung in Absicht auf den Zustand des Subjekts, es in demselben zu erhalten, kann hier im allgemeinen das bezeichnen, was man Lust nennt; *wogegen*[1] Unlust diejenige Vorstellung ist, die den Zustand der Vorstellungen zu ihrem eigenen Gegenteile zu bestimmen *(sie abzuhalten oder wegzuschaffen)*[2] den Grund enthält.

Das Begehrungsvermögen, sofern es nur durch Begriffe, d. i. der Vorstellung eines Zwecks gemäß zu handeln, bestimmbar ist, würde der Wille sein. Zweckmäßig aber heißt ein Objekt, oder Gemütszustand, oder eine Handlung auch, wenn gleich ihre Möglichkeit die Vorstellung eines Zwecks nicht notwendig voraussetzt, bloß darum, weil ihre Möglichkeit von uns nur erklärt und begriffen werden kann, sofern wir eine Kausalität nach Zwecken, d. i. einen Willen, der sie nach der Vorstellung einer gewissen Regel so angeordnet hätte, zum Grunde derselben annehmen. Die Zweckmäßigkeit kann also ohne Zweck sein, sofern wir die *Ursachen*[3] dieser Form nicht in einem Willen setzen, aber doch die Erklärung ihrer Möglichkeit, nur indem wir sie von einem Willen ableiten, uns begreiflich machen können. Nun haben wir das, was wir beobachten, nicht immer nötig durch Vernunft (seiner Möglichkeit nach) einzusehen. Also können wir eine Zweckmäßigkeit der Form nach, auch | ohne daß wir ihr einen Zweck (als die Materie des | nexus finalis) zum Grunde legen, wenigstens beobachten, und an Gegenständen, wiewohl nicht anders als durch Reflexion, bemerken.

[1] A: »*dagegen*«. – [2] Zusatz von B u. C. – [3] A: »*Ursache*«.

§ 11. DAS GESCHMACKSURTEIL HAT NICHTS ALS DIE FORM DER ZWECKMÄSSIGKEIT EINES GEGENSTANDES (ODER *DER*[1] VORSTELLUNGSART DESSELBEN) ZUM GRUNDE

Aller Zweck, wenn er als Grund des Wohlgefallens angesehen wird, führt immer ein Interesse, als Bestimmungsgrund des Urteils über den Gegenstand der Lust, bei sich. Also kann dem Geschmacksurteil kein subjektiver Zweck zum Grunde liegen. Aber auch keine Vorstellung eines objektiven Zwecks, d. i. der Möglichkeit des Gegenstandes selbst nach Prinzipien der Zweckverbindung, mithin kein Begriff des Guten kann das Geschmacksurteil bestimmen; weil es ein ästhetisches und kein Erkenntnisurteil ist, welches also keinen Begriff von der Beschaffenheit und innern oder äußern Möglichkeit des Gegenstandes, durch diese oder jene Ursache, sondern bloß das Verhältnis der Vorstellungskräfte zu einander, sofern sie durch eine Vorstellung bestimmt werden, betrifft.

| Nun ist dieses Verhältnis in der Bestimmung eines Gegenstandes, als eines schönen, mit dem Gefühle einer Lust verbunden, die durch das Geschmacksurteil zu|gleich als für jedermann gültig erklärt wird; folglich kann eben so wenig eine die Vorstellung begleitende Annehmlichkeit, als die *Vorstellung von*[1] der Vollkommenheit des Gegenstandes und der Begriff des Guten den Bestimmungsgrund enthalten. Also kann nichts anders als die subjektive Zweckmäßigkeit in der Vorstellung eines Gegenstandes, ohne allen (weder objektiven noch subjektiven) Zweck, folglich die bloße Form der Zweckmäßigkeit in der Vorstellung, *wodurch*[2] uns ein Gegenstand gegeben wird, sofern wir uns ihrer bewußt sind, das Wohlgefallen, welches wir, ohne Begriff, als allgemein mitteilbar beurteilen, mithin den Bestimmungsgrund des Geschmacksurteils, ausmachen.

[1] Zusatz von B u. C. – [2] A: »*dadurch*«.

§ 12. DAS GESCHMACKSURTEIL BERUHT AUF GRÜNDEN A PRIORI

Die Verknüpfung des Gefühls einer Lust oder Unlust, als einer Wirkung, mit irgend einer Vorstellung (Empfindung oder Begriff), als ihrer Ursache, a priori auszumachen, ist schlechterdings unmöglich; denn das wäre ein Kausalverhältnis[1], welches (unter Gegenständen der Erfahrung) nur jederzeit a posteriori und ver|mittelst der Erfahrung selbst erkannt werden kann. Zwar haben wir in der Kritik der praktischen Vernunft wirklich das Gefühl der Achtung (als eine besondere und eigentümliche Modifikation dieses Gefühls, welches we|der mit der Lust noch Unlust, die wir von empirischen Gegenständen bekommen, recht übereintreffen will) von allgemeinen sittlichen Begriffen a priori abgeleitet. Aber wir konnten dort auch die Grenzen der Erfahrung überschreiten, und eine Kausalität, die auf einer übersinnlichen Beschaffenheit des Subjekts beruhete, nämlich die der Freiheit, herbei rufen. Allein selbst da leiteten wir eigentlich nicht dieses Gefühl von der Idee des Sittlichen als Ursache her, sondern bloß die Willensbestimmung wurde davon abgeleitet. Der Gemütszustand aber eines irgend wodurch bestimmten Willens ist an sich schon ein Gefühl der Lust und mit ihm identisch, folgt also nicht als Wirkung daraus: welches letztere nur angenommen[2] werden müßte, wenn der Begriff des Sittlichen als eines Guts vor der Willensbestimmung durch das Gesetz vorherginge; da alsdann die Lust, die mit dem Begriffe verbunden wäre, aus diesem als einer bloßen Erkenntnis vergeblich würde abgeleitet werden.

Nun ist es auf ähnliche Weise mit der Lust im ästhetischen Urteile bewandt: nur daß sie hier bloß kontemplativ, und ohne ein Interesse am Objekt zu bewirken, im moralischen *Urteil hingegen* praktisch[3] ist. Das Bewußtsein der bloß formalen Zweckmäßigkeit im Spiele der Erkennt|niskräfte des Subjekts, bei einer Vorstellung, *wodurch*[4] ein

[1] A: »ein *besonderes* Kausalverhältnis«. – [2] A: »nur *alsdenn* angenommen«. – [3] A: »im moralischen *aber* praktisch«. – [4] A: »*dadurch*«.

|B 36, 37 |A 36

Gegenstand gegeben wird, ist die Lust selbst, weil es ein[1] Bestimmungsgrund der Tätigkeit des Subjekts in Ansehung der Belebung der Erkenntniskräfte desselben, also | eine innere Kausalität (welche zweckmäßig ist) in Ansehung der Erkenntnis überhaupt, aber ohne auf eine bestimmte Erkenntnis eingeschränkt zu sein, mithin eine bloße Form der subjektiven Zweckmäßigkeit einer Vorstellung in einem ästhetischen Urteile enthält. Diese Lust ist auch auf keinerlei Weise praktisch, weder, wie die aus dem pathologischen Grunde der Annehmlichkeit, noch die aus dem intellektuellen des vorgestellten Guten. Sie hat aber doch Kausalität in sich, nämlich den Zustand der Vorstellung selbst und die Beschäftigung der Erkenntniskräfte ohne weitere Absicht zu erhalten. Wir weilen bei der Betrachtung des Schönen, weil diese Betrachtung sich selbst stärkt und reproduziert: welches derjenigen Verweilung analogisch (aber doch mit ihr nicht einerlei) ist, da ein Reiz in der Vorstellung des Gegenstandes die Aufmerksamkeit wiederholentlich erweckt, wobei das Gemüt passiv ist.

§ 13. DAS REINE GESCHMACKSURTEIL IST VON REIZ UND RÜHRUNG UNABHÄNGIG

Alles Interesse verdirbt das Geschmacksurteil und nimmt ihm seine Unparteilichkeit, vornehmlich, wenn | es nicht, so wie das Interesse der Vernunft, die Zweckmäßigkeit vor dem Gefühle der Lust voranschickt, sondern sie auf diese gründet; welches letztere allemal im ästhetischen Urteile über etwas, sofern es vergnügt oder | schmerzt, geschieht. Daher Urteile, die so affiziert sind, auf allgemeingültiges Wohlgefallen entweder gar keinen, oder so viel weniger Anspruch machen können, als sich von der gedachten Art Empfindungen unter den Bestimmungsgründen des Geschmacks befinden. Der Geschmack ist jederzeit noch barbarisch, wo er die Beimischung der Reize und Rührungen zum Wohlgefallen bedarf, ja wohl gar diese zum Maßstabe seines Beifalls macht.

[1] Akad.-Ausg.: »einen«.

Indessen werden Reize doch öfter nicht allein zur Schönheit (die doch eigentlich bloß die Form betreffen sollte) als Beitrag zum ästhetischen allgemeinen Wohlgefallen gezählt, sondern sie werden wohl gar *an* [1] sich selbst für Schönheiten, mithin die Materie des Wohlgefallens für die Form ausgegeben: ein Mißverstand, der sich, so wie mancher andere, welcher doch noch immer etwas Wahres zum Grunde hat, durch sorgfältige Bestimmung dieser Begriffe heben läßt.

Ein Geschmacksurteil, auf welches Reiz und Rührung keinen Einfluß haben (ob sie sich gleich mit dem Wohlgefallen am Schönen verbinden lassen), welches also bloß die Zweckmäßigkeit der Form zum Bestimmungsgrunde hat, ist ein reines Geschmacksurteil.

| § 14. ERLÄUTERUNG DURCH BEISPIELE

Ästhetische Urteile können, eben sowohl als theoretische (logische), in empirische und reine eingeteilt | werden. Die erstern sind die, welche Annehmlichkeit oder Unannehmlichkeit, die zweiten *die* [2], welche Schönheit von einem Gegenstande, oder *von der* [2] Vorstellungsart desselben, aussagen; jene sind Sinnenurteile (materiale ästhetische Urteile), diese *(als formale)* [2] allein eigentliche Geschmacksurteile.

Ein Geschmacksurteil ist also nur sofern rein, als kein bloß empirisches Wohlgefallen dem Bestimmungsgrunde desselben beigemischt wird. Dieses aber geschieht allemal, wenn Reiz oder Rührung einen Anteil an dem Urteile haben, *wodurch* [3] etwas für schön erklärt werden soll.

Nun tun sich wieder manche Einwürfe hervor, die zuletzt den Reiz nicht bloß zum notwendigen Ingrediens der Schönheit, sondern wohl gar als für sich allein hinreichend, um schön genannt zu werden, vorspiegeln. Eine bloße Farbe, z. B. die grüne eines Rasenplatzes, ein bloßer Ton (zum Unterschiede vom Schalle und Geräusch), wie etwa der einer Violine, wird von den meisten an sich für schön erklärt; ob zwar beide bloß die Materie der Vorstellungen, nämlich lediglich Empfindung, zum Grunde zu haben scheinen, und

[1] A: »*für*«. – [2] Zusatz von B u. C. – [3] A: »*dadurch*«.

darum nur ange|nehm genannt zu werden *verdienten*[1]. Allein man wird doch zugleich bemerken, daß die Empfindungen der Farbe sowohl als des Tons sich nur sofern für schön zu *gelten* berechtigt[2] halten, als beide rein sind; welches eine Bestimmung ist, die schon die Form betrifft, und auch das einzige, was sich von diesen Vorstellungen mit | Gewißheit allgemein mitteilen läßt: weil die Qualität der Empfindungen selbst nicht in allen Subjekten als einstimmig, und die Annehmlichkeit einer Farbe vorzüglich vor der andern, oder des Tons eines musikalischen Instruments vor dem eines andern sich schwerlich bei jedermann als auf *gleiche*[3] Art beurteilt annehmen läßt.

Nimmt man, mit Eulern, an, daß die Farben gleichzeitig auf einander folgende Schläge (pulsus) des Äthers, so wie Töne der im Schalle erschütterten Luft sind, und, was das Vornehmste ist, das Gemüt nicht bloß, durch den Sinn, die Wirkung davon auf die Belebung des Organs, sondern auch, durch die Reflexion, das regelmäßige Spiel der Eindrücke (mithin die Form in der Verbindung verschiedener Vorstellungen) wahrnehme (woran ich doch gar *sehr*[4] zweifle): so *würde*[5] Farbe und Ton nicht bloße Empfindungen, sondern schon formale Bestimmung der Einheit eines Mannigfaltigen derselben sein, und alsdann auch für sich zu Schönheiten gezählt werden können.

Das Reine aber einer einfachen Empfindungsart bedeutet: daß die Gleichförmigkeit derselben durch keine | fremdartige Empfindung gestört und unterbrochen wird, und gehört bloß zur Form; weil man dabei von der Qualität jener Empfindungsart (ob, und welche Farbe, oder ob, und welcher[6] Ton sie vorstelle) abstrahieren kann. Daher werden alle einfache Farben, sofern sie rein sind, für schön gehalten; die gemischten haben diesen Vorzug | nicht: eben darum, weil, da sie nicht einfach sind, man keinen Maßstab der Beurteilung hat, ob man sie rein oder unrein nennen solle.

Was aber die dem Gegenstande seiner Form wegen beigelegte Schönheit, sofern sie, wie man meint, durch Reiz

[1] C: »*verdienen*«. – [2] A: »für schön *gehalten* zu *werden* berechtigt«. – [3] C: »*solche*«. – [4] C: »*nicht*«. – [5] C: »*würden*«. – [6] Akad.-Ausg.: »welchen«.

wohl gar *könne*[1] erhöht werden, anlangt, so ist dies ein gemeiner und dem echten unbestochenen gründlichen Geschmacke sehr nachteiliger Irrtum; ob sich zwar allerdings neben der Schönheit auch noch Reize hinzufügen lassen, um das Gemüt durch die Vorstellung des Gegenstandes, außer dem trockenen Wohlgefallen, noch zu interessieren, und so dem Geschmacke und dessen Kultur zur Anpreisung zu dienen, vornehmlich wenn er noch roh und ungeübt ist. Aber sie tun wirklich dem Geschmacksurteile Abbruch, wenn sie die Aufmerksamkeit als Beurteilungsgründe der Schönheit auf sich ziehen. Denn es ist so weit gefehlt, daß sie dazu beitrügen, daß sie vielmehr, als Fremdlinge, nur sofern sie jene schöne Form nicht stören, wenn *der*[2] Geschmack noch schwach und ungeübt ist, mit Nachsicht müssen aufgenommen werden.

| In der Malerei, Bildhauerkunst, ja allen[3] bildenden Künsten, *in*[2] der Baukunst, Gartenkunst, sofern sie schöne Künste sind, ist die Zeichnung das Wesentliche, in welcher nicht, was in der Empfindung vergnügt, sondern bloß, *was*[2] durch seine Form gefällt, den Grund aller Anlage für den Geschmack ausmacht. Die Farben, welche den Abriß illuminieren, gehören zum Reiz; den Gegen|stand an sich können sie zwar für die Empfindung *belebt*[4], aber nicht anschauungswürdig und schön machen: vielmehr werden sie durch das, was die schöne Form erfordert, mehrenteils gar sehr eingeschränkt, und selbst da, wo der Reiz zugelassen wird, durch die *erstere*[5] allein veredelt.

Alle Form der Gegenstände der Sinne (der äußern sowohl als mittelbar auch des innern) ist entweder Gestalt, oder Spiel: im letztern Falle entweder Spiel der Gestalten (im Raume, die Mimik und der Tanz); oder *bloßes*[2] Spiel der Empfindungen (in der Zeit). Der Reiz der Farben, oder angenehmer Töne des Instruments, kann hinzukommen, aber die Zeichnung in der ersten und die Komposition in dem letzten machen den eigentlichen Gegenstand des reinen Geschmacksurteils aus; und daß die Reinigkeit der Farben so-

[1] C: »*könnte*«. – [2] Zusatz von B u. C. – [3] C: »ja *in* allen«. – [4] A: »*beliebt*«. – [5] A: »durch die *schöne Form*«.

|B 42 |A 42

wohl als *der*[1] Töne, oder auch die Mannigfaltigkeit derselben und ihre Abstechung zur Schönheit beizutragen scheint, will nicht so viel sagen, daß sie darum, weil sie für sich angenehm sind, gleichsam einen gleichartigen Zusatz zu dem Wohlgefallen an der Form abgeben, sondern weil sie diese letztere nur genauer, bestimmter und vollständiger anschaulich machen, und überdem durch ihren Reiz *die Vorstellung beleben, indem sie*[1] die Aufmerksamkeit auf den Gegenstand selbst erwecken und *erhalten*[2].

Selbst was man Zieraten *(parerga)*[1] nennt, d. i. dasjenige, was nicht in die ganze Vorstellung des Gegenstandes als Bestandstück innerlich, sondern nur äußerlich als Zutat | gehört und das Wohlgefallen des Geschmacks vergrößert, tut dieses doch auch nur durch seine Form: wie *Einfassungen der Gemälde, oder*[1] Gewänder an Statuen, oder Säulengänge um Prachtgebäude. Besteht aber der Zierat nicht selbst in der schönen Form, ist er, wie der goldene Rahmen, bloß um durch seinen Reiz das Gemälde dem Beifall zu empfehlen angebracht: so heißt er alsdann Schmuck, und tut der echten Schönheit Abbruch.

Rührung, eine Empfindung, *wo*[3] Annehmlichkeit nur vermittelst augenblicklicher Hemmung und darauf erfolgender stärkerer Ergießung der Lebenskraft gewirkt wird, gehört gar nicht zur Schönheit. Erhabenheit *(mit welcher das Gefühl der Rührung verbunden ist)*[1] aber erfordert einen andern Maßstab der Beurteilung, als der Geschmack sich zum Grunde legt; und so hat ein reines Geschmacksurteil weder Reiz noch Rührung, mit einem Worte keine Empfindung, als Materie des ästhetischen Urteils, zum Bestimmungsgrunde.

| § 15. DAS GESCHMACKSURTEIL IST VON DEM BEGRIFFE DER VOLLKOMMENHEIT GÄNZLICH UNABHÄNGIG

Die objektive Zweckmäßigkeit kann nur vermittelst der Beziehung des Mannigfaltigen auf einen bestimmten Zweck, also nur durch einen Begriff erkannt werden. Hier-

[1] Zusatz von B u. C. – [2] A: »*erheben*«. – [3] A: »*da*«.

aus allein schon erhellet: daß das Schöne, dessen Beurteilung eine bloß formale Zweckmäßigkeit, d. i. eine Zweckmäßigkeit ohne Zweck, zum Grunde hat, von | der Vorstellung des Guten ganz unabhängig sei, weil das letztere eine objektive Zweckmäßigkeit, d. i. die Beziehung des Gegenstandes auf einen bestimmten Zweck, voraussetzt.

Die objektive Zweckmäßigkeit ist entweder die äußere, d. i. die Nützlichkeit, oder die innere, d. i. die Vollkommenheit des Gegenstandes. Daß das Wohlgefallen an einem Gegenstande, weshalb wir ihn schön nennen, nicht auf der Vorstellung seiner Nützlichkeit beruhen könne, ist aus beiden vorigen Hauptstücken hinreichend zu ersehen: weil es alsdann nicht ein unmittelbares Wohlgefallen an dem Gegenstande sein würde, welches letztere die wesentliche Bedingung des Urteils über Schönheit ist. Aber eine objektive innere Zweckmäßigkeit, d. i. Vollkommenheit, kommt dem Prädikate der Schönheit schon näher, und ist daher auch von namhaften Philosophen, doch mit dem Beisatze, wenn sie verwor|ren gedacht wird, für einerlei mit der Schönheit gehalten worden. Es ist von der größten Wichtigkeit, in einer Kritik des Geschmacks zu entscheiden, ob sich auch die Schönheit wirklich in den Begriff der Vollkommenheit auflösen lasse.

Die objektive Zweckmäßigkeit zu beurteilen, bedürfen wir jederzeit den Begriff eines Zwecks, und (wenn jene Zweckmäßigkeit nicht eine äußere (Nützlichkeit), sondern eine innere sein soll) den Begriff eines innern Zwecks, der den Grund der innern Möglichkeit des Gegenstandes | enthalte. So wie nun Zweck überhaupt dasjenige ist, dessen Begriff als der Grund der Möglichkeit des Gegenstandes selbst angesehen werden kann: so wird, um sich eine objektive Zweckmäßigkeit an einem Dinge vorzustellen, der Begriff von diesem, was es für ein Ding sein solle, voran gehen; und die Zusammenstimmung des Mannigfaltigen in demselben zu diesem Begriffe (welcher die Regel der Verbindung desselben an ihm gibt) ist die qualitative Vollkommenheit eines Dinges. *Hiervon* ist *die quantitative*, als *die* Vollständigkeit eines jeden Dinges in seiner Art, gänzlich unterschieden, und ein bloßer Größenbegriff (der Allheit)[1]; bei *welchem*[2], was das Ding sein solle, schon zum voraus als bestimmt gedacht, und nur, ob alles dazu Erforderliche an ihm sei, gefragt wird. Das Formale in der Vorstellung eines Dinges, d. i. die Zusammenstimmung des Mannigfaltigen zu Einem (unbestimmt was | es sein solle) gibt, für sich, ganz und gar keine objektive Zweckmäßigkeit zu erkennen; weil, da von diesem Einem, als Zweck (was das Ding sein solle) abstrahiert wird, nichts als die subjektive Zweckmäßigkeit der Vorstellungen im Gemüte des Anschauenden übrig bleibt, welche wohl eine gewisse Zweckmäßigkeit des Vorstellungszustandes im Subjekt, und in diesem eine Behaglichkeit desselben, eine gegebene Form in die Einbildungskraft aufzufassen, aber keine Vollkommenheit irgend eines Objekts, das hier durch keinen Begriff eines Zwecks gedacht wird, angibt. Wie | z. B., wenn ich im Walde einen Rasenplatz antreffe, um welchen die Bäume im Zirkel stehen, und ich mir dabei nicht einen Zweck, nämlich daß er etwa zum ländlichen Tanze dienen solle, vorstelle, nicht der mindeste Begriff von Vollkommenheit durch die bloße Form gegeben wird. Eine formale objektive Zweckmäßigkeit aber ohne Zweck, d. i. die bloße Form einer Vollkommenheit (ohne alle Materie und Begriff von dem wozu zusammengestimmt wird, *wenn es auch bloß die Idee einer Gesetzmäßigkeit überhaupt wäre*[3]), sich vorzustellen, ist ein wahrer Widerspruch.

Nun ist das Geschmacksurteil ein ästhetisches Urteil, d. i. ein solches, was auf subjektiven Gründen beruht, und dessen Bestimmungsgrund kein Begriff, mithin auch nicht der eines bestimmten Zwecks sein kann. Also wird durch die Schönheit, als *eine formale subjektive*[4] Zweckmäßigkeit, keinesweges eine Vollkommen|heit des Gegenstandes, als vorgeblich-formale, gleichwohl aber doch objektive Zweckmäßigkeit gedacht; und der Unterschied zwischen[5] den Begriffen des Schönen und Guten, als ob beide nur der logi-

[1] A: »Dinges, *welche von der quantitativen,* als *der* Vollständigkeit ... Allheit) ist«. – [2] A: »*dem*«. – [3] Zusatz von B u. C. – [4] A: »als *formalen subjektiven*«. – [5] A: »Unterschied *der* zwischen«.

schen Form nach unterschieden, die[1] erste bloß ein verworrener, die[1] zweite ein deutlicher Begriff der Vollkommenheit, sonst aber dem Inhalte und Ursprunge nach einerlei wären, ist nichtig: weil alsdann zwischen ihnen kein spezifischer Unterschied, sondern ein Geschmacksurteil eben so wohl ein Erkenntnisurteil wäre, als das Urteil, wodurch etwas für gut erklärt wird; so wie etwa der gemeine Mann, | wenn er sagt: daß der Betrug unrecht sei, sein Urteil auf verworrene, der Philosoph auf deutliche, im Grunde aber beide auf einerlei Vernunft-Prinzipien *gründen*[2]. Ich habe aber schon angeführt, daß ein ästhetisches Urteil *einig*[3] in seiner Art sei, und schlechterdings kein Erkenntnis (auch nicht ein verworrenes) vom Objekt gebe: welches letztere nur durch ein logisches Urteil geschieht; da jenes hingegen die Vorstellung, *wodurch*[4] ein Objekt gegeben wird, lediglich auf das Subjekt bezieht, und keine Beschaffenheit des Gegenstandes, sondern nur die zweckmäßige Form *in der Bestimmung*[5] der Vorstellungskräfte, die sich mit jenem beschäftigen, zu bemerken gibt. Das Urteil heißt auch eben darum ästhetisch, weil der Bestimmungsgrund desselben kein Begriff, sondern das Gefühl (des innern Sinnes) jener Einhelligkeit im Spiele der Gemütskräfte ist, *sofern sie* nur[6] empfunden werden | kann. Dagegen, wenn man verworrene Begriffe und das objektive Urteil, das sie zum Grunde hat, wollte ästhetisch nennen[7], man einen Verstand haben würde, der sinnlich urteilt, oder einen Sinn, der durch Begriffe seine Objekte *vorstellte*[8], *welches beides sich widerspricht*[5]. Das Vermögen der Begriffe, sie mögen verworren oder deutlich sein, ist der Verstand; und, obgleich zum Geschmacksurteil, als ästhetischem Urteile, auch (wie zu allen Urteilen) Verstand gehört, so gehört er zu demselben doch nicht als Vermögen der Erkenntnis eines Gegenstandes, sondern der Bestimmung *desselben* und[9] seiner Vorstellung (ohne Begriff) nach dem Verhältnis derselben auf das Sub-|

[1] Akad.-Ausg.: »der«. – [2] A: »*gründet*«. – [3] C: »*einzig*«. – [4] A: »*dadurch*«. – [5] Zusatz von B u. C. – [6] A: »ist, *die* nur«. – [7] C: »ästhetisch nennen wollte«. – [8] C: »*vorstellt*«. – [9] C: »sondern *als Vermögen* der Bestimmung *des Urteils* und«.

jekt und dessen inneres Gefühl, und zwar sofern dieses Urteil nach einer allgemeinen Regel möglich ist.

§ 16. DAS GESCHMACKSURTEIL, WODURCH EIN GEGENSTAND UNTER DER BEDINGUNG EINES BESTIMMTEN BEGRIFFS FÜR SCHÖN ERKLÄRT WIRD, IST NICHT REIN

Es gibt zweierlei Arten von Schönheit: freie Schönheit (pulchritudo vaga), oder die bloß anhängende Schönheit (pulchritudo adhaerens). Die erstere setzt keinen Begriff von dem voraus, was der Gegenstand sein soll; die zweite setzt einen solchen und die Vollkommenheit des Gegenstandes nach demselben voraus. Die erstern[1] heißen (für sich bestehende) Schönheiten dieses | oder jenes Dinges; die andere wird, als einem Begriffe anhängend (bedingte Schönheit), Objekten, die unter dem Begriffe eines besondern Zwecks stehen, beigelegt.

Blumen sind freie Naturschönheiten. Was eine Blume für ein Ding sein soll, weiß, außer dem Botaniker, schwerlich sonst jemand; und selbst dieser, der daran das Befruchtungsorgan der Pflanze erkennt, nimmt, wenn er darüber durch Geschmack urteilt, auf diesen Naturzweck keine Rücksicht. Es wird also keine Vollkommenheit von irgend einer Art, keine innere Zweckmäßigkeit, auf welche sich die Zusammensetzung des Mannigfaltigen beziehe, diesem Urteile zum Grunde gelegt. | Viele Vögel (der Papagei, der Kolibrit, *der Paradiesvogel*[2]), eine Menge Schaltiere des Meeres sind für sich Schönheiten, die gar keinem nach Begriffen in Ansehung seines Zwecks bestimmten Gegenstande zukommen, sondern frei und für sich gefallen. So bedeuten die Zeichnungen à la grecque, das Laubwerk zu Einfassungen, oder auf Papiertapeten u.s.w. für sich nichts: sie stellen nichts vor, kein Objekt unter einem bestimmten Begriffe, und sind freie Schönheiten. Man kann auch das, was man in der Musik *Phantasien*[3] (ohne Thema) nennt, ja die ganze Musik ohne Text, zu derselben Art zählen.

[1] C: »Die *Arten der* erstern«. – [2] A: *»die Paradiesvögel«*. – [3] C: *»Phantasieren«*.

In der Beurteilung einer freien Schönheit (der bloßen Form nach) ist das Geschmacksurteil rein. Es ist kein Begriff von irgend einem Zwecke, wozu das Mannigfaltige dem gegebenen Objekte dienen, und was dieses ¦ also vorstellen solle, vorausgesetzt; *wodurch*[1] die Freiheit der Einbildungskraft, die in Beobachtung der Gestalt gleichsam spielt, nur eingeschränkt werden würde.

Allein die Schönheit eines Menschen (und unter dieser Art die eines Mannes, oder Weibes, oder Kindes), die *Schönheit*[2] eines Pferdes, eines Gebäudes (als Kirche, Palast, Arsenal, oder Gartenhaus) setzt einen Begriff vom Zwecke voraus, *welcher*[3] bestimmt, was das Ding sein soll, mithin einen Begriff seiner Vollkommenheit[4]; und ist also bloß adhärierende Schönheit. So wie nun die Verbindung des Angenehmen (der Empfindung) mit der Schönheit, die eigentlich nur die Form betrifft, die Reinigkeit des Ge|schmacksurteils verhinderte: so tut die Verbindung des Guten (wozu nämlich das Mannigfaltige dem Dinge selbst, nach seinem Zwecke, gut ist) mit der Schönheit der Reinigkeit desselben Abbruch.

Man würde vieles unmittelbar in der Anschauung Gefallende an einem Gebäude anbringen können, wenn es nur nicht eine Kirche sein sollte; eine Gestalt mit allerlei Schnörkeln und leichten doch regelmäßigen Zügen, wie die Neuseeländer mit ihrem Tätowieren tun, verschönern können, wenn es nur nicht ein Mensch wäre; und dieser könnte viel feinere Züge und einen gefälligeren sanftern Umriß der Gesichtsbildung haben, wenn er nur nicht einen Mann, oder gar einen kriegerischen vorstellen sollte.

¦ Nun ist das Wohlgefallen an dem Mannigfaltigen in einem Dinge in Beziehung auf den innern Zweck, der seine Möglichkeit bestimmt, auf einem Begriffe *gegründetes* Wohlgefallen[5]; das an der Schönheit aber ist ein solches, welches keinen Begriff voraussetzt, sondern mit der Vorstellung, *wodurch*[6] der Gegenstand gegeben (nicht wodurch er gedacht) wird, unmittelbar verbunden ist. Wenn nun das Ge-

[1] A: »vorausgesetzt, *daß dadurch*«. – [2] Zusatz von B u. C. – [3] A: *»der«*. – [4] C: »Zwecke, *welcher* ... Vollkommenheit voraus«. – [5] A: »bestimmt, *ein* Wohlgefallen, *das* auf einem Begriffe *gegründet ist*«. – [6] A: *»dadurch«*.

schmacksurteil, in Ansehung des letzteren, vom Zwecke in dem ersteren, als Vernunfturteile, abhängig gemacht und dadurch eingeschränkt wird, so ist jenes nicht mehr ein freies und reines Geschmacksurteil.

| Zwar gewinnt der Geschmack durch diese Verbindung des ästhetischen Wohlgefallens mit dem intellektuellen darin, daß er fixiert wird, und zwar nicht allgemein ist, ihm *aber* doch in Ansehung gewisser zweckmäßig bestimmten Objekte Regeln vorgeschrieben werden können[1]. Diese sind aber alsdann auch keine Regeln des Geschmacks, sondern bloß der Vereinbarung des Geschmacks mit der Vernunft, d. i. des Schönen mit dem Guten, durch welche *jenes*[2] zum Instrument der Absicht in Ansehung des letztern brauchbar wird, um diejenige Gemütsstimmung, die sich selbst erhält und von subjektiver allgemeiner Gültigkeit ist, derjenigen Denkungsart unterzulegen, die nur durch mühsamen Vorsatz erhalten werden kann, aber objektiv allgemein gültig ist. Eigentlich aber gewinnt weder die Vollkommenheit durch die Schönheit, | noch die Schönheit durch die Vollkommenheit; sondern, weil es nicht vermieden werden kann, wenn wir die Vorstellung, *wodurch*[3] uns ein Gegenstand gegeben wird, mit dem Objekte (in Ansehung dessen was es sein soll) durch einen Begriff vergleichen, sie zugleich mit der Empfindung im Subjekte zusammen zu halten, so gewinnt das gesamte Vermögen der Vorstellungskraft, wenn beide Gemütszustände zusammen stimmen.

Ein Geschmacksurteil würde in Ansehung eines Gegenstandes von bestimmtem innern Zwecke nur alsdann rein sein, wenn der Urteilende entweder von diesem Zwecke keinen Begriff hätte, oder in seinem Urteile | davon abstrahierte. Aber alsdann würde dieser, ob er gleich ein richtiges Geschmacksurteil fällete, indem er den Gegenstand als freie Schönheit beurteilete, dennoch von dem andern, *welcher*[4] die Schönheit an ihm nur als anhängende Beschaffenheit betrachtet (auf[5] den Zweck des Gegenstandes sieht), getadelt

[1] A: »und ist zwar nicht allgemein, doch können ihm in Ansehung ... vorgeschrieben werden«. – [2] A: »*jener*«. – [3] A: »*dadurch*«. – [4] A: »*der*«. – [5] A: »(*der* auf«.

und eines falschen Geschmacks beschuldigt werden, obgleich beide in ihrer Art richtig urteilen: der eine nach dem, was er vor den Sinnen, der andere nach dem, was er in Gedanken hat. Durch diese Unterscheidung kann man manchen Zwist der Geschmacksrichter über Schönheit beilegen, indem man ihnen zeigt, daß der eine sich an die freie, der andere an die anhängende Schönheit *halte*[1], der erstere ein reines, der zweite ein angewandtes Geschmacksurteil fälle.

| § 17. VOM IDEALE DER SCHÖNHEIT

Es kann keine objektive Geschmacksregel, *welche*[2] durch Begriffe bestimmte, was schön sei, geben. Denn alles Urteil aus dieser Quelle ist ästhetisch; d. i. das Gefühl des Subjekts, und kein Begriff eines Objekts, ist sein Bestimmungsgrund. Ein Prinzip des Geschmacks, welches das allgemeine Kriterium des Schönen durch bestimmte Begriffe angäbe, zu suchen, ist eine fruchtlose Bemühung, weil, was gesucht wird, unmöglich und an sich selbst widersprechend ist. Die allgemeine Mitteilbarkeit der Empfindung (des Wohlgefallens oder | Mißfallens), und zwar eine solche, die ohne Begriff Statt findet; die Einhelligkeit, so viel möglich, aller Zeiten und Völker in Ansehung dieses Gefühls in der Vorstellung gewisser Gegenstände: ist das empirische, wiewohl schwache und kaum zur Vermutung zureichende, *empirische*[3] Kriterium der Abstammung eines so durch Beispiele bewährten Geschmacks von dem tief verborgenen allen Menschen gemeinschaftlichen Grunde der Einhelligkeit in Beurteilung der Formen, unter denen ihnen Gegenstände gegeben werden.

Daher sieht man einige Produkte des Geschmacks als exemplarisch an: nicht als ob Geschmack könne erworben werden, indem er *anderen*[4] nachahmt. Denn der Geschmack muß ein selbst eigenes Vermögen sein; *wer* aber | ein[5] Muster nachahmt, zeigt, sofern als er es trifft, zwar Geschicklichkeit, aber nur Geschmack, sofern er dieses Muster

[1] A: »*wende*«. – [2] A: »*die*«. – [3] Fehlt in C. – [4] A: »*andere*«. – [5] A: »*der* aber, *so* ein«.

selbst beurteilen kann.* Hieraus folgt aber, daß das höchste Muster, das Urbild des Geschmacks, eine bloße Idee sei, die jeder in sich selbst hervorbringen muß, und *wonach*[1] er alles, was Objekt des Geschmacks, was | Beispiel der Beurteilung durch Geschmack sei, und selbst den Geschmack von jedermann, beurteilen muß. Idee bedeutet eigentlich einen Vernunftbegriff, und Ideal die Vorstellung eines einzelnen als einer Idee adäquaten Wesens. Daher kann jenes Urbild des Geschmacks, welches freilich auf der unbestimmten Idee der Vernunft von einem Maximum beruht, aber doch nicht durch Begriffe, sondern nur in einzelner Darstellung kann vorgestellt werden, besser das Ideal des Schönen genannt werden, dergleichen wir, wenn wir gleich nicht im Besitze desselben sind, doch in uns hervorzubringen streben. Es wird aber bloß ein Ideal der Einbildungskraft sein, eben darum, weil es nicht auf Begriffen, sondern auf | der Darstellung beruht; das Vermögen der Darstellung aber ist die Einbildungskraft. – Wie gelangen wir nun zu einem solchen Ideale der Schönheit? A priori oder empirisch? Imgleichen: welche Gattung des Schönen ist eines Ideals fähig?

Zuerst ist wohl zu bemerken, daß die Schönheit, zu *welcher*[2] ein Ideal gesucht werden soll, keine vage, sondern durch einen Begriff von objektiver Zweckmäßigkeit fixierte Schönheit sein, folglich keinem Objekte eines ganz reinen, sondern zum Teil intellektuierten Geschmacksurteils angehören müsse. D. i. in welcher Art von Gründen der Beurteilung ein Ideal Statt finden soll, da muß irgend eine Idee der Vernunft nach bestimmten Begriffen zum Grunde liegen, die a priori den Zweck bestimmet, | worauf die innere Möglichkeit des Gegenstandes beruhet. Ein Ideal schöner

* Muster des Geschmacks in Ansehung der redenden Künste müssen in einer toten und gelehrten Sprache abgefaßt sein: das erste, um nicht die *Veränderungen*[3] erdulden zu müssen, welche die lebenden[4] unvermeidlicher Weise trifft, daß edle Ausdrücke platt, gewöhnliche veraltet, und neugeschaffene in einen nur kurz daurenden Umlauf gebracht werden; das zweite, damit sie eine Grammatik habe, welche keinem mutwilligen Wechsel der Mode unterworfen sei, sondern ihre unveränderliche Regel *hat*[5].

[1] A: »*darnach*«. – [2] A: »*der*«. – [3] C: »*Veränderung*«. – [4] C: »lebenden *Sprachen*«. – [5] C: »*behält*«.

Blumen, eines schönen Ameublements, einer schönen Aussicht läßt sich nicht denken. Aber auch von einer bestimmten Zwecken anhängenden Schönheit, z. B. einem schönen Wohnhause, einem schönen Baume, schönen Garten u.s.w. läßt sich kein Ideal vorstellen; vermutlich weil die Zwecke durch ihren Begriff nicht genug bestimmt und fixiert sind, folglich die Zweckmäßigkeit beinahe so frei ist, als bei der vagen Schönheit. Nur das, was den Zweck seiner Existenz in sich selbst hat, der Mensch, der sich durch Vernunft seine Zwecke selbst bestimmen, oder, wo er sie von der äußern Wahrnehmung hernehmen muß, doch mit wesentlichen und allgemeinen | Zwecken zusammenhalten, und die Zusammenstimmung mit jenen alsdann auch ästhetisch beurteilen kann: dieser Mensch ist also eines Ideals der Schönheit, so wie die Menschheit in seiner Person, als Intelligenz, des Ideals der Vollkommenheit, unter allen Gegenständen in der Welt allein fähig.

Hiezu gehören aber zwei Stücke: erstlich die ästhetische Normalidee, welche eine einzelne Anschauung (der Einbildungskraft) ist, die das Richtmaß seiner Beurteilung, als *eines* [1] zu einer besonderen Tierspezies gehörigen Dinges, vorstellt; zweitens die Vernunftidee, welche die Zwecke der Menschheit, sofern sie nicht sinnlich vorgestellt werden können, zum Prinzip der Beurteilung einer [2] Gestalt macht, durch *welche* [3], als ihre Wir|kung in der Erscheinung, sich jene offenbaren. Die Normalidee muß ihre Elemente zur Gestalt eines Tiers von besonderer Gattung aus der Erfahrung nehmen; aber die größte Zweckmäßigkeit in der Konstruktion der Gestalt, die zum allgemeinen Richtmaß der ästhetischen Beurteilung jedes einzelnen dieser Spezies tauglich wäre, das Bild, was gleichsam absichtlich der Technik der Natur zum Grunde gelegen hat, dem nur die Gattung im ganzen, aber kein einzelnes abgesondert adäquat ist, liegt doch bloß in der Idee *der* [4] Beurteilenden, welche aber, mit ihren Proportionen, als ästhetische Idee, in einem Musterbilde völlig in concreto dargestellt werden kann. Um, wie

[1] Zusatz von B u. C. – [2] Akad.-Ausg.: »seiner«. – [3] A: *»die«*. – [4] A u. C: *»des«*.

|B 56 |A 56

dieses zugehe, einiger|maßen begreiflich zu machen (denn wer kann der Natur ihr Geheimnis gänzlich ablocken?), wollen wir eine psychologische Erklärung versuchen.

Es ist anzumerken: daß, auf eine uns gänzlich unbegreifliche Art, die Einbildungskraft nicht allein die Zeichen für Begriffe gelegentlich, selbst von langer Zeit her, zurückzurufen; sondern auch das Bild und die Gestalt des Gegenstandes *aus* einer[1] unaussprechlichen Zahl von Gegenständen verschiedener Arten, oder auch einer und derselben Art, zu reproduzieren; ja auch, wenn das Gemüt es auf Vergleichungen anlegt, allem Vermuten nach wirklich, wenn gleich nicht hinreichend zum Bewußtsein, ein Bild[2] gleichsam auf das andere fallen zu lassen, und, durch die Kongruenz der meh|rern von derselben Art, ein Mittleres herauszubekommen wisse, welches allen zum gemeinschaftlichen Maße dient. Jemand hat tausend erwachsene Mannspersonen gesehen. Will er nun über die vergleichungsweise zu schätzende Normalgröße urteilen, so läßt (meiner Meinung nach) die Einbildungskraft eine große Zahl der Bilder (vielleicht alle jene tausend) auf einander fallen; und, wenn es mir erlaubt ist, hiebei die Analogie der optischen Darstellung anzuwenden, *in dem* Raum[3], wo die meisten sich vereinigen, und innerhalb dem Umrisse, wo der Platz mit der am stärksten aufgetragenen Farbe illuminiert ist, da wird die mittlere Größe kenntlich, die sowohl der Höhe als Breite nach von den äußersten Grenzen der | größten und kleinsten Staturen gleich weit entfernt ist; und dies ist die Statur für einen schönen Mann. (Man könnte ebendasselbe mechanisch heraus bekommen, wenn man alle tausend mäße, ihre Höhen unter sich *und*[4] Breiten (und Dicken) für sich zusammen addierte, und die Summe durch tausend dividierte. Allein die Einbildungskraft tut eben dieses durch einen dynamischen Effekt, der aus der vielfältigen Auffassung solcher Gestalten auf das Organ des innern Sinnes entspringt.) Wenn nun auf ähnliche Art für diesen mittlern Mann der mittlere Kopf, für diesen die mittlere Nase u.s.w. gesucht wird, so

[1] A: »Gegenstandes *von* einer«. – [2] A: »Bewußtsein, *zu reproduzieren*, ein Bild«. – [3] A: »*der* Raum«. – [4] C: *»nebst«*.

|B 57, 58 |A 57

liegt diese Gestalt *der Normalidee* des schönen Mannes, in dem Lande, *wo* diese Vergleichung angestellt wird, *zum Grunde;* daher[1] ein Neger notwendig *unter diesen empirischen Bedingungen eine andere Normalidee* der[2] Schönheit der Gestalt haben muß, | als ein Weißer, der Chinese *eine andere*[3], als der Europäer. Mit dem Muster eines schönen Pferdes oder Hundes (von gewisser Rasse) würde es eben so gehen. – Diese Normalidee ist nicht aus von der Erfahrung hergenommenen Proportionen, als bestimmten Regeln, abgeleitet; sondern nach ihr werden allererst Regeln der Beurteilung möglich. Sie ist das zwischen allen einzelnen, auf mancherlei Weise verschiedenen, Anschauungen der Individuen schwebende Bild für die ganze Gattung, welches die Natur zum Urbilde *ihren*[4] Erzeugungen in derselben Spezies unterlegte, aber in keinem einzelnen völlig erreicht | zu haben scheint. Sie ist keinesweges das *ganze*[5] Urbild der Schönheit in dieser Gattung, sondern nur die Form, welche die unnachlaßliche Bedingung aller Schönheit ausmacht, mithin bloß die Richtigkeit in Darstellung der Gattung. Sie ist, wie man Polyklets berühmten Doryphorus nannte, die Regel (eben dazu konnte auch Myrons Kuh in ihrer Gattung gebraucht werden). Sie kann eben darum auch nichts Spezifisch-Charakteristisches enthalten; denn sonst wäre sie nicht Normalidee für die Gattung. Ihre Darstellung gefällt auch nicht durch Schönheit, sondern bloß, weil sie keiner Bedingung, unter *welcher*[6] allein ein Ding dieser Gattung schön sein kann, widerspricht. Die Darstellung ist bloß schulgerecht.*

* Man wird finden, daß ein vollkommen regelmäßiges Gesicht, welches der Maler ihm zum[7] Modell zu sitzen bitten | möchte, gemeiniglich nichts sagt; weil es nichts Charakteristisches enthält, also mehr die Idee der Gattung, als das Spezifische einer Person ausdrückt. Das Charakteristische von dieser Art, was übertrieben ist, d. i. welches der Normalidee (der Zweckmäßigkeit der Gattung) selbst Abbruch tut,

[1] A: »so *ist* diese Gestalt *das Ideal* des schönen Mannes, in dem Lande, *da* ... wird; daher«; Druckfehlerverzeichnis von A hat statt Ideal: »Normalidee«. – [2] A: »notwendig *ein anderes Ideal* der«; Druckfehlerverzeichnis: »Normalidee«. – [3] A: *»ein anderes«*. – [4] C: *»ihrer«*. – [5] Zusatz von B u. C. – [6] A: *»der«*. – [7] A: »ihm *wohl* zum«.

|B 59 |A 58 Anm.: |A 59

| Von der Normalidee des Schönen ist doch noch das Ideal desselben unterschieden, welches man lediglich an der menschlichen Gestalt aus schon angeführten Gründen erwarten darf. An dieser nun besteht das Ideal in dem Ausdrucke des Sittlichen, ohne welches | der Gegenstand nicht allgemein, und dazu positiv (nicht bloß negativ in einer schulgerechten Darstellung), gefallen würde. Der sichtbare Ausdruck sittlicher Ideen, die den Menschen innerlich beherrschen, kann zwar nur aus der Erfahrung genommen werden; aber ihre Verbindung mit allem dem, was unsere Vernunft mit dem Sittlich-Guten in der Idee der höchsten Zweckmäßigkeit verknüpft, die Seelengüte, oder Reinigkeit, oder Stärke, oder | Ruhe u.s.w. in körperlicher Äußerung (als Wirkung des Innern) gleichsam sichtbar zu machen: dazu gehören reine Ideen der Vernunft und große Macht der Einbildungskraft in demjenigen vereinigt, *welcher*[1] sie nur beurteilen, vielmehr noch, *wer*[1] sie darstellen will. Die Richtigkeit eines solchen Ideals der Schönheit beweiset sich *darin*[2]: daß es keinem Sinnenreiz sich in das Wohlgefallen an seinem Objekte zu mischen erlaubt, und dennoch ein großes Interesse daran nehmen läßt; welches dann beweiset, daß die Beurteilung nach einem solchen Maßstabe niemals rein ästhetisch sein könne, und die Beur|teilung nach einem Ideale der Schönheit kein bloßes Urteil des Geschmacks sei.

heißt Karikatur. Auch zeigt die Erfahrung: daß jene ganz regelmäßigen Gesichter im Innern gemeiniglich *auch* nur einen | mittelmäßigen[3] Menschen verraten; vermutlich (wenn angenommen werden darf, daß die Natur im Äußeren die *Proportionen*[4] des Inneren ausdrücke) deswegen: weil, wenn keine von den Gemütsanlagen über diejenige Proportion hervorstechend ist, die erfordert wird, bloß einen fehlerfreien Menschen auszumachen, nichts von dem, was man Genie nennt, erwartet werden darf, in welchem die Natur von ihren gewöhnlichen Verhältnissen der Gemütskräfte zum Vorteil einer einzigen abzugehen scheint.

[1] A: »*der*«. – [2] A: »*daran*«. – [3] A: »gemeiniglich *eben sowohl* einen nur mittelmäßigen«. – [4] A: »*Proportion*«.

|B 60, 61 |A 59, 60 Anm.: |B 60

Aus diesem dritten Momente geschlossene Erklärung des Schönen

Schönheit ist Form der Zweckmäßigkeit eines Gegenstandes, sofern sie, ohne Vorstellung eines Zwecks, an ihm wahrgenommen wird.*

|| VIERTES MOMENT DES GESCHMACKSURTEILS, NACH DER MODALITÄT DES WOHLGEFALLENS AN *DEM GEGENSTANDE*[1]

§ 18. WAS DIE MODALITÄT EINES GESCHMACKSURTEILS SEI

Von einer jeden Vorstellung kann ich sagen: wenigstens es sei möglich, daß sie (als Erkenntnis) mit einer Lust verbunden sei. Von dem, was ich angenehm nenne, sage ich, daß es in mir wirklich Lust bewirke. Vom Schönen aber denkt man sich, daß es eine notwendige Beziehung auf das Wohlgefallen habe. Diese Notwendigkeit *nun* ist[2] von besonderer Art: nicht eine theoretische objektive Notwendigkeit, *wo*[3] a priori erkannt werden kann, daß jedermann dieses Wohlgefallen an dem von mir schön genannten Gegenstande fühlen werde; auch nicht eine praktische, *wo*[3] durch Begriffe eines reinen Vernunftwillens, *welcher*[4] freihandelnden Wesen zur Regel dient, dieses Wohlgefallen die

* Man könnte wider diese Erklärung als Instanz anführen: daß es Dinge gibt, an denen man eine zweckmäßige Form sieht, ohne an[5] ihnen einen Zweck zu erkennen; z. B. die öfter aus alten Grabhügeln gezogenen, mit einem Loche, als zu einem Hefte, versehenen steinernen Geräte, die, ob sie zwar in ihrer Gestalt eine Zweckmäßigkeit deutlich verraten[6], für die man den Zweck nicht kennt, darum gleichwohl nicht für schön erklärt werden. Allein, daß man sie für ein Kunstwerk ansieht, ist schon genug, um gestehen zu müssen, | daß man ihre Figur auf irgend eine Absicht und einen bestimmten Zweck bezieht. Daher auch gar kein unmittelbares Wohlgefallen an ihrer Anschauung. Eine Blume *hingegen*[7], z. B. eine Tulpe, wird für schön gehalten, weil eine gewisse Zweckmäßigkeit, die so, wie wir sie beurteilen, auf gar keinen Zweck bezogen wird, in ihrer Wahrnehmung angetroffen wird.

[1] C: »an *den Gegenständen*«. – [2] A: »*aber* ist«. – [3] A: »*da*«. – [4] A: »*der*«. – [5] A: »ohne *auch* an«. – [6] C: »deutlich eine Zweckmäßigkeit verraten«. – [7] A: »*aber*«.

notwendige | Folge eines objektiven Gesetzes ist, und nichts anders bedeutet, als daß man schlechterdings (ohne weitere Absicht) auf gewisse Art handeln solle. Sondern sie kann als Notwendigkeit, die in einem ästhetischen Urteile gedacht wird, nur exemplarisch genannt werden, d. i. *eine*[1] Notwendigkeit der Beistimmung aller zu einem | Urteil, was wie Beispiel einer allgemeinen Regel, die man nicht angeben kann, angesehen wird. Da ein ästhetisches Urteil kein objektives und Erkenntnisurteil ist, so kann diese Notwendigkeit nicht aus bestimmten Begriffen abgeleitet werden, und ist also nicht apodiktisch. Viel weniger kann sie aus der Allgemeinheit der Erfahrung (von einer durchgängigen Einhelligkeit der Urteile über die Schönheit eines gewissen Gegenstandes) geschlossen werden. Denn nicht allein, daß die Erfahrung hiezu schwerlich hinreichend viele Belege schaffen würde, so läßt sich auf empirische Urteile kein Begriff der Notwendigkeit dieser Urteile gründen.

§ 19. DIE SUBJEKTIVE NOTWENDIGKEIT, DIE WIR DEM GESCHMACKSURTEILE BEILEGEN, IST BEDINGT

Das Geschmacksurteil sinnet jedermann Beistimmung an; und, wer etwas für schön erklärt, will, daß jedermann dem vorliegenden Gegenstande Beifall geben und ihn gleichfalls für schön erklären solle. Das Sollen im ästhetischen Urteile wird also selbst nach allen Datis, | die zur Beurteilung erfordert werden, doch nur bedingt ausgesprochen. Man wirbt um jedes andern Beistimmung, weil man dazu einen Grund hat, der allen gemein ist; auf welche *Beistimmung*[2] man auch rechnen könnte, wenn man nur immer sicher wäre, daß | der Fall unter jenem Grunde als Regel des Beifalls richtig subsumiert wäre.

[1] A: »*die*«. – [2] Zusatz von B u. C.

§ 20. DIE BEDINGUNG DER NOTWENDIGKEIT, DIE EIN GESCHMACKSURTEIL VORGIBT, IST DIE IDEE EINES GEMEINSINNES

Wenn Geschmacksurteile (gleich den Erkenntnisurteilen) ein bestimmtes objektives Prinzip hätten, so würde der, *welcher sie*[1] nach dem letztern fället, auf unbedingte Notwendigkeit seines Urteils Anspruch machen. Wären sie ohne alles Prinzip, wie die des bloßen Sinnengeschmacks, so würde man sich gar keine Notwendigkeit *derselben*[2] in die Gedanken kommen lassen. Also müssen sie ein subjektives Prinzip haben, welches nur durch Gefühl und nicht durch Begriffe, doch aber allgemeingültig bestimme, was gefalle oder mißfalle. Ein solches Prinzip aber könnte nur als ein Gemeinsinn angesehen werden; *welcher*[3] vom gemeinen Verstande, den man bisweilen auch Gemeinsinn (sensus communis) nennt, wesentlich unterschieden ist: indem letzterer nicht nach Gefühl, sondern jederzeit nach Begriffen, wiewohl gemeiniglich nur als nach dunkel[4] vorgestellten Prinzipien, urteilt.

| Also nur unter der Voraussetzung, daß es einen Gemeinsinn gebe (wodurch wir aber keinen äußern Sinn, sondern die Wirkung aus dem freien Spiel unsrer Er|kenntniskräfte, verstehen), nur unter Voraussetzung, sage ich, eines solchen Gemeinsinns kann das Geschmacksurteil gefällt werden.

§ 21. OB MAN MIT GRUNDE EINEN GEMEINSINN VORAUSSETZEN KÖNNE

Erkenntnisse und Urteile müssen sich, samt der Überzeugung, die sie begleitet, allgemein mitteilen lassen; denn sonst käme ihnen keine Übereinstimmung mit dem Objekt zu: sie wären insgesamt ein bloß subjektives Spiel der Vorstellungskräfte, gerade so wie es der Skeptizism verlangt. Sollen sich aber Erkenntnisse mitteilen lassen, so muß sich auch der Gemütszustand, d. i. die Stimmung der Erkennt-

[1] A: »*so es*«. – [2] A: »*desselben*«. – [3] A: »*der*«. – [4] A: »gemeiniglich nach *ihnen*, als nur dunkel«.

|B 65 |A 64

niskräfte zu einer Erkenntnis überhaupt, und zwar diejenige Proportion, welche sich für eine Vorstellung (*wodurch*[1] uns ein Gegenstand gegeben wird) gebührt, um daraus Erkenntnis zu machen, allgemein mitteilen lassen: weil ohne diese, als subjektive Bedingung des Erkennens, das Erkenntnis, als Wirkung, nicht entspringen könnte. Dieses geschieht auch wirklich jederzeit, wenn ein gegebener Gegenstand vermittelst der Sinne die Einbildungskraft zur Zusammensetzung des Mannigfaltigen, diese aber den Verstand zur Einheit derselben[2] in Begriffen, in Tätigkeit bringt. | Aber diese Stimmung der Erkenntniskräfte hat, nach Verschiedenheit der Objekte, die gegeben werden, eine ¦ verschiedene Proportion. Gleichwohl aber muß es eine geben, in welcher dieses innere Verhältnis zur Belebung (einer durch die andere) die zuträglichste für beide Gemütskräfte in Absicht auf Erkenntnis (gegebener Gegenstände) überhaupt ist; und diese Stimmung kann nicht anders als durch das Gefühl (nicht nach Begriffen) bestimmt werden. Da sich nun diese Stimmung selbst muß allgemein mitteilen lassen, mithin auch das Gefühl derselben (bei einer gegebenen Vorstellung); die allgemeine Mitteilbarkeit eines Gefühls aber einen Gemeinsinn voraussetzt: so wird dieser mit Grunde angenommen werden können, und zwar ohne sich desfalls auf psychologische Beobachtungen zu fußen, sondern als die notwendige Bedingung der allgemeinen Mitteilbarkeit unserer Erkenntnis, welche in jeder Logik und jedem Prinzip der Erkenntnisse, das nicht skeptisch ist, vorausgesetzt werden[3].

§ 22. DIE NOTWENDIGKEIT DER ALLGEMEINEN BEISTIMMUNG, DIE IN EINEM GESCHMACKSURTEIL GEDACHT WIRD, IST EINE SUBJEKTIVE NOTWENDIGKEIT, DIE UNTER DER VORAUSSETZUNG EINES GEMEINSINNS ALS OBJEKTIV VORGESTELLT WIRD

In allen Urteilen, wodurch wir etwas für schön erklären, verstatten wir keinem, anderer Meinung zu ¦ sein; | ohne gleichwohl unser Urteil auf Begriffe, sondern nur auf unser

[1] A: »*dadurch*«. – [2] Akad.-Ausg.: »desselben«. – [3] A: »werden *muß*«.

Gefühl zu gründen: welches wir also nicht als Privatgefühl, sondern als ein gemeinschaftliches zum Grunde legen. Nun kann dieser Gemeinsinn zu diesem Behuf nicht auf der Erfahrung gegründet werden; denn er will zu Urteilen berechtigen, die ein Sollen enthalten: er sagt nicht, daß jedermann mit unserm Urteile übereinstimmen werde, sondern damit zusammenstimmen solle. Also ist der Gemeinsinn, von dessen Urteil ich mein Geschmacksurteil *hier*[1] als ein Beispiel angebe und weswegen ich ihm exemplarische Gültigkeit beilege, eine bloße idealische Norm, unter deren Voraussetzung man ein Urteil, welches mit ihr zusammenstimmte, und das in demselben ausgedrückte Wohlgefallen an einem Objekt, für jedermann mit Recht zur Regel machen könnte: weil zwar das Prinzip nur subjektiv, dennoch aber, für subjektiv-allgemein (eine jedermann notwendige Idee) angenommen, was die Einhelligkeit verschiedener Urteilenden betrifft, gleich einem objektiven, allgemeine Beistimmung fordern könnte; wenn man nur sicher wäre, darunter richtig subsumiert zu haben.

Diese unbestimmte Norm eines Gemeinsinns wird von uns wirklich vorausgesetzt: das beweiset unsere Anmaßung, Geschmacksurteile zu fällen. Ob es in der Tat einen solchen Gemeinsinn, als konstitutives Prinzip der Möglichkeit der Erfahrung gebe, oder ein noch höheres Prinzip der Vernunft es uns nur zum regula||tiven Prinzip mache, allererst einen Gemeinsinn zu höhern Zwecken in uns hervorzubringen; ob also Geschmack ein ursprüngliches und natürliches, oder nur die Idee von einem noch zu erwerbenden und künstlichen Vermögen sei, so daß ein Geschmacksurteil, mit seiner Zumutung einer allgemeinen Beistimmung, in der Tat nur eine Vernunftforderung sei, eine solche Einhelligkeit der Sinnesart hervorzubringen, und das Sollen, d. i. die objektive Notwendigkeit des Zusammenfließens des Gefühls von jedermann mit jedes seinem besondern, nur die Möglichkeit, hierin einträchtig zu werden, bedeute, und das Geschmacksurteil nur von Anwendung dieses Prinzips ein Beispiel aufstelle: das wollen und können wir hier noch nicht unter-

[1] A: »*mir*«.

suchen, sondern haben vor jetzt[1] nur das Geschmacksvermögen in seine Elemente aufzulösen, *und*[2] sie zuletzt in der Idee eines Gemeinsinns zu vereinigen.

Aus dem vierten Moment gefolgerte Erklärung *vom*[3] Schönen

Schön ist, was ohne Begriff als Gegenstand eines notwendigen Wohlgefallens erkannt wird.

* * *

ALLGEMEINE ANMERKUNG ZUM ERSTEN ABSCHNITTE DER ANALYTIK

Wenn man das Resultat aus den obigen Zergliederungen zieht, so findet sich, daß alles auf den Begriff des Geschmacks herauslaufe: daß er ein Beurteilungsvermögen || eines Gegenstandes in Beziehung auf die freie Gesetzmäßigkeit der Einbildungskraft sei. Wenn nun im Geschmacksurteile die Einbildungskraft in ihrer Freiheit betrachtet werden muß, so wird sie erstlich nicht reproduktiv, wie sie den Assoziationsgesetzen unterworfen ist, sondern als produktiv und selbsttätig (als Urheberin willkürlicher Formen möglicher Anschauungen) angenommen; und, ob sie zwar bei der Auffassung eines gegebenen Gegenstandes der Sinne an eine bestimmte Form dieses Objekts gebunden ist und sofern kein freies Spiel (wie im Dichten) hat, so läßt sich doch noch wohl begreifen: daß der Gegenstand ihr gerade eine solche Form an die Hand geben könne, die eine Zusammensetzung des Mannigfaltigen enthält, wie sie die Einbildungskraft, wenn sie sich selbst frei überlassen wäre, in Einstimmung mit der Verstandesgesetzmäßigkeit überhaupt entwerfen würde. Allein daß die Einbildungskraft frei und doch von selbst gesetzmäßig sei, d. i. daß sie eine Autonomie bei sich führe, ist ein Widerspruch. Der Verstand allein gibt das Gesetz. Wenn aber die Einbildungskraft nach einem bestimmten Gesetze zu verfahren genötigt wird, so wird ihr Produkt, der Form nach, durch

[1] Akad.-Ausg.: »für jetzt«. – [2] C: *»um«*. – [3] C: *»des«*.

Begriffe bestimmt, wie es sein soll; aber alsdenn ist das Wohlgefallen, wie oben gezeigt, nicht das am Schönen, sondern am Guten (der Vollkommenheit, allenfalls bloß der formalen), und das Urteil ist kein Urteil durch Geschmack. Es wird also eine Gesetzmäßigkeit ohne Gesetz, und eine subjektive Übereinstimmung der Einbildungskraft zum Verstande, ohne eine objektive, da die Vorstellung auf einen bestimmten Begriff von einem Gegenstande bezogen wird, mit der freien Gesetzmäßigkeit des Verstandes (welche auch Zweckmäßigkeit ohne Zweck genannt worden) und mit der Eigentümlichkeit eines Geschmacksurteils allein zusammen bestehen können.

|| Nun werden geometrisch-regelmäßige Gestalten, eine Zirkelfigur, ein Quadrat, ein Würfel u.s.w. von Kritikern des Geschmacks gemeiniglich als die einfachsten und unzweifelhaftesten Beispiele der Schönheit angeführt; und dennoch werden sie eben darum regelmäßig genannt, weil man sie nicht anders vorstellen kann als so, daß sie für bloße Darstellungen eines bestimmten Begriffs, der jener Gestalt die Regel vorschreibt (nach der sie allein möglich ist), angesehen werden. Eines von beiden muß also irrig sein: entweder jenes Urteil der Kritiker, gedachten Gestalten Schönheit beizulegen; oder das unsrige, welches Zweckmäßigkeit ohne Begriff zur Schönheit nötig findet.

Niemand wird leichtlich einen Menschen von Geschmack dazu nötig finden, um an einer Zirkelgestalt mehr Wohlgefallen, als an einem kritzligen Umrisse, an einem gleichseitigen und gleicheckigen Viereck mehr, als an einem schiefen ungleichseitigen, gleichsam verkrüppelten, zu finden; denn dazu gehört nur gemeiner Verstand und gar kein Geschmack. Wo eine Absicht[1], z. B. die Größe eines Platzes zu beurteilen, oder das Verhältnis der Teile zu einander und zum Ganzen in einer Einteilung *faßlich zu machen, wahrgenommen wird*[2]: da sind regelmäßige Gestalten, und zwar die von der einfachsten Art, nötig; und das Wohlgefallen ruht nicht unmittelbar auf dem Anblicke der Gestalt, sondern der Brauchbarkeit derselben zu allerlei möglicher Absicht. Ein

[1] A (Druckfehlerverzeichnis): »Absicht ist«. – [2] Zusatz von B u. C.

|B 70 |A 69

Zimmer, dessen Wände schiefe Winkel machen, ein Gartenplatz von solcher Art, selbst alle Verletzung der Symmetrie, sowohl in der Gestalt der Tiere (z. B. einäugig zu sein), als der Gebäude, oder der Blumenstücke, mißfällt, weil es zweckwidrig ist, nicht allein praktisch in Ansehung eines bestimmten Gebrauchs dieser Dinge, sondern auch für die Beurteilung in allerlei möglicher Absicht; welches der | Fall im Geschmacksurteile nicht ist, welches, wenn es rein ist, | Wohlgefallen oder Mißfallen, ohne Rücksicht auf den Gebrauch oder einen Zweck, mit der bloßen Betrachtung des Gegenstandes unmittelbar verbindet.

Die Regelmäßigkeit, die zum Begriffe von einem Gegenstande führt, ist zwar die unentbehrliche Bedingung (conditio sine qua non), den Gegenstand in eine einzige Vorstellung zu fassen und das Mannigfaltige in der Form desselben zu bestimmen. Diese Bestimmung ist ein Zweck in Ansehung der Erkenntnis; und in Beziehung auf diese ist sie auch jederzeit mit Wohlgefallen (welches die Bewirkung einer jeden auch bloß problematischen Absicht begleitet) verbunden. Es ist aber *alsdann*[1] bloß die Billigung der Auflösung, die einer Aufgabe Gnüge tut, und nicht eine freie und unbestimmt-zweckmäßige Unterhaltung der Gemütskräfte, mit dem, was wir schön nennen, und *wobei*[2] der Verstand der Einbildungskraft und nicht diese jenem zu Diensten ist.

An einem Dinge, *das*[3] nur durch eine Absicht möglich ist, einem Gebäude, selbst einem Tier, muß die Regelmäßigkeit, die in der Symmetrie besteht, die Einheit der Anschauung ausdrücken, welche den Begriff des Zwecks begleitet, und gehört mit zum Erkenntnisse. Aber wo nur ein freies Spiel der Vorstellungskräfte (doch unter der Bedingung, daß der Verstand dabei keinen Anstoß leide) unterhalten werden soll, in Lustgärten, Stubenverzierung, allerlei geschmackvollem Geräte u. d. gl. wird die Regelmäßigkeit, die sich als Zwang ankündigt, so viel möglich vermieden; daher der englische Geschmack in Gärten, der Barockgeschmack an *Möbeln*[4] die Freiheit der Einbildungskraft wohl eher bis zur Annäherung zum Grotesken treibt, und in dieser Abson-

[1] Zusatz von B u. C. – [2] A: *»wo«*. – [3] A: *»was«*. – [4] A: *»Mobilien«*.

|B 71 |A 70

derung von allem Zwange der Regel eben den | Fall setzt, wo der Geschmack in Entwürfen der Einbildungskraft seine größte Vollkommenheit zeigen kann.

| Alles Steif-Regelmäßige (was der mathematischen Regelmäßigkeit nahe kommt) hat das Geschmackwidrige an sich: daß es keine lange Unterhaltung mit der Betrachtung desselben gewährt, sondern, sofern es nicht ausdrücklich das Erkenntnis, oder einen bestimmten praktischen Zweck zur Absicht hat, lange Weile macht. Dagegen ist das, womit Einbildungskraft ungesucht und zweckmäßig spielen kann, uns jederzeit neu, und man wird seines Anblicks nicht überdrüssig. Marsden in seiner Beschreibung von Sumatra macht die Anmerkung, daß die freien Schönheiten der Natur den Zuschauer daselbst überall umgeben und daher wenig Anziehendes mehr für ihn haben: dagegen ein Pfeffergarten, wo die Stangen, an denen sich dieses Gewächs rankt, in Parallellinien Alleen zwischen sich bilden, wenn er ihn mitten in einem Walde antraf, für ihn viel Reiz hatte; und schließt daraus, daß wilde, dem Anscheine nach regellose Schönheit nur dem zur Abwechselung gefalle, der sich an der regelmäßigen satt gesehen hat. Allein er durfte nur den Versuch machen, sich einen Tag bei seinem Pfeffergarten aufzuhalten, um inne zu werden, daß, wenn der Verstand durch die Regelmäßigkeit sich in die Stimmung zur Ordnung, die er allerwärts bedarf, versetzt hat, ihn der Gegenstand nicht länger unterhalte, vielmehr der Einbildungskraft einen lästigen Zwang antue: *wogegen*, die *dort* an[1] Mannigfaltigkeiten bis zur Üppigkeit verschwenderische Natur, die keinem Zwange künstlicher Regeln unterworfen ist, seinem Geschmacke für beständig Nahrung geben könne. – Selbst der Gesang der Vögel, den wir unter keine musikalische Regel bringen können, scheint mehr Freiheit und darum mehr für den Geschmack zu enthalten, als selbst ein menschlicher Gesang, der | nach allen Regeln der Tonkunst geführt wird: weil man des letztern, wenn er oft und lange Zeit wiederholt | wird, weit eher überdrüssig wird. Allein hier vertauschen wir vermutlich[2] unsere Teilnehmung an

[1] A: »*dagegen daß* die *dorten* an«. – [2] A: »wir *wohl* vermutlich«.

der Lustigkeit eines kleinen beliebten Tierchens mit der Schönheit seines Gesanges, der, wenn er vom Menschen (wie *dies*[1] mit dem Schlagen der Nachtigall bisweilen geschieht) ganz genau nachgeahmet wird, unserm Ohre ganz geschmacklos zu sein dünkt.

Noch sind schöne Gegenstände von schönen Aussichten auf Gegenstände (die öfter der Entfernung wegen nicht mehr deutlich erkannt werden können) zu unterscheiden. In den letztern scheint der Geschmack nicht sowohl an dem, was die Einbildungskraft in diesem Felde auffaßt, als vielmehr an dem, was sie hiebei zu dichten Anlaß bekommt, d. i. an den eigentlichen Phantasien, womit sich das Gemüt unterhält, *indessen daß* es[2] durch die Mannigfaltigkeit, auf die das Auge stößt, kontinuierlich erweckt wird, zu haften; so wie etwa bei dem Anblick der veränderlichen Gestalten eines Kaminfeuers, oder eines rieselnden Baches, welche beide keine Schönheiten sind, aber doch für die Einbildungskraft einen Reiz bei sich führen, weil sie ihr freies Spiel unterhalten.

|| ZWEITES BUCH
ANALYTIK DES ERHABENEN

§ 23. ÜBERGANG VON DEM BEURTEILUNGSVERMÖGEN DES SCHÖNEN ZU DEM DES ERHABENEN

Das Schöne kommt darin mit dem Erhabenen überein, daß beides für sich selbst gefällt. Ferner darin, daß beides kein Sinnes- noch ein logisch-bestimmendes, sondern ein Reflexionsurteil voraussetzt: folglich das Wohlgefallen nicht an einer Empfindung, wie die des Angenehmen, noch an einem bestimmten Begriffe, wie das Wohlgefallen am Guten, hängt; gleichwohl aber doch auf Begriffe, obzwar unbestimmt welche, bezogen wird, mithin das Wohlgefallen an der bloßen Darstellung oder dem Vermögen derselben geknüpft ist, wodurch das Vermögen der Darstellung, oder die Einbildungskraft, bei einer gegebenen Anschauung mit dem Vermögen der Begriffe des Verstandes oder der Ver-

[1] A: »*es*«. – [2] C: »*während* es«.

|B 74 |A 73

nunft, als Beförderung der letztern, in Einstimmung betrachtet wird. Daher sind auch beiderlei Urteile einzelne, und doch sich für allgemeingültig in Ansehung jedes Subjekts ankündigende Urteile, ob sie zwar bloß auf das Gefühl der Lust und *auf*[1] kein Erkenntnis des Gegenstandes Anspruch machen.

|| Allein es sind auch namhafte Unterschiede zwischen beiden in die Augen fallend. Das Schöne der Natur betrifft die Form des Gegenstandes, die in der Begrenzung besteht; das Erhabene ist dagegen auch an einem formlosen Gegenstande zu finden, sofern Unbegrenztheit an ihm, oder durch dessen Veranlassung, vorgestellt und doch Totalität derselben hinzugedacht wird: so daß das Schöne für die Darstellung eines unbestimmten Verstandesbegriffs, das Erhabene aber eines dergleichen Vernunftbegriffs genommen zu werden scheint. Also ist das Wohlgefallen dort mit der Vorstellung der Qualität, hier aber der Quantität verbunden. Auch ist das letztere der Art nach von dem ersteren Wohlgefallen gar sehr unterschieden: indem dieses *(das Schöne)*[1] directe ein Gefühl der Beförderung des Lebens bei sich führt, und daher mit Reizen und einer spielenden Einbildungskraft vereinbar ist; jenes aber *(das Gefühl des Erhabenen)*[1] eine Lust ist, welche nur indirecte entspringt, nämlich so, daß sie durch das Gefühl einer augenblicklichen Hemmung der Lebenskräfte und darauf sogleich folgenden desto stärkern Ergießung derselben erzeugt wird, mithin als Rührung kein Spiel, sondern Ernst in der Beschäftigung der Einbildungskraft zu sein scheint. Daher es auch mit Reizen unvereinbar ist; und, indem das Gemüt von dem Gegenstande nicht bloß angezogen, sondern wechselsweise auch immer wieder abgestoßen wird, das Wohlgefallen am Erhabenen nicht sowohl positive | Lust als vielmehr Bewunderung | oder Achtung *enthält*[1], d. i. negative Lust genannt zu werden verdient.

Der wichtigste und innere Unterschied aber des Erhabenen vom Schönen ist wohl dieser: daß, wenn wir, wie billig, hier zuvörderst nur das Erhabene an Naturobjekten in Be-

[1] Zusatz von B u. C.

trachtung ziehen (das der Kunst wird nämlich immer auf die Bedingungen der Übereinstimmung mit der Natur eingeschränkt), die Naturschönheit (die selbständige) eine Zweckmäßigkeit in ihrer Form, wodurch der Gegenstand für unsere Urteilskraft gleichsam vorherbestimmt zu sein scheint, bei sich führe [1], und so an sich einen Gegenstand des Wohlgefallens ausmacht; *statt dessen* [2] das, was in uns, ohne zu vernünfteln, bloß in der Auffassung, das Gefühl des Erhabenen erregt, der Form nach *zwar* zweckwidrig [3] für unsere Urteilskraft, unangemessen unserm Darstellungsvermögen, und gleichsam gewalttätig für die Einbildungskraft erscheinen mag, *aber* [4] dennoch nur um desto erhabener zu sein geurteilt wird.

Man sieht aber hieraus sofort, daß wir uns überhaupt unrichtig ausdrücken, wenn wir irgend einen Gegenstand der Natur erhaben nennen, ob wir zwar ganz richtig sehr viele derselben schön nennen können; denn wie kann das mit einem Ausdrucke des Beifalls bezeichnet werden, was an sich als zweckwidrig aufgefaßt wird? Wir können nicht mehr sagen, als daß der Gegenstand zur Darstellung einer Erhabenheit tauglich | sei, die im Gemüte angetroffen werden kann; denn | das eigentliche Erhabene kann in keiner sinnlichen Form enthalten sein, sondern trifft nur Ideen der Vernunft: welche, obgleich keine ihnen angemessene Darstellung möglich ist, eben durch diese Unangemessenheit, welche sich sinnlich darstellen läßt, rege gemacht und ins Gemüt gerufen werden. So kann der weite, durch Stürme empörte Ozean nicht erhaben genannt werden. Sein Anblick ist gräßlich; und man muß das Gemüt schon mit mancherlei Ideen angefüllt haben, wenn es durch eine solche Anschauung zu einem Gefühl gestimmt werden soll, *welches* [5] selbst erhaben ist, indem das Gemüt die Sinnlichkeit zu verlassen und sich mit Ideen, die höhere Zweckmäßigkeit enthalten, zu beschäftigen angereizt wird.

Die selbständige Naturschönheit entdeckt uns eine Technik der Natur, welche sie als ein System nach Gesetzen,

[1] Akad.-Ausg.: »führt«. – [2] C: »*hingegen*«. – [3] A: »nach *gar* zweckwidrig«. – [4] Zusatz von B u. C. – [5] A: »*was*«.

deren Prinzip wir in unserm ganzen Verstandesvermögen nicht antreffen, vorstellig macht, nämlich dem einer Zweckmäßigkeit, respektiv auf den Gebrauch der Urteilskraft in Ansehung der Erscheinungen, so daß diese nicht bloß als zur Natur in ihrem zwecklosen Mechanism, sondern auch als *zur Analogie mit der*[1] Kunst gehörig, beurteilt werden müssen. Sie erweitert also wirklich zwar nicht unsere Erkenntnis der Naturobjekte, aber doch unsern Begriff von der Natur, nämlich als bloßem Mechanism, zu dem *Begriff*[1] von eben derselben als Kunst: welches zu tiefen | Untersuchungen über die Möglichkeit einer solchen Form einladet. Aber in dem, was | wir an ihr erhaben zu nennen pflegen, ist sogar[2] nichts, was auf besondere objektive Prinzipien und diesen gemäße Formen der Natur führte, daß diese vielmehr in ihrem Chaos oder in ihrer wildesten regellosesten Unordnung und Verwüstung, wenn *sich*[3] nur Größe und Macht blicken läßt, die Ideen des Erhabenen am meisten erregt. Daraus sehen wir, daß der Begriff des Erhabenen der Natur bei weitem nicht so wichtig und an Folgerungen reichhaltig sei, als der des Schönen in derselben; und daß er überhaupt nichts Zweckmäßiges in der Natur selbst, sondern nur in dem möglichen Gebrauche ihrer Anschauungen, um eine von der Natur ganz unabhängige Zweckmäßigkeit in uns selbst fühlbar zu machen, anzeige. Zum Schönen der Natur müssen wir einen Grund außer uns suchen, zum Erhabenen aber bloß in uns und der Denkungsart, die in die Vorstellung der ersteren Erhabenheit hineinbringt; eine sehr nötige vorläufige Bemerkung, welche die Ideen des Erhabenen von der einer Zweckmäßigkeit der Natur ganz abtrennt, und aus der Theorie desselben einen bloßen Anhang zur ästhetischen Beurteilung der Zweckmäßigkeit der Natur macht, weil dadurch keine besondere Form in dieser vorgestellt, sondern nur ein zweckmäßiger Gebrauch, den die Einbildungskraft von ihrer Vorstellung macht, entwickelt wird.

[1] Zusatz von B u. C. – [2] Akad.-Ausg.: »so gar«. – [3] A: *»sie«*.

|B 78 |A 77

|| § 24. VON DER EINTEILUNG EINER UNTERSUCHUNG DES GEFÜHLS DES ERHABENEN

Was die Einteilung der Momente der ästhetischen Beurteilung der Gegenstände, in Beziehung auf das Gefühl des Erhabenen, betrifft, so wird die Analytik nach demselben Prinzip fortlaufen können, wie in der Zergliederung der Geschmacksurteile geschehen ist. Denn, als *Urteil*[1] der ästhetischen reflektierenden Urteilskraft, muß das Wohlgefallen am Erhabenen eben sowohl, als am Schönen, der Quantität nach allgemeingültig, der Qualität nach ohne Interesse, der[2] Relation nach subjektive Zweckmäßigkeit, und der Modalität nach die letztere als notwendig, vorstellig machen. Hierin wird also die Methode von der im vorigen Abschnitte nicht abweichen: man müßte denn das für etwas rechnen, daß wir dort, wo das ästhetische Urteil die Form des Objekts betraf, von der Untersuchung der Qualität anfingen, hier aber, bei der Formlosigkeit, welche dem, was wir erhaben nennen, zukommen kann, von der Quantität, als dem ersten Moment des ästhetischen Urteils über das Erhabene, anfangen werden: wozu aber der Grund aus dem vorhergehenden § zu ersehen ist.

Aber eine Einteilung hat die Analysis des Erhabenen nötig, welche die des Schönen nicht bedarf, nämlich die in das mathematisch- und in das dynamisch-Erhabene.

| Denn da das Gefühl des Erhabenen eine mit der Beurteilung des Gegenstandes verbundene Bewegung des Gemüts, als seinen Charakter bei sich führt, anstatt daß der Geschmack am Schönen das Gemüt in ruhiger Kontemplation voraussetzt und erhält; diese Bewegung aber als subjektiv zweckmäßig beurteilt werden soll (weil das Erhabene gefällt): so wird sie durch die Einbildungskraft entweder auf das Erkenntnis- oder auf das Begehrungsvermögen bezogen; in beiderlei Beziehung aber die Zweckmäßigkeit der gegebenen Vorstellung nur in Ansehung dieser Vermögen (ohne Zweck oder Interesse) beurteilt werden: da dann die erste, als eine mathematische, die

[1] A: »*Urteile*«. – [2] Akad.-Ausg. erwägt: »Interesse sein, der«.

|B 79, 80 |A 78, 79

zweite als dynamische Stimmung der Einbildungskraft dem Objekte beigelegt, und daher dieses auf gedachte zwiefache Art als erhaben vorgestellt wird.

A. VOM MATHEMATISCH-ERHABENEN

§ 25. NAMENERKLÄRUNG DES ERHABENEN

Erhaben nennen wir das, was schlechthin groß ist. Groß-sein aber, und eine Größe sein, sind ganz verschiedene Begriffe (magnitudo und quantitas). Imgleichen schlechtweg (simpliciter) sagen, daß etwas groß sei, ist auch ganz *was* anderes als *zu* sagen[1], || daß es schlechthin groß (absolute non comparative magnum) sei. Das letztere ist das, was über alle Vergleichung groß ist. – Was will nun aber der Ausdruck, daß etwas groß, oder klein, oder mittelmäßig sei, sagen? Ein reiner Verstandesbegriff ist *es*[2] nicht, *was dadurch bezeichnet wird*[3]; noch weniger eine Sinnenanschauung; und eben so wenig ein Vernunftbegriff, weil er[4] gar kein Prinzip der Erkenntnis bei sich führt. *Es*[5] muß also ein Begriff der Urteilskraft sein, oder von einem solchen abstammen, und eine subjektive Zweckmäßigkeit der Vorstellung in Beziehung auf die Urteilskraft zum Grunde legen. Daß etwas eine Größe (quantum) sei, läßt sich aus dem Dinge selbst, ohne alle Vergleichung mit andern, erkennen; wenn nämlich Vielheit des Gleichartigen zusammen Eines ausmacht. Wie groß es aber sei, erfordert jederzeit etwas anderes, *welches*[6] auch Größe ist, zu seinem Maße. *Weil*[7] es aber in der Beurteilung der Größe nicht bloß auf die Vielheit (Zahl), sondern auch auf die Größe der Einheit (des Maßes) ankommt, und *die* Größe dieser *letztern* immer[8] wiederum etwas anderes als Maß bedarf, womit *sie*[9] verglichen werden könne: so sehen wir: daß alle Größenbestimmung der Erscheinungen schlechterdings keinen absoluten Begriff von einer Größe, sondern allemal nur einen Vergleichungsbegriff liefern könne.

[1] C: »ganz *etwas* anders als sagen«. – [2] A: »*er*«. – [3] Zusatz von B u. C. – [4] Akad.-Ausg.: »es«. – [5] A: »*Er*«. – [6] A: »*was*«. – [7] A: »*Dieweil*«. – [8] A: »dieser *ihre* Größe immer«. – [9] A: »*es*«.

|B 81 |A 80

Wenn ich nun schlechtweg sage, daß etwas groß sei, so scheint es, daß ich gar keine Vergleichung im Sinne | habe, wenigstens mit keinem objektiven Maße, weil | dadurch gar nicht bestimmt wird, wie groß der Gegenstand sei. Ob aber gleich der Maßstab der Vergleichung bloß subjektiv ist, so macht das Urteil nichts desto weniger auf allgemeine Bestimmung[1] Anspruch; die Urteile: der Mann ist schön und er ist groß, schränken sich nicht bloß auf das urteilende Subjekt ein, sondern verlangen, gleich theoretischen Urteilen, jedermanns Beistimmung.

Weil aber in einem Urteile, *wodurch*[2] etwas schlechtweg als groß bezeichnet wird, nicht bloß gesagt werden will, daß der Gegenstand eine Größe habe, sondern diese ihm zugleich vorzugsweise vor vielen andern gleicher Art beigelegt wird, ohne doch diesen Vorzug bestimmt anzugeben: so wird demselben allerdings ein Maßstab zum Grunde gelegt, den man für jedermann, als eben denselben, annehmen zu können voraussetzt, der aber zu keiner logischen (mathematisch-bestimmten), sondern nur ästhetischen Beurteilung der Größe brauchbar ist, weil er ein bloß subjektiv dem über Größe reflektierenden Urteile zum[3] Grunde liegender Maßstab ist. Er mag *übrigens* empirisch[4] sein, wie etwa die mittlere Größe der uns bekannten Menschen, Tiere von gewisser Art, Bäume, Häuser, Berge, u. d. gl.; oder ein a priori gegebener Maßstab, der durch die Mängel des *beurteilenden*[5] Subjekts auf subjektive Bedingungen der Darstellung in concreto eingeschränkt ist, als im Praktischen: die Größe einer gewissen Tugend, oder der öffentlichen Freiheit und | Gerechtigkeit | in einem Lande; oder im Theoretischen: die Größe der Richtigkeit oder Unrichtigkeit einer gemachten Observation oder Messung u. d. gl.

Hier ist nun merkwürdig: daß, wenn wir gleich am Objekte gar kein Interesse haben, d. i. die Existenz desselben uns gleichgültig ist, doch die bloße Größe desselben, selbst wenn es als formlos betrachtet wird, ein Wohlgefallen bei

[1] Akad.-Ausg.: »Beistimmung«. – [2] A: »*dadurch*«. – [3] A: »dem reflektierenden Urteile über Größe zum«. – [4] A: »mag *nun* empirisch«. – [5] Zusatz von B u. C.

sich führen könne, das allgemein mitteilbar ist, mithin Bewußtsein einer subjektiven Zweckmäßigkeit im Gebrauche unsrer Erkenntnisvermögen enthalte[1]; aber nicht etwa ein Wohlgefallen am Objekte, wie beim Schönen (weil es formlos sein kann), wo die reflektierende Urteilskraft sich in Beziehung auf das Erkenntnis überhaupt zweckmäßig gestimmt findet: sondern an der Erweiterung der Einbildungskraft an sich selbst.

Wenn wir (unter der obgenannten Einschränkung) von einem Gegenstande schlechtweg sagen, er sei groß: so ist dies kein mathematisch-bestimmendes, sondern ein bloßes Reflexionsurteil über die Vorstellung desselben, die für einen gewissen Gebrauch unserer Erkenntniskräfte in der Größenschätzung subjektiv zweckmäßig ist; und wir verbinden alsdenn mit der Vorstellung jederzeit eine Art von Achtung, so wie mit dem, was wir schlechtweg klein nennen, eine Verachtung. Übrigens geht die Beurteilung der Dinge als groß oder klein auf alles, selbst auf alle Beschaffenheiten derselben; daher wir selbst die Schönheit groß oder klein nennen: wovon der Grund || darin zu suchen ist, daß, was wir nach Vorschrift der Urteilskraft in der Anschauung nur immer darstellen (mithin ästhetisch vorstellen) mögen, insgesamt Erscheinung, mithin auch ein Quantum ist.

Wenn wir aber etwas nicht allein groß, sondern schlechthin-, absolut-, in aller Absicht- (über alle Vergleichung) groß, d. i. erhaben, nennen, so sieht man bald ein: daß wir für dasselbe keinen ihm angemessenen Maßstab außer ihm, sondern bloß in ihm zu suchen verstatten. Es ist eine Größe, die bloß sich selber gleich ist. Daß das Erhabene also nicht in den Dingen der Natur, sondern allein in unsern Ideen zu suchen sei, folgt hieraus; in welchen es aber liege, muß für die Deduktion aufbehalten werden.

Die obige Erklärung kann auch so ausgedrückt werden: Erhaben ist das, mit welchem in Vergleichung alles andere klein ist. Hier sieht man leicht: daß nichts in der Natur gegeben werden könne, so groß als es auch von uns beurteilt *werde*[2], was nicht in einem andern Verhältnisse

[1] Akad.-Ausg.: »enthält«. – [2] A: »*würde*«.

|B 84 |A 83

betrachtet bis zum Unendlichkleinen abgewürdigt werden könnte; und umgekehrt, nichts so klein, was sich nicht in Vergleichung mit noch kleinern Maßstäben für unsere Einbildungskraft bis zu einer Weltgröße erweitern ließe. Die *Teleskope*[1] haben uns die erstere, die *Mikroskope*[2] die letztere Bemerkung zu machen reichlichen Stoff an die Hand gegeben. Nichts also, was Gegenstand der Sinnen sein kann, ||ist, auf diesen Fuß betrachtet, erhaben zu nennen. Aber eben darum, daß in unserer Einbildungskraft ein Bestreben zum Fortschritte ins Unendliche, in unserer Vernunft aber ein Anspruch auf absolute Totalität, als *auf eine reelle* Idee[3] liegt: ist selbst jene Unangemessenheit unseres Vermögens der Größenschätzung der Dinge der Sinnenwelt für diese Idee die Erweckung des Gefühls eines übersinnlichen Vermögens in uns; und der Gebrauch, den die Urteilskraft von gewissen Gegenständen zum Behuf des letzteren (Gefühls) natürlicher Weise macht, nicht *aber*[4] der Gegenstand der Sinne, ist schlechthin groß, gegen ihn aber jeder andere Gebrauch klein. Mithin ist *die* Geistesstimmung durch eine gewisse die reflektierende Urteilskraft beschäftigende Vorstellung, nicht aber das Objekt erhaben zu nennen.[5]

Wir können also zu den vorigen Formeln der Erklärung des Erhabenen noch diese hinzutun: Erhaben ist, was auch nur denken zu können ein Vermögen des Gemüts beweiset, das jeden Maßstab der Sinne übertrifft.

§ 26. VON DER GRÖSSENSCHÄTZUNG DER NATURDINGE, DIE ZUR IDEE DES ERHABENEN ERFORDERLICH IST

Die Größenschätzung durch Zahlbegriffe (oder deren Zeichen in der Algebra) ist mathematisch, die aber in der bloßen Anschauung (nach dem Augenmaße) ist ästhe||tisch. Nun können wir zwar bestimmte Begriffe davon, wie groß etwas sei, nur durch Zahlen[6] (allenfalls Annäherungen durch

[1] A: »*Teleskopien*«. – [2] A: »*Mikroskopien*«. – [3] A: »als *einer reellen* Idee«. – [4] Zusatz von B u. C. – [5] A: »klein, mithin Geistesstimmung, ... Objekt, ist erhaben zu nennen.« – [6] A: »zwar nur bestimmte Begriffe ... sei, durch Zahlen«.

ins Unendliche fortgehende Zahlreihen) bekommen, deren Einheit das Maß ist; und sofern ist alle logische Größenschätzung mathematisch. Allein da die Größe des Maßes doch als bekannt angenommen werden muß, so würden, wenn diese nun wiederum nur durch Zahlen, deren Einheit ein anderes Maß sein müßte, mithin mathematisch geschätzt werden sollte, wir niemals ein erstes oder Grundmaß, mithin auch keinen bestimmten Begriff von einer gegebenen Größe haben können. Also muß die Schätzung der Größe des Grundmaßes bloß darin bestehen, daß man sie in einer Anschauung unmittelbar fassen und durch Einbildungskraft zur Darstellung der Zahlbegriffe brauchen kann: d. i. alle Größenschätzung der Gegenstände der Natur ist zuletzt ästhetisch (d. i. subjektiv und nicht objektiv bestimmt).

Nun gibt es zwar für die mathematische Größenschätzung kein Größtes (denn die Macht der Zahlen geht ins Unendliche); aber für die ästhetische Größenschätzung gibt es allerdings ein Größtes; und von diesem sage ich: daß, wenn es als absolutes Maß, über das kein größeres subjektiv (dem beurteilenden Subjekt) möglich sei, beurteilt wird, es die Idee des Erhabenen bei sich führe, und diejenige Rührung, welche keine mathematische Schätzung der Größen durch Zahlen (es sei denn, | so weit jenes ästhetische Grundmaß dabei in der Einbil|dungskraft lebendig erhalten wird) bewirken kann, hervorbringe: weil die letztere immer nur die relative Größe durch Vergleichung mit andern gleicher Art, die erstere aber die Größe schlechthin, so weit das Gemüt sie in einer Anschauung fassen kann, darstellt.

Anschaulich ein Quantum in die Einbildungskraft aufzunehmen, um es zum Maße, oder, als Einheit, zur Größenschätzung durch Zahlen brauchen zu können, dazu gehören zwei Handlungen dieses Vermögens: Auffassung (apprehensio) und Zusammenfassung (comprehensio aesthetica). Mit der Auffassung hat es keine Not: denn damit kann es ins Unendliche gehen; aber die Zusammenfassung wird immer schwerer, je weiter die Auffassung fortrückt, und gelangt bald zu ihrem Maximum, nämlich dem ästhetischgrößten Grundmaße der Größenschätzung. Denn, wenn die

Auffassung so weit gelanget ist, daß die zuerst aufgefaßten Teilvorstellungen der Sinnenanschauung in der Einbildungskraft schon zu erlöschen anheben, indes daß diese zu Auffassung mehrerer fortrückt: so verliert sie auf einer Seite eben so viel, als sie auf der andern gewinnt, und in der Zusammenfassung ist ein Größtes, über welches sie nicht hinauskommen kann.

Daraus läßt sich erklären, was Savary in seinen Nachrichten von Ägypten anmerkt: daß man den Pyramiden nicht sehr nahe kommen, eben so wenig als zu | weit davon entfernt sein müsse, um die ganze Rührung | von ihrer Größe zu bekommen. Denn ist das letztere, so sind die Teile, die aufgefaßt werden (die Steine derselben übereinander), nur dunkel vorgestellt, und ihre Vorstellung tut keine Wirkung auf das ästhetische Urteil des Subjekts. Ist aber das erstere, so bedarf das Auge einige Zeit, um die Auffassung von der Grundfläche bis zur Spitze zu vollenden; in dieser aber erlöschen immer zum Teil die ersteren, ehe die Einbildungskraft die letzteren aufgenommen hat, und die Zusammenfassung ist nie vollständig. – Eben dasselbe kann auch hinreichen, die Bestürzung, oder Art von Verlegenheit, die, wie man erzählt, den Zuschauer in der St. Peterskirche in Rom beim ersten Eintritt anwandelt, zu erklären. Denn es ist hier ein Gefühl der Unangemessenheit seiner Einbildungskraft für die Ideen [1] eines Ganzen, um sie darzustellen, worin die Einbildungskraft ihr Maximum erreicht, und, bei der Bestrebung, es zu erweitern, in sich selbst zurück sinkt, dadurch aber in ein rührendes Wohlgefallen versetzt wird.

Ich will jetzt noch nichts von dem Grunde dieses Wohlgefallens anführen, welches mit einer Vorstellung, *wovon* [2] man es am wenigsten erwarten sollte, die nämlich uns die Unangemessenheit, folglich auch subjektive Unzweckmäßigkeit der Vorstellung für die Urteilskraft in der Größenschätzung merken läßt, verbunden ist; sondern bemerke nur, daß, wenn das ästhetische Urteil | rein (mit keinem teleologischen als Vernunftur|teile vermischt) und [3]

[1] Akad.-Ausg.: »Idee«. – [2] A: *»davon«*. – [3] Akad.-Ausg. erwägt: »vermischt) ist und«.

daran ein der Kritik der ästhetischen Urteilskraft völlig anpassendes Beispiel gegeben werden soll, man nicht das Erhabene an Kunstprodukten (z. B. Gebäuden, Säulen u.s.w.), wo ein menschlicher Zweck die Form sowohl als die Größe bestimmt, noch an Naturdingen, deren Begriff schon einen bestimmten Zweck bei sich führt (z. B. Tieren von bekannter Naturbestimmung), sondern an der rohen Natur (und an dieser sogar nur, sofern sie für sich keinen Reiz, oder Rührung aus wirklicher Gefahr, bei sich führt), bloß sofern sie Größe enthält, aufzeigen müsse. Denn in dieser Art der Vorstellung enthält die Natur nichts, was ungeheuer (noch was prächtig oder gräßlich) wäre; die Größe, die aufgefaßt wird, mag so weit angewachsen sein als man will, wenn sie nur durch Einbildungskraft in ein Ganzes zusammengefaßt werden kann. Ungeheuer ist ein Gegenstand, wenn er durch seine Größe den Zweck, der den Begriff desselben ausmacht, vernichtet. Kolossalisch aber wird die bloße Darstellung eines Begriffs genannt, die[1] für alle Darstellung beinahe zu groß ist (an das relativ Ungeheure grenzt); weil der Zweck der Darstellung eines Begriffs dadurch, daß die Anschauung des Gegenstandes für unser Auffassungsvermögen beinahe zu groß ist, erschwert wird. – Ein reines Urteil über das Erhabene aber muß gar keinen Zweck des Objekts zum Be|stimmungsgrunde haben, wenn es ästhetisch und nicht mit ir|gend einem Verstandes- oder Vernunfturteile vermengt sein soll.

* * *

Weil alles, was der bloß reflektierenden Urteilskraft ohne Interesse gefallen soll, in seiner Vorstellung subjektive, und, als solche, allgemein-gültige Zweckmäßigkeit bei sich führen muß, gleichwohl aber hier keine Zweckmäßigkeit der Form des Gegenstandes (wie beim Schönen) der Beurteilung zum Grunde liegt: so fragt sich: welches ist diese[2] subjektive Zweckmäßigkeit? und wodurch wird sie als Norm vorgeschrieben, um in der bloßen Größenschätzung, und zwar der, welche gar bis zur Unangemessenheit unseres Vermögens der Einbildungskraft in Darstellung des Begriffs von

[1] A (Druckfehlerverzeichnis): »der«. – [2] Akad.-Ausg. erwägt: »die«.

|B 90 |A 89

einer Größe getrieben worden, einen Grund zum allgemeingültigen Wohlgefallen abzugeben?

Die Einbildungskraft schreitet in der Zusammensetzung, die zur Größenvorstellung erforderlich ist, von selbst, ohne daß ihr etwas hinderlich wäre, ins Unendliche fort; der Verstand aber leitet sie durch Zahlbegriffe, wozu jene das Schema hergeben muß: und in diesem Verfahren, als zur logischen Größenschätzung gehörig, ist zwar etwas objektiv *Zweckmäßiges*, nach[1] dem Begriffe von einem Zwecke (dergleichen jede Ausmessung ist), aber nichts für die ästhetische Urteilskraft Zweckmäßiges und Gefallendes. Es ist auch in dieser absicht|lichen Zweckmäßigkeit nichts, was die Größe des Maßes, | mithin der Zusammenfassung des Vielen in eine Anschauung, bis zur Grenze des Vermögens der Einbildungskraft, und so weit, wie diese in Darstellungen nur immer reichen mag, zu treiben nötigte. Denn in der Verstandesschätzung der Größen (der Arithmetik) kommt man eben so weit, ob man die Zusammenfassung der Einheiten bis zur Zahl 10 (in der Dekadik), oder nur bis 4 (in der Tetraktik) treibt, die weitere Größenerzeugung aber im Zusammensetzen, oder, wenn das Quantum in der Anschauung gegeben ist, im Auffassen, bloß progressiv (nicht komprehensiv) nach einem angenommenen Progressionsprinzip verrichtet. Der Verstand wird in dieser mathematischen Größenschätzung eben so gut bedient und befriedigt, ob *die*[2] Einbildungskraft zur Einheit eine Größe, die man in einem Blick fassen kann, z. B. einen Fuß oder Rute, oder ob sie eine deutsche Meile, oder gar einen Erddurchmesser, deren Auffassung zwar, aber nicht die Zusammenfassung in eine Anschauung der Einbildungskraft (nicht durch die comprehensio aesthetica, obzwar gar wohl durch comprehensio logica in einen Zahlbegriff) möglich ist, wähle. In beiden Fällen geht die logische Größenschätzung ungehindert ins Unendliche.

Nun aber hört das Gemüt in sich auf die Stimme der Vernunft, welche zu allen gegebenen Größen, selbst denen, die

[1] A: »ist etwas, *was* zwar objektiv *zweckmäßig ist,* nach«. – [2] Zusatz von B u. C.

zwar niemals ganz aufgefaßt werden können, | gleichwohl aber (in der sinnlichen Vorstellung) als ganz | gegeben beurteilt werden, Totalität fordert, mithin Zusammenfassung in eine Anschauung, und für alle jene Glieder einer fortschreitend-wachsenden Zahlreihe Darstellung verlangt, und selbst das Unendliche (Raum und verflossene Zeit) von dieser Forderung nicht ausnimmt, vielmehr es unvermeidlich macht, sich *dasselbe*[1] (in dem Urteile der gemeinen Vernunft) als ganz (seiner Totalität nach) gegeben zu denken.

Das Unendliche aber ist schlechthin (nicht bloß komparativ) groß. Mit diesem verglichen ist alles andere (von derselben Art Größen) klein. Aber, was das Vornehmste ist, es als ein Ganzes auch nur denken zu können, zeigt ein Vermögen des Gemüts an, welches allen Maßstab der Sinne übertrifft. Denn dazu würde eine Zusammenfassung erfordert werden, welche einen Maßstab als Einheit lieferte, der zum Unendlichen ein bestimmtes, in Zahlen angebliches Verhältnis hätte: welches unmöglich ist. Das *gegebene*[2] Unendliche aber dennoch ohne Widerspruch auch nur denken zu können, dazu wird ein Vermögen, das selbst übersinnlich ist, im menschlichen Gemüte erfordert. Denn nur durch dieses und dessen Idee eines Noumenons, welches selbst keine Anschauung verstattet, aber doch der Weltanschauung, als bloßer Erscheinung, zum Substrat untergelegt wird, wird das Unendliche der Sinnenwelt, in der reinen intellektuellen Größenschätzung, unter | einem Begriffe ganz zusammengefaßt, obzwar es in der mathematischen | durch Zahlenbegriffe nie ganz gedacht werden kann. Selbst ein Vermögen, sich das Unendliche der übersinnlichen Anschauung, als (in seinem intelligibelen Substrat) gegeben, denken zu können, übertrifft allen Maßstab der Sinnlichkeit, und ist über alle Vergleichung selbst mit dem Vermögen der mathematischen Schätzung groß; freilich wohl nicht in theoretischer Absicht zum Behuf des Erkenntnisvermögens, aber doch als Erweiterung des Gemüts, welches die Schranken der Sinnlichkeit in anderer (der praktischen) Absicht zu überschreiten sich vermögend fühlt.

[1] A: »*es* sich«. – [2] Zusatz von B u. C.

|B 92, 93 |A 91, 92

Erhaben ist also die Natur in derjenigen ihrer Erscheinungen, deren Anschauung die Idee ihrer Unendlichkeit bei sich führt. Dieses letztere kann nun nicht anders geschehen, als durch die Unangemessenheit selbst der größten Bestrebung unserer Einbildungskraft in der Größenschätzung eines Gegenstandes. Nun ist aber für die mathematische Größenschätzung die Einbildungskraft jedem Gegenstande gewachsen, um für dieselbe ein hinlängliches Maß zu geben, weil die Zahlbegriffe des Verstandes, durch Progression, jedes Maß einer jeden *gegebenen*[1] Größe angemessen machen können. Also muß es die ästhetische Größenschätzung sein, in welcher die Bestrebung zur Zusammenfassung das[2] Vermögen der Einbildungskraft überschreitet, die progressive Auffassung in ein Ganzes der Anschauung zu begreifen gefühlt, | und dabei zugleich die Unangemessenheit dieses im Fortschreiten *unbegrenzten* Vermögens | wahrgenommen[3] wird, ein mit dem mindesten Aufwande des Verstandes zur Größenschätzung taugliches Grundmaß zu fassen und zur Größenschätzung zu gebrauchen. Nun ist das eigentliche unveränderliche Grundmaß der Natur das absolute Ganze derselben, welches, bei ihr als Erscheinung, zusammengefaßte Unendlichkeit ist. Da aber dieses Grundmaß ein sich selbst widersprechender Begriff ist (wegen der Unmöglichkeit der absoluten Totalität eines Progressus ohne Ende): so muß diejenige Größe eines Naturobjekts, an welcher die Einbildungskraft ihr ganzes Vermögen der Zusammenfassung fruchtlos verwendet, den Begriff der Natur auf ein übersinnliches Substrat (*welches*[4] ihr und zugleich unserm Vermögen zu denken zum Grunde liegt) führen, welches über allen Maßstab der Sinne groß ist, und daher nicht sowohl den Gegenstand, als vielmehr die Gemütsstimmung in Schätzung desselben, als erhaben beurteilen läßt.

Also, gleichwie die ästhetische Urteilskraft in Beurteilung des Schönen die Einbildungskraft in ihrem freien Spiele auf den Verstand bezieht, um mit dessen Begriffen

[1] Zusatz von B u. C. – [2] Akad.-Ausg.: »Zusammenfassung, die das«. – [3] A: »dieses Vermögens, | *welches* im Fortschreiten *unbegrenzt ist,* wahrgenommen«. – [4] A: *»das«.*

überhaupt (ohne Bestimmung derselben) zusammenzustimmen: so bezieht *sich*[1] dasselbe Vermögen in Beurteilung eines Dinges als erhabenen auf die Vernunft, um zu deren Ideen (unbestimmt welchen) subjektiv übereinzustimmen, d.i. eine Gemütsstimmung ¦ hervorzubringen, welche derjenigen gemäß und mit ihr | verträglich ist, die der Einfluß bestimmter Ideen (praktischer) auf das Gefühl bewirken würde.

Man sieht hieraus auch, daß die wahre Erhabenheit nur im Gemüte des Urteilenden, nicht in dem Naturobjekte, dessen Beurteilung diese Stimmung desselben veranlaßt, müsse gesucht werden. Wer wollte auch ungestalte Gebirgsmassen, in wilder Unordnung über einander getürmt, mit ihren Eispyramiden, oder die düstere tobende See, u.s.w. erhaben nennen? Aber das Gemüt fühlt sich in seiner eigenen Beurteilung gehoben, wenn, *indem*[2] es sich[3] in der Betrachtung derselben, ohne Rücksicht auf ihre Form, der Einbildungskraft, und einer, obschon ganz ohne bestimmten Zweck damit in Verbindung gesetzten, jene bloß erweiternden Vernunft, überläßt, die ganze Macht der Einbildungskraft dennoch ihren Ideen *unangemessen*[4] *findet*[5].

Beispiele vom Mathematisch-Erhabenen der Natur in der bloßen Anschauung liefern uns alle die Fälle, wo uns nicht sowohl ein größerer Zahlbegriff, als vielmehr große Einheit als Maß (zu Verkürzung der Zahlreihen) für die Einbildungskraft gegeben wird. Ein Baum, den wir nach Mannshöhe schätzen, gibt allenfalls einen Maßstab für einen Berg; und, wenn dieser etwa eine Meile hoch wäre, kann er zur Einheit für die Zahl, welche den Erddurchmesser ausdrückt, dienen, um den letzteren anschaulich zu machen; der Erddurchmesser für ¦ das uns bekannte Planetensystem; dieses für das der | Milchstraße, und *der unermeßlichen*[6] Menge solcher Milchstraßensysteme unter dem Namen der Nebelsterne, welche vermutlich wiederum ein dergleichen System unter sich ausmachen, lassen uns hier keine Grenzen erwarten. Nun liegt das Erhabene, bei der ästhetischen Beurteilung

[1] A: »*sie*«. – [2] Zusatz von B u. C. – [3] Akad.-Ausg.: »wenn es, indem es sich«. – [4] C: »*angemessen*«. – [5] A: »*befindet*«. – [6] C: »Milchstraße; und *die unermeßliche*«.

eines so unermeßlichen Ganzen, nicht sowohl in der Größe der Zahl, als darin, daß wir im Fortschritte immer auf desto größere Einheiten gelangen; wozu die systematische Abteilung des Weltgebäudes beiträgt, die uns alles Große in der Natur immer wiederum als klein, eigentlich aber unsere Einbildungskraft in ihrer ganzen Grenzlosigkeit, und mit ihr die Natur als gegen die *Ideen*[1] der Vernunft, wenn sie eine ihnen angemessene Darstellung verschaffen soll, verschwindend vorstellt.

§ 27. VON DER QUALITÄT DES WOHLGEFALLENS IN DER BEURTEILUNG DES ERHABENEN

Das Gefühl der Unangemessenheit unseres Vermögens zur Erreichung einer Idee, die für uns Gesetz ist, ist Achtung. Nun ist die Idee der Zusammenfassung einer jeden Erscheinung, die uns gegeben werden mag, in die Anschauung eines Ganzen, eine solche, welche uns durch ein Gesetz der Vernunft auferlegt ist, die kein anderes bestimmtes für jedermann gültiges und | *unveränderliches*[2] Maß erkennt, als das absolut-Ganze. Unsere Einbildungskraft aber beweiset, selbst in ihrer größten | Anstrengung, in Ansehung der von ihr verlangten Zusammenfassung eines gegebenen Gegenstandes in *ein Ganzes*[3] der Anschauung (mithin zur Darstellung der Idee der Vernunft) ihre Schranken und Unangemessenheit, doch aber zugleich ihre Bestimmung zur Bewirkung der Angemessenheit mit derselben als einem Gesetze. Also ist das Gefühl des Erhabenen in der Natur Achtung für unsere eigene Bestimmung, die wir einem Objekte der Natur durch eine gewisse Subreption (Verwechselung einer Achtung für das Objekt statt der für die Idee der Menschheit in unserm Subjekte) beweisen, welches uns die Überlegenheit der Vernunftbestimmung unserer Erkenntnisvermögen über das größte Vermögen der Sinnlichkeit gleichsam anschaulich macht.

Das Gefühl des Erhabenen ist also ein Gefühl der Unlust, aus der Unangemessenheit der Einbildungskraft in der

[1] A: »*Idee*«. – [2] A: »*veränderliches*«. – [3] A: »in *einem Ganzen*«.

|B 97 |A 96

ästhetischen Größenschätzung, *zu der Schätzung* durch[1] die Vernunft, und eine dabei zugleich erweckte Lust, aus der Übereinstimmung eben dieses Urteils der Unangemessenheit des größten sinnlichen Vermögens *mit*[2] Vernunftideen, sofern die Bestrebung zu denselben doch für uns Gesetz ist. Es ist nämlich für uns Gesetz (der Vernunft) und gehört zu unserer Bestimmung, alles, was die Natur als Gegenstand der Sinne für uns Großes enthält, in Vergleichung mit Ideen der Ver|nunft für klein zu schätzen; und, was das Gefühl dieser übersinnlichen Bestimmung in uns rege macht, stimmt zu jenem | Gesetze zusammen. Nun ist die größte Bestrebung der Einbildungskraft in Darstellung der Einheit für die Größenschätzung eine Beziehung auf etwas Absolut-großes, folglich auch eine Beziehung auf das Gesetz der Vernunft, dieses allein zum obersten Maße der Größen anzunehmen. Also ist die innere Wahrnehmung der Unangemessenheit alles sinnlichen Maßstabes zur Größenschätzung der Vernunft eine Übereinstimmung mit Gesetzen derselben, und eine Unlust, welche das Gefühl unserer übersinnlichen Bestimmung in uns rege macht, nach welcher es zweckmäßig, mithin Lust ist, jeden Maßstab der Sinnlichkeit den Ideen des Verstandes[3] *unangemessen*[4] zu finden.

Das Gemüt fühlt sich in der Vorstellung des Erhabenen in der Natur bewegt: da es in dem ästhetischen Urteile über das Schöne derselben in ruhiger Kontemplation ist. Diese Bewegung kann (vornehmlich in ihrem Anfange) mit einer Erschütterung verglichen werden, d. i. mit einem schnellwechselnden Abstoßen und Anziehen eben desselben Objekts. Das Überschwengliche für die Einbildungskraft (bis zu welchem sie in der Auffassung der Anschauung getrieben wird) ist gleichsam ein Abgrund, worin sie sich selbst zu verlieren fürchtet; aber doch auch für die Idee der Vernunft vom Übersinnlichen nicht überschwenglich, sondern gesetz|mäßig, eine solche Bestrebung der Einbildungskraft hervorzubringen: mithin in eben dem Maße wiederum an-|

[1] A: »Größenschätzung, *für die* durch«. – [2] A: *»zu«*. – [3] Akad.-Ausg.: »Ideen der Vernunft«. – [4] C: *»angemessen«*.

|B 98, 99 |A 97, 98

ziehend, als es für *die*[1] bloße Sinnlichkeit abstoßend war. Das Urteil selber bleibt aber hiebei immer nur ästhetisch, weil es, ohne einen bestimmten Begriff vom Objekte zum Grunde zu haben, bloß das subjektive Spiel der Gemütskräfte (Einbildungskraft und Vernunft) selbst durch ihren Kontrast als harmonisch vorstellt. Denn, so wie Einbildungskraft und Verstand in der Beurteilung des Schönen durch ihre Einhelligkeit, so bringen Einbildungskraft und Vernunft *hier*[1], durch ihren Widerstreit, subjektive Zweckmäßigkeit der Gemütskräfte hervor: nämlich ein Gefühl, daß wir reine selbständige Vernunft haben, *oder*[1] ein Vermögen der Größenschätzung, dessen Vorzüglichkeit durch nichts anschaulich gemacht werden kann, als durch die Unzulänglichkeit desjenigen Vermögens, welches in Darstellung der Größen (sinnlicher Gegenstände) selbst unbegrenzt ist.

Messung eines Raums (als Auffassung) ist zugleich Beschreibung desselben, mithin objektive Bewegung in der Einbildung und ein Progressus; die Zusammenfassung der Vielheit in die Einheit, nicht des Gedankens, sondern der Anschauung, mithin des Sukzessiv-aufgefaßten in *einen*[2] Augenblick, ist dagegen ein Regressus, der die Zeitbedingung im Progressus der Einbildungskraft wieder aufhebt, und das Zugleichsein anschaulich macht. Sie ist also (da die Zeitfolge eine Bedingung ¦ des innern Sinnes und einer Anschauung ist) eine subjektive Bewegung der Einbildungskraft, *wodurch*[3] sie dem | innern Sinne Gewalt antut, die desto merklicher sein muß, je größer das Quantum ist, welches die Einbildungskraft in eine Anschauung zusammenfaßt. Die Bestrebung also, ein Maß für Größen in eine einzelne Anschauung aufzunehmen, welches aufzufassen merkliche Zeit erfordert, ist eine Vorstellungsart, welche, subjektiv betrachtet, zweckwidrig, objektiv aber, als zur[4] Größenschätzung erforderlich, mithin zweckmäßig ist: wobei aber doch eben dieselbe Gewalt, die dem Subjekte durch die Einbildungskraft widerfährt, für die ganze Bestimmung des Gemüts als zweckmäßig beurteilt wird.

[1] Zusatz von B u. C. – [2] A: »*einem*«. – [3] A: »*dadurch*«. – [4] Akad.-Ausg.: »objektiv aber zur«.

|B 100 |A 99

Die Qualität des Gefühls des Erhabenen ist: daß sie ein[1] Gefühl der Unlust über das ästhetische Beurteilungsvermögen an einem Gegenstande ist, die darin doch zugleich als zweckmäßig vorgestellt wird; welches dadurch möglich ist, daß das eigne Unvermögen das Bewußtsein eines unbeschränkten Vermögens desselben Subjekts entdeckt, und das Gemüt das letztere nur durch das erstere ästhetisch beurteilen kann.

In der logischen Größenschätzung *ward*[2] die Unmöglichkeit, durch den Progressus der Messung der Dinge der Sinnenwelt in Zeit und Raum jemals zur absoluten Totalität zu gelangen, für objektiv, d. i. eine Unmöglichkeit, das Unendliche als *bloß* gegeben[3] zu denken, | und nicht als bloß subjektiv, d. i. als Unvermögen, es zu fassen, erkannt: weil da auf den Grad der Zusammenfas|sung in eine Anschauung, als Maß, gar nicht[4] gesehen wird, sondern alles auf einen Zahlbegriff ankommt. Allein in einer ästhetischen Größenschätzung muß der Zahlbegriff wegfallen oder verändert werden, und die Komprehension der Einbildungskraft zur Einheit des Maßes (mithin mit Vermeidung der Begriffe von einem Gesetze der sukzessiven Erzeugung der Größenbegriffe) ist allein für sie zweckmäßig. – Wenn nun eine Größe beinahe das Äußerste unseres Vermögens der Zusammenfassung in eine Anschauung erreicht, und die Einbildungskraft doch durch Zahlgrößen (für die wir uns unseres Vermögens als unbegrenzt bewußt sind) zur ästhetischen Zusammenfassung in eine größere Einheit aufgefordert wird, so fühlen wir uns im Gemüt als ästhetisch in Grenzen eingeschlossen; aber die Unlust wird doch, in Hinsicht auf die notwendige Erweiterung der Einbildungskraft zur Angemessenheit mit dem, was in unserm Vermögen der Vernunft unbegrenzt ist, nämlich der Idee des absoluten Ganzen, mithin die Unzweckmäßigkeit des Vermögens der Einbildungskraft doch für Vernunftideen und deren Erweckung als[5] zweckmäßig vorgestellt. Eben dadurch wird aber[6] das ästhe-

[1] Akad.-Ausg. erwägt: »daß es ein«. – [2] A: »*wurde*«. – [3] A: »als *ganz* gegeben«; Akad.-Ausg.: »als gegeben«. – [4] A: »weil auf ... Maß, da gar nicht«. – [5] C: »Einbildungskraft für ... Erweckung doch als«. – [6] A: »aber wird«.

|B 101 |A 100

tische Urteil selbst subjektiv-zweckmäßig für die Vernunft, als Quell der Ideen, d. i. einer solchen intellektuellen Zusammenfassung, für die alle ästhetische klein ist; und | der Gegenstand wird als erhaben mit einer Lust aufgenommen, die nur vermittelst einer Unlust möglich ist.

| B. VOM DYNAMISCH-ERHABENEN DER NATUR

§ 28. VON DER NATUR ALS EINER MACHT

Macht ist ein Vermögen, welches großen Hindernissen überlegen ist. Eben dieselbe heißt eine Gewalt, wenn sie auch dem Widerstande dessen, was selbst Macht besitzt, überlegen ist. Die Natur, im ästhetischen Urteile als Macht, die über uns keine Gewalt hat, betrachtet, ist dynamisch-erhaben.

Wenn von uns die Natur dynamisch als erhaben beurteilt werden soll, so muß sie als Furcht erregend vorgestellt werden (obgleich nicht, umgekehrt, jeder Furcht erregende Gegenstand in unserm ästhetischen Urteile erhaben gefunden wird). Denn in der ästhetischen Beurteilung (ohne Begriff) kann die Überlegenheit über Hindernisse nur nach der Größe des Widerstandes beurteilt werden. Nun ist aber das, *dem*[1] wir zu widerstehen bestrebt sind, ein Übel, und, wenn wir unser Vermögen demselben nicht gewachsen finden, ein Gegenstand der Furcht. Also kann für die ästhetische Urteilskraft die Natur nur sofern als Macht, mithin dynamisch-|erhaben, gelten, sofern sie als Gegenstand der Furcht betrachtet wird.

Man kann aber einen Gegenstand als furchtbar betrachten, ohne sich vor ihm zu fürchten, wenn wir | ihn nämlich so beurteilen, daß wir uns bloß den Fall denken, da wir ihm etwa Widerstand tun wollten, und daß alsdann aller Widerstand bei weitem vergeblich sein würde. So fürchtet der Tugendhafte Gott, ohne sich vor ihm zu fürchten, weil er ihm und seinen Geboten widerstehen zu wollen sich als keinen von ihm besorglichen Fall denkt. Aber auf jeden solchen Fall, den er als an sich nicht unmöglich denkt, erkennt er ihn als furchtbar.

[1] C: *»welchem«*.

Wer[1] sich fürchtet, kann über das Erhabene der Natur gar nicht urteilen, so wenig als der, welcher durch Neigung und Appetit eingenommen ist, über das Schöne. *Jener*[2] fliehet den Anblick eines Gegenstandes, der ihm Scheu[3] einjagt; und es ist unmöglich, an einem Schrecken, der ernstlich gemeint wäre, Wohlgefallen zu finden. Daher ist die Annehmlichkeit aus dem Aufhören einer Beschwerde das F r o h s e i n. Dieses aber, wegen der Befreiung von einer Gefahr, ist ein Frohsein mit dem Vorsatze, sich derselben nie mehr auszusetzen; ja man mag an jene Empfindung nicht einmal gerne zurückdenken, weit gefehlt, daß man die Gelegenheit dazu selbst aufsuchen sollte.

| Kühne überhangende gleichsam drohende Felsen, am Himmel sich auftürmende Donnerwolken, mit Blitzen und Krachen einherziehend, Vulkane in ihrer ganzen zerstörenden Gewalt, Orkane mit ihrer zurückgelassenen Verwüstung, der grenzenlose Ozean, in Empörung ge|setzt, ein hoher Wasserfall eines mächtigen Flusses u. d. gl. machen unser Vermögen zu widerstehen, in Vergleichung mit ihrer Macht, zur unbedeutenden Kleinigkeit. Aber ihr Anblick wird nur um desto anziehender, je furchtbarer er ist, wenn wir uns nur in Sicherheit befinden; und wir nennen diese Gegenstände gern erhaben, weil sie die Seelenstärke über ihr gewöhnliches Mittelmaß erhöhen, und ein Vermögen zu widerstehen von ganz anderer Art in uns entdecken lassen, welches uns Mut macht, uns mit der scheinbaren Allgewalt der Natur messen zu können.

Denn, so wie wir zwar an der Unermeßlichkeit der Natur, und der Unzulänglichkeit unseres Vermögens, einen der ästhetischen Größenschätzung ihres G e b i e t s proportionierten Maßstab zu nehmen, unsere eigene Einschränkung, gleichwohl aber doch auch an unserm Vernunftvermögen zugleich einen andern nicht-sinnlichen Maßstab, welcher jene Unendlichkeit selbst als Einheit unter sich hat, gegen den alles in der Natur klein ist, mithin in unserm Gemüte eine Überlegenheit über die Natur selbst in ihrer Unermeßlichkeit fanden: so gibt auch die Unwiderstehlichkeit ihrer Macht uns, als Natur|wesen betrachtet, zwar unsere *phy-*

[1] A: »*Der*«. – [2] A: »*Er*«. – [3] A: »ihm *diesen* Scheu«.

sische[1] Ohnmacht zu erkennen, aber entdeckt zugleich ein Vermögen, uns als von ihr unabhängig zu beurteilen, und eine Überlegenheit über die Natur, worauf sich eine Selbsterhaltung von ganz andrer Art gründet, als diejenige ist, die von der Natur | außer uns angefochten und in Gefahr gebracht werden kann, *wobei*[2] die Menschheit in unserer Person unerniedrigt bleibt, obgleich der Mensch jener Gewalt unterliegen müßte. Auf solche Weise wird die Natur in unserm ästhetischen Urteile nicht, sofern sie furchterregend ist, als erhaben beurteilt, sondern weil sie unsere Kraft (die nicht Natur ist) in uns aufruft, um das, wofür wir besorgt sind (Güter, Gesundheit und Leben), als klein, und daher ihre Macht (der wir in Ansehung dieser Stücke allerdings unterworfen sind) für uns und unsere Persönlichkeit demungeachtet doch für keine *solche*[1] Gewalt ansehen[3], unter die wir uns zu beugen hätten, wenn es auf unsre höchste Grundsätze und deren Behauptung oder Verlassung ankäme. Also heißt die Natur hier erhaben, bloß weil sie die Einbildungskraft zu Darstellung derjenigen Fälle erhebt, in welchen das Gemüt die eigene Erhabenheit seiner Bestimmung, selbst über die Natur, sich fühlbar machen kann.

Diese Selbstschätzung verliert dadurch nichts, daß wir uns sicher sehen müssen, um dieses begeisternde Wohlgefallen zu empfinden; mithin, weil es mit der Gefahr nicht Ernst ist, es auch (wie es scheinen möchte) mit der | Erhabenheit unseres Geistesvermögens eben so wenig Ernst sein möchte. Denn das Wohlgefallen betrifft hier nur die sich in solchem Falle entdeckende Bestimmung unseres Vermögens, so wie die Anlage zu demselben in unserer Natur ist; indessen daß die Entwickelung und | Übung desselben uns überlassen und obliegend *bleibt*[4]. Und hierin ist Wahrheit; so sehr sich auch der Mensch, wenn er seine Reflexion bis dahin erstreckt, seiner gegenwärtigen wirklichen Ohnmacht bewußt sein mag.

Dieses Prinzip scheint zwar zu weit hergeholt und vernünftelt, mithin für ein ästhetisches Urteil überschwenglich zu sein: allein die Beobachtung des Menschen beweiset das

[1] Zusatz von B u. C. – [2] A: »*dabei*«. – [3] Akad.-Ausg.: »anzusehen«. – [4] A: »*ist*«.

Gegenteil, und daß es den gemeinsten Beurteilungen zum Grunde liegen kann, ob man sich gleich desselben nicht immer bewußt ist. Denn was ist das, was selbst *dem*[1] Wilden ein Gegenstand der größten Bewunderung ist? Ein Mensch der nicht erschrickt, der sich nicht fürchtet, also der Gefahr nicht weicht, zugleich aber mit völliger Überlegung rüstig zu Werke geht. Auch im allergesittetsten Zustande bleibt diese vorzügliche Hochachtung für den Krieger; nur daß man noch dazu verlangt, daß er zugleich alle Tugenden des Friedens, Sanftmut, Mitleid, und selbst geziemende Sorgfalt für seine eigne Person beweise: eben darum, weil daran die Unbezwinglichkeit seines Gemüts durch Gefahr erkannt wird. Daher mag man noch so viel in der Vergleichung des Staatsmanns mit dem Feldherrn über die Vorzüg|lichkeit der Achtung, die einer vor dem andern verdient, streiten: das ästhetische Urteil entscheidet für den letztern. Selbst der Krieg, wenn er mit Ordnung und Heiligachtung der bürgerlichen Rechte geführt wird, hat etwas Erhabenes an sich, und macht zugleich die Den|kungsart des Volks, welches ihn auf diese Art führt, nur um desto erhabener, je mehreren Gefahren es ausgesetzt war, und sich mutig darunter hat behaupten können: da hingegen ein langer Frieden den bloßen *Handlungsgeist*[2], mit ihm aber den niedrigen Eigennutz, Feigheit und Weichlichkeit herrschend zu machen, und die Denkungsart des Volks zu erniedrigen pflegt.

Wider diese Auflösung des Begriffs des Erhabenen, sofern dieses der Macht beigelegt wird, scheint zu streiten: daß wir Gott im Ungewitter, im Sturm, im Erdbeben u.d.gl. als im Zorn, zugleich aber auch in seiner Erhabenheit sich darstellend vorstellig zu machen pflegen, wobei doch die Einbildung einer Überlegenheit unseres Gemüts über die Wirkungen, und, wie es scheint, gar *über*[3] die Absichten einer solchen Macht, Torheit und Frevel zugleich sein würde. Hier scheint kein Gefühl der Erhabenheit unserer eigenen Natur, sondern vielmehr Unterwerfung, Niedergeschlagenheit und Gefühl *der*[4] gänzlichen Ohnmacht die Gemüts-

[1] A: »*den*«. – [2] C: »*Handelsgeist*«. – [3] Zusatz von B u. C. – [4] A: »*seiner*«.

|B 107 |A 106

stimmung zu sein, die sich für die Erscheinung eines solchen Gegenstandes schickt, und auch gewöhnlichermaßen mit der Idee desselben bei dergleichen Naturbegebenheit verbunden zu sein | pflegt. In der Religion überhaupt scheint Niederwerfen, Anbetung mit niederhängendem Haupte, mit zerknirschten angstvollen Gebärden und Stimmen, das einzigschickliche Benehmen in Gegenwart der Gottheit zu sein, welches daher auch die meisten Völker angenommen | haben und noch beobachten. Allein diese Gemütsstimmung ist auch bei weitem nicht mit der Idee der Erhabenheit einer Religion und ihres Gegenstandes an sich und notwendig verbunden. Der Mensch, der sich wirklich fürchtet, weil er dazu in sich Ursache findet, indem er sich bewußt ist, mit seiner verwerflichen Gesinnung wider eine Macht zu verstoßen, deren Wille unwiderstehlich und zugleich gerecht ist, *befindet sich* gar *nicht* in *der* Gemütsfassung[1], um die göttliche Größe zu bewundern, wozu eine Stimmung zur ruhigen Kontemplation und *ganz freies*[2] Urteil erforderlich ist. Nur alsdann, wenn er sich seiner aufrichtigen gottgefälligen Gesinnung bewußt ist, dienen jene Wirkungen *der*[3] Macht, in ihm die Idee der Erhabenheit dieses Wesens zu erwecken, sofern er *eine dessen* Willen *gemäße* Erhabenheit der Gesinnung *bei sich* selbst *erkennt*, und[4] dadurch über die Furcht vor solchen Wirkungen der Natur, die er nicht als Ausbrüche seines Zorns ansieht, erhoben wird. Selbst die Demut, als unnachsichtliche Beurteilung seiner Mängel, die sonst, beim Bewußtsein guter Gesinnungen, leicht mit der Gebrechlichkeit der menschlichen Natur bemäntelt werden könnten, ist eine erhabene Ge|mütsstimmung, sich willkürlich dem Schmerze der Selbstverweise zu unterwerfen, um die Ursache dazu nach und nach zu vertilgen. Auf solche Weise allein unterscheidet sich innerlich Religion von Superstition; welche letztere nicht Ehrfurcht für das Erhabene, sondern Furcht und | Angst vor *dem übermächtigen* Wesen[5], dessen

[1] A: »gerecht ist, *ist* in gar *keiner* Gemütsfassung«. – [2] A: »*zwangfreies*«. – [3] A: »*seiner*«. – [4] A: »sofern er *einer seinem* Willen *gemäßen* Erhabenheit der Gesinnung *an ihm* selbst *bewußt ist* und«. – [5] A: »vor *das übermächtige* Wesen«.

Willen der erschreckte Mensch sich unterworfen sieht, ohne ihn doch hochzuschätzen, im Gemüte gründet: woraus denn freilich nichts als Gunstbewerbung und Einschmeichelung, statt einer Religion des guten Lebenswandels, entspringen kann.

Also ist die Erhabenheit in keinem Dinge der Natur, sondern nur in unserm Gemüte enthalten, sofern wir der Natur in uns, und dadurch auch der Natur (sofern sie auf uns einfließt) außer uns, überlegen zu sein uns bewußt werden können. Alles, was dieses Gefühl in uns erregt, wozu die Macht der Natur gehört, welche unsere Kräfte auffordert, heißt alsdenn (obzwar uneigentlich) erhaben; und nur unter der Voraussetzung dieser Idee in uns, und in Beziehung auf sie, sind wir fähig, zur Idee der Erhabenheit desjenigen Wesens zu gelangen, welches nicht bloß durch seine Macht, die es in der Natur beweiset, innige Achtung in uns wirkt, sondern noch mehr durch das Vermögen, welches in uns gelegt ist, jene ohne Furcht zu beurteilen, und unsere Bestimmung als über *dieselbe*[1] erhaben zu denken.

| § 29. VON DER MODALITÄT DES URTEILS ÜBER DAS ERHABENE DER NATUR

Es gibt unzählige Dinge der schönen Natur, *worüber*[2] wir Einstimmigkeit des Urteils mit dem unsrigen | jedermann geradezu ansinnen, und auch, ohne sonderlich zu fehlen, erwarten können; aber mit unserm Urteile über das Erhabene in der Natur können wir uns nicht so leicht Eingang bei andern versprechen. Denn es scheint eine bei weitem größere Kultur, nicht bloß der ästhetischen Urteilskraft, sondern auch der Erkenntnisvermögen, die ihr zum Grunde liegen, erforderlich zu sein, um über diese Vorzüglichkeit der Naturgegenstände ein Urteil fällen zu können.

Die Stimmung des Gemüts zum Gefühl des Erhabenen erfordert eine Empfänglichkeit desselben für Ideen; denn eben in der Unangemessenheit der Natur zu *den*[3] letztern, mithin nur unter *der* Voraussetzung *derselben*, und[4] der An-

[1] A: »über *sie*«. – [2] A: *»darüber«*. – [3] A: *»dem«*. – [4] A: »unter *dieser ihrer* Voraussetzung und«.

spannung der Einbildungskraft, die Natur als ein Schema für die letztern zu behandeln, besteht das Abschreckende für die Sinnlichkeit, welches doch zugleich anziehend ist: weil es eine Gewalt ist, welche die Vernunft auf jene ausübt, nur um sie ihrem eigentlichen Gebiete (dem praktischen) angemessen zu erweitern, und sie auf das Unendliche hinaussehen zu lassen, welches für jene ein Abgrund ist. In der Tat wird ohne Ent|wickelung sittlicher Ideen das, was wir, durch Kultur vorbereitet, erhaben nennen, dem rohen Menschen bloß abschreckend vorkommen. Er wird an den Beweistümern der Gewalt der Natur in ihrer Zerstörung und dem großen Maßstabe ihrer Macht, wogegen die seinige | in nichts verschwindet, lauter Mühseligkeit, Gefahr und Not sehen, die den Menschen umgeben würden, der dahin gebannt wäre. So nannte der gute, übrigens verständige savoyische Bauer (wie Hr. v. Saussure erzählt) alle Liebhaber der Eisgebirge ohne Bedenken Narren. Wer weiß auch, ob er so ganz Unrecht gehabt hätte, wenn jener Beobachter die Gefahren, denen er sich hier aussetzte, bloß, wie die meisten Reisende pflegen, aus Liebhaberei, oder um dereinst pathetische Beschreibungen davon geben zu können, übernommen hätte? So aber war seine Absicht Belehrung des Menschen; und die seelenerhebende Empfindung hatte und gab der vortreffliche Mann den Lesern seiner Reisen in ihren Kauf oben ein.

Darum aber, weil das Urteil über das Erhabene der Natur Kultur bedarf (mehr als das über das Schöne), ist es doch dadurch nicht eben von der Kultur zuerst erzeugt, und etwa bloß konventionsmäßig in der Gesellschaft eingeführt; sondern *es* hat *seine*[1] Grundlage in der menschlichen Natur, und zwar demjenigen, was man mit dem gesunden Verstande zugleich jedermann ansinnen und von ihm fordern kann, nämlich | in der Anlage zum Gefühl für (praktische) Ideen, d. i. *zu dem* moralischen[2].

Hierauf gründet sich nun die Notwendigkeit der Beistimmung des Urteils anderer vom Erhabenen zu dem unsrigen, welche wir in diesem zugleich mit einschließen. Denn, so wie wir dem, der in der Beurtei|lung eines Gegenstandes

[1] A: »sondern hat *ihre*«. – [2] A: »Ideen, d. i. *den* moralischen«.

der Natur, welchen wir schön finden, gleichgültig ist, Mangel des Geschmacks vorwerfen: so sagen wir von dem, der bei dem, was wir erhaben zu sein urteilen, unbewegt bleibt, er habe kein Gefühl. Beides aber fordern wir von jedem Menschen, und setzen es auch, wenn er einige Kultur hat, an ihm voraus: nur mit dem Unterschiede, daß wir das erstere, weil die Urteilskraft darin die Einbildung bloß auf den Verstand, als Vermögen der Begriffe, bezieht, geradezu von jedermann, das zweite aber, weil sie darin die Einbildungskraft auf Vernunft, als Vermögen der Ideen, bezieht, nur unter einer subjektiven Voraussetzung (die wir aber jedermann ansinnen zu dürfen uns berechtigt glauben) fordern, nämlich der des moralischen Gefühls *im Menschen*[1], und hiemit *auch diesem*[2] ästhetischen Urteile Notwendigkeit beilegen.

In dieser Modalität der ästhetischen Urteile, nämlich der angemaßten Notwendigkeit derselben, liegt ein Hauptmoment für die Kritik der Urteilskraft. Denn die macht eben an ihnen ein Prinzip a priori kenntlich, und hebt sie aus der empirischen Psychologie, in | *welcher*[3] sie sonst unter den Gefühlen des Vergnügens und Schmerzens (nur mit dem nichtssagenden Beiwort eines feinern Gefühls) begraben bleiben *würden*[4], um sie, und vermittelst ihrer die Urteilskraft, in die Klasse derer zu stellen, welche Prinzipien a priori zum | Grunde haben, als solche aber sie in die Transzendentalphilosophie *hinüberzuziehen*[5].

ALLGEMEINE ANMERKUNG ZUR EXPOSITION DER ÄSTHETISCHEN REFLEKTIERENDEN URTEILE

In Beziehung auf das Gefühl der Lust ist ein Gegenstand entweder zum Angenehmen, oder Schönen, oder Erhabenen, oder Guten (schlechthin) zu zählen (iucundum, pulchrum, sublime, honestum).

Das Angenehme ist, als Triebfeder der Begierden, durchgängig von einerlei Art, woher es auch kommen, und

[1] Zusatz von B u. C. – [2] A: »hiemit *dem*«. – [3] A: »*der*«. – [4] A: »*würde*«. – [5] A: »*herüberzuziehen*«.

wie spezifisch-verschieden auch die Vorstellung (des Sinnes und der Empfindung, objektiv betrachtet) sein mag. Daher kommt es bei der Beurteilung des Einflusses desselben auf das Gemüt nur auf die Menge der Reize (zugleich und nach einander), und gleichsam nur auf die Masse der angenehmen Empfindung an; und diese läßt sich also durch nichts als die Quantität verständlich machen. Es kultiviert auch nicht, sondern gehört zum bloßen Genusse. – Das Schöne erfordert dagegen die Vorstellung einer gewissen Qualität des Objekts, die sich auch verständlich machen, und auf Begriffe bringen läßt (wiewohl es im ästhetischen Urteile darauf nicht gebracht wird); und kultiviert, indem es zugleich auf Zweckmäßigkeit im Gefühle der Lust Acht zu haben lehrt. – Das Er|habene besteht bloß in der Relation, *worin*[1] das Sinnliche in der Vorstellung der Natur für einen möglichen übersinnlichen Gebrauch desselben als tauglich beurteilt wird. – Das Schlechthin-Gute, subjektiv nach dem Gefühle, welches es einflößt, beurteilt, (das Objekt des moralischen Gefühls) als die Bestimmbarkeit der Kräfte des Subjekts durch die Vorstellung eines schlechthin-nötigenden Ge|setzes, unterscheidet sich vornehmlich durch die Modalität einer auf Begriffen a priori beruhenden Notwendigkeit, die nicht bloß Anspruch, sondern auch Gebot des Beifalls für jedermann in sich enthält, und gehört an sich zwar nicht für die ästhetische, sondern *die*[2] reine intellektuelle Urteilskraft; wird auch nicht in einem bloß reflektierenden, sondern bestimmenden Urteile, nicht der Natur, sondern der Freiheit beigelegt. Aber die Bestimmbarkeit des Subjekts durch diese Idee, und zwar eines Subjekts, welches in sich an der Sinnlichkeit Hindernisse, zugleich aber Überlegenheit über dieselbe durch die Überwindung derselben als Modifikation seines Zustandes empfinden kann, d. i. das moralische Gefühl, ist doch mit der ästhetischen Urteilskraft und deren formalen Bedingungen sofern verwandt, daß es dazu dienen kann, die Gesetzmäßigkeit der Handlung aus Pflicht zugleich als ästhetisch, d. i. als erhaben, oder auch

[1] A: »*darin*«. – [2] Zusatz von B u. C.

als schön vorstellig zu machen, ohne an seiner Reinigkeit einzubüßen: welches nicht Statt findet, wenn man es mit dem Gefühl des Angenehmen in natürliche Verbindung setzen wollte.

Wenn man das Resultat aus der bisherigen Exposition beiderlei Arten ästhetischer Urteile zieht, so würden sich daraus folgende kurze Erklärungen ergeben:

Schön ist das, was in der bloßen Beurteilung (also nicht vermittelst der Empfindung des Sinnes nach einem | Begriffe des Verstandes) gefällt. Hieraus folgt von selbst, daß es ohne alles Interesse gefallen müsse.

Erhaben ist das, was durch seinen Widerstand gegen das Interesse der Sinne unmittelbar gefällt.

Beide, als Erklärungen ästhetischer allgemeingültiger Beurteilung, beziehen sich auf subjektive Gründe, nämlich einerseits der Sinnlichkeit, so wie sie zugunsten des kontemplativen Verstandes, andererseits, wie sie wider *dieselbe, dagegen für*[1] die | Zwecke der praktischen Vernunft, und doch beide in demselben Subjekte vereinigt, in Beziehung auf das moralische Gefühl zweckmäßig sind. Das Schöne bereitet uns vor, etwas, selbst die Natur, ohne Interesse zu lieben; das Erhabene, es, selbst wider unser (sinnliches) Interesse, hochzuschätzen.

Man kann das Erhabene so beschreiben: es ist ein Gegenstand (der Natur), dessen Vorstellung das Gemüt bestimmt, sich die Unerreichbarkeit der Natur als Darstellung von Ideen zu denken.

Buchstäblich genommen, und logisch betrachtet, können Ideen nicht dargestellt werden. Aber, wenn wir unser empirisches Vorstellungsvermögen (mathematisch, oder dynamisch) für die Anschauung der Natur erweitern: so tritt unausbleiblich die Vernunft hinzu, als Vermögen der Independenz der absoluten Totalität, und bringt die, obzwar vergebliche, Bestrebung des Gemüts hervor, die Vorstellung der Sinne diesen[2] angemessen zu machen. Diese Bestrebung, und das Gefühl der Unerreichbarkeit der Idee durch die Einbildungskraft, ist selbst eine Darstellung der subjektiven

[1] Zusatz von B u. C. – [2] Akad.-Ausg.: »dieser«.

Zweckmäßigkeit unseres Gemüts im Gebrauche der Einbildungskraft für dessen übersinnliche Bestimmung, und nötigt uns, subjektiv die Natur selbst in ihrer Totalität, als Darstellung von etwas Übersinnlichem, zu denken, ohne diese Darstellung objektiv zu Stande bringen zu können.

Denn das werden wir bald inne, daß der Natur im Raume und der[1] Zeit das Unbedingte, mithin auch die absolute Größe, ganz abgehe, die doch von der gemeinsten Vernunft verlangt wird. Eben dadurch werden wir auch erinnert, daß wir es nur mit einer Natur als Erscheinung zu tun haben, und diese selbst noch als bloße Darstellung einer Natur an sich (welche die Vernunft in der Idee hat) müsse angesehen werden. Diese Idee des Übersinnlichen aber[2], die | wir zwar nicht weiter bestimmen, mithin die Natur als Darstellung derselben nicht erkennen, sondern nur denken können, wird in uns durch einen Gegenstand erweckt, dessen ästhetische Beurteilung die Einbildungskraft bis zu ihrer Grenze, es sei der Erweiterung (mathematisch), oder ihrer Macht über das Gemüt (dynamisch), anspannt, indem sie sich auf dem Gefühle einer Bestimmung desselben gründet, welche das Gebiet der ersteren gänzlich überschreitet (*dem moralischen* Gefühl[3]), in Ansehung dessen die Vorstellung des Gegenstandes als subjektiv-zweckmäßig beurteilt wird.

In der Tat läßt sich ein Gefühl für das Erhabene der Natur nicht wohl denken, ohne eine Stimmung des Gemüts, die der zum Moralischen ähnlich ist, damit zu verbinden; und, obgleich die unmittelbare Lust am Schönen der Natur gleichfalls eine gewisse Liberalität der Denkungsart, d.i. Unabhängigkeit des Wohlgefallens vom bloßen Sinnengenusse, voraussetzt und kultiviert, so wird dadurch doch mehr die Freiheit im Spiele, als unter einem gesetzlichen Geschäfte vorgestellt: welches die echte Beschaffenheit der Sittlichkeit des Menschen ist, wo die Vernunft der Sinnlichkeit Gewalt antun muß, nur daß im ästhetischen Urteile | über das Erhabene diese Gewalt durch die Einbildungskraft selbst, als *einem Werkzeuge*[4] der Vernunft, ausgeübt vorgestellt wird.

[1] C: »und *in* der«. – [2] A: »Idee aber des Übersinnlichen«. – [3] A: »*das moralische* Gefühl«. – [4] C: »als *durch ein Werkzeug*«.

Das Wohlgefallen am Erhabenen der Natur ist daher auch nur negativ (statt dessen das am Schönen positiv ist), nämlich ein Gefühl der Beraubung der Freiheit der Einbildungskraft durch sie selbst, indem sie nach einem andern Gesetze, als dem des empirischen Gebrauchs, zweckmäßig bestimmt wird. Dadurch bekommt sie eine Erweiterung und Macht, welche größer ist, als die, *welche* sie[1] aufopfert, deren Grund aber ihr selbst verborgen ist, statt dessen sie die Aufopferung oder die Beraubung, und zugleich die Ursache fühlt, | der sie unterworfen wird. Die Verwunderung, die an Schreck grenzt, das Grausen und der heilige Schauer, welcher den Zuschauer bei dem Anblicke himmelansteigender Gebirgsmassen, tiefer Schlünde und darin tobender Gewässer, tiefbeschatteter, zum schwermütigen Nachdenken einladender Einöden u.s.w. ergreift, ist, bei der Sicherheit, *worin*[2] er sich weiß, nicht wirkliche Furcht, sondern nur ein Versuch, uns mit der Einbildungskraft darauf einzulassen, um die Macht ebendesselben Vermögens zu fühlen, die dadurch erregte Bewegung des Gemüts mit dem Ruhestande desselben zu verbinden, und so der Natur in uns selbst, mithin auch der außer uns, sofern sie auf das Gefühl unseres Wohlbefindens Einfluß haben kann, überlegen zu sein. Denn die Einbildungskraft nach dem Assoziationsgesetze macht unseren Zustand der Zufriedenheit physisch abhängig; aber eben dieselbe nach Prinzipien des Schematisms der Urteilskraft (folglich sofern der Freiheit untergeordnet) ist Werkzeug der Vernunft und ihrer Ideen, als solches aber eine Macht, unsere Unabhängigkeit gegen die Natureinflüsse zu behaupten, das, was nach der | *ersteren*[3] groß ist, als klein abzuwürdigen, und so das Schlechthin-Große nur in seiner (des Subjekts) eigenen Bestimmung zu setzen. Diese Reflexion der ästhetischen Urteilskraft, zur[4] Angemessenheit mit der Vernunft (*doch* ohne[5] einen bestimmten Begriff derselben) zu erheben, stellt den Gegenstand, selbst durch die objektive Unangemessenheit der Einbildungskraft, in ihrer größten Erweiterung für die

[1] A: »*so* sie«. – [2] A: »*darin*«. – [3] C: »der *letzteren*«. – [4] Akad.-Ausg.: »sich zur«; Akad.-Ausg. erwägt: »die Natur zur«. – [5] C: »(*nur* ohne«.

Vernunft (als Vermögen der Ideen), *doch*[1] als subjektiv-zweckmäßig vor.

Man muß hier überhaupt darauf Acht haben, was oben schon erinnert worden *ist*[2], daß in der transzendentalen Ästhetik der Urteilskraft lediglich von reinen ästhetischen Urteilen die Rede sein müsse, folglich die Beispiele nicht von solchen | schönen oder erhabenen Gegenständen der Natur hergenommen werden dürfen, die den Begriff von einem Zwecke voraussetzen; denn alsdann würde es entweder teleologische, oder sich auf bloßen Empfindungen eines Gegenstandes (Vergnügen oder Schmerz) gründende, mithin im ersteren Falle nicht ästhetische, im zweiten nicht bloße formale Zweckmäßigkeit sein. Wenn man also den Anblick des bestirnten Himmels erhaben nennt, so muß man der Beurteilung desselben nicht Begriffe von Welten, *von vernünftigen*[3] Wesen bewohnt, und nun die hellen Punkte, womit wir den Raum über uns erfüllt sehen, als ihre Sonnen, in sehr zweckmäßig für sie gestellten Kreisen bewegt, zum Grunde legen, sondern bloß, wie man ihn sieht, als ein weites Gewölbe, *was*[4] alles befaßt; und bloß unter dieser Vorstellung müssen wir die Erhabenheit setzen, die ein reines ästhetisches Urteil diesem Gegenstande beilegt. Eben so den Anblick des Ozeans nicht so, wie wir, mit allerlei Kenntnissen (die aber nicht in der unmittelbaren Anschauung enthalten sind) bereichert ihn denken; etwa als ein weites Reich von Wassergeschö|pfen, den[5] großen Wasserschatz für die Ausdünstungen, welche die Luft mit Wolken zum Behuf der Länder beschwängern, oder auch als ein Element, das zwar Weltteile von einander trennt, gleichwohl aber die größte Gemeinschaft unter ihnen möglich macht: denn[6] das gibt lauter teleologische Urteile; sondern man muß den Ozean bloß, wie die Dichter es tun, nach dem, was der Augenschein zeigt, etwa, wenn er in Ruhe betrachtet wird, als einen klaren Wasserspiegel, der bloß vom Himmel begrenzt ist, aber ist er unruhig, wie einen alles zu verschlingen drohenden Abgrund, dennoch erhaben finden können. Eben das

[1] C: »*dennoch*«. – [2] Zusatz von B u. C. – [3] C: »*durch vernünftige*«. – [4] C: »*das*«. – [5] C: »*als* den«. – [6] A: »möglich macht, *vorstellen*, denn«.

|B 119 |A 117

ist von dem Erhabenen und Schönen in der Menschengestalt zu sagen, wo wir nicht auf Begriffe der Zwecke, wozu alle seine Gliedmaßen | da sind, als Bestimmungsgründe des Urteils zurücksehen, und die Zusammenstimmung mit ihnen auf unser (alsdann nicht mehr reines) ästhetisches Urteil nicht einfließen lassen müssen, obgleich, daß sie jenen nicht widerstreiten, freilich eine notwendige Bedingung auch des ästhetischen Wohlgefallens ist. Die ästhetische Zweckmäßigkeit ist die Gesetzmäßigkeit der Urteilskraft in ihrer Freiheit. Das Wohlgefallen an dem Gegenstande hängt von der Beziehung ab, in welcher wir die Einbildungskraft setzen wollen: nur daß sie für sich selbst das Gemüt in freier Beschäftigung unterhalte. Wenn dagegen etwas anderes, es sei Sinnenempfindung, oder Verstandesbegriff, das Urteil bestimmt: so ist es zwar gesetzmäßig, aber nicht das Urteil einer freien Urteilskraft.

Wenn man also von intellektueller Schönheit oder Erhabenheit spricht, so sind erstlich diese Ausdrücke nicht ganz richtig, weil es ästhetische Vorstellungsarten sind, die, wenn wir bloße reine Intelligenzen wären (oder uns auch in Gedanken in diese Qualität versetzen), in uns gar nicht anzu|treffen sein würden; zweitens, obgleich beide, als Gegenstände eines intellektuellen (moralischen) Wohlgefallens, zwar sofern mit dem ästhetischen vereinbar sind, als sie auf keinem Interesse beruhen: so sind sie doch darin wiederum mit diesem schwer zu vereinigen, weil sie ein Interesse bewirken sollen, welches, wenn die Darstellung zum Wohlgefallen in der ästhetischen Beurteilung zusammenstimmen soll, in dieser niemals anders als durch ein Sinneninteresse, welches man damit in der Darstellung verbindet, geschehen würde, wodurch aber der intellektuellen Zweckmäßigkeit Abbruch geschieht, und sie verunreinigt wird.

Der Gegenstand eines reinen und unbedingten intellektuellen Wohlgefallens ist das moralische Gesetz in seiner Macht, die es in uns über alle und jede vor ihm vorhergehende | Triebfedern des Gemüts ausübt; und, da diese Macht sich eigentlich nur durch Aufopferungen ästhetischkenntlich macht (welches eine Beraubung, obgleich zum Behuf der innern Freiheit, ist, dagegen eine unergründliche Tiefe dieses übersinnlichen Vermögens, mit ihren ins Unabsehliche sich erstreckenden Folgen, in uns aufdeckt): so ist das Wohlgefallen von der ästhetischen Seite (in Beziehung auf Sinnlichkeit) negativ, d.i. wider dieses Interesse, von der intellektuellen aber betrachtet positiv, und mit einem Interesse verbunden. Hieraus folgt: daß das intellektuelle, an sich selbst zweckmäßige (das Moralisch-) Gute, ästhetisch beurteilt, nicht sowohl schön, als vielmehr erhaben vorgestellt werden müsse, so daß es mehr das Gefühl der Achtung (welches den Reiz verschmäht), als der Liebe und vertraulichen Zuneigung erwecke; weil die menschliche Natur nicht so von selbst, sondern nur durch Gewalt, *welche* die[1] Vernunft der Sinnlichkeit antut, zu jenem Guten zusammenstimmt. Umgekehrt wird auch das, was wir in der Natur außer uns, oder auch | in uns (z. B. gewisse Affekten), erhaben nennen, nur als eine Macht des Gemüts, sich über *gewisse* Hindernisse[2] der Sinnlichkeit durch menschliche Grundsätze[3] zu schwingen, vorgestellt, und dadurch interessant werden.

Ich will bei dem letztern etwas verweilen. Die Idee des Guten mit Affekt heißt der Enthusiasm. Dieser Gemütszustand scheint erhaben zu sein, dermaßen, daß man gemeiniglich vorgibt: ohne ihn könne nichts Großes ausgerichtet werden. Nun ist aber jeder Affekt* blind, entweder | in der Wahl seines Zwecks, oder, wenn dieser auch durch Vernunft gegeben worden, in der Ausführung desselben; denn er ist diejenige Bewegung des Gemüts, welche es unvermögend macht, *freie* Überlegung *der* Grundsätze *anzustel-*

* Affekten sind von Leidenschaften spezifisch unterschieden. Jene beziehen sich bloß auf das Gefühl; diese gehören dem Begehrungsvermögen an, und sind Neigungen, welche alle Bestimmbarkeit der Willkür durch Grundsätze erschweren oder unmöglich machen. Jene sind stürmisch und unvor|sätzlich, diese anhaltend und überlegt: so ist der Unwille, als Zorn, ein Affekt; aber als Haß (Rachgier) eine Leidenschaft. Die letztere kann niemals und in keinem Verhältnis erhaben genannt werden; weil im Affekt die Freiheit des Gemüts zwar gehemmt, in der Leidenschaft aber aufgehoben wird.

[1] A: »*die* die«. – [2] A: »über *die* Hindernisse«. – [3] Akad.-Ausg.: »durch moralische Grundsätze«.

|B 121 |A 120 Anm.: |A 120

len, um sich *darnach* zu bestimmen[1]. Also kann er auf keinerlei Weise ein Wohlgefallen der Vernunft verdienen. Ästhetisch gleichwohl ist der Enthusiasm erhaben, weil er eine Anspannung der Kräfte durch Ideen ist, welche dem Gemüte einen Schwung geben, der weit mächtiger und dauerhafter wirkt, als der Antrieb durch Sinnenvorstellungen. Aber (welches befremdlich scheint) selbst Affektlosigkeit (apatheia, phlegma in significatu bono) eines seinen un|wandelbaren Grundsätzen nachdrücklich nachgehenden Gemüts ist, und zwar auf weit vorzüglichere Art, erhaben, weil sie zugleich das Wohlgefallen der reinen Vernunft auf ihrer Seite hat. Eine dergleichen Gemütsart heißt allein edel: welcher Ausdruck nachher auch auf Sachen, z. B. Gebäude, ein Kleid, Schreibart, körperlichen Anstand u. d. gl. angewandt wird, wenn diese nicht sowohl Verwunderung (Affekt in der Vorstellung der Neuigkeit, *welche* die[2] Erwartung übersteigt), als Bewunderung (eine Verwunderung, die beim Verlust der Neuigkeit nicht aufhört) erregt, welches geschieht, wenn Ideen in ihrer Darstellung unabsichtlich und ohne Kunst zum ästhetischen Wohlgefallen zusammenstimmen.

Ein jeder Affekt von der wackern Art (der nämlich das Bewußtsein unserer Kräfte, jeden Widerstand zu über|winden, (animi strenui) rege macht) ist ästhetisch-erhaben, z. B. der Zorn, sogar die Verzweiflung (nämlich die entrüstete, nicht aber die verzagte). Der Affekt von der schmelzenden Art aber (welcher die Bestrebung zu widerstehen selbst zum Gegenstande der Unlust (animum languidum) macht) hat nichts Edeles an sich, kann aber zum Schönen der Sinnesart gezählt werden. Daher sind die Rührungen, welche bis zum Affekt stark werden können, auch sehr verschieden. Man hat mutige, man hat zärtliche Rührungen. Die letztern, wenn sie bis zum Affekt steigen, taugen gar nichts; der Hang dazu heißt die Empfindelei. Ein teilnehmender Schmerz, der sich nicht will trösten lassen, oder auf den wir uns, wenn er erdichtete Übel betrifft,

[1] A: »unvermögend macht, sich *nach freier* Überlegung *durch* Grundsätze zu bestimmen«. – [2] A: »*die* die«.

bis zur Täuschung durch die Phantasie, als ob es wirkliche wären, vorsätzlich einlassen, beweiset und macht eine weiche aber zugleich schwache Seele, die eine schöne Seite zeigt, und zwar phantastisch, aber nicht einmal enthusiastisch | genannt werden kann. Romane, weinerliche Schauspiele, schale Sittenvorschriften, die mit (obzwar fälschlich) sogenannten edlen Gesinnungen tändeln, in der Tat aber das Herz welk, und für die strenge Vorschrift der Pflicht unempfindlich, aller Achtung für die Würde der Menschheit in unserer Person und das Recht der Menschen (welches ganz etwas anderes als ihre Glückseligkeit ist), und überhaupt aller festen Grundsätze unfähig machen; selbst ein Religionsvortrag, welcher kriechende, niedrige Gunstbewerbung und Einschmeichelung empfiehlt, die alles Vertrauen auf eigenes Vermögen zum Widerstande gegen das Böse in uns aufgibt, statt der rüstigen Entschlossenheit, die Kräfte, die uns bei aller unserer Gebrechlichkeit doch noch übrig bleiben, zu Überwindung der Neigungen zu versuchen; die falsche Demut, welche in der Selbstverachtung, in der winselnden erheu|chelten Reue, und einer bloß leidenden Gemütsfassung die Art setzt, wie man allein dem höchsten Wesen gefällig werden könne: vertragen sich nicht einmal mit dem, was zur Schönheit, weit weniger aber noch mit dem, was zur Erhabenheit der Gemütsart gezählt werden könnte.

Aber auch stürmische Gemütsbewegungen, sie mögen nun, unter dem Namen der Erbauung, mit Ideen der Religion, oder, als bloß zur Kultur gehörig, mit Ideen, die ein gesellschaftliches Interesse enthalten, verbunden werden, können, so sehr sie auch die Einbildungskraft spannen, keinesweges auf die Ehre einer *erhabenen* Darstellung Anspruch machen, wenn sie nicht eine Gemütsstimmung zurücklassen, die, wenn gleich nur indirekt, auf das Bewußtsein seiner Stärke und Entschlossenheit zu dem, was reine intellektuelle Zweckmäßigkeit bei sich führt (dem Übersinnlichen), Einfluß hat. Denn sonst gehören alle diese Rührungen nur zur *Motion*, welche man der Gesundheit wegen | gerne hat. Die angenehme Mattigkeit, welche auf eine solche Rüttelung durch das Spiel der Affekten folgt, ist ein Genuß des Wohlbefindens aus dem hergestellten Gleichgewichte der mancherlei Lebenskräfte in uns: welcher am Ende auf dasselbe hinausläuft, als derjenige, den die Wollüstlinge des Orients so behaglich finden, wenn sie ihren Körper gleichsam durchkneten, und alle ihre Muskeln und Gelenke sanft drücken und biegen lassen; nur daß dort das bewegende Prinzip größtenteils in uns, hier hingegen gänzlich außer uns ist. Da glaubt sich nun mancher durch eine Predigt erbaut, indem[1] doch nichts aufgebauet (kein System guter Maximen) ist; oder durch ein Trauerspiel gebessert, der bloß über glücklich vertriebne Langeweile froh ist. Also muß das Erhabene jederzeit Beziehung auf die Denkungsart haben, d. i. auf | Maximen, dem Intellektuellen und den Vernunftideen über die Sinnlichkeit Obermacht zu verschaffen.

Man darf nicht besorgen, daß das Gefühl des Erhabenen durch eine dergleichen abgezogene Darstellungsart, die in Ansehung des Sinnlichen gänzlich negativ wird, verlieren werde; denn die Einbildungskraft, ob sie zwar über das Sinnliche hinaus nichts findet, woran sie sich halten kann, fühlt sich doch auch eben durch diese Wegschaffung der Schranken derselben unbegrenzt: und jene Absonderung ist also eine Darstellung des Unendlichen, welche zwar eben darum niemals anders als bloß negative Darstellung sein kann, die aber doch die Seele erweitert. Vielleicht gibt es keine erhabenere Stelle im Gesetzbuche der Juden, als das Gebot: Du sollst dir kein Bildnis machen, noch irgend ein Gleichnis, weder dessen was im Himmel, noch auf der Erden, noch unter der Erden ist u.s.w. Dieses Gebot allein kann den Enthusiasm erklären, den das jüdische Volk in seiner gesitteten *Epoche*[2] für seine Religion fühlte, wenn es sich mit andern | Völkern verglich, oder denjenigen Stolz, den der Mohammedanism einflößt. Eben dasselbe gilt auch von der Vorstellung des moralischen Gesetzes und der Anlage zur Moralität in uns. Es ist eine ganz irrige Besorgnis, daß, wenn man sie alles dessen beraubt, was sie den Sinnen empfehlen kann, sie alsdann keine andere, als kalte leblose Billigung, und keine bewegende Kraft oder Rührung bei

[1] Akad.-Ausg.: »in dem«. – [2] C: *»Periode«*.

sich führen würde. Es ist gerade umgekehrt; denn da, wo nun die Sinne nichts mehr vor sich sehen, und die unverkennliche und unauslöschliche Idee der Sittlichkeit dennoch übrig bleibt, würde es eher nötig sein, den Schwung einer unbegrenzten Einbildungskraft zu mäßigen, um ihn nicht bis zum Enthusiasm steigen zu lassen, als, aus Furcht vor Kraftlosigkeit dieser Ideen, für sie in Bildern und kindischem Apparat | Hülfe zu suchen. Daher haben auch Regierungen gerne erlaubt, die Religion mit dem letztern Zubehör reichlich versorgen zu lassen, und so dem Untertan die Mühe, zugleich aber auch das Vermögen zu benehmen gesucht, seine Seelenkräfte über die Schranken auszudehnen, die man ihm willkürlich setzen, und wodurch man ihn, als bloß passiv, leichter behandeln kann.

Diese reine, seelenerhebende, bloß negative Darstellung der Sittlichkeit bringt dagegen keine Gefahr der Schwärmerei, welche ein Wahn ist, über alle Grenze der *Sinnlichkeit*[1] hinaus etwas sehen, d.i. nach Grundsätzen träumen (mit Vernunft rasen) zu wollen; eben darum, weil die Darstellung bei jener bloß negativ ist. Denn die Unerforschlichkeit der Idee der Freiheit schneidet aller positiven Darstellung gänzlich den Weg ab: das moralische Gesetz aber ist an sich selbst in uns hinreichend und ursprünglich bestimmend, so daß es nicht einmal erlaubt, uns nach einem Bestimmungsgrunde außer demselben umzusehen. | Wenn der Enthusiasm mit dem Wahnsinn, so ist die Schwärmerei mit dem Wahnwitz zu vergleichen, wovon der letztere sich unter allen am wenigsten mit dem Erhabenen verträgt, weil er grüblerisch lächerlich ist. Im Enthusiasm, als Affekt, ist die Einbildungskraft zügellos; in der Schwärmerei, als eingewurzelter brütender Leidenschaft, regellos. Der erstere ist vorübergehender Zufall, der den gesundesten Verstand bisweilen wohl betrifft; der zweite eine Krankheit, die ihn zerrüttet.

Einfalt (kunstlose Zweckmäßigkeit) ist gleichsam der Stil der Natur im Erhabenen, und so auch der Sittlichkeit, welche eine zweite (übersinnliche) Natur ist, *wovon*[2] wir nur

[1] A: »*Sittlichkeit*«. – [2] A: »*davon*«.

die Gesetze kennen, ohne das übersinnliche Vermögen in uns, selbst was den Grund dieser Gesetzgebung enthält, durch Anschauen erreichen zu können.

| Noch ist anzumerken, daß, obgleich das Wohlgefallen am Schönen eben sowohl, als das am Erhabenen, nicht allein durch allgemeine Mitteilbarkeit unter den andern ästhetischen Beurteilungen kenntlich unterschieden *ist*[1], *und* durch[2] diese Eigenschaft, in Beziehung auf Gesellschaft (in der es sich mitteilen läßt), ein Interesse bekommt, gleichwohl doch auch die Absonderung von aller Gesellschaft als etwas Erhabenes angesehen werde, wenn sie auf Ideen beruht, welche über alles sinnliche Interesse hinweg sehen. Sich selbst genug *zu*[3] sein, mithin Gesellschaft nicht bedürfen, ohne doch ungesellig zu sein, d. i. sie zu fliehen, ist etwas dem Erhabenen sich Näherndes, so wie jede Überhebung von Bedürfnissen. Dagegen ist Menschen zu fliehen, aus Misanthropie, weil man sie anfeindet, oder aus Anthropophobie (Menschenscheu), weil man sie als seine Feinde fürchtet, teils häßlich, teils verächtlich. Gleichwohl gibt es eine (sehr uneigentlich sogenannte) Misan|thropie, wozu die Anlage sich mit dem Alter in vieler wohldenkenden Menschen Gemüt einzufinden pflegt, welche zwar, was das Wohlwollen betrifft, philanthropisch genug ist, aber vom Wohlgefallen an Menschen durch eine lange traurige Erfahrung weit abgebracht ist: wovon der Hang zur Eingezogenheit, der phantastische Wunsch, auf einem entlegenen Landsitze, oder auch (bei jungen Personen) die erträumte Glückseligkeit, auf einem der übrigen Welt unbekannten Eilande, mit einer kleinen Familie, seine Lebenszeit zubringen zu können, welche die Romanschreiber, oder Dichter der Robinsonaden, so gut zu nutzen wissen, Zeugnis gibt. Falschheit, Undankbarkeit, Ungerechtigkeit, das Kindische in den von uns selbst für wichtig und groß gehaltenen Zwecken, in deren Verfolgung sich Menschen selbst unter einander[4] alle erdenkliche Übel antun, stehen mit der Idee dessen, was sie sein könnten, | wenn sie wollten, so im Wider-

[1] A: »*sind*«. – [2] C: »unterschieden *ist, sondern auch* durch«. – [3] Fehlt in C. – [4] A: »selbst *und* unter einander«.

spruch, und sind dem lebhaften Wunsche, sie besser zu sehen, so sehr entgegen: daß, um sie nicht zu hassen, da man sie nicht lieben kann, die Verzichttuung auf alle gesellschaftliche Freuden nur ein kleines Opfer zu sein scheint. Diese Traurigkeit, nicht über die Übel, welche das Schicksal über andere Menschen verhängt (wovon die Sympathie Ursache ist), sondern die sie sich selbst antun (welche auf der Antipathie in Grundsätzen beruht), ist, weil sie auf Ideen beruht, erhaben, indessen daß die erstere allenfalls nur für schön gelten kann. – Der eben so geistreiche als gründliche Saussure[1] sagt in der Beschreibung seiner Alpenreisen von Bonhomme, einem der savoyischen Gebirge: »es herrscht daselbst eine gewisse abgeschmackte Traurigkeit«. Er kannte daher doch auch eine interessante Traurigkeit, welche der Anblick einer Einöde einflößt, in die sich Menschen wohl versetzen möchten, um von der Welt | nichts weiter zu hören, noch zu erfahren, die denn doch nicht so ganz unwirtbar sein muß, daß sie nur einen höchst mühseligen Aufenthalt für Menschen darböte. – Ich mache diese Anmerkung nur in der Absicht, um zu erinnern, daß auch Betrübnis (nicht niedergeschlagene Traurigkeit) zu den rüstigen Affekten gezählt werden könne, wenn sie in moralischen Ideen ihren Grund hat; wenn sie aber auf Sympathie gegründet, und, als solche, auch liebenswürdig ist, sie bloß zu den schmelzenden Affekten gehöre: um dadurch auf die Gemütsstimmung, die nur im ersteren Falle erhaben ist, aufmerksam zu machen.

* * *

Man kann mit der jetzt durchgeführten transzendentalen Exposition der ästhetischen Urteile nun auch die *physiologische*[2], wie sie ein Burke und viele scharfsinnige Männer unter | uns bearbeitet haben, vergleichen, um zu sehen, wohin eine bloß empirische Exposition des Erhabenen und Schönen führe. Burke*, der in dieser Art der Behandlung

* Nach der deutschen Übersetzung seiner Schrift: Philosophische Untersuchungen über den Ursprung unserer Begriffe vom Schönen und Erhabenen. Riga, bei Hartknoch, 1773.

[1] A: »*v.* Saussure«. – [2] A: »*psychologische*«.

|B 128 |A 127

als der vornehmste Verfasser genannt zu werden verdient, bringt auf diesem Wege (S. 223 seines Werks) heraus: »daß das Gefühl des Erhabenen sich auf dem Triebe zur Selbsterhaltung und auf Furcht, d. i. einem Schmerze, gründe, der, weil er nicht bis zur wirklichen Zerrüttung der körperlichen Teile geht, Bewegungen hervorbringt, die, da sie die feineren oder gröberen Gefäße von gefährlichen und beschwerlichen Verstopfungen reinigen, im Stande sind, angenehme Empfindungen zu erregen, zwar nicht Lust, sondern eine Art | von wohlgefälligem Schauer, eine gewisse Ruhe, die mit Schrecken vermischt ist«. Das Schöne, welches er auf Liebe gründet (wovon er doch die Begierde abgesondert wissen will), führt er (S. 251–252) »auf die Nachlassung, Losspannung und Erschlaffung der Fibern des Körpers, mithin eine Erweichung, Auflösung, Ermattung, ein Hinsinken, Hinsterben, Wegschmelzen vor Vergnügen, hinaus«. Und nun bestätigt er diese Erklärungsart nicht allein durch Fälle, in denen die Einbildungskraft in Verbindung mit dem Verstande, sondern sogar *mit*[1] Sinnesempfindung, in uns das Gefühl des Schönen sowohl als des Erhabenen erregen könne. – Als psychologische Bemerkungen sind diese Zergliederungen der Phänomene unseres Gemüts überaus schön, und geben reichen Stoff zu den beliebtesten Nachforschungen der empirischen Anthropologie. Es ist auch nicht zu leugnen, daß alle Vorstellungen in uns, sie mögen objektiv bloß sinnlich, oder ganz intellektuell sein, doch subjektiv mit Vergnügen oder | Schmerz, so unmerklich beides auch sein mag, verbunden werden können (weil sie insgesamt das Gefühl des Lebens affizieren, und keine derselben, sofern als sie Modifikation des Subjekts ist, indifferent sein kann); sogar[2], daß, wie Epikur behauptete, *immer* Vergnügen[3] und Schmerz zuletzt doch körperlich sei, es mag *nun* von[4] der Einbildung, oder gar von Verstandesvorstellungen anfangen: weil das Leben ohne *das*[5] Gefühl des körperlichen Organs bloß Bewußtsein seiner Existenz, aber kein Gefühl des Wohl- oder Übelbefindens, d. i. der Beförderung oder Hem-

[1] Zusatz von B u. C. – [2] A: »so gar«. – [3] A: »behauptete, *alles* Vergnügen«. – [4] A: »mag *immer* von«. – [5] Fehlt in C.

mung der Lebenskräfte sei; weil das Gemüt für sich allein ganz Leben (das Lebensprinzip selbst) ist, und Hindernisse oder Beförderungen außer demselben und doch im Menschen selbst, mithin in der Verbindung mit seinem Körper, gesucht werden müssen.

| Setzt man aber das Wohlgefallen am Gegenstande ganz und gar darin, daß dieser durch Reiz oder durch Rührung vergnügt: so muß man auch keinem andern zumuten, zu dem ästhetischen Urteile, was wir fällen, beizustimmen; denn darüber befragt ein jeder mit Recht nur seinen Privatsinn. Alsdann aber hört auch alle Zensur des Geschmacks gänzlich auf; man müßte denn das Beispiel, welches andere, durch die zufällige Übereinstimmung ihrer Urteile, geben, zum Gebot des Beifalls für uns machen, wider welches Prinzip wir uns doch vermutlich sträuben und auf das natürliche Recht berufen würden, das Urteil, welches auf dem unmittelbaren Gefühle des eigenen Wohlbefindens beruht, seinem eigenen Sinne, und nicht anderer ihrem, zu unterwerfen.

Wenn also das Geschmacksurteil nicht für egoistisch, sondern seiner innern Natur nach, d. i. um sein selbst, nicht um der Beispiele willen, die andere von ihrem Geschmack geben, notwendig als pluralistisch gelten muß, wenn man es als ein solches würdigt, welches zugleich verlangen | darf, daß jedermann ihm beipflichten soll: so muß ihm irgend ein (es sei objektives oder subjektives) Prinzip a priori zum Grunde liegen, zu welchem man durch Aufspähung empirischer Gesetze der Gemütsveränderungen niemals gelangen kann: weil diese nur zu erkennen geben, wie geurteilt wird, nicht aber gebieten, wie geurteilt werden soll, und zwar gar so, daß das Gebot unbedingt ist; dergleichen die Geschmacksurteile voraussetzen, indem sie das Wohlgefallen mit einer Vorstellung unmittelbar verknüpft wissen wollen. Also mag die empirische Exposition der ästhetischen Urteile immer den Anfang machen, um den Stoff zu einer höhern Untersuchung herbeizuschaffen: eine transzendentale Erörterung dieses Vermögens ist doch *möglich, und* zur Kritik des| Geschmacks wesentlich gehörig. Denn, ohne daß *derselbe* Prinzipien[1] a priori habe, könnte er unmöglich die Urteile anderer richten, und über sie, auch nur mit einigem Scheine des Rechts, Billigungs- oder *Verwerfungsaussprüche*[2] fällen.

Das übrige zur Analytik der ästhetischen Urteilskraft Gehörige enthält zuvörderst die

DEDUKTION DER REINEN ÄSTHETISCHEN URTEILE[3]

§ 30. DIE DEDUKTION DER ÄSTHETISCHEN URTEILE ÜBER DIE GEGENSTÄNDE DER NATUR DARF NICHT AUF DAS, WAS WIR IN DIESER ERHABEN NENNEN, SONDERN NUR AUF DAS SCHÖNE, GERICHTET WERDEN

Der Anspruch eines ästhetischen Urteils auf allgemeine Gültigkeit für jedes Subjekt bedarf, als ein Urteil, welches sich auf irgend ein Prinzip a priori fußen muß, einer | Deduktion (d. i. Legitimation seiner Anmaßung); *welche*[4] über die Exposition desselben noch hinzukommen *muß*[5], wenn es nämlich ein Wohlgefallen oder Mißfallen an der Form des Objekts betrifft. Dergleichen sind die Geschmacksurteile über das Schöne der Natur. Denn die Zweckmäßigkeit hat alsdann doch im Objekte und seiner Gestalt ihren Grund, wenn sie gleich nicht die Beziehung desselben auf andere Gegenstände nach Begriffen (zum Erkenntnisurteile) anzeigt, sondern bloß die Auffassung dieser Form, sofern sie dem | Vermögen sowohl der Begriffe, als dem der Darstellung derselben (welches mit dem der Auffassung eines und dasselbe ist) im Gemüt *sich* gemäß *zeigt*[6], überhaupt betrifft. Man kann daher auch in Ansehung des Schönen der Natur mancherlei Fragen aufwerfen, *welche* die[7] Ursache dieser Zweckmäßigkeit ihrer Formen betreffen: z. B. wie

[1] A: »herbeizuschaffen, *so* ist doch eine transzendentale Erörterung dieses Vermögens zur Kritik des Geschmacks wesentlich gehörig; denn, ohne daß *dieser* Prinzipien«. – [2] A: »*Verwerfungsurteile*«. – [3] Zusatz von B u. C. A hat stattdessen die nach dem Druckfehlerverzeichnis zu tilgende Überschrift: »Drittes Buch. Deduktion der ästhetischen Urteile.« – [4] A: »*die*«. – [5] A: »*mußte*«. – [6] A: »im Gemüt gemäß *ist*«. – [7] A: »*die* die«.

man erklären wolle, warum die Natur so verschwenderisch allerwärts Schönheit verbreitet habe, selbst im Grunde des Ozeans, wo nur selten das menschliche Auge (für welches jene doch allein zweckmäßig ist) *hingelangt*[1]? u. d. gl. m.

Allein das Erhabene der Natur – wenn wir darüber ein reines ästhetisches Urteil fällen, welches nicht mit Begriffen von Vollkommenheit, als objektiver Zweckmäßigkeit, vermengt ist; in welchem Falle es ein teleologisches Urteil sein würde – kann ganz als formlos oder ungestalt, dennoch aber als Gegenstand eines reinen Wohlgefallens betrachtet werden, und subjektive | Zweckmäßigkeit der gegebenen Vorstellung zeigen; und da fragt es sich nun: ob zu dem ästhetischen Urteile dieser Art auch, außer der Exposition dessen, was in ihm gedacht wird, noch eine Deduktion seines Anspruchs auf irgend ein (subjektives) Prinzip a priori verlangt werden könne.

Hierauf dient zur Antwort: daß das Erhabene der Natur nur uneigentlich so genannt werde, und eigentlich bloß der Denkungsart, oder vielmehr der Grundlage zu derselben in der menschlichen Natur, beigelegt *werden* | *müsse. Dieser* sich bewußt zu werden gibt die Auffassung eines sonst formlosen und unzweckmäßigen Gegenstandes *bloß* die Veranlassung, welcher[2] auf solche Weise subjektiv-zweckmäßig gebraucht, aber nicht als ein solcher für sich und seiner Form wegen beurteilt wird (gleichsam species finalis accepta, non data). Daher war unsere Exposition der Urteile über das Erhabene der Natur zugleich ihre Deduktion. Denn, wenn wir die Reflexion der Urteilskraft in denselben zerlegten, so fanden wir in ihnen ein zweckmäßiges Verhältnis der Erkenntnisvermögen, welches dem Vermögen der Zwekke (dem Willen) a priori zum Grunde gelegt werden muß, und daher selbst a priori zweckmäßig ist: welches denn sofort die Deduktion, d. i. die Rechtfertigung des Anspruchs eines dergleichen Urteils auf allgemein-notwendige Gültigkeit, *enthält*[3].

[1] A: »*hinlangt*«. – [2] A: »beigelegt *werde, welcher* sich bewußt zu werden, die Auffassung ... Gegenstandes, die *bloße* Veranlassung gibt, welcher«. – [3] A: »*ist*«.

|B 133 |A 131

| Wir werden also nur die Deduktion der Geschmacksurteile, d. i. *der Urteile* über[1] die Schönheit der Naturdinge, zu suchen haben, und so der Aufgabe für die gesamte ästhetische Urteilskraft im Ganzen ein Genüge tun.

§ 31. VON DER METHODE DER DEDUKTION DER GESCHMACKSURTEILE

Die Obliegenheit einer Deduktion, d. i. der Gewährleistung der Rechtmäßigkeit, einer Art Urteile tritt nur | ein, wenn das Urteil Anspruch auf Notwendigkeit macht; welches der Fall auch alsdann ist, wenn es subjektive Allgemeinheit, d. i. jedermanns Beistimmung fordert: *indes* es[2] doch kein Erkenntnisurteil, sondern nur der Lust oder Unlust an einem gegebenen Gegenstande, d. i. Anmaßung einer durchgängig für jedermann geltenden subjektiven Zweckmäßigkeit ist, die sich auf keine Begriffe von der Sache gründen soll, weil es Geschmacksurteil ist.

Da wir im letztern Falle kein Erkenntnisurteil, weder ein theoretisches, welches den Begriff einer Natur überhaupt durch den Verstand, noch ein (reines) praktisches, welches die Idee der Freiheit, als a priori durch die Vernunft gegeben, zum Grunde legt, vor uns haben; und also weder ein Urteil, welches vorstellt, was eine Sache ist, noch daß ich, um sie hervorzubringen, etwas verrichten soll, nach seiner Gültigkeit a priori zu | rechtfertigen *haben*[3]: so wird bloß die allgemeine Gültigkeit eines einzelnen Urteils, welches die subjektive Zweckmäßigkeit einer empirischen Vorstellung der Form eines Gegenstandes ausdrückt, für die Urteilskraft überhaupt darzutun sein, um zu erklären, wie es möglich sei, daß etwas bloß in der Beurteilung (ohne Sinnenempfindung oder Begriff) gefallen *könne*[4], und, so wie die Beurteilung eines Gegenstandes zum Behuf einer Erkenntnis überhaupt, allgemeine Re|geln *habe*, auch *das* Wohlgefallen *eines jeden* für jeden andern[5] als Regel *dürfe*[6] angekündigt werden.

[1] A: »d. i. *derer*, über«. – [2] A: »*indessen daß* es«. – [3] A: »*ist*«. – [4] Zusatz von B u. C. – [5] A: »Regeln *hat*, auch *ein* Wohlgefallen für jeden andern«. – [6] C: »*dürfte*«.

Wenn nun diese Allgemeingültigkeit sich nicht auf Stimmensammlung und Herumfragen bei andern, wegen ihrer Art zu empfinden, gründen, sondern gleichsam auf einer Autonomie des über das Gefühl der Lust (an der gegebenen Vorstellung) urteilenden Subjekts, d. i. auf seinem eigenen Geschmacke, beruhen, gleichwohl aber doch auch nicht von Begriffen abgeleitet werden soll: so hat ein solches Urteil – wie das Geschmacksurteil in der Tat ist – eine zwiefache und zwar logische Eigentümlichkeit: nämlich erstlich *die* Allgemeingültigkeit a priori, und doch nicht *eine logische* Allgemeinheit nach Begriffen, sondern *die* Allgemeinheit[1] eines einzelnen Urteils; zweitens eine Notwendigkeit (die jederzeit auf Gründen a priori beruhen muß), die aber doch von keinen Beweisgründen a priori abhängt, durch | deren Vorstellung der Beifall, den das Geschmacksurteil jedermann ansinnt, erzwungen werden könnte.

Die Auflösung dieser logischen Eigentümlichkeiten, *worin*[2] sich ein Geschmacksurteil von allen Erkenntnisurteilen unterscheidet, wenn wir hier anfänglich von allem Inhalte desselben, nämlich dem Gefühle der Lust abstrahieren, und bloß die ästhetische Form mit der Form der objektiven Urteile, wie sie die Logik vorschreibt, vergleichen, wird allein zur Deduktion dieses sonderbaren Vermögens hinreichend sein. Wir wollen also diese | charakteristischen Eigenschaften des Geschmacks zuvor, durch Beispiele erläutert, vorstellig machen.

§ 32. ERSTE EIGENTÜMLICHKEIT DES GESCHMACKSURTEILS

Das Geschmacksurteil bestimmt seinen Gegenstand in Ansehung des Wohlgefallens (als Schönheit) mit einem Anspruche auf jedermanns Beistimmung, als ob es objektiv wäre.

Sagen: diese Blume ist schön, heißt eben so viel, als ihren eigenen Anspruch auf jedermanns Wohlgefallen ihr nur nachsagen. Durch die Annehmlichkeit ihres Geruchs hat sie

[1] A: »erstlich *der* Allgemeingültigkeit ... nicht *einer logischen* Allgemeinheit ..., sondern *der* Allgemeinheit«. – [2] A: »*darin*«.

gar keine Ansprüche. Den einen ergötzt dieser Geruch, dem andern benimmt er den Kopf. Was sollte man nun anders daraus vermuten, als daß die Schönheit für eine Eigenschaft der Blume selbst ge|halten werden müsse, die sich nicht nach der Verschiedenheit der Köpfe und so vieler Sinne richtet, sondern *wornach* [1] sich diese richten müssen, wenn sie darüber urteilen wollen? Und doch verhält es sich nicht so. Denn darin besteht eben das Geschmacksurteil, daß es eine Sache nur nach derjenigen Beschaffenheit schön nennt, in welcher sie sich nach unserer Art sie aufzunehmen richtet.

Überdies wird von jedem Urteil, welches den Geschmack des Subjekts beweisen soll, verlangt: daß das Subjekt für sich, ohne nötig zu haben, durch Erfahrung ¦ unter *den* Urteilen anderer [2] herumzutappen, und sich von ihrem Wohlgefallen oder Mißfallen an demselben Gegenstande vorher zu belehren, *urteilen*, mithin *sein Urteil* nicht als Nachahmung, *weil ein Ding etwa* wirklich allgemein gefällt, *sondern* a priori *absprechen* [3] solle [4]. Man sollte aber denken, daß ein Urteil a priori einen Begriff vom Objekt enthalten müsse, zu dessen Erkenntnis es das Prinzip enthält; das Geschmacksurteil aber gründet sich gar nicht auf Begriffe, und ist überall nicht Erkenntnis, sondern nur ein ästhetisches Urteil.

Daher läßt sich ein junger Dichter von der Überredung, daß sein Gedicht schön sei, nicht durch das Urteil des Publikums, *noch* seiner [5] Freunde abbringen; und, wenn er ihnen Gehör gibt, so geschieht es nicht darum, weil er es nun anders beurteilt, sondern weil er, wenn gleich (wenigstens in Absicht seiner) das ganze Publikum einen falschen Geschmack hätte, sich | doch (selbst wider sein Urteil) dem gemeinen Wahne zu bequemen, in seiner Begierde nach Beifall Ursache findet. Nur späterhin, wenn seine Urteilskraft durch Ausübung mehr geschärft worden, geht er freiwillig von seinem vorigen Urteile ab; so wie er es auch mit seinen

[1] A: »*darnach*«. – [2] A: »unter anderer *ihren* Urteilen«. – [3] Akad.-Ausg.: »aussprechen«. – [4] A: »zu belehren, mithin nicht als Nachahmung, *da etwas* wirklich allgemein gefällt, *folglich* a priori *ausgesprochen werden* solle«. – [5] A: »*nicht durch das* seiner«.

Urteilen hält, die ganz auf der Vernunft beruhen. Der Geschmack macht *bloß*[1] auf Autonomie Anspruch. Fremde Urteile sich zum Bestimmungsgrunde des seinigen zu machen, wäre Heteronomie.

| Daß man die Werke der Alten mit Recht zu Mustern anpreiset, und die Verfasser derselben klassisch nennt, gleich einem gewissen Adel unter den Schriftstellern, der dem Volke durch seinen Vorgang Gesetze gibt: scheint Quellen des Geschmacks a posteriori anzuzeigen, und die Autonomie desselben in jedem Subjekte zu widerlegen. Allein man könnte eben so gut sagen, daß die alten Mathematiker, die bis jetzt für nicht wohl zu entbehrende Muster der höchsten Gründlichkeit und Eleganz der synthetischen Methode gehalten werden, auch eine nachahmende Vernunft auf unserer Seite bewiesen, und ein Unvermögen derselben, aus sich selbst strenge Beweise mit der größten Intuition, durch Konstruktion der Begriffe, hervorzubringen[2]. Es *gibt* gar *keinen*[3] Gebrauch unserer Kräfte, so frei er auch sein mag, und selbst der Vernunft (die alle ihre Urteile aus der gemeinschaftlichen Quelle a priori schöpfen muß), welcher, wenn jedes Subjekt immer gänzlich von der rohen Anlage sei|nes Naturells anfangen sollte, nicht in fehlerhafte Versuche geraten würde, wenn nicht andere mit den ihrigen ihm vorgegangen wären, nicht um die Nachfolgenden zu bloßen Nachahmern zu machen, sondern durch ihr Verfahren andere auf die Spur zu bringen, um die Prinzipien in sich selbst zu suchen, und so ihren eigenen, oft besseren, Gang zu nehmen. Selbst in der Religion, wo gewiß ein jeder die Regel seines Verhaltens aus sich selbst hernehmen muß, weil er dafür auch selbst verantwortlich | bleibt, und die Schuld seiner Vergehungen nicht auf andre, als Lehrer oder Vorgänger, schieben kann, wird doch nie durch allgemeine Vorschriften, die man entweder von Priestern oder Philosophen bekommen, oder auch aus sich selbst genommen *haben mag*[1], so viel ausgerichtet werden, als durch ein Beispiel der Tugend oder Heiligkeit, welches, in der Geschichte aufgestellt, die Auto-

[1] Zusatz von B u. C. – [2] A: »hervorzubringen, *dartue*«. – [3] A: »Es *ist* gar *kein*«.

nomie der Tugend, aus der eigenen und ursprünglichen Idee der Sittlichkeit (a priori), nicht entbehrlich macht, oder diese in einen Mechanism der Nachahmung verwandelt. Nachfolge, die sich auf einen Vorgang bezieht, nicht Nachahmung, ist der rechte Ausdruck für allen Einfluß, *welchen*[1] Produkte eines exemplarischen Urhebers auf andere haben können; welches nur so viel bedeutet, als: aus denselben Quellen schöpfen, *woraus*[2] jener selbst schöpfte, und *seinem Vorgänger* nur die Art, sich dabei *zu* benehmen, *ablernen*[3]. Aber unter allen Vermögen und Talenten ist der Geschmack gerade | dasjenige, welches, weil sein Urteil nicht durch Begriffe und Vorschriften bestimmbar ist, am meisten der Beispiele dessen, was sich im Fortgange der Kultur am längsten in Beifall erhalten hat, bedürftig ist, um nicht bald wieder ungeschlacht zu werden, und in die Rohigkeit der ersten Versuche zurückzufallen.

| § 33. ZWEITE EIGENTÜMLICHKEIT DES GESCHMACKSURTEILS

Das Geschmacksurteil ist gar nicht durch Beweisgründe bestimmbar, gleich als ob es bloß subjektiv wäre.

Wenn jemand ein Gebäude, eine Aussicht, ein Gedicht nicht schön findet, so läßt er sich erstlich den Beifall nicht durch hundert Stimmen, die es alle hoch preisen, innerlich aufdringen. Er mag sich zwar *stellen*[4], als ob es ihm auch gefalle, um nicht für geschmacklos angesehen zu werden; er kann sogar zu zweifeln anfangen, ob er seinen Geschmack, durch Kenntnis einer genugsamen Menge von Gegenständen einer gewissen Art, auch genug gebildet habe (wie einer, der in der Entfernung etwas für einen Wald zu erkennen glaubt, was alle andere für eine Stadt ansehen, an dem Urteile seines eigenen Gesichts zweifelt). Das sieht er aber doch klar ein: daß der Beifall anderer gar keinen für die Beurteilung der *Schönheit* gültigen[5] Beweis abgebe; | daß andere

[1] A: »*den*«. – [2] A: »*daraus*«. – [3] A: »*seinen Vorgängern* nur die Art, *wie sie* sich dabei benehmen, *abzulernen*«. – [4] A: »*anstellen*«. – [5] A: »für die der *Schönheits*-Beurteilung gültigen «.

allenfalls für ihn sehen und beobachten *mögen*, und, was viele auf einerlei Art gesehen haben, *als ein hinreichender* Beweisgrund für ihn, der es anders gesehen zu haben glaubt, zum theoretischen, *mithin logischen*, niemals[1] aber das, was andern gefallen hat, zum Grunde eines ästhetischen Urteils dienen könne. Das uns un|günstige Urteil anderer kann uns zwar mit Recht in Ansehung des unsrigen bedenklich machen, niemals aber von der Unrichtigkeit desselben überzeugen. Also gibt es keinen empirischen Beweisgrund, das Geschmacksurteil jemanden abzunötigen.

Zweitens kann noch weniger ein Beweis a priori nach bestimmten Regeln das Urteil über Schönheit bestimmen. Wenn mir jemand sein Gedicht vorliest, oder mich in ein Schauspiel führt, welches am Ende meinem Geschmacke nicht behagen will, so mag er den Batteux oder Lessing, oder noch ältere und berühmtere Kritiker des Geschmacks, und alle von ihnen aufgestellte Regeln zum Beweise anführen, daß sein Gedicht schön sei; *auch* mögen[2] gewisse Stellen, die mir eben mißfallen, mit Regeln der Schönheit (so wie sie dort gegeben und allgemein anerkannt sind) gar wohl zusammenstimmen: ich stopfe mir[3] die Ohren zu, mag *keine Gründe* und *kein* Vernünfteln[4] hören, und werde eher annehmen, daß jene Regeln der Kritiker falsch sein[5], oder wenigstens[6] hier nicht der Fall ihrer Anwendung sei, als daß ich mein Urteil durch Beweisgründe a priori sollte be|stimmen lassen, da es ein Urteil des Geschmacks und nicht des Verstandes oder der Vernunft sein soll.

Es scheint, daß dieses eine der Hauptursachen sei, weswegen man dieses ästhetische Beurteilungsvermögen gerade mit dem Namen des Geschmacks belegt hat. Denn, es mag mir jemand alle Ingredienzien eines|Gerichts *herzählen*[7], und von jedem bemerken, daß jedes derselben mir sonst angenehm sei, *auch* oben ein[8] die Gesundheit dieses Essens mit Recht rühmen: so bin ich gegen alle diese Gründe taub, versuche das

[1] A: »abgebe *und* | daß ... beobachten, und ... haben *einen hinreichenden* Beweisgrund ... zum theoretischen, niemals«. – [2] A: »*wenigstens* mögen«. – [3] A: »*so* stopfe ich mir«. – [4] A: »mag *nach keinen Gründen* und Vernünfteln«. – [5] Akad.-Ausg.: »seien«. – [6] A: »oder *daß* wenigstens«. – [7] C: »*erzählen*«. – [8] A: »*und* oben ein«.

Gericht an meiner Zunge und *meinem*[1] Gaumen: und darnach (nicht nach allgemeinen Prinzipien) fälle ich mein Urteil.

In der Tat wird das Geschmacksurteil durchaus immer, als ein einzelnes Urteil vom Objekt, gefällt. Der Verstand kann durch die Vergleichung des Objekts im Punkte des Wohlgefälligen mit dem Urteile anderer ein allgemeines Urteil machen: z. B. alle Tulpen sind schön; aber das ist alsdann kein Geschmacks- sondern ein logisches Urteil, welches die Beziehung eines Objekts auf den Geschmack zum Prädikate der Dinge von einer gewissen Art überhaupt *macht*[2]; dasjenige aber, wodurch ich eine einzelne gegebene Tulpe schön, d. i. mein Wohlgefallen an derselben allgemeingültig finde, ist allein das Geschmacksurteil. Dessen Eigentümlichkeit besteht aber darin: daß, ob es gleich bloß subjektive Gültigkeit hat, es dennoch alle Subjekte so in Anspruch nimmt, als es nur immer geschehen könnte, wenn es ein obje|ktives Urteil wäre, *das*[3] auf Erkenntnisgründen beruht, und durch einen Beweis könnte erzwungen werden.

| § 34. ES IST KEIN OBJEKTIVES PRINZIP DES GESCHMACKS MÖGLICH

Unter einem Prinzip des Geschmacks würde man einen Grundsatz verstehen, unter dessen Bedingung man den Begriff eines Gegenstandes subsumieren, und alsdann durch einen Schluß herausbringen könnte, daß er schön sei. Das ist aber schlechterdings unmöglich. Denn ich muß unmittelbar an der Vorstellung desselben die Lust empfinden, und sie kann mir durch keine Beweisgründe angeschwatzt werden. Obgleich *also* Kritiker[4], wie Hume sagt, scheinbarer vernünfteln können als Köche, so haben sie doch mit diesen einerlei Schicksal. Den Bestimmungsgrund ihres Urteils können sie nicht von der Kraft der Beweisgründe, sondern nur von der Reflexion des Subjekts über seinen eigenen Zustand (der Lust oder Unlust), mit Abweisung aller Vorschriften und Regeln, erwarten.

[1] Zusatz von B u. C. – [2] A: »*machte*«. – [3] A: »*was*«. – [4] C: »Obgleich *alle* Kritiker«.

Worüber aber Kritiker dennoch vernünfteln können und sollen, so daß es zur Berichtigung und Erweiterung unserer Geschmacksurteile gereiche: das ist nicht, den[1] Bestimmungsgrund dieser Art ästhetischer Urteile in einer allgemeinen brauchbaren Formel darzule|gen, welches unmöglich ist; sondern über[2] die Erkenntnisvermögen und deren Geschäfte in diesen Urteilen Nachforschung zu tun, und die wechselseitige subjektive Zweck|mäßigkeit, von *welcher*[3] oben gezeigt ist, daß ihre Form in einer gegebenen Vorstellung die Schönheit des Gegenstandes derselben sei, in Beispielen aus einander zu setzen. Also ist die Kritik des Geschmacks selbst nur subjektiv, in Ansehung der Vorstellung, wodurch uns ein Objekt gegeben wird: nämlich sie ist die Kunst oder Wissenschaft, das wechselseitige Verhältnis des Verstandes und der Einbildungskraft zu einander in der gegebenen Vorstellung (ohne Beziehung auf vorhergehende Empfindung oder Begriff), mithin die Einhelligkeit oder Mißhelligkeit derselben, unter Regeln zu bringen, und sie in Ansehung ihrer Bedingungen zu bestimmen. Sie ist Kunst, wenn sie dieses nur an Beispielen zeigt; sie ist Wissenschaft, wenn sie die Möglichkeit einer solchen Beurteilung von der Natur dieser Vermögen, als Erkenntnisvermögen überhaupt, ableitet. Mit der letzteren, als transzendentalen Kritik, haben wir es hier überall allein zu tun. Sie soll das subjektive Prinzip des Geschmacks, als ein Prinzip a priori der Urteilskraft, entwickeln und rechtfertigen. Die Kritik, als Kunst, sucht bloß die physiologischen (hier psychologischen), mithin empirischen Regeln, nach denen der Geschmack wirklich verfährt, (ohne über ihre Möglichkeit nachzudenken) auf die Beurteilung seiner Gegenstände anzu|wenden, und kritisiert die Produkte der schönen Kunst, so wie jene das Vermögen selbst, sie zu beurteilen.

| § 35. DAS PRINZIP DES GESCHMACKS IST DAS SUBJEKTIVE PRINZIP DER URTEILSKRAFT ÜBERHAUPT

Das Geschmacksurteil unterscheidet sich darin von dem logischen: daß das letztere eine Vorstellung unter Begriffe

[1] A: »*um* den«. – [2] A: »sondern *um* über«. – [3] A: »von *der*«.

vom Objekt, das erstere aber gar nicht unter einen Begriff subsumiert, weil sonst der notwendige allgemeine Beifall durch Beweise würde erzwungen werden können. Gleichwohl aber ist es darin dem letztern ähnlich, daß es eine Allgemeinheit und Notwendigkeit, aber nicht nach Begriffen vom Objekt, folglich eine bloß subjektive vorgibt. Weil nun die Begriffe in einem Urteile den Inhalt desselben (*das*[1] zum Erkenntnis des Objekts Gehörige) ausmachen, das Geschmacksurteil aber nicht durch Begriffe bestimmbar ist, so gründet es sich nur auf der subjektiven formalen Bedingung eines Urteils überhaupt. Die subjektive Bedingung aller Urteile ist das Vermögen zu urteilen selbst, oder die Urteilskraft. Diese, in Ansehung einer Vorstellung, *wodurch*[2] ein Gegenstand gegeben wird, gebraucht, erfordert zweier Vorstellungskräfte Zusammenstimmung: nämlich der Einbildungskraft (für die Anschauung und die Zusammensetzung des Mannigfaltigen derselben), und *des Verstandes*[3] (für den Begriff als Vorstellung der Einheit | dieser Zusammensetzung). Weil nun dem Urteile hier kein Begriff vom Objekte zum Grunde liegt, so kann es | nur in der Subsumtion der Einbildungskraft selbst (bei einer Vorstellung, *wodurch*[2] ein Gegenstand gegeben wird) unter die Bedingungen, daß[4] der Verstand überhaupt von der Anschauung zu Begriffen gelangt, bestehen. D. i. weil eben darin, daß die Einbildungskraft ohne Begriff schematisiert, die Freiheit derselben besteht: so muß das Geschmacksurteil auf einer bloßen Empfindung der sich wechselseitig belebenden Einbildungskraft in ihrer Freiheit, und des Verstandes mit seiner Gesetzmäßigkeit, also auf einem Gefühle beruhen, das den Gegenstand nach der Zweckmäßigkeit der Vorstellung (wodurch ein Gegenstand gegeben wird) auf die Beförderung des Erkenntnisvermögens[5] in ihrem freien Spiele beurteilen läßt; und der Geschmack, als subjektive Urteilskraft, enthält ein Prinzip der Subsumtion, aber nicht der Anschauungen unter Begriffe, sondern des Vermögens der An-

[1] Zusatz von B u. C. – [2] A: »*dadurch*«. – [3] A: »*den Verstand*«. – [4] Akad.-Ausg.: »Bedingung, daß«; Akad.-Ausg. erwägt: »Bedingungen, wodurch«. – [5] Akad.-Ausg.: »der Erkenntnisvermögen«.

|B 146 |A 144

schauungen oder Darstellungen (d. i. der Einbildungskraft) unter das Vermögen der Begriffe (d. i. den Verstand), sofern das erstere in seiner Freiheit zum letzteren in seiner Gesetzmäßigkeit zusammenstimmt.

Um diesen Rechtsgrund nun durch eine Deduktion der Geschmacksurteile ausfindig zu machen, können nur die formalen Eigentümlichkeiten dieser Art Urteile, | mithin sofern an ihnen bloß die logische Form betrachtet wird, uns zum Leitfaden dienen.

| § 36. VON DER AUFGABE EINER DEDUKTION DER GESCHMACKSURTEILE

Mit der Wahrnehmung eines Gegenstandes kann unmittelbar der Begriff von einem Objekte überhaupt, von welchem jene die empirischen Prädikate enthält, zu einem Erkenntnisurteile verbunden, und dadurch ein Erfahrungsurteil erzeugt werden. Diesem liegen nun Begriffe a priori von der synthetischen Einheit des Mannigfaltigen der Anschauung, um es als Bestimmung eines Objekts zu denken, zum Grunde; und diese Begriffe (die Kategorien) erfordern eine Deduktion, die auch in der Kritik der r. V. gegeben worden, wodurch denn auch die Auflösung der Aufgabe zu Stande kommen konnte: Wie sind synthetische Erkenntnisurteile a priori möglich? Diese Aufgabe betraf also die Prinzipien a priori des reinen Verstandes, und seiner theoretischen Urteile.

Mit einer Wahrnehmung kann aber auch unmittelbar ein Gefühl der Lust (oder Unlust) und ein Wohlgefallen verbunden werden, welches die Vorstellung des Objekts begleitet und derselben statt Prädikats dient, und so ein ästhetisches Urteil, welches kein Erkenntnisurteil ist, entspringen. Einem solchen, wenn es nicht bloßes Empfindungs- sondern ein formales Reflexions-Urteil | ist, welches dieses Wohlgefallen jedermann als | notwendig ansinnet, muß etwas als Prinzip a priori zum Grunde liegen, welches allenfalls ein bloß subjektives sein mag (wenn ein objektives zu solcher Art Urteile unmöglich sein sollte), aber auch als ein solches einer

Deduktion bedarf, *damit begriffen werde*[1], wie ein ästhetisches Urteil auf Notwendigkeit Anspruch machen könne. Hierauf gründet sich nun die Aufgabe, mit der wir uns jetzt beschäftigen: Wie sind Geschmacksurteile möglich? Welche Aufgabe also die Prinzipien a priori der reinen Urteilskraft in ästhetischen Urteilen betrifft, d. i. in solchen, wo sie nicht (wie in den theoretischen) unter *objektiven Verstandesbegriffen*[2] bloß zu subsumieren hat und unter einem Gesetze steht, sondern *wo sie sich* selbst[3], subjektiv, Gegenstand sowohl als Gesetz ist.

Diese Aufgabe kann auch so vorgestellt werden: Wie ist ein Urteil möglich, das bloß aus dem eigenen Gefühl der Lust an einem Gegenstande, unabhängig von dessen Begriffe, diese Lust, als der Vorstellung desselben Objekts in jedem andern Subjekte anhängig, a priori, d. i. ohne fremde Beistimmung abwarten zu dürfen, beurteilte?

Daß Geschmacksurteile synthetische sind, ist leicht einzusehen, weil sie über den Begriff, und selbst die Anschauung des Objekts, hinausgehen, und etwas, *das*[4] gar nicht einmal Erkenntnis ist, nämlich Gefühl der Lust (oder Unlust) zu jener als Prädikat hinzutun. Daß sie | aber, obgleich das Prädikat (der mit der Vorstellung | verbundenen eigenen Lust) empirisch ist, gleichwohl, was die geforderte Beistimmung von jedermann betrifft, Urteile a priori sind, oder dafür gehalten werden wollen, ist gleichfalls schon in den Ausdrücken ihres Anspruchs enthalten; und so gehört diese Aufgabe der Kritik der Urteilskraft unter das allgemeine Problem der Transzendentalphilosophie: Wie sind synthetische Urteile a priori möglich?

§ 37. WAS WIRD EIGENTLICH IN EINEM GESCHMACKSURTEILE VON EINEM GEGENSTANDE A PRIORI BEHAUPTET?

Daß die Vorstellung von einem Gegenstande unmittelbar mit einer Lust verbunden sei, kann nur innerlich wahrgenommen werden, und würde, wenn man nichts weiter als

[1] A: »*um zu begreifen*«. – [2] C: »unter *objektive Verstandesbegriffe*«. – [3] A: »sondern *ihr* selbst«. – [4] A: »*was*«.

|B 149 |A 147

dieses anzeigen wollte, ein bloß empirisches Urteil geben. Denn a priori kann ich mit keiner Vorstellung ein bestimmtes Gefühl (der Lust oder Unlust) verbinden, außer wo ein den Willen bestimmendes Prinzip a priori in der Vernunft zum Grunde liegt; da denn die Lust (im moralischen Gefühl) die Folge davon ist, eben darum aber mit der Lust im Geschmacke gar nicht verglichen werden kann, weil sie einen bestimmten Begriff von einem Gesetze erfordert: da hingegen jene unmittelbar mit der bloßen Beurteilung, vor allem Begriffe, ver|bunden sein soll. Daher sind auch alle ¦ Geschmacksurteile einzelne Urteile, weil sie ihr Prädikat des Wohlgefallens nicht mit einem Begriffe, sondern mit einer gegebenen einzelnen empirischen Vorstellung verbinden.

Also ist es nicht die Lust, sondern die Allgemeingültigkeit dieser Lust, die mit der bloßen Beurteilung eines Gegenstandes im Gemüte als verbunden wahrgenommen wird, welche a priori als allgemeine Regel für die Urteilskraft, für jedermann gültig, in einem Geschmacksurteile vorgestellt wird. Es ist ein empirisches Urteil: daß ich einen Gegenstand mit Lust wahrnehme und beurteile. Es ist aber ein Urteil a priori: daß ich ihn schön finde, d. i. jenes Wohlgefallen jedermann als notwendig ansinnen darf.

§ 38. DEDUKTION DER GESCHMACKSURTEILE

Wenn eingeräumt wird: daß in einem reinen Geschmacksurteile das Wohlgefallen an dem Gegenstande mit der bloßen Beurteilung seiner Form verbunden sei: so ist es nichts anders, als die subjektive Zweckmäßigkeit derselben für die Urteilskraft, welche wir mit der Vorstellung des Gegenstandes im Gemüte verbunden empfinden. Da nun die Urteilskraft in Ansehung der formalen Regeln der Beurteilung, ohne alle Materie (weder Sinnenempfindung noch Begriff), nur auf die ¦ sub|jektiven Bedingungen des Gebrauchs der Urteilskraft überhaupt (die weder auf die besondere Sinnesart, noch einen besondern Verstandesbegriff *eingerichtet*[1] ist) gerichtet sein kann; folglich dasjenige[2] Subjektive, welches

[1] A: »*eingeschränkt*«. – [2] A u. C: »folglich *auf* dasjenige«.

man in allen Menschen (als zum möglichen Erkenntnisse überhaupt erforderlich) voraussetzen kann: so muß die Übereinstimmung einer Vorstellung mit diesen Bedingungen der Urteilskraft als für jedermann gültig a priori angenommen werden können. D. i. die Lust, oder subjektive Zweckmäßigkeit der Vorstellung für das Verhältnis der Erkenntnisvermögen in der Beurteilung eines sinnlichen Gegenstandes überhaupt, wird jedermann mit Recht angesonnen werden können.*

|| Anmerkung

Diese Deduktion ist darum so leicht, weil sie keine objektive Realität eines Begriffs zu rechtfertigen nötig hat; denn Schönheit ist kein Begriff vom Objekt, und das Geschmacksurteil ist kein Erkenntnisurteil. Es behauptet nur: daß wir berechtigt sind, dieselben subjektiven Bedingungen der Urteilskraft allgemein bei jedem Menschen vorauszusetzen, die wir in uns antreffen; und nur noch, daß wir unter diese Bedingungen das gegebene Objekt richtig subsumiert haben. *Obgleich nun dies* letztere unvermeidliche, der logischen Urteilskraft nicht anhängende, Schwierigkeiten hat (weil man in dieser unter Begriffe, in der ästhetischen aber unter ein bloß empfindbares Verhältnis, der an der vorgestellten Form des Objekts wechselseitig unter einander stim-

* Um berechtigt zu sein, auf allgemeine Beistimmung zu einem bloß auf subjektiven Gründen beruhenden Urteile der ästhetischen Urteilskraft Anspruch zu machen, ist genug, daß man einräume: 1) Bei allen Menschen seien die subjektiven Bedingungen dieses Vermögens, was das Verhältnis der darin in Tätigkeit gesetzten Erkenntniskräfte zu einem Erkenntnis überhaupt betrifft, einerlei; welches wahr sein muß, weil sich sonst Menschen ihre Vorstellungen und selbst das Erkenntnis nicht mitteilen könnten. 2) Das Urteil habe bloß auf dieses Verhältnis (mithin die[1] formale Bedingung der Urteilskraft) Rücksicht genommen, und sei rein, d. i. weder mit Begriffen vom Objekt noch Empfindungen, als Bestimmungsgründen, vermengt. Wenn in Ansehung dieses letztern auch gefehlt worden, so betrifft das nur die unrichtige Anwendung der Befugnis, die ein Gesetz uns gibt, auf einen besondern Fall, wodurch die Befugnis überhaupt nicht aufgehoben wird.

[1] C: »mithin *auf* die«.

menden Einbildungskraft und *des*[1] Verstandes, subsumiert, wo die Subsumtion leicht trügen kann): *so* wird dadurch doch der Rechtmäßigkeit des Anspruchs der Urteilskraft, auf allgemeine Beistimmung zu rechnen, nichts benommen, welcher[2] nur darauf hinausläuft: die Richtigkeit des Prinzips aus subjektiven Gründen für jedermann gültig zu urteilen. Denn was die Schwierigkeit und den Zweifel wegen der Richtigkeit der Subsumtion unter jenes Prinzip betrifft, so macht sie die Rechtmäßigkeit des Anspruchs auf diese Gültigkeit eines ästhetischen Urteils überhaupt, mithin das Prinzip selber, so wenig zweifelhaft, als die eben sowohl (obgleich nicht so oft und leicht) fehlerhafte Subsumtion der logischen Urteilskraft unter ihr Prinzip das letztere, welches objektiv ist, zweifelhaft machen kann. Würde aber die Frage sein: Wie ist es möglich, die Natur als[3] einen Inbegriff von Gegenständen des Geschmacks a priori anzunehmen? so hat diese Aufgabe Beziehung auf die Teleologie, weil es als *ein*[4] Zweck der Natur angesehen werden müßte, | der ihrem | Begriffe wesentlich anhinge, für[5] unsere Urteilskraft zweckmäßige Formen aufzustellen. Aber die Richtigkeit dieser Annahme ist noch sehr zu bezweifeln, *indes* die[6] Wirklichkeit der Naturschönheiten der Erfahrung *offen* liegt[7].

§ 39. VON DER MITTEILBARKEIT EINER EMPFINDUNG

Wenn Empfindung, als das Reale der Wahrnehmung, auf Erkenntnis bezogen wird, so heißt sie Sinnenempfindung; und das Spezifische ihrer Qualität läßt sich nur als durchgängig auf gleiche Art mitteilbar vorstellen, wenn man annimmt, daß jedermann einen gleichen Sinn mit dem unsrigen habe: dieses läßt sich aber von einer Sinnesempfindung schlechterdings nicht voraussetzen. So kann dem, welchem der Sinn des Geruchs fehlt, diese Art der Empfindung nicht mitgeteilt werden; und, selbst wenn er ihm nicht mangelt,

[1] Fehlt in C. – [2] A: »haben, *welches* letztere *zwar* unvermeidliche, ... Schwierigkeiten hat, weil ... kann, dadurch *aber* doch ... nichts benommen wird, welcher«. – [3] A: »Natur *auch* als«. – [4] Zusatz von B u. C. – [5] C: »Natur, der ... anhinge, angesehen werden müßte, für«. – [6] A: »*indessen daß* die«. – [7] A: »Erfahrung *bloß* liegt«.

kann man doch nicht sicher sein, ob er gerade die nämliche Empfindung von einer Blume habe, die wir davon haben. Noch mehr unterschieden müssen wir uns aber die Menschen in Ansehung der Annehmlichkeit oder Unannehmlichkeit *bei der* Empfindung[1] eben desselben Gegenstandes der Sinne vorstellen, und es ist schlechterdings nicht zu verlangen, daß die Lust an dergleichen Gegenständen von jedermann zugestanden werde. Man kann die Lust von dieser Art, weil sie durch den Sinn in das Gemüt kommt und wir dabei also passiv sind, die Lust des Genusses nennen.

|| Das Wohlgefallen an einer Handlung um ihrer moralischen Beschaffenheit willen ist dagegen keine Lust des Genusses, sondern der Selbsttätigkeit, und deren Gemäßheit mit der Idee seiner Bestimmung. Dieses Gefühl, welches das sittliche heißt, erfordert aber Begriffe; und stellt keine freie, sondern gesetzliche Zweckmäßigkeit dar, läßt sich also auch nicht anders, als vermittelst der Vernunft, und, soll die Lust bei jedermann gleichartig sein, durch sehr bestimmte praktische Vernunftbegriffe, allgemein mitteilen.

Die Lust am Erhabenen der Natur, als Lust der vernünftelnden Kontemplation, macht zwar auch auf allgemeine Teilnehmung Anspruch, setzt aber doch schon ein anderes Gefühl, nämlich das seiner übersinnlichen Bestimmung, voraus: welches, so dunkel es auch sein mag, eine moralische Grundlage hat. Daß aber andere Menschen *darauf* Rücksicht nehmen, und in der Betrachtung der rauhen Größe der Natur ein Wohlgefallen finden werden (*welches* wahrhaftig dem Anblicke derselben, der eher abschreckend ist, nicht zugeschrieben werden kann), bin ich nicht schlechthin vorauszusetzen berechtigt.[2] Demungeachtet kann ich doch, in *Betracht*[3] dessen, daß auf jene moralischen Anlagen bei jeder schicklichen Veranlassung Rücksicht genommen werden sollte, auch jenes Wohlgefallen jedermann ansinnen, aber nur vermittelst des moralischen Gesetzes, welches seiner Seits wiederum auf Begriffen der Vernunft gegründet ist.

[1] A: »*durch die* Empfindung«. – [2] A: »Grundlage hat, *worauf* aber, daß andere Menschen Rücksicht nehmen und ... finden werden (*welche* ... kann) ich nicht ... berechtigt bin.« – [3] A: »*Betrachtung*«.

|| Dagegen ist die Lust am Schönen weder eine Lust des Genusses, noch einer gesetzlichen Tätigkeit, auch nicht der vernünftelnden Kontemplation nach Ideen, sondern der bloßen Reflexion. Ohne [1] irgend einen Zweck oder Grundsatz zur Richtschnur zu haben, begleitet *diese Lust* die [2] gemeine Auffassung eines Gegenstandes durch die Einbildungskraft, als Vermögen der Anschauung, in Beziehung auf den Verstand, als Vermögen der Begriffe, *vermittelst eines Verfahrens* [3] der Urteilskraft, welches sie auch zum Behuf der gemeinsten Erfahrung ausüben muß: nur daß sie es hier, um einen empirischen objektiven Begriff, dort aber (in der ästhetischen Beurteilung) *bloß* [4], um die Angemessenheit der Vorstellung zur harmonischen (subjektiv-zweckmäßigen) Beschäftigung beider Erkenntnisvermögen in ihrer Freiheit wahrzunehmen, d. i. *den* [5] Vorstellungszustand mit Lust zu empfinden, zu tun *genötigt* [6] ist. Diese Lust muß notwendig bei jedermann auf den nämlichen Bedingungen beruhen, weil sie subjektive Bedingungen der Möglichkeit einer Erkenntnis überhaupt sind, und die Proportion dieser Erkenntnisvermögen, *welche* [7] zum Geschmack erfordert wird, auch zum gemeinen und gesunden Verstande erforderlich ist, den man bei jedermann voraussetzen darf. Eben darum darf auch der mit Geschmack Urteilende (wenn er nur in diesem Bewußtsein nicht irrt, und *nicht* [6] die Materie für die Form, Reiz [8] für Schönheit nimmt) die subjektive Zweckmäßigkeit, d. i. | sein Wohlgefallen am Ob|jekte jedem andern ansinnen, und sein Gefühl als allgemein mitteilbar, und zwar ohne Vermittelung der Begriffe, annehmen.

§ 40. VOM GESCHMACKE ALS EINER ART VON SENSUS COMMUNIS

Man gibt oft der Urteilskraft, wenn nicht sowohl ihre Reflexion als vielmehr bloß das Resultat derselben bemerklich ist, den Namen eines Sinnes, und redet von einem Wahr-

[1] A: »Reflexion *und*, ohne«. – [2] A: »begleitet *sie* die«. – [3] A: *»durch ein Verfahren«*. – [4] A: *»nur«*. – [5] A: *»seinen«*. – [6] Zusatz von B u. C. – [7] A: *»die«*. – [8] A: »*den* Reiz«.

heitssinne, von einem Sinne für Anständigkeit, Gerechtigkeit u.s.w.; ob man zwar weiß, wenigstens billig wissen sollte, daß es nicht ein Sinn ist, in *welchem*[1] diese Begriffe ihren Sitz haben können, noch weniger, daß dieser zu einem Ausspruche allgemeiner Regeln die mindeste Fähigkeit habe: sondern daß uns von Wahrheit, Schicklichkeit, Schönheit oder Gerechtigkeit nie eine Vorstellung dieser Art in Gedanken kommen könnte, wenn wir uns nicht über die Sinne zu höhern Erkenntnisvermögen erheben könnten. Der gemeine Menschenverstand, den man, als bloß gesunden (noch nicht kultivierten) Verstand, für das geringste ansieht, dessen man nur immer sich von dem, *welcher*[2] auf den Namen eines Menschen Anspruch macht, gewärtigen kann, hat daher auch die kränkende Ehre, mit dem Namen des Gemeinsinnes (sensus communis) belegt zu werden; und *zwar*[3] so, daß man unter dem Worte | gemein (nicht | bloß in unserer Sprache, die *hierin* wirklich[4] eine Zweideutigkeit enthält, sondern auch in mancher andern) so viel als das vulgare, was man allenthalben antrifft, versteht, welches zu besitzen schlechterdings kein Verdienst oder Vorzug ist.

Unter dem sensus communis aber muß man die Idee eines gemeinschaftlichen Sinnes, d. i. eines Beurteilungsvermögens verstehen, welches in seiner Reflexion auf die Vorstellungsart jedes andern in Gedanken (a priori) Rücksicht nimmt, um gleichsam an die gesamte Menschenvernunft sein Urteil zu halten, und dadurch der Illusion zu entgehen, die aus subjektiven Privatbedingungen, *welche*[5] leicht für objektiv gehalten werden könnten, auf das Urteil nachteiligen Einfluß haben würde. Dieses geschieht nun dadurch, daß man sein Urteil an anderer, nicht[6] sowohl wirkliche, als vielmehr bloß mögliche Urteile hält, und sich in die Stelle jedes andern versetzt, indem man bloß von den Beschränkungen, die unserer eigenen Beurteilung zufälliger Weise anhängen, abstrahiert: welches wiederum dadurch bewirkt wird, daß man das, was in *dem*[7] Vorstellungszustande Materie, d. i. Empfindung ist, so viel möglich weg-

[1] A: »in *dem*«. – [2] A: »*der*«. – [3] Zusatz von B u. C. – [4] A: »die *in diesem* wirklich«. – [5] A: »*die*«. – [6] A: »anderer *ihre*, nicht«. – [7] A: »in *unserm*«.

|B 157 |A 155

läßt, und lediglich auf die formalen Eigentümlichkeiten seiner Vorstellung, oder seines Vorstellungszustandes, Acht hat. Nun scheint diese Operation der Reflexion vielleicht allzu künstlich zu sein, um sie dem Vermögen, welches wir den gemeinen Sinn nennen, beizu|legen; allein sie sieht auch nur so | aus, wenn man sie in abstrakten Formeln ausdrückt; an sich ist nichts natürlicher, als von Reiz und Rührung zu abstrahieren, wenn man ein Urteil sucht, welches zur allgemeinen Regel dienen soll.

Folgende Maximen des gemeinen Menschenverstandes gehören zwar nicht hieher, als Teile der Geschmackskritik, können aber doch zur Erläuterung ihrer Grundsätze dienen. Es sind folgende: 1. Selbstdenken; 2. An der Stelle jedes andern denken[1]; 3. Jederzeit mit sich selbst einstimmig denken[1]. Die erste ist die Maxime der vorurteilfreien, die zweite der erweiterten, die dritte der konsequenten Denkungsart. Die erste ist die Maxime einer niemals passiven Vernunft. Der Hang zur letztern, mithin zur Heteronomie der Vernunft, heißt das Vorurteil; *und* das größte unter *allen* ist, sich die *Naturregeln*[2], *welche* der Verstand ihr durch *ihr* eigenes[3] wesentliches Gesetz zum Grunde legt, als nicht unterworfen vorzustellen: d. i. der Aberglaube. Befreiung vom Aberglauben heißt Aufklärung*; weil, obschon diese Benennung auch der Befreiung von Vor|urteilen überhaupt zukommt, jener doch vorzugsweise | (in sensu eminenti) ein Vorurteil genannt zu werden verdient, indem

* Man sieht bald, daß Aufklärung zwar in thesi leicht, in hypothesi aber eine schwere und langsam auszuführende Sache sei; weil mit seiner Vernunft nicht passiv, sondern jederzeit sich selbst gesetzgebend zu sein zwar etwas ganz Leichtes für den Menschen ist, der nur seinem wesentlichen Zwecke angemessen sein will, und das, was über seinen Verstand ist, nicht zu wissen verlangt; aber, da die Bestre||bung zum letzteren kaum zu verhüten ist, und es an andern, *welche*[4] *diese*[5] Wißbegierde befriedigen zu können mit vieler Zuversicht versprechen, nie fehlen wird: so muß das bloß Negative (welches die eigentliche Aufklärung ausmacht) in der Denkungsart (zumal der öffentlichen) zu erhalten, oder herzustellen, sehr schwer sein.

[1] A: »*zu* denken«. – [2] C: »*Natur Regeln*«. – [3] A: »Vorurteil, unter *welchen* das größte ist, die *Natur* sich *Regeln, die* der Verstand ihr durch *sein* eigenes«. – [4] A: »*die*«. – [5] C: »*die*«.

die Blindheit, *worin*[1] der Aberglaube versetzt, ja sie wohl gar als Obliegenheit fordert, das Bedürfnis, von andern geleitet zu werden, mithin den Zustand einer passiven Vernunft vorzüglich kenntlich macht. Was die zweite Maxime der Denkungsart betrifft, so sind wir sonst wohl gewohnt, denjenigen eingeschränkt (borniert, das Gegenteil *von erweitert*[2]) zu nennen, dessen Talente zu keinem großen Gebrauche (vornehmlich dem intensiven) zulangen. Allein hier ist nicht die Rede *vom*[3] Vermögen des Erkenntnisses, sondern von der Denkungsart, einen zweckmäßigen Gebrauch davon zu machen: welche, so klein auch der Umfang und der Grad sei, wohin die Naturgabe des Menschen reicht, dennoch einen Mann von erweiterter Denkungsart anzeigt, wenn er sich über die subjektiven Privatbedingungen des Urteils, wozwischen so viele andere wie eingeklammert sind, wegsetzen[4], und aus einem allgemeinen Standpunkte (den er dadurch nur bestimmen kann, daß er sich in den Standpunkt anderer versetzt) über sein eigenes Urteil reflektiert. Die dritte | Maxime, nämlich die der konsequenten Denkungsart, | ist am schwersten zu erreichen, und kann auch nur durch die Verbindung beider ersten, und nach einer zur Fertigkeit gewordenen öfteren Befolgung derselben, erreicht werden. Man kann sagen: die erste dieser Maximen ist die *Maxime*[5] des Verstandes, die zweite der Urteilskraft, die dritte der Vernunft. –

Ich nehme den durch diese Episode verlassenen Faden wieder auf, und sage: daß der Geschmack mit mehrerem Rechte sensus communis genannt werden könne, als der gesunde Verstand; und *daß*[5] die ästhetische Urteilskraft eher als die intellektuelle den Namen eines gemeinschaftlichen Sinnes* führen könne, wenn man ja das Wort Sinn von einer Wirkung der bloßen Reflexion auf das Gemüt brauchen will: denn da versteht man unter Sinn das Gefühl der Lust.

* Man könnte den Geschmack durch sensus communis aestheticus, den gemeinen Menschenverstand durch sensus communis logicus, *bezeichnen*[6].

[1] A: »*darin*«. – [2] A: »*vom erweiterten*«. – [3] A: »*von*«. – [4] Akad.-Ausg.: »wegsetzt«. – [5] Zusatz von B u. C. – [6] A: »*benennen*«.

|B 160 |A 158

Man könnte sogar den Geschmack durch das Beurteilungsvermögen desjenigen, was unser Gefühl an einer gegebenen Vorstellung ohne Vermittelung eines Begriffs allgemein mitteilbar macht, definieren.

Die Geschicklichkeit der Menschen, sich ihre Gedanken mitzuteilen, erfordert auch ein Verhältnis der Einbildungskraft und des Verstandes, um den Begriffen | Anschauungen und *diesen wiederum* Begriffe[1] zuzugesellen, die in ein Erkenntnis zusammenfließen; aber alsdann ist die | Zusammenstimmung beider Gemütskräfte gesetzlich, unter dem Zwange bestimmter Begriffe. Nur da, wo Einbildungskraft in ihrer Freiheit den Verstand erweckt, und dieser ohne Begriffe die Einbildungskraft in ein regelmäßiges Spiel *versetzt*[2]: da teilt sich die Vorstellung, nicht als Gedanke, sondern als inneres Gefühl eines zweckmäßigen Zustandes des Gemüts, mit.

Der Geschmack ist also das Vermögen, die Mitteilbarkeit der Gefühle, welche mit gegebener Vorstellung (ohne Vermittelung eines Begriffs) verbunden sind, a priori zu beurteilen.

Wenn man annehmen dürfte, daß die bloße allgemeine Mitteilbarkeit seines Gefühls an sich schon ein Interesse für uns bei sich führen müsse (welches man aber aus der Beschaffenheit einer bloß reflektierenden Urteilskraft zu schließen nicht berechtigt ist): so würde man sich erklären können, woher das Gefühl im Geschmacksurteile gleichsam als Pflicht jedermann zugemutet werde.

§ 41. VOM EMPIRISCHEN INTERESSE AM SCHÖNEN

Daß das Geschmacksurteil, wodurch etwas für schön erklärt wird, kein Interesse zum Bestimmungsgrunde haben müsse, ist oben hinreichend dargetan | worden. Aber daraus folgt nicht, daß, nachdem es, als reines ästhetisches Urteil, gegeben wor|den, *kein Interesse* damit verbunden werden könne[3]. Diese Verbindung wird *aber*[4] immer nur in-

[1] A: »*diesem* Begriffe«. – [2] A: »*setzt*«. – [3] A: »folgt nicht, daß *ein solches*, nachdem ... worden, damit *nicht* verbunden werden könne«. – [4] C: »*jedoch*«.

direkt sein können, d. i. der Geschmack muß allererst mit etwas anderem verbunden vorgestellt werden, um mit dem Wohlgefallen der bloßen Reflexion über einen Gegenstand noch eine Lust an der Existenz desselben (als worin alles Interesse besteht) verknüpfen zu können. Denn es gilt hier im ästhetischen Urteile, was im Erkenntnisurteile (von Dingen überhaupt) gesagt wird: a posse ad esse non valet consequentia. Dieses andere kann nun etwas Empirisches sein, nämlich eine Neigung, die der menschlichen Natur eigen ist; oder etwas Intellektuelles, als Eigenschaft des Willens, a priori durch Vernunft bestimmt werden zu können: welche beide ein Wohlgefallen am Dasein eines Objekts enthalten, und so den Grund zu einem Interesse an demjenigen legen können, was schon für sich und ohne Rücksicht auf irgend ein Interesse gefallen hat.

Empirisch interessiert das Schöne nur in der Gesellschaft; und, wenn man den Trieb zur Gesellschaft als *dem* Menschen[1] natürlich, die Tauglichkeit aber und den Hang dazu, d. i. die Geselligkeit, zur Erfordernis des Menschen, als für die Gesellschaft bestimmten Geschöpfs, also als zur Humanität gehörige Eigenschaft einräumt: so kann es nicht fehlen, daß man nicht auch | den Geschmack als ein Beurteilungsvermögen alles dessen, wodurch man sogar sein Gefühl jedem andern mit|teilen kann, mithin als Beförderungsmittel dessen, was eines jeden natürliche Neigung verlangt, ansehen sollte.

Für sich allein würde ein verlassener Mensch auf einer wüsten Insel weder seine Hütte, noch sich selbst ausputzen, oder Blumen aufsuchen, noch weniger sie pflanzen, um sich damit auszuschmücken; sondern nur in Gesellschaft kommt es ihm ein, nicht bloß Mensch, sondern auch nach seiner Art ein feiner Mensch zu sein (der Anfang der Zivilisierung): denn als einen solchen beurteilt man denjenigen, *welcher*[2] seine Lust andern mitzuteilen geneigt und geschickt ist, und den ein Objekt nicht befriedigt, wenn er das Wohlgefallen an demselben nicht in Gemeinschaft mit andern fühlen kann. Auch erwartet und fordert ein jeder die Rücksicht auf

[1] A: »als *den* Menschen«. – [2] A: »*der*«.

allgemeine Mitteilung von jedermann, gleichsam als aus einem ursprünglichen Vertrage, der durch die Menschheit selbst diktiert ist; und so werden freilich anfangs nur Reize, z. B. Farben, um sich zu bemalen (Rocou bei den Karaiben und Zinnober bei den Irokesen), oder Blumen, Muschelschalen, schönfarbige Vogelfedern, mit der Zeit aber auch schöne Formen (als an Kanots, Kleidern, u.s.w.), die gar kein Vergnügen, d. i. Wohlgefallen des Genusses bei sich führen, in der Gesellschaft wichtig und mit großem Interesse verbunden: bis endlich die auf den höchsten ¦ Punkt gekommene Zivilisierung daraus beinahe das Hauptwerk der verfeinerten Neigung macht, und Empfin|dungen nur so viel wert gehalten werden, als sie sich allgemein mitteilen lassen; wo denn, wenn gleich die Lust, die jeder an einem solchen Gegenstande hat, nur unbeträchtlich und für sich ohne merkliches Interesse ist, doch die Idee von ihrer allgemeinen Mitteilbarkeit ihren Wert beinahe unendlich vergrößert.

Dieses indirekt dem Schönen, durch Neigung zur Gesellschaft, angehängte, mithin empirische Interesse ist aber für uns hier von keiner Wichtigkeit, die wir nur darauf zu sehen haben, was auf das Geschmacksurteil a priori, wenn gleich nur indirekt, Beziehung haben mag. Denn, wenn auch in dieser Form sich ein damit verbundenes Interesse entdecken sollte, so würde Geschmack einen Übergang unseres Beurteilungsvermögens von dem Sinnengenuß zum Sittengefühl entdecken; und nicht allein, daß man dadurch den Geschmack zweckmäßig zu beschäftigen besser geleitet werden würde, *es* würde[1] auch ein Mittelglied der Kette der menschlichen Vermögen a priori, von denen alle Gesetzgebung abhängen muß, als ein solches dargestellt werden. So viel kann man von dem empirischen Interesse an Gegenständen des Geschmacks und am Geschmack selbst wohl sagen, daß es, da dieser der Neigung frönt, obgleich sie noch so verfeinert sein mag, sich doch auch mit allen Neigungen und Leidenschaften, die in der Gesellschaft ¦ ihre größte Mannigfaltigkeit und höchste Stufe erreichen, gern zusammenschmelzen läßt, und das Interesse | am Schönen, wenn es darauf ge-

[1] A: »*so* würde«.

gründet ist, einen nur sehr zweideutigen Übergang vom Angenehmen zum Guten abgeben könne. Ob *aber dieser* nicht etwa doch durch den Geschmack, wenn er in seiner Reinigkeit genommen wird, befördert werden könne, haben wir zu untersuchen Ursache.[1]

§ 42. VOM INTELLEKTUELLEN INTERESSE AM SCHÖNEN

Es geschah in gutmütiger Absicht, daß diejenigen, welche alle Beschäftigungen der Menschen, wozu *diese* die[2] innere Naturanlage antreibt, gerne auf den letzten Zweck der Menschheit, nämlich das Moralisch-Gute richten wollten, es für ein Zeichen eines guten moralischen Charakters hielten, am Schönen überhaupt ein Interesse zu nehmen. Ihnen ist aber nicht ohne Grund von andern widersprochen worden, die sich auf die Erfahrung berufen, daß Virtuosen des Geschmacks, nicht allein *öfter*[3], sondern wohl gar gewöhnlich, eitel, eigensinnig, und verderblichen Leidenschaften ergeben, vielleicht noch weniger wie andere auf den Vorzug der Anhänglichkeit an sittliche Grundsätze Anspruch machen könnten; und so scheint es, daß das Gefühl für das Schöne nicht allein (wie es auch wirklich ist) vom moralischen Gefühl spezifisch unterschieden, sondern auch das Interesse, welches | man damit verbinden kann, mit dem moralischen schwer, keinesweges aber durch innere Affinität, vereinbar sei.

| Ich räume nun zwar gerne ein, daß das Interesse am Schönen der Kunst (wozu ich auch den künstlichen Gebrauch der Naturschönheiten zum Putze, mithin zur Eitelkeit, rechne) gar keinen Beweis einer dem Moralischguten anhänglichen, oder auch nur dazu geneigten Denkungsart abgebe. Dagegen *aber*[4] behaupte ich, daß ein unmittelbares Interesse an der Schönheit der Natur zu nehmen (nicht bloß Geschmack haben, um sie zu beurteilen) jederzeit ein Kennzeichen einer guten Seele sei; *und daß*[4], wenn dieses Interesse habituell ist, *es*[4] wenigstens eine dem moralischen Gefühl günstige Gemütsstimmung anzeige, wenn es

[1] A: »könne, *welcher*, ob *er* nicht etwa doch ... könne, wir zu untersuchen Ursache haben.« – [2] A: »*sie* die «. – [3] C: »*oft*«. – [4] Zusatz von B u. C.

|B 166 |A 164

sich mit der Beschauung der Natur gerne verbindet. Man muß sich aber wohl erinnern, daß ich hier eigentlich die schönen Formen der Natur meine, die Reize dagegen, welche sie so reichlich auch mit jenen zu verbinden pflegt, noch zur Seite setze, weil das Interesse daran zwar auch unmittelbar, aber doch empirisch ist.

Der, *welcher* einsam[1] (und ohne Absicht, seine Bemerkungen andern mitteilen zu wollen) die schöne Gestalt einer wilden Blume, eines Vogels, eines Insekts u.s.w. betrachtet, um sie zu bewundern, zu lieben, und sie nicht gerne in der Natur überhaupt vermissen zu wollen, ob ihm gleich dadurch einiger Schaden geschähe, vielweniger ein Nutzen daraus für ihn hervorleuchtete, | nimmt ein unmittelbares und zwar intellektuelles Interesse an der Schönheit der Natur. D.i. nicht allein ihr Produkt | der Form nach, sondern auch das Dasein desselben gefällt *ihm*[2], ohne daß ein Sinnenreiz daran Anteil hätte, oder er auch irgend einen Zweck damit verbände.

Es ist aber hiebei merkwürdig, daß, wenn man diesen Liebhaber des Schönen insgeheim hintergangen[3], und künstliche Blumen (die man den natürlichen ganz ähnlich verfertigen kann) in die Erde gesteckt, oder künstlich geschnitzte Vögel auf Zweige von Bäumen gesetzt hätte, und er darauf den Betrug entdeckte, das unmittelbare Interesse, *was*[4] er vorher daran nahm, alsbald verschwinden, vielleicht aber ein anderes, nämlich das Interesse der Eitelkeit, sein Zimmer für fremde Augen damit auszuschmücken, an dessen Stelle sich einfinden würde. Daß die Natur jene Schönheit hervorgebracht hat: dieser Gedanke muß die Anschauung und Reflexion begleiten; und auf diesem gründet sich allein das unmittelbare Interesse, *was*[5] man daran nimmt. Sonst bleibt entweder ein bloßes Geschmacksurteil ohne alles Interesse, oder nur *ein* mit einem mittelbaren, nämlich auf die Gesellschaft bezogenen *verbundenes* übrig[6]: welches letztere keine sichere Anzeige auf moralisch-gute Denkungsart abgibt.

[1] A: »Der, *so* einsam«. – [2] Zusatz von B u. C. – [3] A: »hintergangen *hätte*«. – [4] C: »*welches*«. – [5] C: »*das*«. – [6] A: »nur mit ... bezogenen *verbunden* übrig«.

Dieser Vorzug der Naturschönheit vor der Kunstschönheit, wenn jene gleich durch diese der Form nach | sogar übertroffen würde, dennoch allein ein unmittelbares Interesse zu *erwecken*[1], stimmt mit der geläuterten und gründlichen Denkungsart aller Menschen überein, die ihr sittliches Gefühl kultiviert haben. Wenn | ein Mann, der Geschmack genug hat, *um*[2] über Produkte der schönen Kunst mit der größten Richtigkeit und Feinheit zu urteilen, das Zimmer gern verläßt, in welchem jene, die Eitelkeit und allenfalls gesellschaftlichen Freuden unterhaltenden, Schönheiten anzutreffen sind, und sich zum Schönen der Natur wendet, um hier gleichsam Wollust für seinen Geist in einem Gedankengange zu finden, den er sich nie völlig entwickeln kann: so werden wir diese seine Wahl selber mit Hochachtung betrachten, und in ihm eine schöne Seele voraussetzen, auf die kein Kunstkenner und Liebhaber, um des Interesse willen, das er an seinen Gegenständen nimmt, Anspruch machen kann. – Was ist nun der Unterschied der so verschiedenen Schätzung zweierlei Objekte, die im Urteile des bloßen Geschmacks einander kaum den Vorzug streitig machen würden?

Wir haben ein Vermögen der bloß ästhetischen Urteilskraft, ohne Begriffe über Formen zu urteilen, und an der bloßen Beurteilung derselben ein Wohlgefallen zu finden, welches wir zugleich jedermann zur Regel machen, ohne daß dieses Urteil sich auf einem Interesse gründet, noch ein solches hervorbringt. – Andererseits haben wir auch ein Vermögen einer intellektuellen Urteilskraft, für bloße Formen praktischer Maximen (so|fern sie sich zur allgemeinen Gesetzgebung von selbst qualifizieren) ein Wohlgefallen a priori zu bestimmen, welches wir jedermann zum Gesetze machen, ohne daß unser Urteil sich auf irgend einem Interesse gründet, | aber doch ein solches hervorbringt. Die Lust oder Unlust im ersteren Urteile heißt die des Geschmacks, die zweite des moralischen Gefühls.

Da es aber die Vernunft auch interessiert, daß die Ideen (für die sie im moralischen Gefühle ein unmittelbares Interesse bewirkt) auch objektive Realität haben, d. i. daß die

[1] A: »dennoch *an jener* allein ... zu *nehmen*«. – [2] Zusatz von B u. C.

Natur wenigstens eine Spur zeige, oder einen Wink gebe, sie enthalte in sich irgend einen Grund, eine gesetzmäßige Übereinstimmung ihrer Produkte zu unserm von allem Interesse unabhängigen Wohlgefallen (welches wir a priori für jedermann als Gesetz erkennen, ohne dieses auf Beweisen gründen zu können) anzunehmen: so muß die Vernunft an jeder Äußerung der Natur von einer dieser ähnlichen Übereinstimmung ein Interesse nehmen; folglich kann das Gemüt über die Schönheit der Natur nicht nachdenken, ohne sich dabei zugleich interessiert zu finden. Dieses Interesse aber ist der Verwandtschaft nach moralisch; und der, *welcher* es[1] am Schönen der Natur nimmt, kann es nur sofern an demselben nehmen, als er vorher schon sein Interesse am Sittlichguten wohlgegründet hat. Wen also die Schönheit der Natur unmittelbar interessiert, bei dem hat man Ursache, we|nigstens eine Anlage zu guter moralischer Gesinnung zu vermuten.

Man wird sagen: diese Deutung ästhetischer Urteile auf Verwandtschaft mit dem moralischen Gefühl sehe gar zu studiert aus, um sie für die wahre Auslegung | der Chiffreschrift zu halten, wodurch die Natur in ihren schönen Formen figürlich zu uns spricht. Allein erstlich ist dieses unmittelbare Interesse am Schönen der Natur wirklich nicht gemein, sondern nur denen eigen, deren Denkungsart entweder zum Guten schon ausgebildet[2], oder dieser Ausbildung vorzüglich empfänglich ist; und dann führt die Analogie zwischen dem reinen Geschmacksurteile, welches, ohne von irgend einem Interesse abzuhangen, ein Wohlgefallen fühlen läßt, und es zugleich a priori als der Menschheit überhaupt anständig vorstellt, mit dem[3] moralischen Urteile, welches eben dasselbe aus Begriffen tut, auch ohne deutliches, subtiles und vorsätzliches Nachdenken, auf ein gleichmäßiges unmittelbares Interesse an dem Gegenstande des ersteren, so wie an dem des letzteren: nur daß jenes ein freies, dieses ein auf objektive Gesetze gegründetes Interesse ist. Dazu kommt noch die Bewunderung der Natur, die sich an ihren

[1] A: »*so* es«. – [2] A: »ausgebildet *ist*«. – [3] Akad.-Ausg.: »vorstellt, und dem«.

schönen Produkten als Kunst, nicht bloß durch Zufall, sondern gleichsam absichtlich, nach gesetzmäßiger Anordnung und als Zweckmäßigkeit ohne Zweck, zeigt: welchen letzteren, da wir ihn äußerlich nirgend antreffen, wir natürlicher Weise in uns selbst, ¦ und zwar *in*[1] demjenigen, was den letzten Zweck unseres Daseins ausmacht, nämlich der moralischen Bestimmung, suchen (von welcher Nachfrage nach dem Grunde der Möglichkeit einer solchen Naturzweckmäßigkeit aber allererst in der Teleologie die Rede sein wird).

| Daß das Wohlgefallen an der schönen Kunst im reinen Geschmacksurteile nicht eben so mit einem unmittelbaren Interesse verbunden ist, als das an der schönen Natur, ist auch leicht zu erklären. Denn jene ist entweder eine solche Nachahmung von dieser, die bis zur Täuschung geht: und alsdann tut sie die Wirkung als (dafür gehaltene) Naturschönheit; oder sie ist eine absichtlich auf unser Wohlgefallen sichtbarlich gerichtete Kunst: alsdann aber würde das Wohlgefallen an diesem Produkte zwar unmittelbar durch Geschmack Statt finden, aber kein anderes als mittelbares Interesse an der zum Grunde liegenden Ursache[2], nämlich einer Kunst, welche nur durch ihren Zweck, niemals an sich selbst, interessieren kann. Man wird vielleicht sagen, daß dieses auch der Fall sei, wenn ein Objekt der Natur durch seine Schönheit nur *in*[1] sofern interessiert, als ihr eine moralische Idee beigesellet wird; aber nicht dieses, sondern die Beschaffenheit derselben an sich selbst, daß sie sich zu einer solchen Beigesellung qualifiziert, die ihr also innerlich zukommt, interessiert unmittelbar.

Die Reize in der schönen Natur, welche so häufig mit der schönen Form gleichsam zusammenschmelzend an¦getroffen werden, sind entweder zu den Modifikationen des Lichts (in der Farbengebung) oder des Schalles (in Tönen) gehörig. Denn diese sind die einzigen Empfindungen, welche nicht bloß Sinnengefühl, sondern auch Reflexion über die Form dieser Modifikationen der | Sinne verstatten, und so gleichsam eine Sprache, die die Natur zu uns führt, und die einen höhern Sinn zu haben scheint, in sich enthalten. So

[1] Zusatz von B u. C. – [2] Akad.-Ausg.: »Ursache erwecken«.

¦B 171, 172 |A 169, 170

scheint die weiße Farbe der Lilie das Gemüt zu Ideen der Unschuld, und nach der Ordnung der sieben Farben, von der roten an bis zur violetten, 1) zur Idee der Erhabenheit, 2) der Kühnheit, 3) der Freimütigkeit, 4) der Freundlichkeit, 5) der Bescheidenheit, 6) der Standhaftigkeit, und 7) der Zärtlichkeit zu stimmen. Der Gesang der Vögel verkündigt Fröhlichkeit und Zufriedenheit mit seiner Existenz. Wenigstens so deuten wir die Natur aus, es mag dergleichen ihre Absicht sein oder nicht. Aber dieses Interesse, welches wir hier an Schönheit nehmen, bedarf durchaus, daß es Schönheit der Natur sei; und es verschwindet ganz, sobald man bemerkt, man sei getäuscht, und es sei nur Kunst: sogar[1], daß auch der Geschmack alsdann nichts Schönes, oder das Gesicht etwas Reizendes mehr daran finden kann. Was wird von Dichtern höher gepriesen, als der bezaubernd schöne Schlag der Nachtigall, in einsamen Gebüschen, an einem stillen Sommerabende, bei dem sanften Lichte des Mondes? Indessen hat man Beispiele, daß, wo kein solcher Sän|ger angetroffen wird, irgend ein lustiger Wirt seine zum Genuß der Landluft bei ihm eingekehrten Gäste dadurch zu ihrer größten Zufriedenheit hintergangen *hatte*[2], daß er einen mutwilligen Burschen, welcher diesen Schlag (mit Schilf oder Rohr im Munde) ganz der | Natur ähnlich nachzumachen wußte, in einem Gebüsche verbarg. Sobald man aber inne wird, daß es Betrug sei, so wird niemand es lange aushalten, diesem vorher für so reizend gehaltenen Gesange zuzuhören; und so ist es mit jedem anderen Singvogel beschaffen. Es muß Natur sein, oder von uns dafür gehalten werden, damit wir an dem Schönen als einem solchen ein unmittelbares Interesse nehmen können; noch mehr aber, wenn wir gar andern zumuten dürfen, daß sie es daran nehmen *sollen*[3]; welches in der Tat geschieht, indem wir die Denkungsart derer für grob und unedel halten, die kein Gefühl für die schöne Natur haben (denn so nennen wir die Empfänglichkeit eines Interesse an ihrer Betrachtung), und sich bei der Mahlzeit oder der Bouteille am Genusse bloßer Sinnesempfindungen halten.

[1] Akad.-Ausg.: »so gar«. – [2] A: »*hat*«. – [3] A: »*sollten*«.

|B 173 |A 171

§ 43. VON DER KUNST ÜBERHAUPT

1) Kunst wird von der Natur, wie Tun (facere) vom Handeln oder Wirken überhaupt (agere), und das Produkt, oder die Folge der erstern als | Werk (opus) von der letztern als Wirkung (effectus) unterschieden.

Von Rechtswegen sollte man nur die Hervorbringung durch Freiheit, d. i. durch eine Willkür, die ihren Handlungen Vernunft zum Grunde legt, Kunst nennen. Denn, ob man gleich das Produkt der Bienen | (die regelmäßig gebaueten Wachsscheiben) ein Kunstwerk zu nennen beliebt, so geschieht dieses doch nur wegen der Analogie mit der letzteren; sobald man sich nämlich besinnt, daß sie ihre Arbeit auf keine eigene Vernunftüberlegung gründen, so sagt man alsbald, es ist ein Produkt ihrer Natur (des Instinkts), und als Kunst wird es nur ihrem Schöpfer zugeschrieben.

Wenn man bei Durchsuchung eines Moorbruches, wie es bisweilen geschehen ist, ein Stück behauenes Holz antrifft, so sagt man nicht, es ist ein Produkt der Natur, sondern der Kunst; die hervorbringende Ursache derselben[1] hat sich einen Zweck gedacht, dem dieses seine Form zu danken hat. Sonst sieht man wohl auch an allem eine Kunst, was so beschaffen ist, daß eine Vorstellung desselben in ihrer[2] Ursache vor ihrer[2] Wirklichkeit vorhergegangen sein muß (wie selbst bei Bienen), ohne daß doch die Wirkung von ihr eben gedacht sein dürfe; wenn man aber etwas schlechthin ein Kunstwerk nennt, um es von einer Naturwirkung zu unterscheiden, so versteht man allemal darunter ein Werk der Menschen.

| 2) Kunst als Geschicklichkeit des Menschen wird auch von der Wissenschaft unterschieden (Können vom Wissen), als praktisches vom theoretischen Vermögen, als Technik von der Theorie (wie die Feldmeßkunst von der Geometrie). Und da wird auch das, was man kann, sobald man nur weiß, was getan werden soll, und also nur die begehrte Wirkung genugsam | kennt, nicht eben Kunst genannt. Nur das, was man, wenn man es auch auf das voll-

[1] Akad.-Ausg.: »desselben«. – [2] Akad.-Ausg.: »seiner«.

ständigste kennt, dennoch darum zu machen noch nicht sofort die Geschicklichkeit hat, gehört in so weit zur Kunst. Camper beschreibt sehr genau, wie der beste Schuh beschaffen sein müßte, aber er konnte gewiß keinen machen.*

3) Wird auch Kunst vom Handwerke unterschieden; die erste heißt freie, die andere kann auch Lohnkunst heißen. Man sieht die erste so an, als ob sie nur als Spiel, d. i. Beschäftigung[1], die für sich selbst angenehm ist, zweckmäßig ausfallen (gelingen) könne; die zweite so, daß sie als Arbeit, d. i. Beschäftigung, die für sich selbst unangenehm (beschwerlich), und nur durch ihre Wirkung (z. B. den Lohn) anlockend ist, mithin |zwangsmäßig auferlegt werden kann. Ob in der Rangliste der Zünfte Uhrmacher für Künstler, dagegen Schmiede für Handwerker gelten sollen: das bedarf eines andern Gesichtspunkts der Beurteilung, als derjenige ist, den wir hier nehmen; nämlich die Proportion der Talente, die dem einen oder anderen dieser Geschäfte zum Grunde liegen müssen. Ob auch unter den soge|nannten sieben freien Künsten nicht einige, die den Wissenschaften beizuzählen, manche auch, die mit Handwerken zu vergleichen sind, aufgeführt worden sein möchten: davon will ich hier nicht reden. Daß aber in allen freien Künsten dennoch etwas Zwangsmäßiges, oder, wie man es nennt, ein Mechanismus erforderlich sei, ohne welchen der Geist, der in der Kunst frei sein muß und allein das Werk belebt, gar keinen Körper haben und gänzlich verdunsten würde: ist nicht unratsam zu erinnern (z. B. in der Dichtkunst, die Sprachrichtigkeit und *der*[2] Sprachreichtum, imgleichen die Prosodie und das Silbenmaß), da manche neuere Erzieher eine freie Kunst am besten zu befördern glauben, wenn sie allen Zwang von ihr wegnehmen, und sie aus Arbeit in bloßes Spiel verwandeln.

* In meinen Gegenden sagt der gemeine Mann, wenn man ihm etwa eine solche Aufgabe vorlegt, wie Kolumbus mit seinem Ei: das ist keine Kunst, es ist nur eine Wissenschaft. D. i. wenn man es weiß, so kann man es; und eben dieses sagt er von allen vorgeblichen Künsten des Taschenspielers. Die des Seiltänzers dagegen wird er gar nicht in Abrede sein Kunst zu nennen.

[1] A: »*als* Beschäftigung«. – [2] Zusatz von B u. C.

§ 44. VON DER SCHÖNEN KUNST

Es gibt weder eine Wissenschaft des Schönen, sondern nur Kritik, noch schöne Wissenschaft, sondern nur | schöne Kunst. Denn was die erstere betrifft, so würde in ihr wissenschaftlich, d. i. durch Beweisgründe ausgemacht werden sollen, ob etwas für schön zu halten sei oder nicht; das Urteil über Schönheit würde also, wenn es zur Wissenschaft gehörte, kein Geschmacksurteil sein. Was das zweite anlangt, so ist eine Wissenschaft, die, als solche, schön sein soll, ein Unding. Denn, wenn | man in ihr als Wissenschaft nach Gründen und Beweisen fragte, so würde man durch geschmackvolle Aussprüche (Bonmots) *abgefertigt*[1]. – Was den gewöhnlichen Ausdruck, schöne Wissenschaften, veranlaßt hat, ist ohne Zweifel nichts anders, als daß man ganz richtig bemerkt hat, es werde zur schönen Kunst in ihrer ganzen Vollkommenheit viel Wissenschaft, als z. B. Kenntnis alter Sprachen, Belesenheit der Autoren die für Klassiker gelten, Geschichte, Kenntnis der Altertümer u.s.w. erfordert, und *deshalb* diese[2] historischen Wissenschaften, weil sie zur schönen Kunst die notwendige Vorbereitung und Grundlage ausmachen, zum Teil auch, weil darunter selbst die Kenntnis der Produkte der schönen Kunst (Beredsamkeit und Dichtkunst) begriffen worden, durch eine Wortverwechselung, selbst schöne Wissenschaften genannt hat.

Wenn die Kunst, dem Erkenntnisse eines möglichen Gegenstandes angemessen, bloß ihn wirklich zu machen die dazu erforderlichen Handlungen verrichtet, so ist sie mechanische, hat sie aber das Gefühl der Lust | zur unmittelbaren Absicht, so heißt sie ästhetische Kunst. Diese ist entweder angenehme oder schöne Kunst. Das erste ist sie, wenn der Zweck derselben ist, daß die Lust die Vorstellungen als bloße Empfindungen, das zweite, daß sie dieselben als Erkenntnisarten begleite.

| Angenehme Künste sind die, welche bloß zum Genusse abgezweckt werden; dergleichen alle die Reize sind, welche die Gesellschaft an einer Tafel vergnügen können: als unter-

[1] A: »man *uns* durch ... *abfertigen*«. – [2] A: »und, *um daher* diese«.

haltend zu erzählen, die Gesellschaft in freimütige und lebhafte Gesprächigkeit zu versetzen, durch Scherz und Lachen sie zu einem gewissen Tone der Lustigkeit zu stimmen, wo, wie man sagt, manches ins Gelag hinein geschwatzt werden kann, und niemand über das, was er spricht, verantwortlich sein will, weil es nur auf die augenblickliche Unterhaltung, nicht auf einen bleibenden Stoff zum Nachdenken oder Nachsagen, angelegt ist. (Hiezu gehört denn auch die Art, wie der Tisch zum Genusse ausgerüstet ist, oder wohl gar bei großen Gelagen die Tafelmusik: ein wunderliches Ding, welches nur als ein angenehmes Geräusch die Stimmung der Gemüter zur Fröhlichkeit unterhalten soll, und, ohne daß jemand auf die Komposition derselben die mindeste Aufmerksamkeit verwendet, die freie Gesprächigkeit eines Nachbars mit dem andern begünstigt.) Dazu gehören ferner alle Spiele, die weiter kein Interesse bei sich führen, als die Zeit unvermerkt verlaufen zu machen.

| Schöne Kunst dagegen ist eine Vorstellungsart, die für sich selbst zweckmäßig ist, und, obgleich ohne Zweck, dennoch die Kultur der Gemütskräfte zur geselligen Mitteilung befördert.

Die allgemeine Mitteilbarkeit einer Lust führt es schon in ihrem Begriffe mit sich, daß diese nicht eine Lust | des Genusses, aus bloßer Empfindung, sondern der Reflexion sein müsse; und so ist ästhetische Kunst, als schöne Kunst, eine solche, die die reflektierende Urteilskraft und nicht die Sinnenempfindung zum Richtmaße hat.

§ 45. SCHÖNE KUNST IST EINE KUNST, SOFERN SIE ZUGLEICH NATUR ZU SEIN SCHEINT

An einem Produkte der schönen Kunst muß man sich bewußt werden, daß es Kunst sei, und nicht Natur; aber doch muß die Zweckmäßigkeit in der Form desselben von allem Zwange willkürlicher Regeln so frei scheinen, als ob es ein Produkt der bloßen Natur sei. Auf diesem Gefühle der Freiheit im Spiele unserer Erkenntnisvermögen, welches doch zugleich zweckmäßig sein muß, beruht diejenige Lust, welche allein allgemein mitteilbar ist, ohne sich doch auf Begriffe zu gründen. Die Natur war schön, wenn sie zugleich als Kunst aussah; und die Kunst kann nur schön genannt werden, wenn wir uns bewußt sind, sie sei Kunst, und sie uns doch als Natur aussieht.

| Denn wir können allgemein sagen, es mag die Natur- oder die Kunstschönheit betreffen: schön ist das, was in der bloßen Beurteilung (nicht in der Sinnenempfindung, noch durch einen Begriff) gefällt. Nun hat Kunst jederzeit eine bestimmte Absicht, etwas hervorzubringen. Wenn dieses aber bloße Empfindung | (etwas bloß Subjektives) wäre, die mit Lust begleitet sein sollte, so würde dies Produkt, in der Beurteilung, nur vermittelst des Sinnengefühls gefallen. Wäre die Absicht auf die Hervorbringung eines bestimmten Objekts gerichtet, so würde, wenn sie durch die Kunst erreicht wird, das Objekt nur durch Begriffe gefallen. In beiden Fällen aber würde die Kunst nicht in der bloßen Beurteilung, d. i. nicht als schöne, sondern mechanische Kunst gefallen.

Also muß die Zweckmäßigkeit im Produkte der schönen Kunst, ob sie zwar absichtlich ist, doch nicht absichtlich scheinen; d. i. schöne Kunst muß als Natur anzusehen sein, ob man sich ihrer zwar als Kunst bewußt ist. Als Natur aber erscheint ein Produkt der Kunst dadurch, daß zwar alle Pünktlichkeit in der Übereinkunft mit Regeln, nach denen allein das Produkt das werden kann, was es sein soll, angetroffen wird; aber ohne Peinlichkeit, *ohne daß die Schulform durchblickt*[1], d. i. ohne eine Spur zu zeigen, daß die Regel dem Künstler vor Augen geschwebt, und seinen Gemütskräften Fesseln angelegt habe.

| § 46. SCHÖNE KUNST IST KUNST DES GENIES

Genie ist das Talent (Naturgabe), welches der Kunst die Regel gibt. Da das Talent, als angebornes produktives Vermögen des Künstlers, selbst zur Natur gehört, so könnte man sich auch so ausdrücken: | Genie ist die angeborne

[1] Zusatz von B u. C.

Gemütsanlage (ingenium), durch welche die Natur der Kunst die Regel gibt.

Was es auch mit dieser Definition für eine Bewandtnis habe, und ob sie bloß willkürlich, oder dem Begriffe, welchen man mit dem Worte Genie zu verbinden gewohnt ist, angemessen sei, oder nicht (welches in dem folgenden § erörtert werden soll): so kann man doch schon zum voraus beweisen, daß, nach der hier angenommenen Bedeutung des Worts, schöne Künste notwendig als Künste des Genies betrachtet werden müssen.

Denn eine jede Kunst setzt Regeln voraus, durch deren Grundlegung allererst ein Produkt, wenn es künstlich heißen soll, als möglich vorgestellt wird. Der Begriff der schönen Kunst aber verstattet nicht, daß das Urteil über die Schönheit ihres Produkts von irgend einer Regel abgeleitet werde, die einen Begriff zum Bestimmungsgrunde habe, mithin einen Begriff von der Art, wie es möglich sei, zum Grunde *lege*[1]. Also kann die schöne Kunst sich selbst nicht die Regel ausdenken, | nach der sie ihr Produkt zu Stande bringen soll. Da nun gleichwohl ohne vorhergehende Regel ein Produkt niemals Kunst heißen kann, so muß die Natur im Subjekte (und durch die Stimmung der Vermögen desselben) der Kunst die Regel geben, d. i. die schöne Kunst ist nur als Produkt des Genies möglich.

| Man sieht hieraus, daß Genie 1) ein Talent sei, dasjenige, wozu sich keine bestimmte Regel geben läßt, hervorzubringen: nicht Geschicklichkeitsanlage zu dem, was nach irgend einer Regel gelernt werden kann; folglich daß Originalität seine erste Eigenschaft sein müsse. 2) Daß, da es auch originalen Unsinn geben kann, seine Produkte zugleich Muster, d. i. exemplarisch sein müssen; mithin, selbst nicht durch Nachahmung entsprungen, anderen doch dazu, d. i. zum Richtmaße oder Regel der Beurteilung, dienen müssen. 3) Daß es, wie es sein Produkt zu Stande bringe, selbst nicht *beschreiben, oder*[2] wissenschaftlich anzeigen könne, sondern daß es als Natur die Regel gebe; und daher

[1] A: »mithin *ohne* einen Begriff ..., zum Grunde *zu legen*«. – [2] Zusatz von B u. C.

|B 182 |A 180

der Urheber eines Produkts, welches er seinem Genie verdankt, selbst nicht weiß, wie sich in ihm die Ideen dazu herbei finden, auch es nicht in seiner Gewalt hat, dergleichen nach Belieben oder planmäßig auszudenken, und anderen in *solchen*[1] Vorschriften mitzuteilen, die sie in Stand[2] setzen, gleichmäßige Produkte hervorzubringen. (Daher denn auch vermutlich das Wort Genie von genius, dem eigentümlichen einem Menschen bei der Geburt mitgegebe|nen schützenden und leitenden Geist, von dessen Eingebung jene originale Ideen herrührten, abgeleitet ist.) 4) Daß die Natur durch das Genie nicht der Wissenschaft, sondern der Kunst die Regel vorschreibe; und auch dieses nur, *in* sofern *diese letztere* schöne[3] Kunst sein soll.

| § 47. ERLÄUTERUNG UND BESTÄTIGUNG OBIGER ERKLÄRUNG VOM GENIE

Darin ist jedermann einig, daß Genie dem Nachahmungsgeiste gänzlich entgegen zu setzen sei. Da nun Lernen nichts als Nachahmen ist, so kann die größte Fähigkeit, Gelehrigkeit (Kapazität), als Gelehrigkeit, doch nicht für Genie gelten. Wenn man aber auch selbst denkt oder dichtet, und nicht bloß was andere gedacht haben, auffaßt, ja sogar für Kunst und Wissenschaft manches erfindet: so ist doch dieses auch noch nicht der rechte Grund, um einen solchen (oftmals großen) Kopf (im Gegensatze mit dem, *welcher*, weil er niemals *etwas* mehr[4] als bloß lernen und nachahmen kann, ein Pinsel heißt) ein Genie zu nennen: weil eben das auch hätte können gelernt werden, also doch auf dem natürlichen Wege des Forschens und Nachdenkens nach Regeln liegt, und von dem, was durch Fleiß vermittelst der Nachahmung erworben werden kann, nicht spezifisch unterschieden ist. So kann man alles, was Newton in seinem unsterblichen Werke der Prinzipien der Naturphilosophie, | so ein großer Kopf auch erforderlich war, dergleichen zu erfinden, *vorgetragen hat*[1], gar wohl lernen; aber man kann

[1] Zusatz von B u. C. – [2] A: »in *den* Stand«. – [3] A: »und dieses auch nur so fern *sie* schöne«. – [4] A: »mit dem, *der*, weil er niemals *was* mehr«.

nicht geistreich dichten lernen, so ausführlich auch alle Vorschriften für die Dichtkunst, und so vortrefflich auch die Muster derselben sein mögen. Die Ursache ist, daß Newton alle seine | Schritte, die er, von den ersten Elementen der Geometrie an, bis zu seinen großen und tiefen Erfindungen, zu tun hatte, nicht allein sich selbst, sondern jedem andern, ganz anschaulich und zur Nachfolge bestimmt vormachen könnte; kein Homer aber oder Wieland anzeigen kann, wie sich seine phantasiereichen und doch zugleich gedankenvollen Ideen in seinem Kopfe hervor und zusammen finden, darum weil er es selbst nicht weiß, und es also auch keinen andern lehren kann. Im Wissenschaftlichen also ist der größte Erfinder vom mühseligsten Nachahmer und Lehrlinge nur dem Grade nach, dagegen von dem, *welchen*[1] die Natur für die schöne Kunst begabt hat, spezifisch unterschieden. Indes liegt hierin keine Herabsetzung jener großen Männer, denen das menschliche Geschlecht so viel zu verdanken hat, gegen die Günstlinge der Natur in Ansehung ihres Talents für die schöne Kunst. Eben darin, daß jener Talent[2] zur immer fortschreitenden größeren Vollkommenheit *der Erkenntnisse*[3] und alles Nutzens, der davon abhängig ist, imgleichen zur Belehrung anderer in eben denselben Kenntnissen gemacht ist, besteht ein großer Vorzug derselben vor denen, welche die Ehre verdienen, Genies zu | heißen: weil für diese die Kunst irgendwo still steht, indem ihr eine Grenze gesetzt ist, über die sie nicht weiter gehen kann, die vermutlich auch schon seit lange her erreicht ist und nicht mehr erweitert werden kann; und überdem eine solche Geschicklichkeit sich auch nicht mitteilen läßt, son-|dern jedem unmittelbar von der Hand der Natur erteilt sein will, mit ihm also stirbt, bis die Natur einmal einen andern wiederum eben so begabt, der nichts weiter als eines Beispiels bedarf, um das Talent, dessen er sich bewußt ist, auf ähnliche Art wirken zu lassen.

Da die Naturgabe der Kunst (als schönen Kunst) die Regel geben muß: welcherlei Art ist denn diese Regel? Sie kann in keiner Formel abgefaßt zur Vorschrift dienen; denn

[1] A: »*den*«. – [2] A: »jener *ihr* Talent«. – [3] A: »*in Erkenntnissen*«.

sonst würde das Urteil über das Schöne nach Begriffen bestimmbar sein: sondern die Regel muß von der Tat, d. i. vom Produkt abstrahiert werden, an welchem andere ihr eigenes Talent prüfen mögen, um sich jenes zum Muster, nicht der Nachmachung, sondern der Nachahmung, dienen zu lassen. Wie dieses möglich sei, ist schwer zu erklären. Die Ideen des Künstlers erregen ähnliche Ideen seines Lehrlings, wenn ihn die Natur mit einer ähnlichen Proportion der Gemütskräfte versehen hat. Die Muster der schönen Kunst sind daher die einzigen Leitungsmittel, diese auf die Nachkommenschaft zu bringen: welches durch bloße Beschreibungen nicht geschehen könnte (vornehmlich nicht | im Fache der redenden Künste); und auch in diesen können nur die in alten, toten, und jetzt nur als gelehrte aufbehaltenen Sprachen klassisch werden.

Ob zwar mechanische und schöne Kunst, die erste als bloße Kunst des Fleißes und der Erlernung, die zweite als die des Genies, sehr von einander unterschie|den sind: so gibt es doch keine schöne Kunst, in welcher nicht etwas Mechanisches, welches nach Regeln gefaßt und befolgt werden kann, und also etwas Schulgerechtes die wesentliche Bedingung der Kunst ausmachte. Denn etwas muß dabei als Zweck gedacht werden, sonst kann man ihr Produkt gar keiner Kunst zuschreiben; es wäre ein bloßes Produkt des Zufalls. Um aber einen Zweck ins Werk zu richten, dazu werden bestimmte Regeln erfordert, von denen man sich nicht frei sprechen darf. Da nun die Originalität des Talents ein (aber nicht das einzige) wesentliches Stück vom Charakter des Genies ausmacht: so glauben seichte Köpfe, daß sie nicht besser zeigen können, sie wären aufblühende Genies, als wenn sie sich vom Schulzwange aller Regeln lossagen, und glauben, man paradiere besser auf einem kollerichten Pferde, als auf einem Schulpferde. Das Genie kann nur reichen Stoff zu Produkten der schönen Kunst hergeben; die Verarbeitung desselben und die Form erfordert ein durch die Schule gebildetes Talent, um einen Gebrauch davon zu machen, der vor der Urteilskraft bestehen kann. Wenn aber jemand sogar in Sachen | der sorgfältigsten Ver-

|B 186, 187 |A 184

nunftuntersuchung wie ein Genie spricht und entscheidet, so ist es vollends lächerlich; man weiß nicht recht, ob man mehr über den Gaukler, der um sich so viel Dunst verbreitet, *wobei*[1] man nichts deutlich beurteilen, aber desto mehr sich einbilden kann, oder mehr über das Publikum lachen soll, welches sich treu|herzig einbildet, daß sein Unvermögen, das Meisterstück der Einsicht deutlich erkennen und fassen zu können, daher komme, weil ihm neue Wahrheiten in ganzen Massen zugeworfen werden, wogegen ihm das Detail (durch abgemessene Erklärungen und schulgerechte Prüfung der Grundsätze) nur Stümperwerk zu sein scheint.

§ 48. VOM VERHÄLTNISSE DES GENIES ZUM GESCHMACK

Zur Beurteilung schöner Gegenstände, als solcher, wird Geschmack, zur schönen Kunst selbst aber, d.i. *der*[2] Hervorbringung solcher Gegenstände, wird Genie erfordert.

Wenn man das Genie als Talent zur schönen Kunst betrachtet (welches die eigentümliche Bedeutung des Worts mit sich bringt), und es in dieser Absicht in die Vermögen zergliedern will, die ein solches Talent auszumachen zusammen kommen müssen: so ist nötig, zuvor den Unterschied zwischen der Naturschönheit, deren Beurteilung nur Geschmack, und der Kunstschönheit, deren | Möglichkeit (worauf in der Beurteilung eines dergleichen Gegenstandes auch Rücksicht genommen werden muß) Genie erfordert, genau zu bestimmen.

Eine Naturschönheit ist ein schönes Ding; die Kunstschönheit ist eine schöne Vorstellung von einem Dinge.

| Um eine Naturschönheit als eine solche zu beurteilen, brauche ich nicht vorher einen Begriff davon zu haben, was der Gegenstand für ein Ding sein solle; d. i. ich habe nicht nötig, die materiale Zweckmäßigkeit (den Zweck) zu kennen, sondern die bloße Form ohne Kenntnis des Zwecks gefällt in der Beurteilung für sich selbst. Wenn aber der Ge-

[1] A: *»bei dem«*. – [2] C: *»zur«*.

genstand für ein Produkt der Kunst gegeben ist, und als solches für schön erklärt werden soll: so muß, weil Kunst immer einen Zweck in der Ursache (und deren Kausalität) voraussetzt, zuerst ein Begriff von dem zum Grunde gelegt werden, was das Ding sein soll; und, da die Zusammenstimmung des Mannigfaltigen in einem Dinge, zu einer innern Bestimmung desselben als Zweck, die Vollkommenheit des Dinges ist, so wird in der Beurteilung der Kunstschönheit zugleich die Vollkommenheit des Dinges in Anschlag gebracht werden müssen, wornach in der Beurteilung einer Naturschönheit (als einer solchen) gar nicht die Frage ist. – Zwar wird in der Beurteilung, vornehmlich der belebten Gegenstände der Natur, z. B. des Menschen oder eines Pferdes, auch die objektive Zweckmäßigkeit gemei|niglich mit in Betracht gezogen, um über die Schönheit derselben zu urteilen; alsdann ist aber auch das Urteil nicht mehr rein-ästhetisch, d. i. bloßes Geschmacksurteil. Die Natur wird nicht mehr beurteilt, wie sie als Kunst erscheint, sondern sofern sie wirklich (obzwar übermenschliche) Kunst ist; und das te|leologische Urteil dient dem ästhetischen zur Grundlage und Bedingung, worauf dieses Rücksicht nehmen muß. In einem solchen Falle denkt man auch, wenn z. B. gesagt wird: »das ist ein schönes Weib«, in der Tat nichts anders, als: die Natur stellt in ihrer Gestalt die Zwecke im weiblichen Baue schön vor; denn man muß noch über die bloße Form auf einen Begriff hinaussehen, damit der Gegenstand auf solche Art durch ein logisch-bedingtes ästhetisches Urteil gedacht werde.

Die schöne Kunst zeigt darin eben ihre Vorzüglichkeit, daß sie Dinge, die in der Natur häßlich oder mißfällig sein würden, schön beschreibt. Die Furien, Krankheiten, Verwüstungen des Krieges, u. d. gl. können, *als Schädlichkeiten*[1], sehr schön beschrieben, ja sogar im Gemälde vorgestellt werden; nur eine Art Häßlichkeit kann nicht der Natur gemäß vorgestellt werden, ohne alles ästhetische Wohlgefallen, mithin *die* Kunstschönheit[2], zu Grunde zu richten: nämlich diejenige, welche Ekel erweckt. Denn, weil

[1] Zusatz von B u. C. – [2] A: »mithin *der* Kunstschönheit«.

|B 189 |A 187

in dieser sonderbaren, auf lauter Einbildung beruhenden Empfindung der Gegenstand gleichsam, als ob er sich zum Genusse *aufdränge*[1], wider | den wir doch mit Gewalt streben, vorgestellt wird: so wird die künstliche Vorstellung des Gegenstandes von der Natur dieses Gegenstandes selbst in unserer Empfindung nicht mehr unterschieden, und jene kann alsdann unmöglich für schön gehalten werden. Auch hat die Bildhauerkunst, weil an ihren Produkten die Kunst mit der Natur beinahe verwechselt | wird, die unmittelbare Vorstellung häßlicher Gegenstände von ihren Bildungen ausgeschlossen, und dafür z. B. den Tod (in einem schönen Genius), den Kriegsmut (am Mars) durch eine Allegorie oder Attribute, die sich gefällig ausnehmen, mithin nur indirekt vermittelst einer Auslegung der Vernunft, und nicht für bloß ästhetische Urteilskraft, vorzustellen erlaubt.

So viel von der schönen Vorstellung eines Gegenstandes, die eigentlich nur die Form der Darstellung eines Begriffs ist, durch *welche* dieser[2] allgemein mitgeteilt wird. – Diese Form aber dem Produkte der schönen Kunst zu geben, dazu wird bloß Geschmack erfordert, an welchem der Künstler, nachdem er ihn durch mancherlei Beispiele der Kunst, oder der Natur, geübt und berichtigt hat, sein Werk hält, und, nach manchen oft mühsamen Versuchen, denselben zu befriedigen, diejenige Form findet, die ihm Genüge tut: daher diese nicht gleichsam eine Sache der Eingebung, oder eines freien Schwunges der Gemütskräfte, sondern einer langsamen und gar peinlichen Nachbesserung ist, um sie dem Gedanken | angemessen und doch der Freiheit im Spiele derselben nicht nachteilig werden zu lassen.

Geschmack ist aber bloß ein Beurteilungs- nicht ein produktives Vermögen; und, was ihm gemäß ist, ist darum eben nicht ein Werk der schönen Kunst: es kann ein zur nützlichen und mechanischen Kunst, oder gar zur Wissenschaft gehöriges Produkt nach bestimmten Regeln | sein, die gelernt werden können und genau befolgt werden müssen. Die gefällige Form aber, die man ihm gibt, ist nur das Vehikel der Mitteilung und eine Manier gleichsam des Vor-

[1] C: »*aufdrängte*«. – [2] A: »durch *die* dieser«.

trages, in Ansehung dessen man noch in gewissem Maße frei *bleibt*[1], wenn er doch übrigens an einen bestimmten Zweck gebunden ist. So verlangt man, daß das Tischgeräte, oder auch eine moralische Abhandlung, sogar eine Predigt diese Form der schönen Kunst, ohne doch gesucht zu scheinen, an sich haben müsse; man wird sie aber darum nicht Werke der schönen Kunst nennen. Zu der letzteren aber wird ein Gedicht, eine Musik, eine Bildergalerie u. d. gl. gezählt; und da kann man an einem seinsollenden Werke der schönen Kunst oftmals Genie ohne Geschmack, an einem andern Geschmack ohne Genie, wahrnehmen.

| § 49. VON DEN VERMÖGEN DES GEMÜTS, *WELCHE*[2] DAS GENIE AUSMACHEN

Man sagt von gewissen Produkten, von welchen man erwartet, daß sie sich, zum Teil wenigstens, als schöne Kunst zeigen sollten: sie sind ohne Geist; ob man gleich an ihnen, was den Geschmack betrifft, nichts zu tadeln findet. Ein Gedicht kann recht nett und elegant sein, aber es ist ohne Geist. Eine Geschichte ist genau und ordentlich, aber ohne Geist. Eine feierliche Rede | ist gründlich und zugleich zierlich, aber ohne Geist. Manche Konversation ist nicht ohne Unterhaltung, aber doch ohne Geist; selbst von einem Frauenzimmer sagt man wohl, sie ist hübsch, gesprächig und artig, aber ohne Geist. Was ist denn das[3], was man hier unter Geist versteht?

Geist, in ästhetischer Bedeutung, heißt das belebende Prinzip im Gemüte. Dasjenige aber, wodurch dieses Prinzip die Seele belebt, der Stoff, den es dazu anwendet, ist das, was die Gemütskräfte zweckmäßig in Schwung versetzt, d. i. in ein solches Spiel, welches sich von selbst erhält und selbst die Kräfte dazu stärkt.

Nun behaupte ich, dieses Prinzip sei nichts anders, als das Vermögen der Darstellung ästhetischer Ideen; unter einer ästhetischen Idee aber verstehe ich diejenige Vorstellung der Einbildungskraft, die viel zu | denken veranlaßt,

[1] A: »frei *ist*«. – [2] A: *»die«*. – [3] A: »ist das denn«.

ohne daß ihr doch irgend ein bestimmter Gedanke, d. i. Begriff adäquat sein kann, die folglich keine Sprache völlig erreicht und verständlich machen kann. – Man sieht leicht, daß sie das Gegenstück (Pendant) von einer Vernunftidee sei, welche umgekehrt ein Begriff ist, dem keine Anschauung (Vorstellung der Einbildungskraft) adäquat sein kann.

Die Einbildungskraft (als produktives Erkenntnisvermögen) ist nämlich sehr mächtig in Schaffung gleichsam einer andern Natur, aus dem Stoffe, den ihr die wirkliche gibt. Wir unterhalten uns | mit ihr, wo uns die Erfahrung zu alltäglich vorkommt; bilden diese auch wohl um: zwar noch immer nach analogischen Gesetzen, aber doch auch nach Prinzipien, die höher hinauf in der Vernunft liegen (und die uns eben sowohl natürlich sind, als die, nach welchen der Verstand die empirische Natur auffaßt); wobei wir unsere Freiheit vom Gesetze der Assoziation (welches dem empirischen Gebrauche jenes Vermögens anhängt) fühlen, nach *welchem* uns von[1] der Natur zwar Stoff geliehen, *dieser* aber von uns zu etwas *ganz*[2] anderem, *nämlich dem,* was[3] die Natur übertrifft, verarbeitet werden kann.

Man kann dergleichen Vorstellungen der Einbildungskraft Ideen nennen: eines Teils darum, weil sie zu etwas über die Erfahrungsgrenze hinaus Liegendem wenigstens streben, und so einer Darstellung der Vernunftbegriffe (der intellektuellen Ideen) nahe zu kom|men suchen, welches ihnen den Anschein einer objektiven Realität gibt; andrerseits, und zwar hauptsächlich, weil ihnen, als innern Anschauungen, kein Begriff völlig adäquat sein kann. Der Dichter wagt es, Vernunftideen von unsichtbaren Wesen, das Reich der Seligen, das Höllenreich, die Ewigkeit, die Schöpfung u.d.gl. zu versinnlichen; oder auch das, was zwar Beispiele in der Erfahrung findet, z. B. den Tod, den Neid und alle Laster, imgleichen die Liebe, den Ruhm u.d.gl. über die Schranken der Erfahrung hinaus, vermittelst einer Einbildungskraft, die dem Vernunft-Vorspiele in Er-

[1] C: »fühlen, *so daß* uns nach *demselben* von«. – [2] Fehlt in C. – [3] A: »geliehen, *der* von uns aber zu etwas *ganz* anderem *und* was«.

|B 194 |A 191

rei|chung eines Größten nacheifert, in einer Vollständigkeit sinnlich zu machen, für die sich in der Natur kein Beispiel findet; und es ist eigentlich die Dichtkunst, in welcher sich das Vermögen ästhetischer Ideen in seinem ganzen Maße zeigen kann. Dieses Vermögen aber, für sich allein betrachtet, ist eigentlich nur ein Talent (der Einbildungskraft).

Wenn nun einem Begriffe eine Vorstellung der Einbildungskraft untergelegt wird, die zu seiner Darstellung gehört, aber für sich allein so viel zu denken veranlaßt, als sich niemals in einem bestimmten Begriff zusammenfassen läßt, mithin den Begriff selbst auf unbegrenzte Art ästhetisch erweitert: so ist die Einbildungskraft hiebei schöpferisch, und bringt das Vermögen intellektueller Ideen (die Vernunft) in Bewegung, mehr *nämlich*[1] bei Veranlassung einer Vorstellung zu denken (was zwar zu ¦ dem Begriffe des Gegenstandes gehört), als in ihr aufgefaßt und deutlich *gemacht*[2] werden kann.

Man nennt diejenigen Formen, welche nicht die Darstellung eines gegebenen Begriffs selber ausmachen, sondern nur, als Nebenvorstellungen der Einbildungskraft, die damit verknüpften Folgen und die Verwandtschaft desselben mit andern ausdrücken, Attribute (ästhetische) eines Gegenstandes, dessen Begriff, als Vernunftidee, nicht adäquat dargestellt werden kann. So ist der Adler Jupiters[3], mit dem Blitze in den Klauen, ein Attribut des mächtigen Himmelskönigs, und der Pfau der | prächtigen Himmelskönigin. Sie stellen nicht, wie die logischen Attribute, das was in unsern Begriffen von der Erhabenheit und Majestät der Schöpfung liegt, sondern etwas anderes vor, was der Einbildungskraft Anlaß gibt, sich über eine Menge von verwandten Vorstellungen zu verbreiten, die mehr denken lassen, als man in einem durch Worte bestimmten Begriff ausdrücken kann; und geben eine ästhetische Idee, die jener Vernunftidee statt logischer Darstellung dient, eigentlich aber um das Gemüt zu beleben, indem sie ihm die Aussicht in ein unabsehliches Feld verwandter Vorstellungen

[1] Zusatz von B u. C. – [2] A: »*gedacht*«. – [3] A: »*des* Jupiters«.

¦B 195 |A 192, 193

eröffnet. Die schöne Kunst aber tut dieses nicht allein in der Malerei oder Bildhauerkunst (wo der Namen der Attribute gewöhnlich gebraucht wird); sondern die Dichtkunst und Beredsamkeit nehmen den Geist, der ihre Werke belebt, auch lediglich von den ästhetischen Attributen der | Gegenstände her, welche den logischen zur Seite gehen, und der Einbildungskraft einen Schwung geben, mehr dabei, obzwar auf unentwickelte Art, zu denken, als sich in einem Begriffe, mithin in einem bestimmten Sprachausdrucke, zusammenfassen läßt. – Ich muß mich der Kürze wegen nur auf wenige Beispiele einschränken.

Wenn der Große König sich in einem seiner Gedichte so ausdrückt: »Laßt uns aus dem Leben ohne Murren weichen und ohne etwas zu bedauern, indem wir die Welt noch alsdann mit Wohltaten überhäuft zurück|lassen. So verbreitet die Sonne, nachdem sie ihren Tageslauf vollendet hat, noch ein mildes Licht am Himmel; und die letzten Strahlen, die sie in die Lüfte schickt, sind ihre letzten Seufzer für das Wohl der Welt«: so belebt er seine Vernunftidee, von weltbürgerlicher Gesinnung noch am Ende des Lebens, durch ein Attribut, welches die Einbildungskraft (in der Erinnerung an alle Annehmlichkeiten eines vollbrachten schönen Sommertages, die uns ein heiterer Abend ins Gemüt ruft) jener Vorstellung beigesellt, und welches eine Menge von Empfindungen und Nebenvorstellungen rege macht, für die sich kein Ausdruck findet. Andererseits kann sogar ein intellektueller Begriff umgekehrt zum Attribut einer Vorstellung der Sinne dienen, und so diese *letztern*[1] durch die Idee des Übersinnlichen beleben; aber nur, indem das ästhetische, *was*[2] dem Bewußtsein des letztern subjektiv | anhänglich ist, hiezu gebraucht wird. So sagt z. B. ein gewisser Dichter in der Beschreibung eines schönen Morgens: »Die Sonne quoll hervor, wie Ruh aus Tugend quillt«. Das Bewußtsein der Tugend, wenn man sich auch nur in Gedanken in die Stelle eines Tugendhaften versetzt, verbreitet im Gemüte eine Menge erhabener und beruhigender Gefühle, und eine grenzenlose Aussicht in eine frohe Zu-

[1] C: *»letztere«*. – [2] C: *»welches«*.

kunft, die kein Ausdruck, welcher einem bestimmten Begriffe angemessen ist, völlig erreicht.*

| Mit einem Worte, die ästhetische Idee ist eine einem gegebenen Begriffe beigesellte Vorstellung der Einbildungskraft, welche mit einer solchen Mannigfaltigkeit *der*[1] Teilvorstellungen in dem freien Gebrauche derselben verbunden ist, daß für sie kein Ausdruck, der einen bestimmten Begriff bezeichnet, gefunden werden kann, *der*[2] also zu einem Begriffe viel Unnennbares hinzu denken läßt, *dessen* Gefühl[3] die Erkenntnisvermögen belebt und mit der Sprache, als bloßem Buchstaben, Geist verbindet.

| Die Gemütskräfte also, deren Vereinigung (in gewissem Verhältnisse) das Genie ausmachen[4], sind Einbildungskraft und Verstand. Nur, da, im Gebrauch der Einbildungskraft zum Erkenntnisse, die *Einbildungskraft*[5] unter dem Zwange des Verstandes und[6] der Beschränkung unterworfen ist, dem Begriffe desselben angemessen zu sein; in ästhetischer Absicht *aber die Einbildungskraft* frei ist, um über[7] jene Einstimmung zum Begriffe, *doch* ungesucht[8], reichhaltigen unentwickelten Stoff für den Verstand, worauf dieser in seinem Be|griffe nicht Rücksicht nahm, zu liefern, welchen dieser aber, nicht sowohl objektiv zum Erkenntnisse, als subjektiv zur Belebung der Erkenntniskräfte, indirekt also doch auch zu Erkenntnissen anwendet: so besteht das Genie eigentlich in dem glücklichen Verhältnisse, welches keine Wissenschaft lehren und kein Fleiß erlernen kann, zu einem gegebenen Begriffe Ideen aufzufinden, und andrerseits zu diesen den Ausdruck zu treffen, durch den

* Vielleicht ist nie etwas Erhabneres gesagt, oder ein Gedanke erhabener ausgedrückt worden, als in jener Aufschrift | über dem Tempel der Isis (der Mutter Natur): »Ich bin alles was da ist, was da war, und was da sein wird, und meinen Schleier hat kein Sterblicher aufgedeckt«. Segner benutzte diese Idee, durch eine sinnreiche seiner Naturlehre vorgesetzte Vignette, um seinen Lehrling, den er in diesen Tempel zu führen bereit war, vorher mit dem heiligen Schauer zu erfüllen, der das Gemüt zu feierlicher Aufmerksamkeit stimmen soll.

[1] C: *»von«*. – [2] C: *»die«*. – [3] A: »*der* also viel Unnennbares zu einem Begriffe hinzu denken läßt, *davon das* Gefühl«. – [4] Akad.-Ausg.: »ausmacht«. – [5] C: »die *erstere*«. – [6] C: »Verstandes *steht*, und«. – [7] C: »Absicht *sie hingegen* frei ist, um *noch* über«. – [8] A: »Begriffe, *noch* ungesucht«.

|B 198 |A 195, 196 Anm.: |A 195

die dadurch bewirkte subjektive Gemütsstimmung, als Begleitung eines Begriffs, anderen mitgeteilt werden kann. *Das letztere*[1] Talent ist eigentlich dasjenige, was man Geist nennt; denn das Unnennbare in dem Gemütszustande bei einer gewissen Vorstellung auszudrücken und allgemein mitteilbar zu machen, der Ausdruck mag nun in Sprache, oder Malerei, oder Plastik bestehen: *das*[2] erfordert ein Vermögen, das schnell vorübergehende Spiel der Einbildungskraft aufzufassen, und | in einen Begriff (der eben darum original ist und zugleich eine neue Regel eröffnet, die aus keinen vorhergehenden Prinzipien oder Beispielen hat gefolgert werden können) zu vereinigen, der sich ohne Zwang *der Regeln*[3] mitteilen läßt.

* * *

Wenn wir nach diesen Zergliederungen auf die oben gegebene Erklärung dessen, was man Genie nennt, zurücksehen, so finden wir: erstlich, daß es ein Talent zur Kunst sei, nicht zur Wissenschaft, in welcher deut|lich gekannte Regeln vorangehen und das Verfahren in derselben bestimmen müssen; zweitens, daß es, als Kunsttalent, einen bestimmten Begriff von dem Produkte, als Zweck, mithin Verstand, aber auch eine (wenn gleich unbestimmte) Vorstellung von dem Stoff, d. i. der Anschauung, zur Darstellung dieses Begriffs, mithin ein Verhältnis der Einbildungskraft zum Verstande voraussetze; daß es sich drittens nicht sowohl in der Ausführung des vorgesetzten Zwecks in Darstellung eines bestimmten Begriffs, als vielmehr im Vortrage, oder dem Ausdrucke ästhetischer Ideen, welche zu jener Absicht reichen Stoff enthalten, zeige, mithin[4] die Einbildungskraft, in ihrer Freiheit von aller Anleitung der Regeln, dennoch als zweckmäßig zur Darstellung des gegebenen Begriffs vorstellig mache; daß endlich viertens die ungesuchte unabsichtliche subjektive Zweckmäßigkeit in der freien Übereinstimmung der Einbildungs|kraft zur Gesetzlichkeit des Verstandes eine solche Proportion und

[1] A: »*Des letztern*«. – [2] C: »*dies*«. – [3] Zusatz von B u. C. – [4] A: »Ideen zeige, welche ... enthalten, mithin«.

Stimmung dieser Vermögen voraussetze, als keine Befolgung von Regeln, es sei der Wissenschaft oder mechanischen Nachahmung, bewirken, sondern bloß die Natur des Subjekts hervorbringen kann.

Nach diesen Voraussetzungen ist Genie: die musterhafte Originalität der Naturgabe eines Subjekts im freien Gebrauche seiner Erkenntnisvermögen. Auf solche Weise ist das Produkt eines Genies (nach demjenigen, was in demselben dem Genie, nicht der möglichen | Erlernung oder der Schule, zuzuschreiben ist) ein Beispiel nicht der Nachahmung (denn da würde das, was daran Genie ist und den Geist des Werks ausmacht, *verloren gehen*[1]), sondern der Nachfolge für ein anderes Genie, welches dadurch zum Gefühl seiner eigenen Originalität aufgeweckt wird, Zwangsfreiheit von Regeln so in der Kunst auszuüben, daß diese dadurch selbst eine neue Regel bekommt, wodurch das Talent sich als musterhaft zeigt. Weil aber das Genie ein Günstling der Natur ist, dergleichen man nur als seltene Erscheinung anzusehen hat: so bringt sein Beispiel für andere gute Köpfe eine Schule hervor, d. i. eine methodische Unterweisung nach Regeln, soweit man sie aus jenen Geistesprodukten und ihrer Eigentümlichkeit hat ziehen können: und für *diese* ist[2] die schöne Kunst sofern Nachahmung, der die Natur durch ein Genie die Regel gab.

| Aber diese Nachahmung wird Nachäffung, wenn der Schüler alles nachmacht, bis auf das, was das Genie als Mißgestalt nur hat zulassen müssen, weil es sich, ohne die Idee zu schwächen, nicht wohl wegschaffen ließ. Dieser Mut ist an einem Genie allein Verdienst; und eine gewisse Kühnheit im Ausdrucke und überhaupt manche Abweichung von der gemeinen Regel steht demselben wohl an, ist aber keinesweges nachahmungswürdig, sondern bleibt immer an sich ein Fehler, den man wegzuschaffen suchen muß, für *welchen* aber[3] das Genie gleichsam privilegiert ist, da das Unnachahmliche | seines Geistesschwunges durch ängstliche Behutsamkeit leiden würde. Das Manierieren ist eine andere Art von Nachäffung, nämlich der bloßen Eigentüm-

[1] A: »*weg fallen*«. – [2] A: »für *die* ist«. – [3] A: »für *dergleichen* aber«.

lichkeit (Originalität) überhaupt, um sich ja von Nachahmern so weit als möglich zu entfernen, ohne doch das Talent zu besitzen, dabei zugleich musterhaft zu sein. – Zwar gibt es zweierlei Art (modus) überhaupt der Zusammenstellung seiner Gedanken des Vortrages, deren die eine Manier (modus aestheticus), die andere Methode (modus logicus) heißt, die sich darin von einander unterscheiden: daß die erstere kein anderes Richtmaß hat, als das Gefühl der Einheit in der Darstellung, die andere aber hierin bestimmte Prinzipien befolgt; für die schöne Kunst gilt also nur die erstere. Allein manieriert heißt ein Kunstprodukt nur alsdann, wenn der Vortrag seiner Idee in demselben | auf die Sonderbarkeit angelegt und nicht der Idee angemessen gemacht wird. Das Prangende (Preziöse), das Geschrobene und Affektierte, um sich nur vom Gemeinen (aber ohne Geist) zu unterscheiden, sind dem Benehmen desjenigen ähnlich, von dem man sagt, daß er sich sprechen höre, oder *welcher*[1] steht und geht, als ob er auf einer Bühne wäre, um angegafft zu werden, welches jederzeit einen Stümper verrät.

| § 50. VON DER VERBINDUNG DES GESCHMACKS MIT GENIE IN PRODUKTEN DER SCHÖNEN KUNST

Wenn die Frage ist, woran in Sachen der schönen Kunst mehr gelegen sei, ob daran, daß sich an ihnen Genie, oder ob, daß sich Geschmack zeige, so ist das eben so viel, als wenn gefragt würde, ob es darin mehr auf Einbildung, als auf Urteilskraft ankomme. Da nun eine Kunst in Ansehung des ersteren eher eine geistreiche, in Ansehung des zweiten aber allein eine schöne Kunst genannt zu werden verdient: so ist das letztere wenigstens als unumgängliche Bedingung (conditio sine qua non) das Vornehmste, worauf man in Beurteilung der Kunst als schöne Kunst zu sehen hat. Reich und original an Ideen zu sein, bedarf es nicht so notwendig zum Behuf der Schönheit, *aber wohl* der Ange-

[1] Zusatz von B u. C.

messenheit[1] jener Einbildungskraft in ihrer Freiheit zu der Gesetzmäßigkeit des Verstandes. Denn aller Reichtum | der ersteren bringt in ihrer gesetzlosen Freiheit nichts als Unsinn hervor; die Urteilskraft ist *aber*[2] das Vermögen, sie dem Verstande anzupassen.

Der Geschmack ist, so wie die Urteilskraft überhaupt, die Disziplin (oder Zucht) des Genies, beschneidet diesem sehr die Flügel und macht es gesittet oder geschliffen; zugleich aber gibt er diesem eine Leitung, worüber und bis wie weit *es*[3] sich verbreiten soll, um zweckmäßig | zu bleiben; und, indem er Klarheit und Ordnung in die Gedankenfülle hineinbringt, macht[4] er die Ideen haltbar, eines daurenden zugleich auch allgemeinen Beifalls, der Nachfolge anderer, und einer immer fortschreitenden Kultur, fähig. Wenn also im Widerstreite beiderlei Eigenschaften an einem Produkte etwas aufgeopfert werden soll, so müßte es eher auf der Seite des Genies geschehen: und die Urteilskraft, welche in Sachen der schönen Kunst aus eigenen Prinzipien den Ausspruch tut, wird eher der Freiheit und dem Reichtum der Einbildungskraft, als dem Verstande Abbruch zu tun erlauben.

Zur schönen Kunst würden also Einbildungskraft, Verstand, Geist und Geschmack erforderlich sein.*

| § 51. VON DER EINTEILUNG DER SCHÖNEN KÜNSTE

Man kann überhaupt Schönheit (sie mag Natur- oder Kunstschönheit sein) den Ausdruck ästhetischer Ideen nennen: nur daß in der schönen Kunst diese Idee | durch einen Begriff vom Objekt veranlaßt werden muß, in der schönen Natur aber die bloße Reflexion über eine gegebene

* Die drei ersteren Vermögen bekommen durch das vierte allererst ihre Vereinigung. Hume gibt in seiner Geschichte den Engländern zu verstehen, daß, obzwar sie in ihren Werken keinem Volke in der Welt in Ansehung der | Beweistümer der drei ersteren Eigenschaften, abgesondert betrachtet, etwas nachgäben, sie doch in der, welche sie vereinigt, ihren Nachbaren, den Franzosen, nachstehen müßten.

[1] C: »Zum Behuf der Schönheit bedarf es nicht so notwendig, reich und original an Ideen zu sein, *als vielmehr* der Angemessenheit«. – [2] C: »*hingegen*«. – [3] A: »*er*«. – [4] A: »*so* macht«.

|B 203, 204 |A 201, 202 Anm.: |B 204

Anschauung, ohne Begriff von dem was der Gegenstand sein soll, zur Erweckung und Mitteilung der Idee, von *welcher*[1] jenes Objekt als der Ausdruck betrachtet wird, hinreichend ist.

Wenn wir also die schönen Künste einteilen wollen: so können wir, wenigstens zum Versuche, kein bequemeres Prinzip dazu wählen, als die Analogie der Kunst mit der Art des Ausdrucks, dessen sich Menschen im Sprechen bedienen, um sich, so vollkommen als möglich ist, einander, d. i. nicht bloß ihren Begriffen, sondern auch Empfindungen nach, mitzuteilen.* – Dieser besteht in dem Worte, der Gebärdung, und dem | Tone (Artikulation, Gestikulation, und Modulation). Nur die Verbindung dieser drei Arten des Ausdrucks macht die vollständige Mitteilung des Sprechenden aus. Denn Gedanke, Anschauung und Empfindung werden dadurch zugleich und vereinigt auf den andern *übergetragen*[2].

Es gibt also nur dreierlei Arten schöner Künste: die redende, die bildende, und die Kunst des Spiels[3] der Empfindungen (als äußerer Sinneneindrücke). Man könnte diese Einteilung auch dichotomisch einrich|ten, so daß die schöne Kunst in die des Ausdrucks der Gedanken, oder der Anschauungen, diese[4] wiederum bloß nach ihrer Form, oder *ihrer*[5] Materie (der Empfindung), eingeteilt würde. Allein sie würde alsdann zu abstrakt und nicht so angemessen den gemeinen Begriffen aussehen[6].

1) Die redenden Künste sind Beredsamkeit und Dichtkunst. Beredsamkeit ist die Kunst, ein Geschäft des Verstandes als ein freies Spiel der Einbildungskraft zu betreiben; Dichtkunst, ein freies Spiel der Einbildungskraft als ein Geschäft des Verstandes auszuführen.

Der Redner also kündigt ein Geschäft an und führt es so aus, als ob es bloß ein Spiel mit Ideen sei, um die *Zu-*

* Der Leser wird diesen Entwurf zu einer möglichen Einteilung der schönen Künste nicht als beabsichtigte Theorie beurteilen. Es ist nur einer von den mancherlei Versuchen, die man noch anstellen kann und soll.

[1] A: »von *der*«. – [2] A: »*übertragen*«. – [3] A: »die bildende Kunst und die des Spiels«. – [4] C: »*und* diese«. – [5] Zusatz von B u. C. – [6] C: »und den gemeinen Begriffen nicht so angemessen aussehen«.

schauer[1] zu unterhalten. Der Dichter kündigt bloß ein unterhaltendes Spiel mit Ideen an, und es kommt doch so viel für den Verstand heraus, als ob er bloß dessen Geschäft zu treiben die Absicht gehabt | hätte. Die Verbindung und Harmonie beider Erkenntnisvermögen, der Sinnlichkeit und des Verstandes, die einander zwar nicht entbehren, aber[2] doch auch ohne Zwang und wechselseitigen Abbruch *sich*[3] nicht wohl vereinigen lassen, muß unabsichtlich zu sein, und sich von selbst so zu fügen scheinen; sonst ist es nicht schöne Kunst. Daher alles Gesuchte und Peinliche darin vermieden werden muß; denn schöne Kunst muß in doppelter Bedeutung freie Kunst sein: sowohl daß sie nicht, als Lohngeschäft, eine Arbeit sei, | deren Größe sich nach einem bestimmten Maßstabe beurteilen, erzwingen oder bezahlen läßt; sondern auch[4], daß das Gemüt sich zwar beschäftigt, aber dabei doch, ohne auf einen andern Zweck hinauszusehen (unabhängig vom Lohne), befriedigt und erweckt fühlt.

Der Redner gibt also zwar etwas, was er nicht verspricht, nämlich ein unterhaltendes Spiel der Einbildungskraft; aber er bricht auch dem etwas ab, was er verspricht, und was doch sein angekündigtes Geschäft ist, nämlich den Verstand zweckmäßig zu beschäftigen. Der Dichter dagegen verspricht wenig und kündigt ein bloßes Spiel mit Ideen an, leistet aber etwas, *was*[5] eines Geschäftes würdig ist, nämlich dem Verstande spielend Nahrung zu verschaffen, und seinen Begriffen durch Einbildungskraft Leben zu geben: *mithin jener im Grunde weniger, dieser mehr, als er verspricht*[3].

| 2) Die bildenden Künste, oder die des Ausdrucks für Ideen in der Sinnenanschauung (nicht durch Vorstellungen der bloßen Einbildungskraft, die durch Worte aufgeregt werden) sind entweder die der Sinnenwahrheit oder des Sinnenscheins. Die erste heißt die Plastik, die zweite die Malerei. Beide machen Gestalten im Raume zum Ausdrucke für Ideen: jene macht Gestalten für zwei Sinne kennbar, dem Gesichte und Gefühl (obzwar dem letz-

[1] A: »*Zuhörer*«. – [2] C: »entbehren *können*, aber«. – [3] Zusatz von B u. C. – [4] Akad.-Ausg.: »als auch«. – [5] C: »*das*«.

teren nicht in Absicht auf Schönheit), diese nur für den ersteren. Die ästhetische Idee (Archetypon, Urbild) liegt zu beiden in der Einbildungskraft zum Grunde; die Gestalt aber, *welche*[1] | den Ausdruck derselben ausmacht (Ektypon, Nachbild), wird entweder in ihrer körperlichen Ausdehnung (wie der Gegenstand selbst existiert) oder nach der Art, wie diese sich im Auge malt (nach ihrer Apparenz in einer Fläche), gegeben; oder, wenn[2] auch das erstere ist, entweder die Beziehung auf einen wirklichen Zweck, oder nur der Anschein desselben, der Reflexion zur Bedingung gemacht.

Zur Plastik, als der ersten Art schöner bildender Künste, gehört die Bildhauerkunst und Baukunst. Die erste ist diejenige, welche Begriffe von Dingen, so wie sie in der Natur existieren könnten, körperlich darstellt (doch als schöne Kunst mit Rücksicht auf ästhetische Zweckmäßigkeit); die zweite ist die Kunst, Begriffe von Dingen, die nur durch Kunst möglich sind, | und deren Form nicht die Natur, sondern einen willkürlichen Zweck zum Bestimmungsgrunde hat, zu dieser Absicht, doch auch zugleich ästhetisch-zweckmäßig, darzustellen. Bei der letzteren ist ein gewisser Gebrauch des künstlichen Gegenstandes die Hauptsache, worauf, als Bedingung, die ästhetischen Ideen eingeschränkt werden. Bei der ersteren ist der bloße Ausdruck ästhetischer Ideen die Hauptabsicht. So sind Bildsäulen von Menschen, Göttern, Tieren u. d. gl. *von*[3] der erstern Art, aber Tempel, oder Prachtgebäude zum Behuf öffentlicher Versammlungen, oder auch Wohnungen, Ehrenbogen, Säulen, Kenotaphien u. d. gl., zum Ehrengedächtnis er|richtet, zur Baukunst gehörig. Ja alles Hausgeräte (die Arbeit des Tischlers u. d. gl. Dinge zum Gebrauche) können dazu *gewählt*[4] werden: weil die Angemessenheit des Produkts zu einem gewissen Gebrauche das Wesentliche eines Bauwerks ausmacht; *dagegen*[5] ein bloßes Bildwerk, das lediglich zum Anschauen gemacht ist und für sich selbst gefallen soll, als körperliche Darstellung bloße Nachahmung der Natur ist, doch mit Rücksicht auf

[1] A: »*die*«. – [2] Akad.-Ausg.: »oder, was«. – [3] C: »*zu*«. – [4] A u. C: »*gezählt*«. – [5] C: »*wogegen*«.

ästhetische Ideen: wobei denn die Sinnenwahrheit nicht so weit gehen darf, daß es aufhöre, als Kunst und Produkt der Willkür zu erscheinen.

Die Malerkunst, als die zweite Art bildender Künste, welche den Sinnenschein künstlich mit Ideen verbunden darstellt, würde ich in die der schönen Schilderung der Natur, und in die der schönen Zusam|menstellung ihrer Produkte einteilen. Die erste wäre die eigentliche Malerei, die zweite die Lustgärtnerei. Denn die erste gibt nur den Schein der körperlichen Ausdehnung; die zweite zwar diese nach der Wahrheit, aber nur den Schein *von* Benutzung und *Gebrauch* zu[1] anderen Zwecken, als bloß für das Spiel der Einbildung in Beschauung ihrer Formen.* Die | letztere ist nichts anders, als die Schmückung des Bodens mit derselben Mannigfaltigkeit (Gräsern, Blumen, Sträuchen und Bäumen, selbst Gewässern, Hügeln und Tälern), womit ihn die Natur dem Anschauen darstellt, nur anders, und angemessen gewissen Ideen, zu|sammengestellt. Die schöne Zusammenstellung aber körperlicher Dinge ist auch nur für das Auge gegeben, wie die Malerei; der Sinn[2] des Gefühls *aber*[3] kann keine anschauliche Vorstellung von einer solchen Form verschaffen. Zu der Malerei im weiten Sinne würde ich noch die Verzierung der Zimmer durch Ta-

* Daß die Lustgärtnerei als eine Art von Malerkunst betrachtet werden könne, ob sie zwar ihre Formen körperlich darstellt, scheint befremdlich; da sie aber ihre Formen wirklich aus der Natur nimmt (die Bäume, Gesträuche, Gräser und Blumen aus Wald und Feld, wenigstens uranfänglich), und sofern nicht, etwa wie die Plastik, Kunst ist, auch | keinen Begriff von dem Gegenstande und seinem Zwecke (wie etwa die Baukunst) zur Bedingung ihrer Zusammenstellung hat, sondern bloß das freie Spiel der Einbildungskraft in der Beschauung: so kommt sie mit der bloß ästhetischen Malerei, die kein bestimmtes Thema hat (Luft, Land und Wasser durch Licht und Schatten unterhaltend zusammen stellt), sofern überein. – Überhaupt wird der Leser dieses nur als einen Versuch, *die* Verbindung[4] der schönen Künste unter einem Prinzip, welches diesmal das des Ausdrucks ästhetischer Ideen (nach der *Anlage*[5] einer Sprache) sein soll, beurteilen, und nicht als für entschieden gehaltene Ableitung derselben ansehen.

[1] A: »Schein *einer* Benutzung und *Gebrauchs* zu«. – [2] A: »Malerei *und* der Sinn«. – [3] Zusatz von B. – [4] C: »Versuch, *von der* Verbindung«. – [5] A: »*Analogie*«.

peten, Aufsätze und alles schöne Ameublement, welches bloß zur Ansicht dient, zählen; imgleichen die Kunst der Kleidung nach Geschmack (Ringe, Dosen[1], u.s.w.). Denn ein Parterre von allerlei Blumen, ein Zimmer mit allerlei Zieraten (selbst den Putz der Damen darunter begriffen) machen an einem Prachtfeste eine Art von Gemälde aus, wel|ches, so wie die eigentlich sogenannten (die nicht etwa Geschichte, oder Naturkenntnis zu lehren die Absicht haben), bloß zum Ansehen da ist, um[2] die Einbildungskraft im freien Spiele mit Ideen zu unterhalten, und ohne bestimmten Zweck die ästhetische Urteilskraft *zu*[3] beschäftigen. Das Machwerk an allem diesen Schmucke mag immer, mechanisch, sehr unterschieden sein, und ganz verschiedene Künstler erfordern: das Geschmacksurteil ist doch über[4] das, was in dieser Kunst schön ist, sofern auf einerlei Art bestimmt: nämlich nur die Formen (ohne Rücksicht auf einen Zweck) so, wie sie sich dem Auge darbieten, einzeln oder in ihrer Zusammensetzung, nach der Wirkung, die sie auf die Einbildungskraft tun, zu beurteilen. – Wie aber bildende Kunst zur Gebärdung in einer Sprache (der Analogie nach)| gezählt werden könne, wird dadurch gerechtfertigt, daß der Geist des Künstlers durch diese Gestalten von dem, was und wie er gedacht hat, einen körperlichen Ausdruck gibt, und die Sache selbst gleichsam mimisch sprechen macht: ein sehr gewöhnliches Spiel unserer Phantasie, welche leblosen Dingen, ihrer Form gemäß, einen Geist unterlegt, der aus ihnen spricht.

3) Die Kunst des schönen Spiels der Empfindungen (die von außen erzeugt werden), und das sich gleichwohl doch muß allgemein mitteilen lassen[5], kann nicht anders, als die Proportion der verschiedenen Grade der Stimmung (Spannung) | des Sinns, dem die Empfindung angehört, d. i. den Ton desselben, betreffen; und in dieser weitläuftigen Bedeutung des Worts kann sie in das künstliche Spiel der *Empfindungen*[6] des Gehörs und der des Gesichts,

[1] A: »Ringe *und* Dosen«. – [2] A: »ist, *und* um«. – [3] Zusatz von B u. C. – [4] A: »erfordern, *so* ist doch das Geschmacksurteil über«. – [5] Akad.-Ausg.: »werden und das ... lassen)«. – [6] A: »Spiel *mit dem Tone* der *Empfindung*«.

mithin in Musik und Farbenkunst, eingeteilt werden. – Es ist merkwürdig: daß diese zwei Sinne, außer der Empfänglichkeit für Eindrücke, so viel davon erforderlich ist, um von äußern Gegenständen, vermittelst ihrer, Begriffe zu bekommen, noch einer besondern damit verbundenen Empfindung fähig sind, von welcher man nicht recht ausmachen kann, ob sie den Sinn, oder die Reflexion zum Grunde habe; und daß diese Affektibilität doch bisweilen mangeln kann, obgleich der Sinn übrigens, was seinen Gebrauch zum Erkenntnis der Objekte betrifft, gar nicht mangelhaft, sondern wohl gar vorzüg|lich fein ist. Das heißt, man kann nicht mit Gewißheit sagen: ob eine Farbe oder ein Ton (Klang) bloß angenehme Empfindungen, oder an sich schon ein schönes Spiel von Empfindungen *sei*[1], und als ein solches ein Wohlgefallen an der Form in der ästhetischen Beurteilung bei sich *führe*[2]. Wenn man die Schnelligkeit der Licht- oder, in der zweiten Art, der Luftbebungen, die alles unser Vermögen, die Proportion der Zeiteinteilung durch dieselbe unmittelbar bei der Wahrnehmung zu beurteilen, wahrscheinlicherweise bei weitem übertrifft, bedenkt: so sollte man glauben, nur die Wirkung | dieser Zitterungen auf die elastischen Teile unsers Körpers werde empfunden, die Zeiteinteilung durch dieselbe aber nicht bemerkt und in Beurteilung gezogen, mithin mit Farben und Tönen nur Annehmlichkeit, nicht Schönheit ihrer Komposition, verbunden. Bedenkt man aber dagegen erstlich das Mathematische, welches sich über die Proportion dieser Schwingungen in der Musik und ihre Beurteilung sagen läßt, und beurteilt die Farbenabstechung, wie billig, nach der Analogie mit der letztern; zieht man zweitens die[3], obzwar seltenen Beispiele von Menschen, die mit dem besten Gesichte von der Welt nicht haben Farben, und mit dem schärfsten Gehöre nicht Töne unterscheiden können, *zu Rat*[4], imgleichen für die, *welche*[5] dieses können, die Wahrnehmung einer veränderten Qualität (nicht bloß des Grades der Empfindung) bei den verschiedenen Anspannungen | auf der Far-

[1] A: »*sein*«; C: »*seien*«. – [2] A u. C: »*führen*«. – [3] A: »letztern; zweitens, zieht man die«. – [4] Zusatz von B u. C. – [5] A: »die, *die*«.

ben- oder Tonleiter, *imgleichen*[1] daß die Zahl derselben für begreifliche Unterschiede bestimmt ist: so möchte man sich genötigt sehen, die Empfindungen von beiden nicht als bloßen Sinneneindruck, sondern als die Wirkung einer Beurteilung der Form im Spiele vieler Empfindungen anzusehen. Der Unterschied, den die eine oder die andere Meinung in der Beurteilung des Grundes der Musik gibt, würde aber nur die Definition dahin verändern, daß *man* sie entweder, wie wir getan haben, für das schöne Spiel der | Empfindungen (durch das Gehör), oder angenehmer Empfindungen, *erklärte*[2]. Nur nach der erstern Erklärungsart wird Musik gänzlich als schöne, nach der zweiten aber als angenehme Kunst (wenigstens zum Teil) vorgestellt werden.

§ 52. VON DER VERBINDUNG DER SCHÖNEN KÜNSTE IN EINEM UND DEMSELBEN PRODUKTE

Die Beredsamkeit kann mit einer malerischen Darstellung ihrer Subjekte sowohl, als Gegenstände, in einem Schauspiele; die Poesie mit Musik, im Gesange; dieser aber zugleich mit malerischer (theatralischer) Darstellung, in einer Oper; das Spiel der Empfindungen in einer Musik mit dem Spiele der Gestalten, im Tanz u.s.w. verbunden werden. Auch kann die Darstellung des Erhabenen, sofern sie zur schönen Kunst gehört, in einem gereimten Trauerspiele, einem | Lehrgedichte, einem Oratorium sich mit der Schönheit vereinigen; und in diesen Verbindungen ist die schöne Kunst noch künstlicher: ob aber auch schöner (da sich so mannigfaltige verschiedene Arten des Wohlgefallens einander durchkreuzen), kann in einigen dieser Fälle bezweifelt werden. Doch in aller schönen Kunst besteht das Wesentliche in der Form, welche für die Beobachtung und Beurteilung zweckmäßig ist, wo die Lust zugleich Kultur ist und den Geist zu Ideen stimmt, mithin | ihn mehrerer solcher Lust und Unterhaltung empfänglich macht; nicht in der Materie der Empfindung (dem Reize oder der Rührung), wo es bloß auf Genuß angelegt ist, welcher nichts in der Idee

[1] C: »*ferner*«. – [2] A: »daß *sie* entweder, ... haben, sie für ... *erklärten*«.

zurückläßt, den Geist stumpf, den Gegenstand *nach und nach*[1] anekelnd, und das Gemüt, durch das Bewußtsein seiner im Urteile der Vernunft zweckwidrigen Stimmung, mit sich selbst unzufrieden und launisch macht.

Wenn die schönen Künste nicht, nahe oder fern, mit moralischen Ideen in Verbindung gebracht werden, die allein ein selbständiges Wohlgefallen bei sich führen, so ist das letztere ihr endliches Schicksal. Sie dienen alsdann nur zur Zerstreuung, deren man immer desto mehr bedürftig wird, als man sich ihrer bedient, um die Unzufriedenheit des Gemüts mit sich selbst dadurch zu vertreiben, daß man sich immer noch unnützlicher und mit sich selbst unzufriedener macht. Überhaupt sind die Schönheiten der Natur zu der ersteren Absicht am zu|träglichsten, wenn man früh dazu gewöhnt wird, sie zu beobachten, zu beurteilen, und zu bewundern.

§ 53. VERGLEICHUNG DES ÄSTHETISCHEN WERTS DER SCHÖNEN KÜNSTE UNTEREINANDER

Unter allen behauptet die Dichtkunst (die fast gänzlich dem Genie ihren Ursprung verdankt, und am wenigsten durch Vorschrift, oder durch Beispiele geleitet | sein will) den obersten Rang. Sie erweitert das Gemüt dadurch, daß sie die Einbildungskraft in Freiheit setzt und innerhalb den Schranken eines gegebenen Begriffs, unter der unbegrenzten Mannigfaltigkeit möglicher damit zusammenstimmender Formen, diejenige darbietet, welche die Darstellung desselben mit einer Gedankenfülle verknüpft, der kein Sprachausdruck völlig adäquat ist, und sich also ästhetisch zu Ideen erhebt. Sie stärkt das Gemüt, indem sie es sein freies, selbsttätiges und von der Naturbestimmung unabhängiges Vermögen fühlen läßt, die Natur, als Erscheinung, nach Ansichten zu betrachten und zu beurteilen, die sie nicht von selbst, weder für den Sinn noch den Verstand in der Erfahrung darbietet, und sie also zum Behuf und gleichsam zum Schema des Übersinnlichen zu gebrauchen. Sie spielt mit dem Schein, den sie nach Belieben bewirkt, ohne doch da-

[1] Zusatz von B u. C.

|B 215 |A 213

durch zu betrügen; denn sie erklärt ihre Beschäftigung selbst für bloßes Spiel, welches gleichwohl vom Verstande und zu dessen Geschäfte zweckmäßig gebraucht werden kann. – Die Beredsamkeit, sofern darunter die Kunst zu überreden, d. i. durch den schönen Schein zu hintergehen (als ars oratoria), und nicht bloße Wohlredenheit (Eloquenz und Stil) verstanden wird, ist eine Dialektik, die von der Dichtkunst nur so viel entlehnt, als nötig ist, die Gemüter, vor der Beurteilung, für den Redner zu *dessen*[1] Vorteil zu gewinnen, und dieser die Freiheit zu benehmen; kann also weder für die Gerichtsschranken, noch für die Kanzeln angeraten werden. Denn wenn es um bürgerliche Gesetze, um das Recht einzelner Personen, *oder*[2] um dauerhafte Belehrung und Bestimmung der Gemüter zur richtigen Kenntnis und gewissenhaften Beobachtung ihrer Pflicht, zu tun ist: so ist es unter der Würde eines so wichtigen Geschäftes, auch nur eine Spur von Üppigkeit des Witzes und der Einbildungskraft, noch mehr aber von der Kunst, zu überreden und zu *irgend jemandes* Vorteil[3] einzunehmen, blicken zu lassen. *Denn*, wenn sie gleich bisweilen zu an sich rechtmäßigen und lobenswürdigen Absichten angewandt werden kann, *so* wird *sie* doch dadurch verwerflich, daß[4] auf diese Art die Maximen und Gesinnungen subjektiv verderbt werden, wenn gleich die Tat objektiv gesetzmäßig ist: indem es nicht genug ist, das, was Recht ist, zu tun, sondern *es* auch aus dem Grunde allein, weil es Recht ist[5], auszuüben. Auch hat der bloße deutliche Begriff dieser Arten von menschlicher Angelegenheit, mit einer lebhaften Darstellung in Beispielen verbunden, und ohne Verstoß wider die Regeln des Wohllauts der Sprache, oder der Wohlanständigkeit des Ausdrucks, für Ideen der Vernunft (*die* zusammen die Wohlredenheit *ausmachen*[6]) schon *an* sich[7] hinreichenden Einfluß auf menschliche Gemüter, *als* daß[8] es nötig wäre, noch die Maschinen der Überredung hiebei anzulegen;

[1] A: »zu *seinem*«. – [2] A: »*und*«. – [3] A: »zu *seinem* Vorteil«. – [4] A: »lassen, *welche*, wenn ... kann, doch dadurch verwerflich wird, daß«. – [5] A: »sondern *dieses* auch aus dem Grunde, weil es allein Recht ist«. – [6] C: »*welches* ... *ausmacht*«. – [7] A: »*für* sich«. – [8] A: »*ohne* daß«.

welche, da sie eben sowohl auch zur Beschönigung oder Verdeckung des Lasters und Irr|tums gebraucht werden können, den geheimen Verdacht wegen einer künstlichen Überlistung nicht ganz vertilgen können. In der Dichtkunst geht alles ehrlich und aufrichtig zu. Sie erklärt sich: ein bloßes unterhaltendes Spiel mit der Einbildungskraft, und zwar der Form nach, einstimmig mit Verstandesgesetzen treiben zu wollen; und verlangt nicht, den Verstand durch sinnliche Darstellung zu überschleichen und zu verstricken.*

|| Nach der Dichtkunst würde ich, wenn es um Reiz[1] und Bewegung des Gemüts zu tun ist, diejenige, welche ihr unter den redenden am nächsten kommt und sich damit auch sehr natürlich vereinigen läßt, nämlich die Tonkunst, setzen. Denn, ob sie zwar durch lauter Empfindungen ohne Begriffe spricht, mithin nicht, wie die Poesie, etwas zum Nachdenken übrig bleiben läßt, so bewegt sie doch das Gemüt mannigfaltiger, und, obgleich bloß vorübergehend, doch inniglicher; ist aber freilich mehr Genuß als Kultur (das Gedankenspiel, *was*[2] nebenbei dadurch erregt wird, ist bloß die Wirkung einer gleichsam mechanischen Assozia-

* Ich muß gestehen: daß ein schönes Gedicht mir immer ein reines Vergnügen gemacht hat, anstatt daß die Lesung der besten Rede eines römischen Volks- oder jetzigen Parlaments- oder Kanzelredners jederzeit mit dem unangenehmen Gefühl der Mißbilligung einer hinterlistigen Kunst vermengt war, *welche* die[3] Menschen als Maschinen in wichtigen Dingen zu einem Urteile zu bewegen versteht, *das* im[4] ruhigen Nachdenken alles Gewicht bei ihnen verlieren muß. Beredtheit und Wohlredenheit (zusammen Rhetorik) gehören zur schönen Kunst; aber Rednerkunst (ars oratoria) ist, als Kunst, sich der Schwächen der Menschen zu seinen Absichten zu bedienen (diese mögen immer so gut gemeint, | oder auch wirklich gut sein, als sie wollen), gar keiner Achtung würdig. Auch erhob sie sich nur, sowohl in Athen als in Rom, zur höchsten Stufe zu einer Zeit, da der Staat seinem Verderben zueilte und wahre patriotische Denkungsart erloschen war. Wer, bei klarer Einsicht in Sachen, die Sprache nach *deren* Reichtum[5] und Reinigkeit in seiner Gewalt hat, und, bei einer fruchtbaren zur Darstellung seiner Ideen tüchtigen Einbildungskraft, lebhaften Herzensanteil am wahren Guten nimmt, ist der vir bonus dicendi peritus, der Redner ohne Kunst, aber voll Nachdruck, wie ihn Cicero haben will, ohne doch diesem Ideal selbst immer treu geblieben zu sein.

[1] A: »um *den* Reiz«. – [2] C: »*welches*«. – [3] A: »*die* die«. – [4] A: »*welches* im«. – [5] A: »nach *ihrem* Reichtum«.

|B 218 |A 215, 216 Anm.: |B 218

tion); und hat, durch Vernunft beurteilt, weniger Wert, als jede andere der schönen Künste. Daher verlangt sie, wie jeder Genuß, öftern Wechsel, und hält die mehrmalige Wiederholung nicht aus, ohne Überdruß zu erzeugen. Der Reiz derselben, der sich so allge|mein mitteilen läßt, scheint darauf zu beruhen: daß jeder Ausdruck der Sprache im Zusammenhange einen Ton hat, der dem Sinne desselben angemessen ist; daß dieser Ton mehr oder weniger einen Affekt des Sprechenden bezeichnet und gegenseitig auch im Hörenden hervorbringt, der denn in diesem umgekehrt auch die Idee erregt, die in der Sprache mit solchem Tone ausgedrückt wird; und daß, so wie die Modulation gleichsam eine allgemeine jedem Menschen verständliche Sprache der Empfindungen ist, die Tonkunst diese für sich allein in ihrem gan|zen Nachdrucke, nämlich als Sprache der Affekten *ausübe*[1], und so, nach dem Gesetze der Assoziation, die damit natürlicher Weise verbundenen ästhetischen Ideen allgemein *mitteile*[2]; daß aber, weil jene ästhetischen Ideen keine Begriffe und bestimmte Gedanken sind, die Form der Zusammensetzung dieser Empfindungen (Harmonie und Melodie) nur, statt der Form einer Sprache, dazu *diene*[3], vermittelst einer proportionierten Stimmung derselben (welche, weil sie bei Tönen auf dem Verhältnis der Zahl der Luftbebungen in derselben Zeit, sofern die Töne zugleich oder auch nach einander verbunden werden, beruht, mathematisch unter gewisse Regeln gebracht werden kann), die ästhetische Idee eines zusammenhangenden Ganzen einer unnennbaren Gedankenfülle, einem gewissen Thema gemäß, welches den in dem Stücke herrschenden Affekt ausmacht, auszudrücken. An dieser mathematischen Form, obgleich nicht durch be|stimmte Begriffe vorgestellt, hängt allein das Wohlgefallen, welches die bloße Reflexion über eine solche Menge einander begleitender oder folgender Empfindungen mit diesem Spiele derselben als für jedermann gültige Bedingung seiner Schönheit verknüpft; und sie ist es allein, nach welcher der Geschmack sich ein Recht, über das Urteil von jedermann zum voraus auszusprechen, anmaßen darf.

[1] C: *»ausübt«*. – [2] C: *»mitteilet«*. – [3] C: *»dienet«*.

Aber an dem Reize und der Gemütsbewegung, welche die Musik hervorbringt, hat die Mathematik sicherlich nicht den mindesten Anteil; sondern sie ist nur | die unumgängliche Bedingung (conditio sine qua non) derjenigen Proportion der Eindrücke, in ihrer Verbindung sowohl als ihrem Wechsel, *wodurch*[1] es möglich wird, sie zusammen zu fassen, und zu verhindern, daß diese einander nicht zerstören, sondern zu einer kontinuierlichen Bewegung und Belebung des Gemüts durch damit konsonierende Affekten und hiemit zu einem behaglichen Selbstgenusse zusammenstimmen.

Wenn man dagegen den Wert der schönen Künste nach der Kultur schätzt, die sie dem Gemüt verschaffen, und die Erweiterung der Vermögen, welche in der Urteilskraft zum Erkenntnisse zusammen kommen müssen, zum Maßstabe nimmt: so hat Musik unter den schönen Künsten sofern den untersten (so wie unter denen, die zugleich nach ihrer Annehmlichkeit geschätzt werden, vielleicht den obersten) Platz, weil sie bloß mit Empfin|dungen spielt. Die bildenden Künste gehen ihr also in diesem Betracht weit vor; denn, indem sie die Einbildungskraft in ein freies und doch zugleich dem Verstande angemessenes Spiel versetzen, so treiben sie zugleich ein Geschäft, indem sie ein Produkt zu Stande bringen, welches den Verstandesbegriffen zu einem dauerhaften und für sich selbst[2] sich empfehlenden Vehikel dient, die Vereinigung derselben mit der Sinnlichkeit und so gleichsam die Urbanität der obern Erkenntniskräfte zu befördern. Beiderlei Art Künste nehmen einen ganz verschiedenen Gang: die erstere von Empfindungen zu | unbestimmten Ideen; die zweite Art aber von bestimmten Ideen zu Empfindungen. Die letztern sind von bleibendem, die erstern nur von transitorischem Eindrucke. Die Einbildungskraft kann jene zurückrufen und sich damit angenehm unterhalten; diese aber erlöschen entweder gänzlich, oder, wenn sie unwillkürlich von der Einbildungskraft wiederholt werden, sind sie uns eher lästig als angenehm. *Außerdem hängt der Musik ein gewisser Mangel der Urbanität an, daß sie, vornehmlich nach Beschaffenheit ihrer Instrumente,*

[1] A: »*dadurch*«. – [2] Akad.-Ausg.: »für sie selbst«.

|B 221 |A 218, 219

ihren Einfluß weiter, als man ihn verlangt (auf die Nachbarschaft), ausbreitet, und so sich gleichsam aufdringt[1], *mithin der Freiheit andrer, außer der musikalischen Gesellschaft, Abbruch tut; welches die Künste, die zu den Augen reden, nicht tun, indem man seine Augen nur wegwenden darf, wenn man ihren Eindruck nicht einlassen will. Es ist | hiemit fast so, wie mit der Ergötzung durch einen sich weit ausbreitenden Geruch bewandt. Der, welcher sein parfümiertes Schnupftuch aus der Tasche zieht, traktiert alle um und neben sich wider ihren Willen und nötigt sie, wenn sie atmen wollen, zugleich zu genießen; daher es auch aus der Mode gekommen ist.**[2] – Unter den bildenden Künsten würde ich der Malerei den Vorzug geben: teils weil sie, als Zeichnungskunst, allen übrigen bildenden zum Grunde liegt; teils weil sie weit mehr in die Region der Ideen eindringen, und auch das Feld der Anschauung, diesen gemäß, mehr erweitern kann, als es den übrigen verstattet ist.

ANMERKUNG[3]

Zwischen dem, was bloß in der Beurteilung gefällt, und dem, was vergnügt (in der Empfindung gefällt), ist, wie wir oft gezeigt haben, ein wesentlicher Unterschied. Das letztere ist etwas, welches man nicht so, wie das erstere, jedermann ansinnen kann. Vergnügen (die Ursache desselben mag immerhin auch in Ideen liegen) scheint jederzeit in einem Gefühl der Beförderung des gesamten Lebens des Menschen, mithin auch des körperlichen Wohlbe|findens, d. i. der Gesundheit, zu bestehen; so daß Epikur, der alles Vergnügen im Grunde für körperliche Empfindung ausgab, sofern vielleicht nicht Unrecht haben mag, und sich nur

* *Diejenigen, welche zu den häuslichen Andachtsübungen auch das Singen geistlicher Lieder empfohlen haben, bedachten nicht, daß sie dem Publikum durch eine solche lärmende (eben dadurch gemeiniglich pharisäische) Andacht eine große Beschwerde auflegen*[4], *indem sie die Nachbarschaft entweder mit zu singen oder ihr Gedankengeschäft niederzulegen nötigen*[5].

[1] C: »*aufdrängt*«. – [2] Zusatz von B u. C. – [3] Akad.-Ausg. stellt der Überschrift voran: »§ 54«. – [4] C: »*auflegten*«. – [5] C: »*nötigten*«.

|B 222, 223

selbst mißverstand, wenn er das intellektuelle und selbst praktische Wohlgefallen zu den Vergnügen zählte. Wenn man den | letztern Unterschied vor Augen hat, so kann man sich erklären, wie ein Vergnügen dem, der es empfindet, selbst mißfallen könne (wie die Freude eines dürftigen aber wohldenkenden Menschen über die Erbschaft von seinem ihn liebenden aber kargen Vater), oder wie ein tiefer Schmerz dem, der ihn leidet, doch gefallen könne (die Traurigkeit einer Witwe über ihres verdienstvollen Mannes Tod), oder wie ein Vergnügen oben ein noch gefallen könne (wie das an Wissenschaften, die wir treiben), oder ein Schmerz (z. B. Haß, Neid und Rachgierde) uns noch dazu mißfallen könne. Das Wohlgefallen oder Mißfallen beruht hier auf der Vernunft, und ist mit der Billigung oder Mißbilligung einerlei; Vergnügen und Schmerz aber können nur auf dem Gefühl oder der Aussicht auf ein (aus welchem Grunde es auch sei) mögliches[1] Wohl- oder Übelbefinden beruhen.

Alles wechselnde freie Spiel der Empfindungen (die keine Absicht zum Grunde haben) vergnügt, weil es das Gefühl der Gesundheit befördert: wir mögen nun in der Vernunftbeurteilung an seinem Gegenstande und selbst an diesem Vergnügen ein Wohlgefallen haben oder nicht; und dieses Vergnügen kann bis zum Affekt steigen, obgleich wir an dem Gegenstande selbst kein Interesse, wenigstens kein solches nehmen, *was* dem[2] Grad des letztern proportioniert wäre. Wir können sie ins Glücksspiel, Tonspiel und Gedankenspiel einteilen. Das erste fordert ein Interesse, es sei der Eitelkeit oder des Eigennutzes, welches aber bei weitem nicht so groß ist, als das *Interesse*[3] an der Art, wie | wir es uns zu verschaffen suchen; das zweite bloß den Wechsel der Empfindungen, deren jede ihre Beziehung auf Affekt, aber ohne den Grad eines Affekts hat, und ästhetische Ideen rege macht; das dritte entspringt bloß aus dem Wechsel der Vorstellungen, in der Urteilskraft, wodurch zwar kein Gedan|ke, der irgend ein Interesse bei sich führte, erzeugt, das Gemüt aber doch belebt wird.

[1] A: »Aussicht *eines*, aus ... sei, auf ein mögliches«. – [2] C: »*das* dem«. – [3] Zusatz von B u. C.

Wie vergnügend die Spiele sein müssen, ohne daß man nötig hätte, interessierte Absicht dabei zum Grunde zu legen, zeigen alle unsere Abendgesellschaften; denn ohne Spiel kann sich beinahe keine unterhalten. Aber die Affekten der Hoffnung, der Furcht, der Freude, des Zorns, des Hohns spielen dabei, indem sie jeden Augenblick *ihre Rolle*[1] wechseln, *und*[1] sind so lebhaft, daß dadurch, als eine innere Motion, das ganze Lebensgeschäft im Körper befördert zu sein scheint, wie eine dadurch erzeugte Munterkeit des Gemüts es beweist, obgleich weder etwas gewonnen noch gelernt worden. Aber da das Glücksspiel kein schönes Spiel ist, so wollen wir es hier bei Seite setzen. *Hingegen*[2] Musik und Stoff zum Lachen sind zweierlei Arten des Spiels mit ästhetischen Ideen, oder auch Verstandesvorstellungen, wodurch am Ende nichts gedacht wird, und die bloß durch ihren Wechsel, *und dennoch*[1] lebhaft vergnügen können; wodurch sie ziemlich klar zu erkennen geben, daß die Belebung in beiden bloß körperlich sei, ob sie gleich von Ideen des Gemüts erregt wird, und daß das Gefühl der Gesundheit, durch eine *jenem* Spiele[3] korrespondierende Bewegung der Eingeweide, das ganze, für so fein und geistvoll gepriesene, Vergnügen einer aufgeweckten Gesellschaft ausmacht. Nicht die Beurteilung der Harmonie in Tönen oder Witzeinfällen, die mit ihrer Schönheit nur zum notwendigen Vehikel dient, sondern das beförderte Lebensgeschäft im Körper, der Affekt, der | die Eingeweide und das Zwerchfell bewegt, mit einem Worte das Gefühl der Gesundheit (welche sich ohne solche Veranlassung sonst nicht fühlen läßt) machen das Vergnügen aus, welches man daran findet, daß man dem Körper auch durch die Seele beikommen und diese zum Arzt von jenem brauchen kann.

| In der Musik geht dieses Spiel von der Empfindung des Körpers zu ästhetischen Ideen (der Objekte für Affekten), von diesen alsdann wieder zurück, aber mit vereinigter Kraft, auf den Körper. Im Scherze (der eben sowohl wie jene eher zur angenehmen, als schönen Kunst gezählt zu

[1] Zusatz von B u. C. – [2] A: »*Aber*«. – [3] A: »eine *jener ihrem* Spiele«.

werden verdient) hebt das Spiel von Gedanken an, die insgesamt, sofern sie sich sinnlich ausdrücken wollen, auch den Körper beschäftigen; und, indem der Verstand in dieser Darstellung, *worin*[1] er das Erwartete nicht findet, plötzlich nachläßt, so fühlt man die Wirkung dieser Nachlassung im Körper durch die *Schwingung*[2] der Organen, welche die Herstellung ihres Gleichgewichts befördert und auf die Gesundheit einen wohltätigen Einfluß hat.

Es muß in allem, was ein lebhaftes erschütterndes Lachen erregen soll, etwas Widersinniges sein (woran also der Verstand an sich kein Wohlgefallen finden kann). Das Lachen ist ein Affekt aus der plötzlichen Verwandlung einer gespannten Erwartung in nichts. Eben diese Verwandlung, die für den Verstand gewiß nicht erfreulich ist, erfreuet doch indirekt auf einen Augenblick sehr lebhaft. Also muß die Ursache in dem Einflusse der Vorstellung auf den Körper und dessen Wechselwirkung auf das Gemüt bestehen; und zwar nicht, sofern die Vorstellung objektiv ein Gegenstand des Vergnügens ist (denn[3] wie kann eine getäuschte Erwartung vergnügen?), sondern lediglich dadurch, | daß sie, als bloßes Spiel der Vorstellungen, ein *Gleichgewicht*[4] der Lebenskräfte im Körper hervorbringt.

Wenn jemand erzählt: daß ein Indianer, der an der Tafel eines Engländers in Surate eine Bouteille mit Ale öffnen und alles dies Bier, in Schaum verwandelt, herausdringen sah, mit vielen Ausrufungen seine große Ver|wunderung anzeigte, und auf[5] die Frage des Engländers: was ist denn hier sich so sehr zu verwundern? antwortete: Ich wundere mich auch nicht darüber, daß es herausgeht, sondern wie ihr's habt herein kriegen können: so lachen wir, und es macht uns eine herzliche Lust: nicht, weil wir uns etwa klüger finden als diesen Unwissenden, oder sonst über etwas, was uns der Verstand hierin Wohlgefälliges bemerken ließe; sondern unsre Erwartung war gespannt, und verschwindet plötzlich

[1] A: »*darin*«. – [2] A: »*Schwingungen*«. – [3] A: »ist, *wie etwa bei einem, der von einem großen Handlungsgewinn Nachricht bekommt* (denn«. – [4] A: »ein *Spiel*«. – [5] A: »daß, *als* ein Indianer an ... herausdringen sah und mit ... anzeigte, auf«.

in nichts. Oder wenn der Erbe eines reichen Verwandten diesem sein Leichenbegängnis recht feierlich veranstalten will, *aber* klagt[1], daß es ihm hiemit nicht recht gelingen wolle; denn (sagt er): je mehr ich meinen Trauerleuten Geld gebe, betrübt auszusehen, desto lustiger sehen sie aus: so lachen wir laut, und der Grund liegt darin, daß eine Erwartung sich plötzlich in nichts verwandelt. Man muß wohl bemerken: daß sie sich nicht in das *positive*[2] Gegenteil eines erwarteten Gegenstandes – denn das ist immer etwas, und kann *oft*[3] betrüben –, sondern in nichts verwandeln müsse. Denn wenn jemand uns mit der Erzählung einer Geschichte große Erwartung erregt, und wir beim Schlusse die Unwahrheit derselben sofort einsehen, so macht es uns Mißfallen; wie z. B. die von Leuten, *welche vor großem* Gram[4] in einer Nacht graue Haare bekommen haben sollen. Dagegen, wenn auf eine dergleichen Erzählung, zur Erwiderung, ein anderer Schalk sehr umständlich den Gram eines Kaufmanns erzählt, der, aus Indien mit allem seinen | Vermögen in Waren nach Europa zurückkehrend, in einem schweren Sturm alles über Bord zu werfen genötigt wurde, und sich dermaßen grämte, daß ihm darüber in derselben Nacht die Perücke grau *ward*[5]: so lachen wir, und es macht uns Vergnügen, weil wir unsern eignen Mißgriff nach einem für uns übrigens gleichgültigen Gegenstande, oder vielmehr unsere verfolgte Idee, wie einen | Ball, noch eine *Zeitlang*[6] hin- und herschlagen, indem wir bloß gemeint sind, ihn zu greifen und fest zu halten. Es ist hier nicht die Abfertigung eines Lügners oder Dummkopfs, welche das Vergnügen erweckt: denn auch für sich würde die letztere mit angenommenem Ernst erzählte Geschichte eine Gesellschaft in ein[7] helles Lachen versetzen; und jenes wäre gewöhnlichermaßen auch der *Aufmerksamkeit*[8] nicht wert.

Merkwürdig ist: daß in allen solchen Fällen der Spaß immer etwas in sich enthalten muß, welches auf einen Augenblick täuschen kann; daher, wenn der Schein in nichts ver-

[1] A: »*und* klagt«. – [2] Zusatz von B u. C. – [3] A: »*öfters*«. – [4] A: »Leuten, *die für großen* Gram«. – [5] A: »*wurde*«. – [6] A: »*Zeit durch*«. – [7] A: »Geschichte in eine Gesellschaft ein«. – [8] A: »der *Mühe*«.

schwindet, das Gemüt wieder zurücksieht, um es mit ihm noch einmal zu versuchen, und so durch schnell hinter einander folgende Anspannung und Abspannung hin- und zurückgeschnellt und in Schwankung gesetzt wird: die, weil der Absprung von dem, was gleichsam die Saite anzog, plötzlich (nicht durch ein allmähliches Nachlassen) geschah, eine Gemütsbewegung und mit ihr harmonierende inwendige körperliche *Bewegung*[1] verursachen muß, die unwillkürlich fortdauert, und Ermüdung, dabei aber auch Aufheiterung (die Wirkungen einer zur Gesundheit gereichenden Motion) hervorbringt.

Denn, wenn man annimmt, daß mit allen unsern Gedanken zugleich irgend eine Bewegung in den Organen des Körpers harmonisch verbunden sei: so wird man so ziemlich begreifen, wie jener plötzlichen Versetzung des Gemüts | bald in einen bald in den andern Standpunkt, um seinen Gegenstand zu betrachten, eine wechselseitige Anspannung und Loslassung der elastischen Teile unserer Eingeweide, die sich dem Zwerchfell mitteilt, korrespondieren könne (gleich derjenigen, welche kitzlige Leute fühlen): *wobei die Lunge* die Luft[2] mit schnell einander folgenden Absätzen ausstößt, und so eine der Gesundheit zuträgliche Bewe|gung bewirkt, *welche* allein[3] und nicht das, was im Gemüte vorgeht, die eigentliche Ursache des Vergnügens an einem Gedanken ist, der im Grunde nichts vorstellt. – Voltaire sagte, der Himmel habe uns zum Gegengewicht gegen die vielen Mühseligkeiten des Lebens zwei Dinge gegeben: die Hoffnung, und den Schlaf. Er hätte noch das Lachen dazu rechnen können; wenn die Mittel, es bei Vernünftigen zu erregen, nur so leicht bei der Hand wären, und der Witz oder *die*[1] Originalität der Laune, die dazu erforderlich *sind*[4], nicht eben so selten wären, als häufig das Talent *ist*[1], kopfbrechend, wie mystische Grübler, halsbrechend, wie Genies, oder herzbrechend, wie empfindsame Romanschreiber (auch wohl dergleichen Moralisten), zu dichten.

Man kann also, wie mich dünkt, dem Epikur wohl einräumen: daß alles Vergnügen, wenn es gleich durch Begriffe

[1] Zusatz von B u. C. – [2] A: »könne, *welche* (...) die Luft«. – [3] A: »*die* allein«. – [4] A: »*ist*«.

veranlaßt wird, welche ästhetische Ideen erwecken, animalische, d. i. körperliche Empfindung sei; ohne dadurch dem geistigen Gefühl der Achtung für moralische Ideen, *welches*[1] kein Vergnügen ist, sondern eine Selbstschätzung (der Menschheit in uns), die uns über das Bedürfnis desselben erhebt, ja selbst nicht einmal dem minder edlen des Geschmacks, im mindesten Abbruch zu tun.

Etwas aus beiden Zusammengesetztes findet sich in der Naivität, die der Ausbruch der der Menschheit ursprünglich natürlichen Aufrichtigkeit wider die zur andern Natur | gewordenen[2] Verstellungskunst ist. Man lacht über die Einfalt, die es noch nicht versteht, sich zu verstellen; und erfreut sich doch auch über die Einfalt der Natur, die jener Kunst hier einen Querstrich spielt. Man erwartete die alltägliche Sitte der gekünstelten und auf den schönen Schein vorsichtig angelegten Äußerung; und siehe! es ist die unverdorbne schuldlose Natur, die man anzutreffen gar nicht gewärtig, und *die* der, | *welcher* sie[3] blicken ließ, zu entblößen auch nicht gemeinet war. Daß der schöne, aber falsche Schein, der gewöhnlich in unserm Urteile sehr viel bedeutet, hier plötzlich in nichts verwandelt, daß gleichsam der Schalk in uns selbst bloßgestellt wird, bringt die Bewegung des Gemüts nach zwei entgegengesetzten Richtungen nach einander hervor, die zugleich den Körper heilsam schüttelt. Daß aber etwas, was unendlich besser als alle angenommene Sitte ist, die Lauterkeit der Denkungsart (wenigstens die Anlage dazu) doch nicht ganz in der menschlichen Natur erloschen ist, mischt Ernst und Hochschätzung in dieses Spiel der Urteilskraft. Weil es aber nur eine *auf*[4] kurze Zeit *sich hervortuende*[4] Erscheinung ist, und die Decke der Verstellungskunst bald wieder vorgezogen wird: so mengt sich zugleich ein Bedauren darunter, welches eine Rührung der Zärtlichkeit ist, die sich als Spiel mit einem solchen gutherzigen Lachen sehr wohl verbinden läßt, und auch wirklich damit gewöhnlich verbindet, zugleich auch *demjenigen*, der den Stoff dazu hergibt, die Verlegenheit darüber,

[1] A: »*welche*«. – [2] Akad.-Ausg.: »gewordene«. – [3] A: »und der, | *so* sie«. – [4] Zusatz von B u. C.

daß[1] er noch nicht nach Menschenweise gewitzigt ist, zu vergüten pflegt. – Eine Kunst, naiv zu sein, ist daher ein Widerspruch; allein die Naivität in einer erdichteten Person vorzustellen, ist wohl möglich, und schöne obzwar auch seltene Kunst. Mit der Naivität muß offenherzige Einfalt, welche die Natur nur darum nicht verkünstelt, weil sie sich | darauf nicht versteht, was Kunst des Umganges sei, nicht verwechselt werden.

Zu dem, was aufmunternd, mit dem Vergnügen aus dem Lachen nahe verwandt, und zur Originalität des Geistes, aber eben nicht zum Talent der schönen Kunst gehörig ist, kann auch die launichte Manier gezählt werden. Laune im guten Verstande bedeutet nämlich das Talent, sich willkürlich in eine gewisse Gemütsdisposition versetzen zu können, in der alle Dinge ganz anders als gewöhnlich (sogar umge-|kehrt), und doch gewissen Vernunftprinzipien in einer solchen Gemütsstimmung gemäß, beurteilt werden. Wer solchen Veränderungen unwillkürlich unterworfen ist, *ist*[2] launisch; wer sie aber willkürlich und zweckmäßig (zum Behuf einer lebhaften Darstellung vermittelst eines Lachen erregenden Kontrastes) anzunehmen vermag, der und sein Vortrag heißt launicht. Diese Manier gehört indes mehr zur angenehmen als schönen Kunst, weil der Gegenstand der letztern immer einige Würde an sich zeigen muß, und daher einen gewissen Ernst in der Darstellung, so wie der Geschmack in der Beurteilung, erfordert.

|| DER KRITIK DER ÄSTHETISCHEN URTEILSKRAFT
ZWEITER ABSCHNITT
DIE DIALEKTIK DER ÄSTHETISCHEN URTEILSKRAFT

§ 55

Eine Urteilskraft, die dialektisch sein soll, muß zuvörderst vernünftelnd sein; d. i. die Urteile derselben müssen

[1] A: »auch die Verlegenheit *dessen*, der ... hergibt, darüber, daß«. – [2] C: »*heißt*«.

auf Allgemeinheit, und zwar a priori, Anspruch machen*: denn in solcher Urteile Entgegensetzung besteht die Dialektik. Daher ist die Unvereinbarkeit ästhetischer Sinnesurteile (über das Angenehme und Unangenehme) nicht dialektisch. Auch der Widerstreit der Geschmacksurteile, sofern sich ein jeder bloß auf seinen eignen Geschmack beruft, macht keine Dialektik des Ge|schmacks aus; weil niemand sein Urteil zur allgemeinen Regel | zu machen gedenkt. Es bleibt also kein Begriff von einer Dialektik übrig, *welche* den[1] Geschmack angehen könnte, als der einer Dialektik der Kritik des Geschmacks (nicht des Geschmacks selbst) in Ansehung ihrer Prinzipien: da nämlich über den Grund der Möglichkeit der Geschmacksurteile überhaupt einander widerstreitende Begriffe natürlicher und unvermeidlicher Weise auftreten. Transzendentale Kritik des Geschmacks wird also nur sofern einen Teil enthalten, der den Namen einer Dialektik der ästhetischen Urteilskraft führen kann, wenn sich eine Antinomie der Prinzipien dieses Vermögens *findet*[2], welche die Gesetzmäßigkeit desselben, mithin auch seine innere Möglichkeit, zweifelhaft macht.

§ 56. VORSTELLUNG DER ANTINOMIE DES GESCHMACKS

Der erste Gemeinort des Geschmacks ist in dem Satze, womit sich jeder Geschmacklose gegen Tadel zu verwahren denkt, enthalten: Ein jeder hat seinen eignen Geschmack. Das heißt so viel, als: der Bestimmungsgrund dieses Urteils ist bloß subjektiv (Vergnügen oder Schmerz); und das Urteil hat kein Recht auf die notwendige Beistimmung anderer.

Der zweite Gemeinort desselben, der auch von denen sogar gebraucht wird, die dem Geschmacksurteile das Recht

* Ein vernünftelndes Urteil (iudicium ratiocinans) kann ein jedes heißen, das sich als allgemein ankündigt; denn sofern kann es zum Obersatze in einem Vernunftschlusse dienen. Ein Vernunfturteil (iudicium ratiocinatum) kann dagegen nur ein solches genannt werden, welches, als der Schlußsatz von einem Vernunftschlusse, folglich als a priori gegründet, gedacht wird.

[1] A: »*die* den«. – [2] A: »*vorfindet*«.

einräumen, für jedermann gültig auszuspre||chen, ist: über den Geschmack läßt sich nicht disputieren. Das heißt so viel, als: der Bestimmungsgrund eines Geschmacksurteils mag zwar auch objektiv sein, aber *er*[1] läßt sich nicht auf bestimmte Begriffe bringen; mithin kann über das Urteil selbst durch Beweise nichts entschieden werden, obgleich darüber gar wohl und mit Recht gestritten werden kann. Denn Streiten und Disputieren sind zwar darin einerlei, daß sie durch wechselseitigen Widerstand der Urteile Einhelligkeit derselben hervorzubringen suchen, darin aber verschieden, daß das letztere dieses nach bestimmten Begriffen als Beweisgründen zu bewirken hofft, mithin objektive Begriffe als Gründe des Urteils annimmt. Wo dieses aber als untunlich betrachtet wird, da wird das Disputieren eben sowohl als untunlich beurteilt.

Man sieht leicht, daß zwischen diesen zweien Gemeinörtern ein Satz fehlt, der zwar nicht sprichwörtlich im Umlaufe, aber doch in jedermanns Sinne enthalten ist, nämlich: über den Geschmack läßt sich streiten (obgleich nicht disputieren). Dieser Satz aber enthält das Gegenteil des obersten Satzes. Denn worüber es erlaubt sein soll zu streiten, da muß Hoffnung sein, unter einander überein zu kommen; mithin muß man auf Gründe des Urteils, die nicht bloß Privatgültigkeit haben und also nicht bloß subjektiv sind, rechnen können; welchem gleichwohl jener Grundsatz: ein jeder hat seinen eignen Geschmack, gerade entgegen ist.

|| Es zeigt sich also in Ansehung des Prinzips des Geschmacks folgende Antinomie:

1) Thesis. Das Geschmacksurteil gründet sich nicht auf Begriffen; denn sonst ließe sich darüber disputieren (durch Beweise entscheiden).

2) Antithesis. Das Geschmacksurteil gründet sich auf Begriffen; denn sonst ließe sich, ungeachtet der Verschiedenheit desselben, darüber auch nicht einmal streiten (auf die notwendige Einstimmung anderer mit diesem Urteile Anspruch machen).

[1] Zusatz von B u. C.

§ 57. AUFLÖSUNG DER ANTINOMIE DES GESCHMACKS

Es ist keine Möglichkeit, den Widerstreit jener jedem Geschmacksurteile untergelegten Prinzipien (welche nichts anders sind, als die oben in der Analytik vorgestellten zwei Eigentümlichkeiten des Geschmacksurteils) zu heben, als daß man zeigt: der Begriff, worauf man das Objekt in dieser Art Urteile bezieht, werde in beiden Maximen der ästhetischen Urteilskraft nicht in einerlei Sinn genommen; dieser zwiefache Sinn, oder Gesichtspunkt, der Beurteilung sei unserer transzendentalen Urteilskraft notwendig; aber auch der Schein, in der Vermengung des einen mit dem andern, als natürliche Illusion, unvermeidlich.

Auf irgend einen Begriff muß sich das Geschmacksurteil beziehen; denn sonst könnte es schlechterdings || nicht auf notwendige Gültigkeit für jedermann Anspruch machen. Aber aus einem Begriffe darf es darum eben nicht erweislich sein, weil ein Begriff entweder bestimmbar, oder auch an sich unbestimmt und zugleich unbestimmbar, sein kann. Von der erstern Art ist der Verstandesbegriff, der durch Prädikate der sinnlichen Anschauung, die ihm korrespondieren kann, bestimmbar ist; von der zweiten aber der transzendentale Vernunftbegriff von dem Übersinnlichen, *was*[1] aller jener Anschauung zum Grunde liegt, der also weiter nicht *theoretisch*[2] bestimmt werden kann.

Nun geht das Geschmacksurteil auf Gegenstände der Sinne, aber nicht um einen Begriff derselben für den Verstand zu bestimmen; denn es ist kein Erkenntnisurteil. Es ist daher, als auf das Gefühl der Lust bezogene anschauliche einzelne Vorstellung, nur ein Privaturteil: und sofern würde es seiner Gültigkeit nach auf das urteilende Individuum allein beschränkt sein; der Gegenstand ist für mich ein Gegenstand des Wohlgefallens, für andre mag es sich anders verhalten; – ein jeder hat seinen Geschmack.

Gleichwohl ist ohne Zweifel im Geschmacksurteile eine erweiterte Beziehung der Vorstellung des Objekts (zugleich auch des Subjekts) enthalten, worauf wir eine Ausdehnung

[1] C: »*welches*«. – [2] Zusatz von B u. C.

|B 235 |A 232

dieser Art Urteile, als notwendig für jedermann, gründen: welcher *daher*[1] notwendig irgend ein Begriff zum Grunde liegen muß; aber ein Begriff, | der | sich gar nicht durch Anschauung bestimmen, durch den sich nichts erkennen, mithin auch kein Beweis für das Geschmacksurteil führen läßt. Ein dergleichen Begriff aber ist der bloße reine Vernunftbegriff von dem Übersinnlichen, *was* dem[2] Gegenstande (und auch dem urteilenden Subjekte) als Sinnenobjekte, mithin *als*[1] Erscheinung, zum Grunde liegt. Denn nähme man eine solche Rücksicht nicht an, so wäre der Anspruch des Geschmacksurteils auf allgemeine Gültigkeit nicht zu retten; wäre der Begriff, worauf es sich gründet, ein nur bloß verworrener Verstandesbegriff, etwa von Vollkommenheit, dem man korrespondierend die sinnliche Anschauung des Schönen *beigeben*[3] könnte: so würde es wenigstens an sich möglich sein, das Geschmacksurteil auf Beweise zu gründen; welches der Thesis widerspricht.

Nun fällt aber aller Widerspruch weg, wenn ich sage: das Geschmacksurteil gründet sich auf einem Begriffe (eines Grundes überhaupt von der subjektiven Zweckmäßigkeit der Natur für die Urteilskraft), aus dem aber nichts in Ansehung des Objekts erkannt und bewiesen werden kann, weil er an sich unbestimmbar und zum Erkenntnis untauglich ist; es bekommt aber durch eben denselben doch zugleich Gültigkeit für jedermann (bei jedem zwar als einzelnes, die Anschauung unmittelbar begleitendes, Urteil): weil der Bestimmungsgrund desselben vielleicht im Begriffe von demjenigen || liegt, was als das übersinnliche Substrat der Menschheit angesehen werden kann.

Es kommt bei der Auflösung einer Antinomie nur auf die Möglichkeit an, daß zwei einander dem Scheine nach widerstreitende Sätze einander in der Tat nicht widersprechen, sondern neben einander bestehen können, wenn gleich die Erklärung der Möglichkeit ihres Begriffs unser Erkenntnisvermögen übersteigt. Daß dieser Schein auch natürlich und der menschlichen Vernunft unvermeidlich sei, imgleichen warum er es sei und bleibe, ob er gleich nach der Auflösung

[1] Zusatz von B u. C. – [2] C: »*das* dem«. – [3] A: »*geben*«.

|B 236, 237 |A 233, 234

des Scheinwiderspruchs nicht betrügt, kann hieraus auch begreiflich gemacht werden.

Wir nehmen nämlich den Begriff, worauf die Allgemeingültigkeit eines Urteils sich gründen muß, in beiden widerstreitenden Urteilen in einerlei Bedeutung, und sagen doch von ihm zwei entgegengesetzte Prädikate aus. In der Thesis sollte es daher heißen: Das Geschmacksurteil gründet sich nicht auf bestimmten Begriffen; in der Antithesis aber: Das Geschmacksurteil gründet sich doch auf einem, obzwar unbestimmten, Begriffe (nämlich vom übersinnlichen Substrat der Erscheinungen); und alsdann wäre zwischen ihnen kein Widerstreit.

Mehr, als diesen Widerstreit in den Ansprüchen und Gegenansprüchen des Geschmacks zu heben, können wir nicht leisten. Ein bestimmtes objektives Prinzip || des Geschmacks, wornach die Urteile desselben geleitet, geprüft und bewiesen werden könnten, zu geben, ist schlechterdings unmöglich; denn es wäre alsdenn kein Geschmacksurteil. Das subjektive Prinzip, nämlich die unbestimmte Idee des Übersinnlichen in uns, kann nur als der einzige Schlüssel der Enträtselung dieses uns selbst seinen Quellen nach verborgenen Vermögens angezeigt, aber durch nichts weiter begreiflich gemacht werden.

Der hier aufgestellten und ausgeglichenen Antinomie liegt der richtige Begriff des Geschmacks, nämlich als einer bloß reflektierenden ästhetischen Urteilskraft, zum Grunde; und da wurden beide dem Scheine nach widerstreitende Grundsätze mit einander vereinigt, indem beide wahr sein können, welches auch genug ist. Würde dagegen zum Bestimmungsgrunde des Geschmacks (wegen der Einzelnheit der Vorstellung, die dem Geschmacksurteil zum Grunde liegt), wie von einigen geschieht, die Annehmlichkeit, oder, wie andere (wegen der Allgemeingültigkeit desselben) wollen, das Prinzip der Vollkommenheit angenommen, und die Definition des Geschmacks darnach eingerichtet: so entspringt daraus eine Antinomie, die schlechterdings nicht auszugleichen ist, als so, daß man zeigt, daß beide einander (aber nicht bloß kontradiktorisch) entgegenstehende Sätze falsch sind: welches dann beweiset, daß der Begriff, worauf ein jeder gegründet ist, || sich selbst widerspreche. Man sieht also, daß die Hebung der Antinomie der ästhetischen Urteilskraft einen ähnlichen Gang nehme *mit dem, welchen* die[1] Kritik in Auflösung der Antinomien der reinen theoretischen Vernunft befolgte; und daß, eben so hier und auch in der Kritik der praktischen Vernunft, die Antinomien wider Willen nötigen, über das Sinnliche hinaus zu sehen, und im Übersinnlichen den Vereinigungspunkt aller unserer Vermögen a priori zu suchen: weil kein anderer Ausweg übrig bleibt, die Vernunft mit sich selbst einstimmig zu machen.

Anmerkung I

Da wir in der Transzendental-Philosophie so oft Veranlassung finden, Ideen von Verstandesbegriffen zu unterscheiden, so kann es von Nutzen sein, ihrem Unterschiede angemessene Kunstausdrücke einzuführen. Ich glaube, man werde nichts dawider haben, wenn ich *einige* in[2] Vorschlag bringe. – Ideen in der allgemeinsten Bedeutung sind, nach einem gewissen (subjektiven oder objektiven) Prinzip, auf einen Gegenstand bezogene Vorstellungen, sofern sie doch nie eine Erkenntnis desselben werden können. Sie sind entweder nach einem bloß subjektiven Prinzip der Übereinstimmung der Erkenntnisvermögen unter einander (der Einbildungskraft und des Verstandes) auf eine Anschauung bezogen: und heißen alsdann ästhetische, oder nach einem objektiven Prinzip auf einen Begriff bezogen, können *aber* doch[3] nie eine Erkenntnis des Gegenstandes abgeben: und heißen Vernunftideen; in welchem Falle der Begriff ein transzendenter Begriff ist, welcher vom Verstandesbegriffe, | dem jederzeit | eine adäquat korrespondierende Erfahrung untergelegt werden kann, und der darum immanent heißt, unterschieden ist.

Eine ästhetische Idee kann keine Erkenntnis werden, weil sie eine Anschauung (der Einbildungskraft) ist, der

[1] A: »nehme, *als den* die«. – [2] A: »*welche* in«. – [3] A: »bezogen *und* können doch«.

niemals ein Begriff adäquat gefunden werden kann. Eine Vernunftidee kann nie Erkenntnis werden, weil sie einen Begriff (vom Übersinnlichen) enthält, dem niemals eine Anschauung angemessen gegeben werden kann.

Nun glaube ich, man könne die ästhetische Idee eine inexponible Vorstellung der Einbildungskraft, die Vernunftidee aber einen indemonstrabeln Begriff der Vernunft nennen. Von beiden wird vorausgesetzt, daß sie nicht etwa gar grundlos, sondern (nach der obigen Erklärung einer Idee überhaupt) gewissen Prinzipen der Erkenntnisvermögen, *wozu*[1] sie gehören, (jene den subjektiven, diese objektiven Prinzipien) gemäß erzeugt seien.

Verstandesbegriffe müssen, als solche, jederzeit demonstrabel sein *(wenn unter Demonstrieren, wie in der Anatomie, bloß das Darstellen verstanden wird)*[2]; d.i. der ihnen korrespondierende Gegenstand muß jederzeit in der Anschauung (reinen oder empirischen) gegeben werden können: denn dadurch allein können sie Erkenntnisse werden. Der Begriff der Größe kann in der Raumesanschauung a priori, z.B. einer geraden Linie u.s.w., gegeben werden; der Begriff der Ursache an der Undurchdringlichkeit, dem Stoße der Körper, u.s.w. Mithin können beide durch eine empirische Anschauung belegt, d. i. der Gedanken davon an einem Beispiele gewiesen (demonstriert, aufgezeigt) werden; und dieses muß geschehen können: widrigenfalls man nicht gewiß ist, ob der Gedanken nicht leer, d.i. ohne alles Objekt sei.

| Man bedient sich in der Logik der Ausdrücke des Demonstrabeln oder Indemonstrabeln gemeiniglich nur in Ansehung der Sätze; da die ersteren besser durch die Benennung | der nur mittelbar, die zweiten der unmittelbar-gewissen Sätze könnten bezeichnet werden: denn die reine Philosophie hat auch Sätze von beiden Arten, wenn darunter beweisfähige und beweisunfähige wahre Sätze verstanden werden. *Allein* aus[3] Gründen a priori kann sie, als Philosophie, zwar beweisen, aber nicht demonstrieren; wenn man nicht ganz und gar von der Wortbedeutung abgehen will, nach welcher demonstrieren (ostendere, exhibere) so

[1] A: »*dazu*«. – [2] Zusatz von B u. C. – [3] A: »werden; *aber* aus«.

|B 241 |A 238

2 Hamburg 1, Bergstr. 26
Filialen:
2 Hamburg 13, Schlüterstr. 12
2 Hamburg 13, Grindelberg 79
2 Hamburg 76, Wandsb. Ch. 3
Sammel-Nr.: 33 85 41

1 stw 37

10.–

Incl. 5,5% MwSt.

K.: 02816-23 W.:

Beleg bei Umtausch bitte vorlegen

10 VII 75 *192 * -10.00

viel heißt, als (es sei *in*[1] Beweisen oder auch bloß im Definieren) seinen Begriff zugleich in der Anschauung darstellen: welche[2], wenn sie Anschauung a priori ist, das Konstruieren desselben heißt, *wenn sie* aber auch empirisch ist, gleichwohl[3] die Vorzeigung des Objekts *bleibt*[4], durch welche dem Begriffe die objektive Realität gesichert wird. So sagt man von einem Anatomiker: er demonstriere das menschliche Auge, wenn er den Begriff, den er vorher diskursiv vorgetragen hat, vermittelst der Zergliederung dieses Organs anschaulich macht.

Diesem zufolge ist der Vernunftbegriff vom übersinnlichen Substrat aller Erscheinungen überhaupt, oder auch von dem, was unserer Willkür in Beziehung auf moralische Gesetze zum Grunde gelegt werden muß, nämlich *von*[5] der transzendentalen Freiheit, schon der Spezies nach ein indemonstrabler Begriff und Vernunftidee, Tugend aber *ist dies*[5] dem Grade nach: weil dem ersteren an sich gar nichts der Qualität nach in der Erfahrung Korrespondierendes gegeben werden kann, in der zweiten aber kein Erfahrungsprodukt jener Kausalität den Grad erreicht, den die Vernunftidee zur Regel vorschreibt.

| So wie an einer Vernunftidee die Einbildungskraft, mit ihren Anschauungen, den gegebenen Begriff nicht erreicht: so erreicht bei einer ästhetischen Idee der Verstand, durch seine Begriffe, nie die ganze innere Anschauung der Einbildungskraft, welche sie mit einer gegebenen Vorstellung ver|bindet. Da nun eine Vorstellung der Einbildungskraft auf Begriffe bringen so viel heißt, als sie exponieren: so kann die ästhetische Idee eine inexponible Vorstellung derselben (in ihrem freien Spiele) genannt werden. Ich werde von dieser Art Ideen in der Folge noch einiges auszuführen Gelegenheit haben; jetzt bemerke ich nur: daß beide Arten von Ideen, die Vernunftideen sowohl als die ästhetischen, ihre Prinzipien haben müssen; und zwar beide in der Vernunft, jene in den objektiven, diese in den subjektiven Prinzipien ihres Gebrauchs.

[1] A: *»im«*. – [2] Akad.-Ausg. erwägt: »welches«. – [3] A: »heißt, ist *diese* aber auch empirisch, gleichwohl«. – [4] A: *»ist«*. – [5] Zusatz von B u. C.

Man kann diesem zufolge Genie auch durch das Vermögen ästhetischer Ideen erklären: wodurch zugleich der Grund angezeigt wird, warum in Produkten des Genies die Natur (des Subjekts), nicht ein überlegter Zweck, der Kunst (der Hervorbringung des Schönen) die Regel gibt. Denn da das Schöne nicht nach Begriffen beurteilt werden muß, sondern nach der zweckmäßigen Stimmung der Einbildungskraft zur Übereinstimmung mit dem Vermögen der Begriffe überhaupt: so kann nicht Regel und Vorschrift, sondern nur das, was bloß Natur im Subjekte ist, aber nicht unter Regeln oder Begriffe gefaßt werden kann, d. i. das übersinnliche Substrat aller seiner Vermögen (welches kein Verstandesbegriff erreicht), folglich das, *auf welches* in Beziehung alle[1] unsere Erkenntnisvermögen zusammenstimmend zu machen der letzte durch das Intelligible unserer Natur gegebene Zweck ist, jener ästhetischen, aber unbedingten Zweckmäßigkeit in der schönen Kunst, die jedermann | gefallen zu müssen rechtmäßigen Anspruch machen soll, zum subjektiven Richtmaße dienen. So ist es auch allein möglich, daß dieser, der man kein objektives Prinzip vorschreiben kann, ein subjektives und doch allgemeingültiges Prinzip a priori zum Grunde liege.

| Anmerkung II

Folgende wichtige Bemerkung bietet sich hier von selbst dar: daß es nämlich dreierlei Arten der Antinomie der reinen Vernunft gebe, die aber alle darin übereinkommen, daß sie dieselbe zwingen, von der sonst sehr natürlichen Voraussetzung, die Gegenstände der Sinne für die Dinge an sich selbst zu halten, abzugehen, sie vielmehr bloß für Erscheinungen gelten zu lassen, und ihnen ein intelligibles Substrat (etwas Übersinnliches, wovon der Begriff nur Idee ist und keine eigentliche Erkenntnis zuläßt) unterzulegen. Ohne eine solche Antinomie würde die Vernunft sich niemals zu Annehmung eines solchen das Feld ihrer Spekulation so

[1] A: »das, *worauf* in Beziehung alle«; C: »das, in Beziehung *auf welches* alle«.

|B 243 |A 240

sehr verengenden Prinzips, und zu Aufopferungen, wobei so viele sonst sehr schimmernde Hoffnungen gänzlich verschwinden müssen, entschließen können; denn selbst jetzt, da sich ihr zur Vergütung dieser Einbuße ein um desto größerer Gebrauch in praktischer Rücksicht eröffnet, scheint sie sich nicht ohne Schmerz von jenen Hoffnungen trennen und von der alten Anhänglichkeit losmachen zu können.

Daß es drei Arten der Antinomie gibt, hat seinen Grund darin, daß es drei Erkenntnisvermögen: Verstand, Urteilskraft und Vernunft gibt, deren jedes (als oberes Erkenntnisvermögen) seine Prinzipien a priori haben muß; da denn die Vernunft, sofern sie über diese Prinzipien selbst und ihren Gebrauch urteilt, in Ansehung ihrer aller zu | dem gegebenen Bedingten unnachlaßlich das Unbedingte fordert, welches sich doch nie finden läßt, wenn man das Sinnliche, als zu den Dingen an sich selbst gehörig betrachtet, und ihm nicht vielmehr, als bloßer Erscheinung, etwas Übersinnliches (das intelligible Substrat der Natur außer uns und in uns) als Sache an sich selbst unterlegt. Da gibt es dann 1) eine | Antinomie der Vernunft in Ansehung des theoretischen Gebrauchs des Verstandes bis zum Unbedingten hinauf für das Erkenntnisvermögen; 2) eine Antinomie der Vernunft in Ansehung des ästhetischen Gebrauchs der Urteilskraft für das Gefühl der Lust und Unlust; 3) eine Antinomie in Ansehung des praktischen Gebrauchs der an sich selbst gesetzgebenden Vernunft für das Begehrungsvermögen: sofern alle diese Vermögen ihre obere Prinzipien a priori haben, und, gemäß einer unumgänglichen Forderung der Vernunft, nach diesen Prinzipien auch unbedingt müssen urteilen und ihr Objekt bestimmen können[1].

In Ansehung zweier Antinomien, der des theoretischen und der des praktischen Gebrauchs, jener obern Erkenntnisvermögen haben wir die Unvermeidlichkeit derselben, wenn dergleichen Urteile nicht auf ein übersinnliches Substrat der gegebenen Objekte, als Erscheinungen, zurücksehen, dagegen aber auch die Auflöslichkeit derselben, sobald das letztere geschieht, schon anderwärts gezeigt. Was

[1] A: »Objekt *sollen* bestimmen können«.

nun die Antinomie im Gebrauch der Urteilskraft, gemäß der Forderung der Vernunft, und deren hier gegebene Auflösung betrifft: so gibt es kein anderes Mittel, derselben auszuweichen, als entweder zu leugnen, daß dem ästhetischen Geschmacksurteile irgend ein Prinzip a priori zum Grunde liege, daß[1] aller Anspruch auf Notwendigkeit allgemeiner Beistimmung grundloser leerer Wahn sei, und ein Ge- | schmacksurteil nur sofern für richtig gehalten zu werden verdiene, weil es sich trifft, daß viele in Ansehung desselben übereinkommen, und auch dieses eigentlich nicht um deswillen, weil man hinter dieser Einstimmung ein Prinzip a priori vermutet, sondern (wie im Gaumengeschmack), weil die Subjekte zufälliger Weise gleichförmig organisiert *seien*[2]; oder man müßte annehmen, daß das Geschmacksurteil eigentlich ein verstecktes | Vernunfturteil über die an einem Dinge und die Beziehung des Mannigfaltigen in ihm zu einem Zwecke entdeckte Vollkommenheit sei, mithin nur um der Verworrenheit willen, die dieser unserer Reflexion anhängt, ästhetisch genannt werde, ob es gleich im Grunde teleologisch sei: in welchem Falle man die Auflösung der Antinomie durch transzendentale Ideen für unnötig und nichtig erklären, und so mit den Objekten der Sinne nicht als bloßen Erscheinungen, sondern auch als Dingen an sich selbst, jene Geschmacksgesetze vereinigen könnte. Wie wenig aber die eine sowohl als die andere Ausflucht verschlage, ist an mehrern Orten in der Exposition der Geschmacksurteile gezeigt worden.

Räumt man aber unserer Deduktion wenigstens so viel ein, daß sie auf dem rechten Wege geschehe, wenn gleich noch nicht in allen Stücken hell genug gemacht sei, so zeigen sich drei Ideen: erstlich des Übersinnlichen überhaupt, ohne weitere Bestimmung, als Substrats der Natur; zweitens eben desselben, als Prinzips der subjektiven Zweckmäßigkeit der Natur für unser Erkenntnisvermögen; drittens eben desselben, als Prinzips der Zwecke der Freiheit und Prinzips der Übereinstimmung derselben mit jener im Sittlichen.

[1] Akad.-Ausg.: »so daß«. – [2] A: »*sein*«; Akad.-Ausg. erwägt: »sind«.

| § 58. VOM IDEALISMUS DER ZWECKMÄSSIGKEIT DER NATUR SOWOHL ALS KUNST, ALS DEM ALLEINIGEN PRINZIP DER ÄSTHETISCHEN URTEILSKRAFT

Man kann zuvörderst das Prinzip des Geschmacks entweder darin setzen, daß dieser jederzeit nach empirischen Bestimmungsgründen, und also nach solchen, die | nur a posteriori durch Sinne gegeben werden, oder man kann einräumen, daß er aus einem Grunde a priori urteile. Das erstere wäre der Empirism der Kritik des Geschmacks, das zweite der Rationalism derselben. Nach dem ersten wäre das Objekt unseres Wohlgefallens nicht vom Angenehmen, nach dem zweiten, wenn das Urteil auf bestimmten Begriffen beruhete, nicht vom Guten unterschieden; und so würde alle Schönheit aus der Welt weggeleugnet, und nur ein besonderer Namen, vielleicht für eine gewisse Mischung von beiden vorgenannten Arten des Wohlgefallens, an dessen Statt übrig bleiben. Allein wir haben gezeigt, daß es auch Gründe des Wohlgefallens a priori gebe, die also mit dem Prinzip des Rationalisms zusammen bestehen können, ungeachtet sie nicht in bestimmte Begriffe gefaßt werden können.

Der Rationalism des Prinzips des Geschmacks ist dagegen entweder der des Realisms der Zweckmäßigkeit, oder des Idealisms derselben. Weil nun | ein Geschmacksurteil kein Erkenntnisurteil, und Schönheit keine Beschaffenheit des Objekts, für sich betrachtet, ist: so kann der Rationalism des Prinzips des Geschmacks niemals darin gesetzt werden, daß die Zweckmäßigkeit in diesem Urteile als objektiv gedacht werde, d. i. daß das Urteil theoretisch, mithin auch logisch (wenn gleich nur in einer verworrenen Beurteilung), auf die Vollkommenheit des Objekts, sondern nur | ästhetisch, auf die Übereinstimmung seiner Vorstellung in der Einbildungskraft mit den wesentlichen Prinzipien der Urteilskraft überhaupt, im Subjekte, gehe. Folglich kann, selbst nach dem Prinzip des Rationalisms, das Geschmacksurteil und der Unterschied des Realisms und Idealisms desselben nur darin gesetzt werden, daß entweder jene subjektive Zweckmäßigkeit im erstern Falle als wirklicher (absichtlicher) Zweck der Natur (oder der Kunst), mit unserer Urteilskraft übereinzustimmen, oder *im zweiten Falle* [1] nur als eine, ohne Zweck, von selbst und zufälliger Weise sich hervortuende zweckmäßige Übereinstimmung zu dem Bedürfnis der Urteilskraft, in Ansehung der Natur und ihrer nach besondern Gesetzen erzeugten Formen, angenommen werde.

Dem Realism der ästhetischen Zweckmäßigkeit der Natur, da man nämlich annehmen möchte: daß der Hervorbringung des Schönen eine Idee desselben in der hervorbringenden Ursache, nämlich ein Zweck zu Gunsten unserer Einbildungskraft, zum Grunde gelegen | habe, reden die schönen Bildungen im Reiche der organisierten Natur gar sehr das Wort. Die Blumen, Blüten, ja die Gestalten ganzer Gewächse, die für ihren eigenen Gebrauch unnötige, aber für unsern Geschmack gleichsam ausgewählte Zierlichkeit der tierischen Bildungen von allerlei Gattungen; vornehmlich die unsern Augen so wohlgefällige und reizende Mannigfaltigkeit und harmonische Zusammensetzung *der* [2] Farben (am | Fasan, *an* [1] Schaltieren, Insekten, bis zu den gemeinsten Blumen), die, indem sie bloß die Oberfläche, und auch an dieser nicht einmal die Figur der Geschöpfe, welche doch noch zu den innern Zwecken derselben erforderlich sein könnte, betreffen, gänzlich auf äußere Beschauung abgezweckt zu sein scheinen: geben der Erklärungsart durch Annehmung wirklicher Zwecke der Natur für unsere ästhetische Urteilskraft ein großes Gewicht.

Dagegen widersetzt sich dieser Annahme nicht allein die Vernunft durch ihre Maximen, allerwärts die unnötige Vervielfältigung der Prinzipien nach aller Möglichkeit zu verhüten; sondern die Natur zeigt in ihren freien Bildungen überall so viel mechanischen Hang zu Erzeugung von Formen, die für den ästhetischen Gebrauch unserer Urteilskraft gleichsam gemacht zu sein scheinen, ohne den geringsten Grund zur Vermutung an die Hand zu geben, daß es dazu noch etwas mehr, als ihres Mechanisms, bloß als Natur, be-

[1] Zusatz von B u. C. – [2] A: *»von«*.

dürfe, wornach sie, auch ohne alle *ihnen*[1] zum Grunde liegende Idee, | für unsere Beurteilung zweckmäßig sein können. Ich verstehe aber unter einer freien Bildung der Natur diejenige, wodurch aus einem Flüssigen in Ruhe, durch Verflüchtigung oder Absonderung eines Teils desselben (bisweilen bloß der Wärmmaterie) das übrige *bei dem* Festwerden[2] eine bestimmte Gestalt, oder Gewebe (Figur oder Textur) annimmt, die, nach der spezifischen Verschiedenheit der Materien, verschieden, in eben der|selben aber genau dieselbe ist. Hiezu aber wird, was man unter einer wahren Flüssigkeit jederzeit versteht, nämlich daß die Materie in ihr völlig aufgelöset, d. i. nicht als ein bloßes Gemenge fester und darin bloß schwebender Teile anzusehen sei, vorausgesetzt.

Die Bildung geschieht alsdann durch Anschießen, d. i. durch ein plötzliches Festwerden, nicht durch einen allmählichen Übergang aus dem flüssigen in den festen Zustand, sondern gleichsam durch einen Sprung, welcher Übergang auch das Kristallisieren genannt wird. Das gemeinste Beispiel von dieser Art Bildung ist das gefrierende Wasser, in welchem sich zuerst gerade Eisstrählchen erzeugen, die in Winkeln von 60 Grad sich zusammenfügen, indes sich andere an jedem Punkt derselben eben so ansetzen, bis alles zu Eis geworden ist: so daß, während dieser Zeit, das Wasser zwischen den Eisstrählchen nicht allmählich zäher wird, sondern so vollkommen flüssig ist, als es bei weit größerer Wärme sein würde, und doch die völlige Eiskälte hat. Die sich ab|sondernde Materie, die im Augenblicke des Festwerdens plötzlich entwischt, ist ein ansehnliches Quantum von Wärmestoff, dessen Abgang, da es bloß zum Flüssigsein erfordert *ward*[3], dieses nunmehrige Eis nicht im mindesten kälter, als das kurz vorher in ihm flüssige Wasser, zurückläßt.

Viele Salze, imgleichen Steine, die eine kristallinische Figur haben, werden eben so von einer im | Wasser, wer weiß durch was für Vermittelung, aufgelöseten Erdart erzeugt. Eben so bilden sich die drusichten Konfigurationen vieler Minern, des würflichten Bleiglanzes, des Rotgülden-

[1] A: »*ihr*«. – [2] A: »*im* Festwerden«. – [3] A: »*wurde*«.

|B 249, 250 |A 246, 247

erzes, u. d. gl., allem Vermuten nach auch im Wasser, und durch Anschießen der Teile: indem sie durch irgend eine Ursache genötigt werden, dieses Vehikel zu verlassen, und sich unter einander in bestimmte äußere Gestalten zu vereinigen.

Aber auch innerlich zeigen alle Materien, welche bloß durch Hitze flüssig waren und durch Erkalten Festigkeit angenommen haben, im Bruche eine bestimmte Textur, und lassen daraus urteilen, daß, wenn nicht ihr eigenes Gewicht oder *die*[1] Luftberührung es gehindert hätte, sie auch äußerlich ihre spezifisch eigentümliche Gestalt würden gewiesen haben: dergleichen man an einigen Metallen, die nach der Schmelzung äußerlich erhärtet, inwendig aber noch flüssig waren, durch Abzapfen des innern noch flüssigen Teils und nunmehrigen ruhigen[2] Anschießen des übrigen inwendig zurückgeblie|benen, beobachtet hat. Viele von jenen mineralischen Kristallisationen, als die Spatdrusen, der Glaskopf, die Eisenblüte, geben oft überaus schöne Gestalten, wie sie die Kunst nur immer ausdenken möchte; und die Glorie in der Höhle von Antiparos ist bloß das Produkt eines sich durch Gipslager durchsickernden Wassers.

Das Flüssige ist, allem Ansehen nach, überhaupt älter als das Feste, und sowohl die Pflanzen als tierische | Körper werden aus flüssiger Nahrungsmaterie gebildet, sofern sie sich in Ruhe formt: freilich zwar in der letztern zuvörderst nach einer gewissen ursprünglichen auf Zwecke gerichteten Anlage (die, wie im zweiten Teile gewiesen werden wird, nicht ästhetisch, sondern teleologisch, nach dem Prinzip des Realisms beurteilt werden muß); aber nebenbei doch auch vielleicht als, dem allgemeinen Gesetze der Verwandtschaft der Materien gemäß, anschießend und sich in Freiheit bildend. So wie nun die in einer Atmosphäre, welche ein Gemisch verschiedener Luftarten ist, aufgelöseten wäßrigen Flüssigkeiten, wenn sich die letzteren, durch Abgang der Wärme von jener scheidet[3], Schneefiguren erzeugen, die nach Verschiedenheit der dermaligen Luftmischung von oft sehr künstlich scheinender und überaus schöner Figur sind:

[1] Zusatz von B u. C. – [2] Akad.-Ausg.: »nunmehriges ruhiges«. – [3] Akad.-Ausg.: »scheiden«.

so läßt sich, ohne dem teleologischen Prinzip der Beurteilung der Organisation etwas zu entziehen, wohl denken: daß, was die Schönheit der Blumen, der Vogelfedern, der Muscheln, ihrer Gestalt sowohl als Farbe ¦ nach, betrifft, diese der Natur und ihrem Vermögen, sich in ihrer Freiheit, ohne besondere darauf gerichtete Zwecke, nach chemischen Gesetzen, durch Absetzung der zur Organisation erforderlichen Materie, auch ästhetisch-zweckmäßig zu bilden, zugeschrieben werden könne.

Was aber das Prinzip der Idealität der Zweckmäßigkeit im Schönen der Natur, als dasjenige, welches wir im ästhetischen Urteile selbst jederzeit zum | Grunde legen, und welches uns keinen Realism eines Zwecks derselben für unsere Vorstellungskraft zum Erklärungsgrunde zu brauchen erlaubt, geradezu beweiset: ist, daß wir in der Beurteilung der Schönheit überhaupt das Richtmaß derselben a priori in uns selbst suchen, und die ästhetische Urteilskraft in Ansehung des Urteils, ob etwas schön sei oder nicht, selbst gesetzgebend ist, welches bei Annehmung des Realisms der Zweckmäßigkeit der Natur nicht Statt finden kann; weil wir da von der Natur lernen müßten, was wir schön zu finden hätten, und das Geschmacksurteil empirischen Prinzipien unterworfen sein würde. Denn in einer solchen Beurteilung kommt es nicht darauf an, was die Natur ist, oder auch für uns als Zweck ist, sondern wie wir sie aufnehmen. Es würde immer eine objektive Zweckmäßigkeit der Natur sein, wenn sie für unser Wohlgefallen ihre Formen gebildet hätte; und nicht eine subjektive Zweckmäßigkeit, welche auf dem Spiele der Einbildungskraft in ihrer Freiheit beruhete, ¦ wo es Gunst ist, womit wir die Natur aufnehmen, nicht *Gunst*, die sie uns *erzeigt*[1]. Die Eigenschaft der Natur, daß sie für uns Gelegenheit enthält, die innere Zweckmäßigkeit in dem Verhältnisse unserer Gemütskräfte in Beurteilung gewisser Produkte derselben wahrzunehmen, und zwar als eine solche, die aus einem übersinnlichen Grunde für notwendig und allgemeingültig erklärt werden soll, kann nicht Naturzweck sein, oder vielmehr

[1] A: »nicht *eine solche* die sie uns *erzeugt*«.

| von uns als ein solcher beurteilt werden; weil sonst das Urteil, das dadurch bestimmt wurde[1], Heteronomie, *aber* nicht[2], wie es einem Geschmacksurteile geziemt, frei sein, und Autonomie zum Grunde haben würde.

In der schönen Kunst ist das Prinzip des Idealisms der Zweckmäßigkeit noch deutlicher zu erkennen. Denn, daß hier nicht ein ästhetischer Realism derselben, durch Empfindungen (wobei sie statt schöner bloß angenehme Kunst sein würde), angenommen werden könne: das hat sie mit der schönen Natur gemein. Allein daß das Wohlgefallen durch ästhetische Ideen nicht von der Erreichung bestimmter Zwecke (als mechanisch absichtliche Kunst) abhängen müsse, folglich, selbst im Rationalism des Prinzips, Idealität der Zwecke, nicht Realität derselben, zum Grunde liege: leuchtet auch schon dadurch ein, daß schöne Kunst, als solche, nicht als ein Produkt des Verstandes und der Wissenschaft, sondern des Genies betrachtet werden muß, und also durch ästhetische Ideen, welche von Vernunftideen | bestimmter Zwecke wesentlich unterschieden sind, ihre Regel bekomme.

So wie die Idealität der Gegenstände der Sinne als Erscheinungen die einzige Art ist, die Möglichkeit zu erklären, daß ihre Formen a priori bestimmt werden können: so ist auch der Idealism der Zweckmäßigkeit, in Beurteilung des Schönen der Natur und der Kunst, die einzige Voraussetzung, unter der allein die | Kritik die Möglichkeit eines Geschmacksurteils, welches a priori Gültigkeit für jedermann fordert (ohne doch die Zweckmäßigkeit, die am Objekte vorgestellt wird, auf Begriffe zu gründen), erklären kann.

§ 59. VON DER SCHÖNHEIT ALS SYMBOL DER SITTLICHKEIT

Die Realität unserer Begriffe darzutun werden immer Anschauungen erfordert. Sind es empirische Begriffe, so heißen die letzteren Beispiele. Sind jene reine Verstandesbegriffe, so werden die letzteren Schemate genannt. Ver-

[1] Akad.-Ausg.: »würde«. – [2] A: »*und* nicht«.

langt man gar, daß die objektive Realität der Vernunftbegriffe, d. i. der Ideen, und zwar zum Behuf des theoretischen Erkenntnisses derselben dargetan werde, so begehrt man etwas Unmögliches, weil ihnen schlechterdings keine Anschauung angemessen gegeben werden kann.

| Alle Hypotypose (Darstellung, subiectio sub adspectum), als Versinnlichung, ist zwiefach: entweder schematisch, da einem Begriffe, den der Verstand faßt, die korrespondierende Anschauung a priori gegeben wird; oder symbolisch, da einem Begriffe, den nur die Vernunft denken, *und* dem[1] keine sinnliche Anschauung angemessen sein kann, eine solche untergelegt wird, mit welcher das Verfahren der Urteilskraft demjenigen, was sie im Schematisieren beobachtet, bloß ana|logisch[2], d. i. mit ihm bloß der Regel dieses Verfahrens, nicht der Anschauung selbst, mithin bloß der Form der Reflexion, nicht dem Inhalte nach, übereinkommt.

Es ist ein von den neuern Logikern zwar angenommener, aber sinnverkehrender, unrechter Gebrauch des Worts symbolisch, wenn man es der intuitiven Vorstellungsart entgegensetzt; denn die symbolische ist nur eine Art der intuitiven. Die letztere (die intuitive) kann nämlich in die schematische und in die symbolische Vorstellungsart eingeteilt werden. Beide sind Hypotyposen, d. i. Darstellungen (*exhibitiones*[3]): nicht bloße Charakterismen, d. i. Bezeichnungen der Begriffe durch begleitende sinnliche Zeichen, die gar nichts zu der Anschauung des Objekts Gehöriges enthalten, sondern nur jenen, nach dem Gesetze der Assoziation der Einbildungskraft, mithin in subjektiver Absicht, zum Mittel der Reproduktion dienen; dergleichen sind entwe|der Worte, oder sichtbare (algebraische, selbst mimische) Zeichen, als bloße Ausdrücke für Begriffe.*

Alle Anschauungen, die man Begriffen a priori unterlegt, sind also entweder Schemate oder Symbole, wo-

* Das Intuitive der Erkenntnis muß dem Diskursiven (nicht dem Symbolischen) entgegen gesetzt werden. Das erstere ist nun entweder schematisch, durch Demonstration; oder symbolisch, als Vorstellung nach einer bloßen Analogie.

[1] A: »*aber* dem«. – [2] Akad.-Ausg.: »analogisch ist«. – [3] A: »*exhibitio*«.

von die erstern direkte, die zweiten indirekte Darstellungen des Begriffs enthalten. Die erstern tun dieses | demonstrativ, die zweiten vermittelst einer Analogie (zu welcher man sich auch empirischer Anschauungen bedient), in welcher die Urteilskraft ein doppeltes Geschäft verrichtet, erstlich den Begriff auf den Gegenstand einer sinnlichen Anschauung, und dann zweitens die bloße Regel der Reflexion über jene Anschauung auf einen ganz andern Gegenstand, von dem der erstere nur das Symbol ist, anzuwenden. So wird ein monarchischer Staat durch einen beseelten Körper, wenn er nach inneren Volksgesetzen, durch eine bloße Maschine aber (wie etwa eine Handmühle), wenn er durch einen einzelnen absoluten Willen beherrscht wird, in beiden Fällen aber nur symbolisch vorgestellt. Denn, zwischen einem despotischen Staate und einer Handmühle ist zwar keine Ähnlichkeit, wohl aber zwischen der Regel[1], über beide und ihre Kausalität zu reflektieren. Dies Geschäft | ist bis jetzt noch wenig auseinander gesetzt worden, so sehr es auch eine tiefere Untersuchung verdient; allein hier ist nicht der Ort, sich dabei aufzuhalten. Unsere Sprache ist voll von dergleichen indirekten Darstellungen, nach einer Analogie, wodurch der Ausdruck nicht das eigentliche Schema für den Begriff, sondern bloß ein Symbol für die Reflexion enthält. So sind die Wörter Grund (Stütze, Basis), abhängen (von oben gehalten werden), woraus fließen (statt folgen), Substanz (wie Locke sich ausdrückt: der Träger der Akzidenzen), und unzählige andere nicht schematische, sondern symbolische | Hypotyposen, und Ausdrücke für Begriffe nicht vermittelst einer direkten Anschauung, sondern nur nach einer Analogie mit derselben, d. i. der Übertragung der Reflexion über einen Gegenstand der Anschauung auf einen ganz andern Begriff, dem vielleicht nie eine Anschauung direkt korrespondieren kann. Wenn man eine bloße Vorstellungsart schon Erkenntnis nennen darf (welches, wenn sie ein Prinzip nicht der theoretischen Bestimmung des Gegenstandes *ist*[2], was er an sich[3], sondern *der*[2] praktischen,

[1] Akad.-Ausg.: »zwischen den Regeln«. – [2] Zusatz von B u. C. – [3] Akad.-Ausg.: »an sich sei«.

was die Idee von ihm für uns und den zweckmäßigen Gebrauch derselben werden soll, wohl erlaubt ist): so ist alle unsere Erkenntnis von Gott bloß symbolisch; und der, welcher sie mit den Eigenschaften Verstand, Wille, u.s.w., die allein an Weltwesen ihre objektive Realität beweisen, für schematisch nimmt, gerät in den Anthropomorphism, so wie, | wenn er alles Intuitive wegläßt, in den Deism, wodurch überall nichts, auch nicht in praktischer Absicht, erkannt wird.

Nun sage ich: das Schöne ist das Symbol des Sittlichguten; und auch nur in dieser Rücksicht (einer Beziehung, die jedermann natürlich ist, und die auch jedermann andern als Pflicht zumutet) gefällt es, mit einem Anspruche auf jedes andern *Beistimmung*[1], wobei sich das Gemüt zugleich einer gewissen Veredlung und Erhebung über die bloße Empfänglichkeit einer Lust durch Sinneneindrücke bewußt ist, und anderer Wert auch nach einer ähnlichen Maxime ihrer Urteilskraft schätzet. | Das ist das Intelligibele, worauf, wie der vorige Paragraph Anzeige tat, der Geschmack hinaussieht, wozu nämlich selbst unsere oberen Erkenntnisvermögen zusammenstimmen, *und*[2] ohne welches zwischen ihrer Natur, verglichen mit den Ansprüchen, die der Geschmack macht, lauter Widersprüche erwachsen würden. In diesem Vermögen sieht sich die Urteilskraft nicht, wie sonst in empirischer Beurteilung, einer Heteronomie der Erfahrungsgesetze unterworfen: sie gibt in Ansehung der Gegenstände eines so reinen Wohlgefallens ihr selbst das Gesetz, so wie die Vernunft es in Ansehung des Begehrungsvermögens tut; und sieht sich, sowohl wegen dieser innern Möglichkeit im Subjekte, als wegen der äußern Möglichkeit einer damit übereinstimmenden Natur, auf etwas im Subjekte selbst und außer | ihm, was nicht Natur, auch nicht Freiheit, doch aber mit dem Grunde der letzteren, nämlich dem Übersinnlichen verknüpft ist, bezogen, in welchem das theoretische Vermögen mit dem praktischen, auf gemeinschaftliche und unbekannte Art, zur Einheit verbunden wird. Wir wollen einige Stücke dieser Analogie anführen,

[1] A: »*Bestimmung*«. – [2] Zusatz von B u. C.

indem wir zugleich die Verschiedenheit derselben nicht unbemerkt lassen.

1) Das Schöne gefällt unmittelbar (aber nur in der reflektierenden Anschauung, nicht, wie Sittlichkeit, im Begriffe). 2) Es gefällt ohne alles Interesse (das Sittlichgute zwar notwendig mit einem Interesse, aber nicht einem solchen, *was*[1] vor dem Urteile über das | Wohlgefallen vorhergeht, verbunden, sondern *was*[1] dadurch allererst bewirkt wird). 3) Die Freiheit der Einbildungskraft (also der Sinnlichkeit unseres Vermögens) wird in der Beurteilung des Schönen mit der Gesetzmäßigkeit des Verstandes als einstimmig vorgestellt (im moralischen Urteile wird die Freiheit des Willens als Zusammenstimmung des letzteren mit sich selbst nach allgemeinen Vernunftgesetzen gedacht). 4) Das subjektive Prinzip der Beurteilung des Schönen wird als allgemein, d. i. für jedermann gültig, aber durch keinen allgemeinen Begriff kenntlich, vorgestellt (das objektive Prinzip der Moralität wird auch für allgemein, d. i. für alle Subjekte, zugleich auch für alle Handlungen desselben Subjekts, und dabei durch einen ¦ allgemeinen Begriff kenntlich, erklärt). Daher ist das moralische Urteil nicht allein bestimmter konstitutiver Prinzipien fähig, sondern ist nur durch Gründung der Maximen auf dieselben und ihre Allgemeinheit möglich.

Die Rücksicht auf diese Analogie ist auch dem gemeinen Verstande gewöhnlich; und wir benennen schöne Gegenstände der Natur, oder der Kunst, oft mit Namen, die eine sittliche Beurteilung zum Grunde zu legen scheinen. Wir nennen Gebäude oder Bäume majestätisch und prächtig, oder Gefilde lachend und fröhlich; selbst Farben werden unschuldig, bescheiden, zärtlich genannt, weil sie Empfindungen erregen, die etwas mit dem Bewußtsein eines durch moralische Urteile bewirkten Ge|mützustandes Analogisches enthalten. Der Geschmack macht gleichsam den Übergang vom Sinnenreiz zum habituellen moralischen Interesse, ohne einen zu gewaltsamen Sprung, möglich, indem er die Einbildungskraft auch in ihrer Freiheit als zweckmäßig

[1] C: *»welches«*.

¦B 260 |A 256, 257

für den Verstand bestimmbar vorstellt, und sogar an Gegenständen der Sinne auch ohne Sinnenreiz ein freies Wohlgefallen finden[1] lehrt.

| § 60. ANHANG

VON DER METHODENLEHRE DES GESCHMACKS

Die Einteilung einer Kritik in Elementarlehre und Methodenlehre, welche vor der Wissenschaft vorhergeht, läßt sich auf die Geschmackskritik nicht anwenden: weil es keine Wissenschaft des Schönen gibt noch geben kann, und das Urteil des Geschmacks nicht durch Prinzipien bestimmbar ist. Denn was das Wissenschaftliche in jeder Kunst anlangt, welches auf Wahrheit in der Darstellung ihres Objekts geht, so ist dieses zwar die unumgängliche Bedingung (conditio sine qua non) der schönen Kunst, aber diese nicht selber. Es gibt also für die schöne Kunst nur eine Manier (modus), nicht Lehrart (methodus). Der Meister muß es vormachen, was und wie es der Schüler zu Stande bringen soll; und die allgemeinen Regeln, *worunter*[2] er zuletzt sein Verfah|ren bringt, können eher dienen, die Hauptmomente desselben gelegentlich in Erinnerung zu bringen, als sie ihm vorzuschreiben. Hiebei muß dennoch auf ein gewisses Ideal Rücksicht genommen werden, welches die Kunst vor Augen haben muß, ob sie es gleich in ihrer Ausübung nie völlig erreicht. Nur durch die Aufweckung der Einbildungskraft des Schülers zur Angemessenheit mit einem gegebenen Begriffe, durch die angemerkte Un|zulänglichkeit des Ausdrucks für die Idee, welche der Begriff selbst nicht erreicht, weil sie ästhetisch ist, und durch scharfe Kritik, kann verhütet werden, daß die Beispiele, die ihm vorgelegt werden, von ihm nicht sofort für Urbilder und etwa keiner noch höhern Norm und eigener Beurteilung unterworfene Muster der Nachahmung gehalten, und so das Genie, mit ihm aber auch die Freiheit der Einbildungskraft selbst in ihrer Gesetzmäßigkeit erstickt werde, ohne welche keine schöne Kunst, selbst

[1] A: »*zu* finden«. – [2] A: »*darunter*«.

|B 261, 262 |A 258

nicht einmal ein richtiger sie beurteilender eigener Geschmack, möglich ist.

Die Propädeutik zu aller schönen Kunst, sofern es auf den höchsten Grad ihrer Vollkommenheit angelegt ist, scheint nicht in Vorschriften, sondern in der Kultur der Gemütskräfte durch diejenigen Vorkenntnisse zu liegen, welche man Humaniora nennt: vermutlich, weil Humanität einerseits das allgemeine Teilnehmungsgefühl, andererseits das Vermögen, sich innigst und allgemein mitteilen zu können, bedeutet; | welche Eigenschaften zusammen verbunden die der Menschheit angemessene *Glückseligkeit*[1] ausmachen, wodurch sie sich von der tierischen Eingeschränktheit *unterscheidet*[2]. Das Zeitalter sowohl, als die Völker, in welchen der rege Trieb zur gesetzlichen Geselligkeit, wodurch ein Volk ein dauerndes gemeines Wesen ausmacht, mit den großen Schwierigkeiten rang, welche die schwere Aufgabe, Freiheit (und also auch Gleich|heit) mit *einem*[3] Zwange (mehr der Achtung und Unterwerfung aus Pflicht, als Furcht) zu vereinigen, umgeben: ein solches Zeitalter und ein solches Volk mußte die Kunst der wechselseitigen Mitteilung der Ideen des ausgebildetsten Teils mit dem roheren, die Abstimmung der Erweiterung und Verfeinerung der ersteren zur natürlichen Einfalt und Originalität der letzteren[4], und auf diese Art dasjenige Mittel zwischen der höheren Kultur und der genügsamen Natur zuerst erfinden, welches den richtigen, nach keinen allgemeinen Regeln anzugebenden Maßstab auch für den Geschmack, als allgemeinen Menschensinn, ausmacht.

Schwerlich wird ein späteres Zeitalter jene Muster entbehrlich machen; weil es der Natur immer weniger nahe sein wird, und sich zuletzt, ohne bleibende Beispiele von ihr zu haben, kaum einen Begriff von der glücklichen Vereinigung des gesetzlichen Zwanges der höchsten Kultur mit der Kraft und Richtigkeit der ihren eigenen | Wert fühlenden freien Natur in einem und demselben Volke zu machen im Stande sein möchte.

[1] A: »*Geselligkeit*«. – [2] C: »*unterscheiden*«. – [3] C: »*dem*«. – [4] Akad.-Ausg.: »des letzteren«.

Da aber der Geschmack im Grunde ein Beurteilungsvermögen der Versinnlichung sittlicher Ideen (vermittelst einer gewissen Analogie der Reflexion über beide) ist, *wovon*[1] auch, und *von*[2] der darauf zu gründenden größeren Empfänglichkeit für das Gefühl aus den letzteren (welches das moralische heißt) diejenige Lust sich ableitet, welche der Geschmack, als für die | Menschheit überhaupt, nicht bloß für *eines jeden* Privatgefühl[3], gültig erklärt: so leuchtet ein, daß die wahre Propädeutik zur Gründung des Geschmacks die Entwickelung sittlicher Ideen und die Kultur des moralischen Gefühls sei; *da, nur wenn* mit *diesem* die Sinnlichkeit in Einstimmung gebracht *wird*, der echte Geschmack eine[4] bestimmte unveränderliche Form annehmen kann.

[1] A: »*davon*«. – [2] Zusatz von B u. C. – [3] A: »für *jedes sein* Privatgefühl«. – [4] A: »sei; mit *welchem* in Einstimmung die Sinnlichkeit gebracht, der echte Geschmack *allein* eine«.

| B 264

|| DER KRITIK DER URTEILSKRAFT
ZWEITER TEIL

KRITIK
DER TELEOLOGISCHEN
URTEILSKRAFT

|B 265 |A 261

|| § 61. VON DER OBJEKTIVEN ZWECKMÄSSIGKEIT DER NATUR

Man hat, nach transzendentalen Prinzipien, guten Grund, eine subjektive Zweckmäßigkeit der Natur in ihren besondern Gesetzen, zu der Faßlichkeit für die menschliche Urteilskraft, und der Möglichkeit der Verknüpfung der besondern Erfahrungen in *ein* System[1] derselben, anzunehmen; wo dann unter den vielen Produkten derselben auch solche als möglich erwartet werden können, die, als ob sie ganz eigentlich für unsere Urteilskraft angelegt wären, eine solche spezifische ihr angemessene Form[2] enthalten, welche durch ihre Mannigfaltigkeit und Einheit die Gemütskräfte (die im Gebrauche dieses Vermögens im Spiele sind) gleichsam zu stärken und zu unterhalten dienen, und denen man daher den Namen schöner Formen beilegt.

Daß aber Dinge der Natur einander als Mittel zu Zwekken dienen, und ihre Möglichkeit selbst nur durch diese Art von Kausalität hinreichend verständlich sei, dazu haben wir gar keinen Grund in der allgemeinen Idee der Natur, als Inbegriffs der Gegenstände der || Sinne. Denn im obigen Falle konnte die Vorstellung der Dinge, weil sie etwas in uns ist, als zu der innerlich zweckmäßigen Stimmung unserer Erkenntnisvermögen geschickt und tauglich, ganz wohl auch a priori gedacht werden; wie aber Zwecke, die nicht die unsrigen sind, und die auch der Natur (welche wir nicht als intelligentes Wesen annehmen) nicht zukommen, doch eine besondere Art der Kausalität, wenigstens eine ganz eigne Gesetzmäßigkeit derselben ausmachen können oder sollen, läßt sich a priori gar nicht mit einigem Grunde präsumieren. Was aber noch mehr ist, so kann uns selbst die Erfahrung die Wirklichkeit derselben nicht beweisen; es müßte denn eine Vernünftelei vorhergegangen sein, die nur den Begriff des Zwecks in die Natur der Dinge hineinspielt, aber ihn nicht von den Objekten und ihrer Erfahrungserkenntnis hernimmt, denselben also mehr braucht, die Natur

[1] A: »in *einem* System«. – [2] Akad.-Ausg.: »wären, solche ... Formen«.

nach der Analogie mit einem subjektiven Grunde der Verknüpfung der Vorstellungen in uns begreiflich zu machen, als sie aus objektiven Gründen zu erkennen.

Überdem ist die objektive Zweckmäßigkeit, als Prinzip der Möglichkeit der Dinge der Natur, so weit davon entfernt, mit dem Begriffe derselben notwendig zusammenzuhängen: daß sie vielmehr gerade das ist, worauf man sich vorzüglich beruft, um die Zufälligkeit derselben (der Natur) und ihrer Form daraus zu beweisen. Denn wenn man z. B. den Bau eines Vogels, || die Höhlung in seinen Knochen, die Lage seiner Flügel zur Bewegung, und des Schwanzes zum Steuern u.s.w. anführt: so sagt man, daß dieses alles nach dem bloßen nexus effectivus in der Natur, ohne noch eine besondere Art der Kausalität, nämlich die der Zwecke (nexus finalis), zu Hülfe zu nehmen, im höchsten Grade zufällig sei: d. i. daß sich die Natur, als bloßer Mechanism betrachtet, auf tausendfache Art habe anders bilden können, ohne gerade auf die Einheit nach einem solchen Prinzip zu stoßen, und man also außer dem Begriffe der Natur, nicht in demselben, den mindesten Grund dazu a priori allein anzutreffen hoffen dürfe.

Gleichwohl wird die teleologische Beurteilung, wenigstens problematisch, mit Recht zur Naturforschung gezogen; aber nur, um sie nach der Analogie mit der Kausalität nach Zwecken unter Prinzipien der Beobachtung und Nachforschung zu bringen, ohne sich anzumaßen, sie darnach zu erklären. Sie gehört also zur reflektierenden, nicht der[1] bestimmenden, Urteilskraft. Der Begriff von Verbindungen und Formen der Natur nach Zwecken ist doch wenigstens ein Prinzip mehr, die Erscheinungen derselben unter Regeln zu bringen, wo die Gesetze der Kausalität nach dem bloßen Mechanism derselben nicht zulangen. Denn wir führen einen teleologischen Grund an, wo wir einem Begriffe vom Objekte, als ob er in der Natur (nicht in uns) *befindlich* wäre[2], Kausalität in Ansehung eines Objekts zueignen, || oder vielmehr nach der Analogie einer solchen Kausalität (dergleichen wir in uns antreffen) uns die Möglichkeit des

[1] C: »*zu* der«. – [2] A: »*belegen* wäre«.

Gegenstandes vorstellen, mithin die Natur als durch eignes Vermögen technisch denken; *wogegen*[1], wenn wir ihr nicht eine solche Wirkungsart beilegen, ihre Kausalität als blinder Mechanism vorgestellt werden müßte. Würden wir dagegen der Natur absichtlich-wirkende Ursachen unterlegen, mithin der Teleologie nicht bloß ein regulatives Prinzip für die bloße Beurteilung der Erscheinungen, denen die Natur nach ihren besondern Gesetzen als unterworfen gedacht werden könne, sondern dadurch auch *ein*[2] konstitutives Prinzip der Ableitung ihrer Produkte von ihren Ursachen zum Grunde legen: so würde der Begriff eines Naturzwecks nicht mehr für die reflektierende, sondern die bestimmende Urteilskraft gehören; alsdann aber in der Tat gar nicht der Urteilskraft eigentümlich angehören (wie der *Begriff*[2] der Schönheit als formaler subjektiver Zweckmäßigkeit), sondern, als Vernunftbegriff, eine neue Kausalität in der Naturwissenschaft einführen, die wir doch nur von uns selbst entlehnen und andern Wesen beilegen, ohne sie gleichwohl mit uns als gleichartig annehmen zu wollen.

|| ERSTE ABTEILUNG
ANALYTIK DER TELEOLOGISCHEN URTEILSKRAFT

§ 62. VON DER OBJEKTIVEN ZWECKMÄSSIGKEIT, DIE BLOSS FORMAL IST, ZUM UNTERSCHIEDE VON DER MATERIALEN

Alle geometrische Figuren, die nach einem Prinzip gezeichnet werden, zeigen eine mannigfaltige, oft bewunderte, objektive Zweckmäßigkeit, nämlich der Tauglichkeit zur Auflösung vieler Probleme nach einem einzigen Prinzip, und auch wohl eines jeden derselben auf unendlich verschiedene Art an sich. Die Zweckmäßigkeit ist hier offenbar objektiv und intellektuell, nicht aber bloß subjektiv und ästhetisch. Denn sie drückt die Angemessenheit der Figur zur Erzeugung vieler abgezweckten Gestalten aus, und wird durch Vernunft erkannt. Allein die Zweckmäßigkeit macht doch den Begriff von dem Gegenstande selbst nicht möglich, d. i.

[1] A: »*dagegen*«. – [2] Zusatz von B u. C.

er wird nicht bloß in Rücksicht auf diesen Gebrauch als möglich angesehen.

|| In einer so einfachen Figur, als der Zirkel ist, liegt der Grund zu einer Auflösung einer Menge von Problemen, deren jedes für sich mancherlei Zurüstung erfordern würde, und die als eine von den unendlich vielen vortrefflichen Eigenschaften dieser Figur sich gleichsam von selbst ergibt. Ist es z. B. darum zu tun, aus der gegebenen Grundlinie und dem ihr gegenüberstehenden Winkel einen Triangel zu konstruieren, so ist die Aufgabe unbestimmt, d. i. sie läßt sich auf unendlich mannigfaltige Art auflösen. Allein der Zirkel befaßt sie doch alle insgesamt, als der geometrische Ort für alle Dreiecke, die dieser Bedingung gemäß sind. Oder zwei Linien sollen sich einander so schneiden, daß das Rechteck aus den zwei Teilen der einen dem Rechteck aus den zwei Teilen der andern gleich sei: so hat die Auflösung der Aufgabe dem Ansehen nach viele Schwierigkeit. Aber alle Linien, die sich innerhalb dem Zirkel, dessen Umkreis jede derselben begrenzt, schneiden, teilen sich von selbst in dieser Proportion. Die andern krummen Linien geben wiederum andere zweckmäßige Auflösungen an die Hand, an die in der Regel, die ihre Konstruktion ausmacht, gar nicht gedacht war. Alle Kegelschnitte für sich, und in Vergleichung mit einander, sind fruchtbar an Prinzipien zur Auflösung einer Menge möglicher Probleme, so einfach auch ihre Erklärung ist, welche ihren Begriff bestimmt. – Es ist eine wahre Freude, den Eifer der alten Geometer anzusehen, mit dem sie diesen Eigenschaften || der Linien dieser Art nachforschten, ohne sich durch die Frage eingeschränkter Köpfe irre machen zu lassen: wozu denn diese Kenntnis nützen sollte? z. B. die der Parabel, ohne das Gesetz der Schwere auf der Erde zu kennen, welches ihnen die Anwendung derselben auf die Wurfslinie schwerer Körper (deren Richtung der Schwere in ihrer Bewegung als parallel angesehen werden kann) würde an die Hand gegeben haben; oder der Ellipse, ohne zu *ahnen* [1], daß auch eine Schwere an Himmelskörpern zu finden sei, und ohne ihr Gesetz in ver-

[1] A: »*ahnden*«.

schiedenen Entfernungen vom Anziehungspunkte zu kennen, welches macht, daß sie diese Linie in freier Bewegung beschreiben. Während dessen, daß sie hierin, ihnen selbst unbewußt, für die Nachkommenschaft arbeiteten, ergötzten sie sich an einer Zweckmäßigkeit in dem Wesen der Dinge, die sie doch völlig a priori in ihrer Notwendigkeit darstellen konnten. Plato, selbst Meister in dieser Wissenschaft, geriet über eine solche ursprüngliche Beschaffenheit der Dinge, welche zu entdecken wir aller Erfahrung entbehren können, und über das Vermögen des Gemüts, die Harmonie der Wesen aus ihrem übersinnlichen Prinzip schöpfen zu können (wozu noch die Eigenschaften der Zahlen kommen, mit denen das Gemüt in der Musik spielt), in die Begeisterung, welche ihn über die Erfahrungsbegriffe zu Ideen erhob, die ihm nur durch eine intellektuelle Gemeinschaft mit dem Ursprunge aller Wesen erklärlich zu sein schienen. Kein Wunder, || daß er den der Meßkunst Unkundigen aus seiner Schule verwies, indem er das, was Anaxagoras aus Erfahrungsgegenständen und ihrer Zweckverbindung schloß, aus der reinen, dem menschlichen Geiste innerlich beiwohnenden, Anschauung abzuleiten dachte. Denn in der Notwendigkeit dessen was zweckmäßig ist, und so[1] beschaffen ist, als ob es für unsern Gebrauch absichtlich so eingerichtet wäre, gleichwohl *aber* dem[2] Wesen der Dinge ursprünglich zuzukommen scheint, ohne auf unsern Gebrauch Rücksicht zu nehmen, liegt eben der Grund der großen Bewunderung der Natur, nicht sowohl außer uns, als in unserer eigenen Vernunft; wobei es wohl verzeihlich ist, daß diese Bewunderung durch Mißverstand nach und nach bis zur Schwärmerei steigen mochte.

Diese intellektuelle Zweckmäßigkeit aber, ob sie gleich objektiv ist (nicht wie die ästhetische subjektiv), läßt sich gleichwohl ihrer Möglichkeit nach als bloß formale (nicht reale), d. i. als Zweckmäßigkeit, ohne daß doch ein Zweck ihr zum Grunde zu legen, mithin Teleologie dazu nötig wäre, gar wohl, aber nur im allgemeinen, begreifen. Die Zirkelfigur ist eine Anschauung, die durch den Verstand nach einem Prinzip bestimmt worden: die Einheit dieses Prinzips,

[1] A: »und *was* so«. – [2] A: »wäre, *was* gleichwohl dem«.

|B 274 |A 270

welches ich willkürlich annehme und als Begriff zum Grunde lege, angewandt auf eine Form der Anschauung (den Raum), die gleichfalls bloß als Vorstellung und zwar a priori in mir angetroffen wird, | macht die Einheit vieler sich aus der Konstruktion | jenes Begriffs ergebender Regeln, die in mancherlei möglicher Absicht zweckmäßig sind, begreiflich, ohne dieser Zweckmäßigkeit einen Zweck, oder irgend einen andern Grund derselben, unterlegen zu dürfen. Es ist hiemit nicht so bewandt, als wenn ich in einem, in gewisse Grenzen eingeschlossenen, Inbegriffe von Dingen außer mir, z. B. einem Garten, Ordnung und Regelmäßigkeit der Bäume, Blumenbeeten, Gänge u.s.w. anträfe, welche ich a priori aus meiner *nach einer beliebigen Regel gemachten*[1] Umgrenzung eines Raums zu folgern nicht hoffen kann: weil es existierende Dinge sind, die empirisch gegeben sein müssen, um erkannt werden zu können, und nicht eine bloße nach einem Prinzip a priori bestimmte Vorstellung in mir. Daher die letztere (empirische) Zweckmäßigkeit, als real, von dem Begriffe eines Zwecks abhängig ist.

Aber auch der Grund der Bewunderung einer, obzwar in dem Wesen der Dinge (sofern ihre Begriffe konstruiert werden können) wahrgenommenen, Zweckmäßigkeit läßt sich sehr wohl und zwar als rechtmäßig einsehen. Die mannigfaltigen Regeln, deren Einheit (aus einem Prinzip) diese Bewunderung erregt, sind insgesamt synthetisch, und folgen nicht aus einem Begriffe des Objekts, z. B. des Zirkels, sondern bedürfen es, daß dieses Objekt in der Anschauung gegeben sei. Dadurch aber bekommt diese Einheit das Ansehen, als ob sie empirisch einen von unserer Vorstellungskraft unter|schiedenen äus|sern Grund der Regeln habe, und also die Übereinstimmung des Objekts zu dem Bedürfnis der Regeln, *welches* dem[2] Verstande eigen ist, an sich zufällig, mithin nur durch einen ausdrücklich darauf gerichteten Zweck möglich sei. Nun sollte uns zwar eben diese Harmonie, weil sie, aller dieser Zweckmäßigkeit ungeachtet, dennoch nicht empirisch, sondern a priori erkannt wird, von selbst darauf bringen, daß der Raum, durch

[1] Zusatz von B u. C. – [2] A: »*das* dem«.

dessen Bestimmung (vermittelst der Einbildungskraft, gemäß einem Begriffe) das Objekt allein möglich war, nicht eine Beschaffenheit der Dinge außer mir, sondern eine bloße Vorstellungsart in mir sei, und ich also in die Figur, die ich einem Begriffe angemessen zeichne, d.i. in meine eigene Vorstellungsart von dem, was mir äußerlich, es sei an sich was es wolle, gegeben wird, die Zweckmäßigkeit hineinbringe, nicht von diesem über dieselbe *empirisch*[1] belehrt werde, folglich zu jener keinen besondern Zweck außer mir am Objekte bedürfe. *Weil*[2] aber diese Überlegung schon einen kritischen Gebrauch der Vernunft erfordert, mithin in der Beurteilung des Gegenstandes nach seinen Eigenschaften nicht sofort mit enthalten sein kann: so gibt mir die letztere unmittelbar nichts als Vereinigung heterogener Regeln (sogar nach dem, was sie Ungleichartiges an sich haben) in einem Prinzip an die Hand, welches, ohne einen außer meinem Begriffe und überhaupt meiner Vorstellung a priori liegenden besondern Grund ¦ dazu zu fordern, dennoch | von mir a priori als wahrhaft erkannt wird. Nun ist die Verwunderung ein Anstoß des Gemüts an der Unvereinbarkeit einer Vorstellung und der durch sie gegebenen Regel mit den schon in ihm zum Grunde liegenden Prinzipien, *welcher*[3] also einen Zweifel, ob man auch recht gesehen oder geurteilt habe, hervorbringt; Bewunderung aber eine immer wiederkommende Verwunderung, ungeachtet der Verschwindung dieses Zweifels. Folglich ist die letzte eine ganz natürliche Wirkung jener beobachteten Zweckmäßigkeit in den Wesen[4] der Dinge (als Erscheinungen), die auch sofern nicht getadelt werden kann, indem die Vereinbarung jener Form der sinnlichen Anschauung (welche der Raum heißt) mit dem Vermögen der Begriffe (dem Verstande) nicht allein deswegen, daß sie gerade diese und keine andere ist, uns unerklärlich, sondern überdem noch für das Gemüt erweiternd ist, noch etwas über jene sinnliche Vorstellungen Hinausliegendes gleichsam zu *ahnen*[5], worin, obzwar uns unbekannt, der letzte Grund jener Einstimmung ange-

[1] Zusatz von B u. C. – [2] A: »*Dieweil*«. – [3] A: »*welche*«. – [4] Akad.-Ausg.: »dem Wesen«. – [5] A: »*ahnden*«.

troffen werden mag. *Diesen* zu kennen haben wir zwar auch nicht nötig, wenn es bloß um formale Zweckmäßigkeit unserer Vorstellungen a priori zu tun ist; aber, auch nur *da* hinaussehen zu müssen, *flößt* für den Gegenstand, der uns dazu nötigt, zugleich Bewunderung *ein.*[1]

Man ist gewohnt, die erwähnten Eigenschaften, sowohl der geometrischen Gestalten, als auch wohl der || Zahlen, *wegen* einer gewissen, aus der Einfachheit ihrer Konstruktion nicht erwarteten, Zweckmäßigkeit derselben a priori zu allerlei Erkenntnisgebrauch, Schönheit[2] zu nennen; und spricht z. B. von dieser oder jener schönen Eigenschaft des Zirkels, welche auf diese oder jene Art entdeckt wäre. Allein es ist keine ästhetische Beurteilung, durch die wir sie zweckmäßig finden; keine Beurteilung ohne Begriff, die eine bloße subjektive Zweckmäßigkeit im freien Spiele unserer Erkenntnisvermögen bemerklich *macht*[3]: sondern eine intellektuelle nach Begriffen, welche eine objektive Zweckmäßigkeit, d. i. Tauglichkeit zu allerlei (ins Unendliche mannigfaltigen) Zwecken deutlich zu erkennen gibt. Man müßte sie eher eine relative Vollkommenheit, als eine Schönheit der mathematischen Figur nennen. *Die*[4] Benennung einer intellektuellen Schönheit kann auch überhaupt nicht füglich erlaubt werden; weil sonst das Wort Schönheit alle bestimmte Bedeutung, oder das intellektuelle Wohlgefallen allen Vorzug vor dem sinnlichen verlieren müßte. Eher würde man eine Demonstration solcher Eigenschaften, weil durch diese der Verstand, als Vermögen der Begriffe, und *die*[5] Einbildungskraft, als Vermögen der Darstellung derselben, a priori sich gestärkt fühlen (welches, mit der Präzision, die die Vernunft hineinbringt, zusammen, die Eleganz derselben genannt wird), schön nennen können: indem hier doch wenigstens das Wohlgefallen, obgleich der Grund *desselben*[6] | in Begriffen | liegt, subjektiv ist, da die Vollkommenheit ein objektives Wohlgefallen bei sich führt.

[1] A: »mag, *welchen* zu kennen wir zwar auch nicht nötig haben, wenn ... zu tun ist, *wohin* aber auch nur hinaussehen zu müssen für den Gegenstand, ..., zugleich Bewunderung *einflößt.*« – [2] A: »Zahlen, *um* einer ... Erkenntnisgebrauch *willen*, Schönheit«. – [3] A: »*machte*«. – [4] C: »*Diese*«. – [5] Zusatz von B u. C. – [6] A: »*derselben*«.

§ 63. VON DER RELATIVEN ZWECKMÄSSIGKEIT DER NATUR ZUM UNTERSCHIEDE VON DER INNERN

Die Erfahrung leitet unsere Urteilskraft auf den Begriff einer objektiven und materialen Zweckmäßigkeit, d. i. auf den Begriff eines Zwecks der Natur nur alsdann, wenn ein Verhältnis der Ursache zur Wirkung zu beurteilen ist*, welches wir als gesetzlich einzusehen uns nur dadurch vermögend finden, daß wir die Idee der Wirkung der Kausalität ihrer Ursache, als die dieser selbst zum Grunde liegende Bedingung der Möglichkeit der ersteren, unterlegen. Dieses kann aber auf zwiefache Weise geschehen: entweder indem wir die Wirkung unmittelbar als Kunstprodukt, oder nur als Material für die Kunst anderer möglicher Naturwesen, also entweder als Zweck, oder als Mittel zum zweckmäßigen Gebrauche anderer Ursachen, ansehen. Die letztere Zweckmäßigkeit heißt die Nutzbarkeit (für Menschen), || oder auch Zuträglichkeit (für jedes andere Geschöpf), und ist bloß relativ; *indes* die[1] erstere eine innere Zweckmäßigkeit des Naturwesens ist.

Die Flüsse führen z. B. allerlei zum Wachstum der Pflanzen dienliche Erde mit sich fort, die sie bisweilen mitten im Lande, oft auch an ihren Mündungen, absetzen. Die Flut führt diesen Schlich an manchen Küsten über das Land, oder setzt ihn an dessen Ufer ab; und, wenn vornehmlich Menschen dazu helfen, damit die Ebbe ihn nicht wieder wegführe, so nimmt das fruchtbare Land zu, und das Gewächsreich *gewinnt*[2] da Platz, wo vorher Fische und Schaltiere ihren Aufenthalt gehabt hatten. Die meisten Landeserweiterungen auf diese Art hat wohl die Natur selbst verrichtet, und fährt damit auch noch, obzwar langsam, fort. – Nun fragt sich, ob dies als ein Zweck der Natur zu beurteilen

* Weil in der reinen Mathematik nicht von der Existenz, sondern nur der Möglichkeit der Dinge, nämlich einer ihrem Begriffe korrespondierenden Anschauung, mithin gar nicht von Ursache und Wirkung die Rede sein kann: *so* muß *folglich* alle daselbst angemerkte Zweckmäßigkeit bloß als formal, niemals als Naturzweck, betrachtet werden.[3]

[1] A: »*indessen daß* die«. – [2] A: »*nimmt*«. – [3] A: »*Daher*, weil ... Rede sein kann, alle ..., betrachtet werden muß.«

|B 280 |A 276

sei, weil es eine Nutzbarkeit für Menschen enthält; denn die für das Gewächsreich selber kann man nicht in Anschlag bringen, weil dagegen eben so viel den Meergeschöpfen entzogen wird, als dem Lande Vorteil zuwächst.

Oder, um ein Beispiel von der Zuträglichkeit gewisser Naturdinge als Mittel für andere Geschöpfe (wenn man sie als *Mittel*[1] voraussetzt) zu geben: so ist kein Boden den Fichten gedeihlicher, als ein Sandboden. Nun hat das alte Meer, ehe es sich vom Lande zurückzog, so viele Sandstriche in unsern nordlichen Gegenden zurückgelassen, daß auf diesem für alle | Kultur sonst so unbrauch|baren Boden weitläuftige Fichtenwälder haben aufschlagen können, wegen deren unvernünftiger Ausrottung wir häufig unsere Vorfahren anklagen; und da kann man fragen, ob diese uralte Absetzung der Sandschichten ein Zweck der Natur war, zum Behuf der darauf möglichen Fichtenwälder. So viel ist klar: daß, wenn man diese als Zweck der Natur annimmt, man jenen Sand auch, aber nur als relativen Zweck einräumen müsse, wozu wiederum der alte Meeresstrand und dessen Zurückziehen das Mittel war; denn in der Reihe der einander subordinierten Glieder einer Zweckverbindung muß ein jedes Mittelglied als Zweck (obgleich eben nicht als Endzweck) betrachtet werden, wozu seine nächste Ursache das Mittel ist. Eben so, wenn einmal Rindvieh, Schafe, Pferde u.s.w. in der Welt sein sollten, so mußte Gras auf Erden, aber es mußten auch Salzkräuter in Sandwüsten wachsen, wenn Kamele gedeihen sollten, oder auch diese und andere grasfressende Tierarten in Menge anzutreffen sein, wenn es Wölfe, Tiger und Löwen geben sollte. Mithin ist die objektive Zweckmäßigkeit, die sich auf Zuträglichkeit gründet, nicht eine objektive Zweckmäßigkeit der Dinge an sich selbst, als ob der Sand für sich, als Wirkung aus seiner Ursache, dem Meere, nicht könnte begriffen werden, ohne dem letztern einen Zweck unterzulegen, und ohne die Wirkung, nämlich den Sand, als Kunstwerk zu betrachten. Sie ist eine bloß relative, dem | Dinge selbst, dem sie beigelegt | wird, bloß zufällige Zweckmäßigkeit; und, obgleich, unter

[1] A: »*Zwecke*«.

den angeführten Beispielen, die Grasarten für sich, als organisierte Produkte der Natur, mithin als kunstreich zu beurteilen sind, so werden sie doch in Beziehung auf Tiere, die sich davon nähren, als bloße rohe Materie angesehen.

Wenn aber vollends der Mensch, durch Freiheit seiner Kausalität, die Naturdinge seinen oft törichten Absichten (die bunten Vogelfedern zum Putzwerk seiner Bekleidung, farbige Erden oder Pflanzensäfte zur Schminke), manchmal auch *aus*[1] vernünftiger Absicht, das Pferd zum Reiten, den Stier und in Minorka sogar *den Esel und*[1] das Schwein zum Pflügen, *zuträglicher*[2] findet: so kann man hier auch nicht einmal einen relativen Naturzweck (auf diesen Gebrauch) annehmen. Denn seine Vernunft weiß den Dingen eine Übereinstimmung mit seinen willkürlichen Einfällen, *wozu*[3] er selbst nicht einmal von der Natur prädestiniert war, zu geben. Nur wenn man annimmt, Menschen haben auf Erden leben sollen, so müssen doch wenigstens die Mittel, ohne die sie als Tiere und selbst als vernünftige Tiere (in wie niedrigem Grade es auch sei) nicht bestehen konnten, auch nicht fehlen; alsdann aber würden diejenigen Naturdinge, die zu diesem Behufe unentbehrlich sind, auch als Naturzwecke angesehen werden müssen.

Man sieht hieraus leicht ein, daß die äußere Zweckmäßigkeit (Zuträglichkeit eines Dinges für an|dere) nur | unter der Bedingung, daß die Existenz desjenigen, dem es zunächst oder auf entfernte Weise zuträglich ist, für sich selbst Zweck der Natur sei, für einen äußern Naturzweck angesehen werden könne. Da jenes aber, durch bloße Naturbetrachtung, nimmermehr auszumachen ist: so folgt, daß die relative Zweckmäßigkeit, ob sie gleich hypothetisch auf Naturzwecke Anzeige gibt, dennoch zu keinem absoluten teleologischen Urteile berechtige.

Der Schnee sichert die Saaten in kalten Ländern wider den Frost; er erleichtert die Gemeinschaft der Menschen (durch Schlitten); der Lappländer findet dort Tiere, die diese Gemeinschaft bewirken (Renntiere), die[4] an einem dür-

[1] Zusatz von B u. C. – [2] A: »*zuträglich*«. – [3] A: »*dazu*«. – [4] A: »*und die*«.

ren Moose, welches sie sich selbst unter dem Schnee hervorscharren müssen, hinreichende Nahrung finden, und gleichwohl sich leicht zähmen, und der Freiheit, in der sie sich gar wohl erhalten könnten, willig berauben lassen. Für andere *Völker*[1] in derselben Eiszone enthält das Meer reichen Vorrat an Tieren, die, außer der Nahrung und Kleidung, die sie liefern, und dem Holze, welches ihnen das Meer zu Wohnungen gleichsam hinflößet, ihnen noch Brennmaterien zur Erwärmung ihrer Hütten liefern. Hier ist nun eine bewundernswürdige Zusammenkunft von so viel Beziehungen der Natur auf einen Zweck; und dieser ist der Grönländer, der Lappe, der Samojede, *der* Jakute[2], u.s.w. Aber man sieht nicht, wa|rum überhaupt Menschen dort leben müssen. Also sagen: daß darum Dünste aus der | Luft in der Form des Schnees herunterfallen, das Meer seine Ströme habe, welche das in wärmern Ländern gewachsene Holz dahin schwemmen, und große mit Öl angefüllte Seetiere da sind, weil der Ursache, die alle die Naturprodukte herbeischafft, die Idee eines Vorteils für gewisse armselige Geschöpfe zum Grunde liege: wäre ein sehr gewagtes und willkürliches Urteil. Denn, wenn alle diese Naturnützlichkeit auch nicht wäre, so würden wir nichts an der Zulänglichkeit der Naturursachen zu dieser Beschaffenheit vermissen; vielmehr eine solche Anlage auch nur zu verlangen und der Natur einen solchen Zweck zuzumuten (da *ohnedas*[3] nur die größte Unverträglichkeit der Menschen unter einander sie bis in so unwirtbare Gegenden hat versprengen können) würde uns selbst vermessen und unüberlegt zu sein dünken.

§ 64. VON DEM EIGENTÜMLICHEN CHARAKTER DER DINGE ALS NATURZWECKE

Um einzusehen, daß ein Ding nur als Zweck möglich sei, d. h. die Kausalität seines Ursprungs nicht im Mechanism der Natur, sondern in einer Ursache, deren Vermögen zu wirken durch Begriffe bestimmt wird, suchen zu müssen, dazu wird erfordert: | daß seine Form nicht nach bloßen

[1] Zusatz von B u. C. – [2] A: »*oder* Jakute«. – [3] A: »*ohnedem*«.

Naturgesetzen möglich sei, d. i. solchen, welche von uns durch den Verstand allein, auf Gegenstände der Sinne angewandt, erkannt werden können; | sondern daß selbst ihr empirisches Erkenntnis, ihrer Ursache und Wirkung nach, Begriffe der Vernunft voraussetze. Diese Zufälligkeit seiner Form bei allen empirischen Naturgesetzen in Beziehung auf die Vernunft, da die Vernunft, welche an einer jeden Form eines Naturprodukts auch die Notwendigkeit derselben erkennen muß, wenn sie auch nur die mit seiner Erzeugung verknüpften Bedingungen einsehen will, gleichwohl aber an[1] jener gegebenen Form diese Notwendigkeit nicht annehmen kann, ist selbst ein Grund, die Kausalität desselben so anzunehmen, als ob sie eben darum nur durch Vernunft möglich sei; diese aber ist alsdann das Vermögen, nach Zwecken zu handeln (ein Wille); und das Objekt, welches nur als aus diesem möglich vorgestellt wird, würde nur als Zweck für möglich vorgestellt werden.

Wenn jemand in einem ihm unbewohnt scheinenden Lande eine geometrische Figur, allenfalls *ein reguläres Sechseck*[2], im Sande gezeichnet wahrnähme: so würde seine Reflexion, indem sie an einem Begriffe derselben arbeitet, der Einheit des Prinzips der Erzeugung desselben, wenn gleich dunkel, vermittelst der Vernunft inne werden, und so, dieser gemäß, den | Sand, das benachbarte Meer, die Winde, oder auch Tiere mit ihren Fußtritten, die er kennt, oder jede andere vernunftlose Ursache nicht als einen Grund der Möglichkeit einer solchen Gestalt beurteilen: weil ihm die Zufälligkeit, mit | einem solchen Begriffe, der nur in der Vernunft möglich ist, zusammen zu treffen, so unendlich groß scheinen würde, daß es eben so gut wäre, als ob es dazu gar kein Naturgesetz gebe, daß folglich auch[3] keine Ursache in der bloß mechanisch wirkenden Natur, sondern nur der Begriff von einem solchen Objekt, als Begriff, den nur Vernunft geben und mit demselben den Gegenstand vergleichen kann, auch die Kausalität zu einer solchen Wirkung enthalten, folglich diese durchaus als Zweck, aber nicht Naturzweck,

[1] Akad.-Ausg.: »gleichwohl an«. – [2] A: *»vom regulären Sechsecke«*. – [3] A: »folglich daß auch«.

d. i. als Produkt der Kunst, angesehen werden könne (vestigium hominis video[1]).

Um aber etwas, *das* man[2] als Naturprodukt erkennt, gleichwohl doch auch als Zweck, mithin als Naturzweck, zu beurteilen: dazu, wenn nicht etwa hierin gar ein Widerspruch liegt, wird schon mehr erfordert. Ich würde vorläufig sagen: ein Ding existiert als Naturzweck, wenn es von sich selbst *(obgleich in zwiefachem Sinne)*[3] Ursache und Wirkung ist; denn hierin liegt eine Kausalität, dergleichen mit dem bloßen Begriffe einer Natur, ohne ihr einen Zweck unterzulegen, nicht verbunden, aber auch alsdann, zwar ohne Widerspruch, gedacht, aber nicht begriffen werden kann. Wir wollen die Bestimmung die|ser Idee von einem Naturzwecke zuvörderst durch ein Beispiel erläutern, ehe wir sie völlig auseinander setzen.

Ein Baum zeugt erstlich einen andern Baum nach einem bekannten Naturgesetze. Der Baum aber, den | er erzeugt, ist von derselben Gattung; und so erzeugt er sich selbst der Gattung nach, in der er, einerseits als Wirkung, andrerseits als Ursache, von sich selbst unaufhörlich hervorgebracht, und eben so, sich selbst oft hervorbringend, sich, als Gattung, beständig erhält.

Zweitens erzeugt ein Baum sich auch selbst als Individuum. Diese Art von Wirkung nennen wir zwar nur das Wachstum; aber *dieses*[4] ist in solchem Sinne zu nehmen, daß *es*[5] von jeder andern Größenzunahme nach mechanischen Gesetzen gänzlich unterschieden, und einer Zeugung, wiewohl unter einem andern Namen, gleich zu achten ist. Die Materie, die er zu sich hinzusetzt, verarbeitet dieses Gewächs vorher zu spezifisch-eigentümlicher Qualität, *welche* der[6] Naturmechanism außer ihr nicht[7] liefern kann, und bildet sich selbst weiter aus, vermittelst eines Stoffes, der, seiner Mischung nach, sein eignes Produkt ist. Denn, ob er zwar, was die Bestandteile betrifft, die er von der Natur außer ihm erhält, nur als Edukt angesehen werden muß: so

[1] Übersetzung des Herausgebers: »Ich sehe die Spur des Menschen«. – [2] A: »*was* man«. – [3] Zusatz von B u. C. – [4] A: »*dieser*«. – [5] A: »*er*«. – [6] A: »*die* der«. – [7] Akad.-Ausg.: »außer ihm nicht«.

ist doch in der Scheidung und neuen Zusammensetzung dieses rohen Stoffs eine solche Originalität des Scheidungs- und Bildungsvermögens dieser Art Naturwesen anzutreffen, *daß* alle Kunst *davon* unendlich [1] weit entfernt | bleibt, wenn sie es versucht, aus den Elementen, die sie durch Zergliederung derselben *erhält* [2], oder auch dem Stoff, den die Natur zur Nahrung derselben liefert, jene Produkte des Gewächsreichs wieder herzustellen.

| Drittens erzeugt ein Teil dieses Geschöpfs auch sich selbst so: daß die Erhaltung des einen von der Erhaltung der andern wechselsweise abhängt. Das Auge an einem Baumblatt, dem Zweige eines andern eingeimpft, bringt an einem fremdartigen Stocke ein Gewächs von seiner eignen Art hervor, und eben so *das Pfropfreis* [3] auf einem andern Stamme. Daher kann man auch an demselben Baume jeden Zweig oder Blatt als bloß auf diesem gepfropft oder okuliert, mithin als einen für sich selbst bestehenden Baum, der sich nur an einen andern anhängt und parasitisch nährt, ansehen. Zugleich sind die Blätter zwar Produkte des Baums, erhalten aber diesen doch auch gegenseitig; denn die wiederholte Entblätterung würde ihn töten, und sein Wachstum hängt von ihrer Wirkung [4] auf den Stamm ab. Der Selbsthülfe der Natur in diesen Geschöpfen bei ihrer Verletzung, wo der Mangel eines Teils, der zur Erhaltung der benachbarten gehörte, von den übrigen ergänzt wird; der Mißgeburten oder Mißgestalten im Wachstum, da gewisse Teile, wegen vorkommender Mängel oder Hindernisse, sich auf ganz neue Art formen, um das, was da ist, zu erhalten, und ein anomalisches Ge|schöpf hervorzubringen: will ich hier nur im Vorbeigehen erwähnen, ungeachtet sie unter die wundersamsten Eigenschaften organisierter Geschöpfe gehören.

| § 65. DINGE, ALS NATURZWECKE, SIND ORGANISIERTE WESEN

Nach dem im vorigen § angeführten Charakter muß ein Ding, *welches*, als [5] Naturprodukt, doch zugleich nur als Na-

[1] A: »anzutreffen, *von der* alle Kunst unendlich«. – [2] Zusatz von B u. C. – [3] A: »*der Propfreis*«. – [4] A: »von *dieser* ihrer Wirkung«. – [5] A: »*was* als«.

turzweck möglich erkannt werden soll, sich zu sich selbst wechselseitig als Ursache und Wirkung verhalten, welches ein etwas uneigentlicher und unbestimmter Ausdruck ist, der einer Ableitung von einem bestimmten Begriffe bedarf.

Die Kausalverbindung, sofern sie bloß durch den Verstand gedacht wird, ist eine Verknüpfung, die eine Reihe (von Ursachen und Wirkungen) ausmacht, welche immer abwärts geht; und die Dinge selbst, welche als Wirkungen andere als Ursache voraussetzen, können von diesen nicht gegenseitig zugleich Ursache sein. Diese Kausalverbindung nennt man die der wirkenden Ursachen (nexus effectivus). Dagegen aber kann doch auch eine Kausalverbindung nach einem Vernunftbegriffe (von Zwecken) gedacht werden, welche, wenn man sie als Reihe betrachtete, sowohl abwärts als aufwärts Abhängigkeit bei sich führen würde, in der das Ding, welches einmal als Wirkung bezeichnet ist, dennoch auf|wärts den Namen einer Ursache desjenigen Dinges verdient, wovon es die Wirkung ist. Im Praktischen (nämlich der Kunst) findet man leicht dergleichen Verknüpfung, | wie z. B. das Haus zwar die Ursache der Gelder ist, die für Miete eingenommen werden, aber doch auch umgekehrt die Vorstellung von diesem möglichen Einkommen die Ursache der Erbauung des Hauses war. Eine solche Kausalverknüpfung wird die der Endursachen (nexus finalis) genannt. Man könnte die erstere vielleicht schicklicher die Verknüpfung der realen, die zweite der idealen Ursachen nennen, weil bei dieser Benennung zugleich begriffen wird, daß es nicht mehr als diese zwei Arten der Kausalität geben könne.

Zu einem Dinge als Naturzwecke wird nun erstlich erfordert, daß die Teile (ihrem Dasein und *der*[1] Form nach) nur durch ihre Beziehung auf das Ganze möglich sind. Denn das Ding selbst ist ein Zweck, folglich unter einem Begriffe oder einer Idee befaßt, die alles, was in ihm enthalten sein soll, a priori bestimmen muß. Sofern aber ein Ding nur auf diese Art als möglich gedacht wird, ist es bloß ein Kunstwerk, d. i. das Produkt einer von der Materie (den Teilen) desselben unterschiedenen vernünftigen Ursache, deren

[1] Zusatz von B u. C.

|B 290 |A 286

Kausalität (in Herbeischaffung und Verbindung der Teile) durch ihre Idee von einem dadurch möglichen Ganzen (mithin nicht durch die Natur außer ihm) bestimmt wird.

| Soll aber ein Ding, als Naturprodukt, in sich selbst und seiner innern Möglichkeit doch eine Beziehung auf Zwecke enthalten, d. i. nur als Naturzweck und ohne die Kausalität der Begriffe von vernünftigen Wesen außer ¦ ihm möglich sein: so wird zweitens dazu erfordert: daß die Teile desselben sich dadurch zur Einheit eines Ganzen verbinden, daß sie von einander wechselseitig Ursache und Wirkung ihrer Form sind. Denn auf solche Weise ist es allein möglich, daß umgekehrt (wechselseitig) die Idee des Ganzen wiederum die Form und Verbindung aller Teile bestimme: nicht als Ursache – denn da wäre es ein Kunstprodukt – sondern als Erkenntnisgrund der systematischen Einheit der Form und Verbindung alles Mannigfaltigen, was in der gegebenen Materie enthalten ist, für den, der es beurteilt.

Zu einem Körper also, der an sich und seiner innern Möglichkeit nach als Naturzweck beurteilt werden soll, wird erfordert, daß die Teile desselben einander insgesamt, ihrer Form sowohl als Verbindung nach, wechselseitig, und so ein Ganzes aus eigener Kausalität hervorbringen, dessen Begriff wiederum umgekehrt (in einem Wesen, welches die einem solchen Produkt angemessene Kausalität nach Begriffen besäße) Ursache von demselben nach einem Prinzip, folglich[1] die Verknüpfung der wirkenden Ursachen zugleich als Wirkung durch Endursachen beurteilt werden könnte.

| In einem solchen Produkte der Natur wird ein jeder Teil, so, wie er nur durch alle übrige da ist, auch als um der andern und des Ganzen willen existierend, d.i. als Werkzeug (Organ) gedacht: welches aber nicht genug ist (denn er könnte auch Werkzeug der Kunst sein, ¦ und so nur als Zweck überhaupt möglich vorgestellt werden); sondern als ein die andern Teile (folglich jeder den andern wechselseitig) hervorbringendes Organ, dergleichen kein Werkzeug der

[1] Akad.-Ausg.: »Prinzip sein, folglich«; Akad.-Ausg. erwägt: »Prinzip ist, folglich«.

Kunst, sondern nur der allen Stoff zu Werkzeugen (selbst denen der Kunst) liefernden Natur sein kann: und nur dann und darum wird ein solches Produkt, als organisiertes und sich selbst organisierendes Wesen, ein Naturzweck genannt werden können.

In einer Uhr ist ein Teil das Werkzeug der Bewegung der andern, aber nicht *ein Rad*[1] die wirkende Ursache der Hervorbringung *des*[2] andern; ein Teil ist zwar um des andern Willen, aber nicht durch denselben da. Daher ist auch die hervorbringende Ursache derselben und ihrer Form nicht in der Natur (dieser Materie), sondern außer ihr in einem Wesen, *welches* nach[3] Ideen eines durch seine Kausalität möglichen Ganzen wirken kann, enthalten. Daher bringt auch, *so wenig wie* ein[4] Rad in der Uhr das andere, noch weniger eine Uhr andere Uhren hervor, so daß sie andere Materie dazu benutzte (sie organisierte); daher ersetzt sie auch nicht von selbst die ihr entwandten Teile, oder vergütet ihren Mangel in der ersten Bildung durch | den Beitritt der übrigen, oder bessert sich etwa selbst aus, wenn sie in Unordnung geraten ist: welches alles wir dagegen von der organisierten Natur erwarten können. – Ein organisiertes Wesen ist also nicht bloß Maschine: denn die hat lediglich bewe-|gende Kraft; sondern *sie*[5] besitzt in sich bildende Kraft, und zwar eine solche, die *sie*[6] den Materien mitteilt, welche sie nicht haben (sie organisiert): also eine sich fortpflanzende bildende Kraft, welche durch das Bewegungsvermögen allein (den Mechanism) nicht erklärt werden kann.

Man sagt von der Natur und ihrem Vermögen in organisierten Produkten bei weitem zu wenig, wenn man dieses ein Analogon der Kunst nennt; denn da denkt man sich den Künstler (ein vernünftiges Wesen) außer ihr. Sie organisiert sich vielmehr selbst, und in jeder Spezies ihrer organisierten Produkte, zwar nach einerlei Exemplar im Ganzen, aber doch auch mit schicklichen Abweichungen, die die Selbsterhaltung nach den Umständen erfordert. Näher tritt man vielleicht dieser unerforschlichen Eigenschaft, wenn

[1] Zusatz von B u. C. – [2] A u. C: »*der*«. – [3] A: »*was* nach«. – [4] A: »auch *nicht* ein«. – [5] Zusatz von B; C: »*es*«. – [6] C: »*es*«.

man sie ein Analogon des Lebens nennt: aber da muß man entweder die Materie als bloße Materie mit einer Eigenschaft (Hylozoism) begaben, die ihrem Wesen widerstreitet, oder ihr ein fremdartiges mit ihr in Gemeinschaft stehendes Prinzip (eine Seele) beigesellen: wozu man aber, wenn ein solches Produkt ein Naturprodukt sein soll, organisierte Materie als Werkzeug jener Seele entweder | schon voraussetzt, und jene also nicht im mindesten begreiflicher macht, oder die Seele zur Künstlerin dieses Bauwerks machen, und so das Produkt der Natur (der körperlichen) entziehen muß. Genau zu reden hat also ¦ die Organisation der Natur nichts Analogisches mit irgend einer Kausalität, die wir kennen.* Schönheit der Natur, weil sie den Gegenständen nur in Beziehung auf die Reflexion über die äußere Anschauung derselben, mithin nur der Form der Oberfläche wegen beigelegt wird, kann mit Recht ein Analogon der Kunst genannt werden. Aber innere Naturvollkommenheit, *wie sie diejenigen* Dinge[1] besitzen, *welche* nur[2] als Naturzwecke möglich sind und darum organisierte Wesen heißen, *ist* nach[3] keiner Analogie irgend eines uns bekannten physischen, d. i. Naturvermögens, ja, da wir selbst zur Natur im weitesten Verstande gehören, selbst nicht einmal durch eine genau angemessene Analogie mit menschlicher Kunst denkbar und erklärlich.

| Der Begriff eines Dinges, als an sich Naturzwecks, ist also kein konstitutiver Begriff des Verstandes oder der Vernunft, kann aber doch ein regulativer Begriff für die ¦ reflektierende Urteilskraft sein, nach einer entfernten Analogie

* Man kann umgekehrt einer gewissen Verbindung, die aber auch mehr in der Idee als in der Wirklichkeit angetroffen wird, durch eine Analogie mit den genannten unmittelbaren Naturzwecken Licht geben. So hat man sich, bei einer neuerlich unternommenen gänzlichen Umbildung eines großen Volks zu einem Staat, des Worts Organisation häufig für Einrichtung der Magistraturen u.s.w. und selbst des ganzen Staatskörpers sehr schicklich bedient. Denn jedes Glied soll freilich in einem solchen Ganzen nicht bloß Mittel, sondern zugleich auch Zweck, und, indem es zu der Möglichkeit des Ganzen mitwirkt, durch die Idee des Ganzen wiederum, seiner Stelle und Funktion nach, bestimmt sein.

[1] A: »Naturvollkommenheit, *dergleichen* Dinge«. – [2] A: »*die* nur«. – [3] A: »*sind* nach«.

mit unserer Kausalität nach Zwecken überhaupt die Nachforschung über Gegenstände dieser Art zu leiten und über ihren obersten Grund nachzudenken; das letztere zwar nicht zum Behuf der Kenntnis der Natur, oder jenes Urgrundes *derselben, sondern* vielmehr[1] eben desselben praktischen Vernunftvermögens in uns, mit welchem wir die Ursache jener Zweckmäßigkeit in Analogie betrachteten.

Organisierte Wesen sind also die einzigen in der Natur, welche, wenn man sie auch für sich und ohne ein Verhältnis auf andere Dinge betrachtet, doch nur als Zwecke derselben möglich gedacht werden müssen, und die also zuerst dem Begriffe eines Zwecks, der nicht ein praktischer sondern Zweck der Natur ist, objektive Realität, und dadurch für die Naturwissenschaft den Grund zu einer Teleologie, d. i. einer Beurteilungsart ihrer Objekte nach einem besondern Prinzip, verschaffen, dergleichen man in sie einzuführen (weil man die Möglichkeit einer solchen Art Kausalität gar nicht a priori einsehen kann) sonst schlechterdings nicht berechtigt sein würde.

| § 66. VOM PRINZIP DER BEURTEILUNG DER INNERN ZWECKMÄSSIGKEIT IN ORGANISIERTEN WESEN

Dieses Prinzip, zugleich die Definition derselben, heißt: Ein organisiertes Produkt der Natur ist | das, in welchem alles Zweck und wechselseitig auch Mittel ist. Nichts in ihm ist umsonst, zwecklos, oder einem blinden Naturmechanism zuzuschreiben.

Dieses Prinzip ist zwar, seiner Veranlassung nach, von Erfahrung abzuleiten, nämlich derjenigen, welche methodisch angestellt wird und Beobachtung heißt; der Allgemeinheit und Notwendigkeit wegen aber, die es von einer solchen Zweckmäßigkeit aussagt, kann es nicht bloß auf Erfahrungsgründen beruhen, sondern muß irgend ein Prinzip a priori, wenn es gleich bloß regulativ wäre, und jene Zwecke allein in der Idee des Beurteilenden und nirgend in einer wirkenden Ursache lägen, zum Grunde haben. Man kann

[1] A: »Urgrundes *desselben, als* vielmehr«.

daher obgenanntes Prinzip eine Maxime der Beurteilung der innern Zweckmäßigkeit organisierter Wesen nennen.

Daß die Zergliederer der Gewächse und Tiere, um ihre Struktur zu erforschen und die Gründe einsehen zu können, warum und zu welchem Ende solche Teile, warum eine solche Lage und Verbindung der Teile und gerade diese innere Form ihnen gegeben worden, jene Maxime: daß nichts in einem solchen Geschöpf umsonst | sei, als unumgänglich notwendig annehmen, und sie eben so, als den Grundsatz der allgemeinen Naturlehre: daß nichts von ungefähr geschehe, geltend machen, ist bekannt. In der Tat können sie sich auch von diesem teleologischen Grundsatze eben so wenig lossagen, als *von*[1] dem allgemeinen physischen, weil, so | wie bei *Verlassung*[2] des letzteren gar keine Erfahrung überhaupt, so bei der des ersteren Grundsatzes kein Leitfaden für die Beobachtung einer Art von Naturdingen, die wir einmal teleologisch unter dem Begriffe der Naturzwecke gedacht haben, übrig bleiben würde.

Denn dieser Begriff führt die Vernunft in eine ganz andere Ordnung der Dinge, als die eines bloßen Mechanisms der Natur, der uns hier nicht mehr genug tun will. Eine Idee soll der Möglichkeit des Naturprodukts zum Grunde liegen. Weil diese aber eine absolute Einheit der Vorstellung ist, statt *daß* die[3] Materie eine Vielheit der Dinge ist, die für sich keine bestimmte Einheit der Zusammensetzung an die Hand geben kann: so muß, wenn jene Einheit der Idee sogar als Bestimmungsgrund a priori eines Naturgesetzes der Kausalität einer solchen Form des Zusammengesetzten dienen soll, der Zweck der Natur auf alles, was in ihrem Produkte liegt, erstreckt werden. *Denn*, wenn wir einmal dergleichen Wirkung im Ganzen auf einen übersinnlichen Bestimmungsgrund, über den blinden Mechanism der Natur hinaus, beziehen, müssen wir sie auch ganz nach die|sem Prinzip beurteilen; und *es* ist kein Grund da, die[4] Form eines solchen Dinges noch zum Teil vom letzteren als ab-

[1] Zusatz von B u. C. – [2] A: »*Veranlassung*«. – [3] A: »statt *dessen* die«. – [4] A: »werden; *weil*, wenn ... beziehen, wir ... beurteilen müssen und kein Grund da ist, die«.

|B 297 |A 293, 294

hängig anzunehmen, da alsdann, bei der Vermischung ungleichartiger Prinzipien, gar keine sichere Regel der Beurteilung übrig bleiben würde.

| Es mag immer sein, daß z. B. in einem tierischen Körper manche Teile als Konkretionen nach bloß mechanischen Gesetzen begriffen werden könnten (als Häute, Knochen, Haare). Doch muß die[1] Ursache, welche die dazu schickliche Materie herbeischafft, diese so modifiziert, *formt*,[2] und an ihren gehörigen Stellen absetzt, immer teleologisch beurteilt werden, so, daß alles in ihm als organisiert betrachtet werden muß, und alles auch in gewisser Beziehung auf das Ding selbst wiederum Organ ist.

§ 67. VOM PRINZIP DER TELEOLOGISCHEN BEURTEILUNG ÜBER NATUR[3] ÜBERHAUPT ALS SYSTEM DER ZWECKE

Wir haben oben von der äußeren Zweckmäßigkeit der Naturdinge gesagt: daß sie keine hinreichende Berechtigung gebe, sie zugleich als Zwecke der Natur, zu Erklärungsgründen ihres Daseins, und *die* zufällig-zweckmäßigen[4] Wirkungen derselben in der Idee, zu Gründen ihres Daseins nach dem Prinzip der Endursachen zu brauchen. So kann man die Flüsse, weil sie | die Gemeinschaft im Innern der Länder unter Völkern befördern, *die*[2] Gebirge, weil sie zu diesen die Quellen und zur Erhaltung derselben den Schneevorrat für regenlose Zeiten enthalten, imgleichen den Abhang der Länder, der diese Gewässer abführt und das Land trocken werden läßt, darum nicht sofort für Naturzwecke | halten; weil, obzwar diese Gestalt der Oberfläche der Erde zur Entstehung und Erhaltung des Gewächs- und Tierreichs sehr nötig war, sie doch nichts an sich hat, zu dessen Möglichkeit man sich genötigt sähe eine Kausalität nach Zwecken anzunehmen. Eben das gilt von Gewächsen, die der Mensch zu seiner Notdurft oder Ergötzlichkeit nutzt: von Tieren, dem Kamele, dem Rinde, dem Pferde, Hunde u.s.w., die er teils zu seiner Nahrung, teils seinem Dienste so vielfältig gebrauchen und großenteils gar

[1] A: »Haare) *so* muß doch die«. – [2] Zusatz von B u. C. – [3] Akad.-Ausg.: »Beurtheilung der Natur«. – [4] A: »und *der* zufällig-zweckmäßigen«.

nicht entbehren kann. Von Dingen, deren keines für sich als Zweck anzusehen man Ursache hat, kann das äußere Verhältnis nur hypothetisch für zweckmäßig beurteilt werden.

Ein Ding, seiner innern Form halber, als Naturzweck beurteilen ist ganz etwas anderes, als die Existenz dieses Dinges für Zweck der Natur halten. Zu der letztern Behauptung bedürfen wir nicht bloß den Begriff von einem möglichen Zweck, sondern die Erkenntnis des Endzwecks (scopus) der Natur, welches eine Beziehung derselben auf etwas Übersinnliches bedarf, die alle unsere teleologische Naturerkenntnis weit übersteigt; | denn der Zweck der Existenz der Natur selbst muß über die Natur hinausgesucht werden. Die innere Form eines bloßen Grashalms kann seinen bloß nach der Regel der Zwecke möglichen Ursprung, für unser menschliches Beurteilungsvermögen hinreichend, beweisen. Geht man aber davon ab, und sieht nur auf | den Gebrauch, den andere Naturwesen davon machen, verläßt also die Betrachtung der innern Organisation und sieht nur auf äußere zweckmäßige Beziehungen, wie das Gras dem Vieh, wie dieses dem Menschen als Mittel zu seiner Existenz nötig sei; und man sieht nicht, warum es denn nötig sei, daß Menschen existieren (welches, wenn man etwa die Neuholländer oder Feuerländer in Gedanken hat, so leicht nicht zu beantworten sein möchte): so gelangt man zu keinem kategorischen Zwecke, sondern alle diese zweckmäßige Beziehung beruht auf einer immer weiter hinauszusetzenden Bedingung, die als unbedingt (das Dasein eines Dinges als Endzweck) ganz außerhalb der physisch-teleologischen Weltbetrachtung liegt. Alsdenn aber ist ein solches Ding auch nicht Naturzweck; denn es ist (oder seine ganze Gattung) nicht als Naturprodukt anzusehen.

Es ist also nur die Materie, sofern sie organisiert ist, welche den Begriff von ihr als einem Naturzwecke notwendig bei sich führt, weil diese ihre spezifische Form zugleich Produkt der Natur ist. Aber dieser Begriff führt nun notwendig auf die Idee der gesamten Na|tur als eines Systems nach der Regel der Zwecke; welcher Idee nun aller Mechanism der Natur nach Prinzipien der Vernunft (wenigstens um

|B 300 |A 296, 297

daran die Naturerscheinung zu versuchen) untergeordnet werden muß. Das Prinzip der Vernunft ist ihr als nur subjektiv, d.i. als Maxime zuständig: Alles in der Welt ist irgend wozu | gut; nichts ist in ihr umsonst; und man ist durch das Beispiel, das die Natur an ihren organischen Produkten gibt, berechtigt, ja berufen, von ihr und ihren Gesetzen nichts, als was im Ganzen zweckmäßig ist, zu erwarten.

Es versteht sich, daß dieses nicht ein Prinzip für die bestimmende, sondern nur für die reflektierende Urteilskraft sei, daß es regulativ und nicht konstitutiv sei, und wir dadurch nur einen Leitfaden bekommen, die Naturdinge in Beziehung auf einen Bestimmungsgrund, der schon gegeben ist, nach einer neuen gesetzlichen Ordnung zu betrachten, und die Naturkunde nach einem andern Prinzip, nämlich dem der Endursachen, doch unbeschadet dem des Mechanisms ihrer Kausalität, zu erweitern. Übrigens wird dadurch keinesweges ausgemacht, ob irgend etwas, *das*[1] wir nach diesem Prinzip beurteilen, absichtlich Zweck der Natur sei: ob die Gräser für das Rind oder Schaf, und ob dieses und die übrigen Naturdinge für den Menschen da sind. Es ist gut, selbst die uns unangenehmen und in besondern Beziehungen zweckwidrigen Dinge auch von dieser Seite zu betrach|ten. So könnte man z. B. sagen: das Ungeziefer, welches die Menschen in ihren Kleidern, Haaren, oder Bettstellen plagt, sei nach einer weisen Naturanstalt ein Antrieb zur Reinlichkeit, die für sich schon ein wichtiges Mittel der Erhaltung der Gesundheit ist. Oder die Moskitomücken und andere stechende Insekten, | welche die Wüsten von Amerika den Wilden so beschwerlich machen, *seien*[2] so viel Stacheln der Tätigkeit für diese angehende Menschen, um die Moräste abzuleiten, und die dichten den Luftzug abhaltenden Wälder licht zu machen, und dadurch, imgleichen durch den Anbau des Bodens, ihren Aufenthalt zugleich gesünder zu machen. Selbst was dem Menschen in seiner innern Organisation widernatürlich zu sein scheint, wenn es auf diese Weise behandelt wird, gibt eine unterhaltende, bisweilen auch belehrende Aussicht in eine teleologische Ordnung der

[1] A: »*was*«. – [2] A: »*sind*«.

Dinge, auf die uns, ohne ein solches Prinzip, die bloß physische Betrachtung allein nicht führen würde. So wie einige den Bandwurm dem Menschen oder Tiere, dem er beiwohnt, gleichsam zum Ersatz eines gewissen Mangels seiner Lebensorganen beigegeben zu sein urteilen: so würde ich fragen, ob nicht die Träume (ohne die niemals der Schlaf ist, ob man sich gleich nur selten derselben erinnert) eine zweckmäßige Anordnung der Natur sein mögen, indem sie nämlich, bei dem Abspannen aller körperlichen bewegenden Kräfte, dazu dienen, vermittelst der Einbildungskraft und der großen Geschäftigkeit der|selben (die in diesem Zustande mehrenteils bis zum Affekte steigt) die Lebensorganen innigst zu bewegen; so wie sie auch bei überfülletem Magen, wo diese Bewegung um desto nötiger ist, im Nachtschlafe gemeiniglich mit desto mehr Lebhaftigkeit spielt; daß *folglich*, ohne[1] diese innerlich | bewegende Kraft und ermüdende[2] Unruhe, worüber wir die Träume anklagen (die doch in der Tat vielleicht Heilmittel sind), der Schlaf, selbst im gesunden Zustande, wohl gar ein völliges Erlöschen des Lebens sein würde.

Auch Schönheit der Natur, d. i. ihre Zusammenstimmung mit dem freien Spiele unserer Erkenntnisvermögen in der Auffassung und Beurteilung ihrer Erscheinung, kann auf die Art als objektive Zweckmäßigkeit der Natur in ihrem Ganzen, als System, worin der Mensch ein Glied ist, betrachtet werden; wenn einmal die teleologische Beurteilung derselben durch die Naturzwecke, welche uns die organisierten Wesen an die Hand geben, zu der Idee eines großen Systems der Zwecke der Natur uns berechtigt hat. Wir können sie[3] als eine Gunst*, die die Natur für uns gehabt hat, |

* In dem ästhetischen Teile wurde gesagt: wir sähen die schöne Natur mit Gunst an, indem wir an ihrer[4] Form ein ganz freies (uninteressiertes) Wohlgefallen haben. Denn in diesem bloßen Geschmacksurteile wird gar nicht darauf Rücksicht genommen, zu welchem Zwecke diese Naturschönheiten existieren: ob, um uns eine Lust zu erwecken, | oder ohne alle Beziehung auf uns als Zwecke. In einem teleologischen Urteile aber geben wir auch auf diese Beziehung Acht; und da können wir es als Gunst der Natur ansehen, daß sie uns, durch Aufstellung so vieler schönen Gestalten, zur Kultur hat beförderlich sein wollen.

[1] A: »spielt; *und* daß, ohne«. – [2] A: »und *die* ermüdende«. – [3] Akad.-Ausg.: »es«. – [4] A: »an *dieser* ihrer«.

betrachten, daß sie über das Nützliche noch Schönheit und Reize so reichlich austeilete, und sie deshalb lieben, so wie, ihrer Unermeßlichkeit wegen, mit Achtung betrachten, | und uns selbst in dieser Betrachtung veredelt fühlen: gerade als ob die Natur ganz eigentlich in dieser Absicht ihre herrliche Bühne aufgeschlagen und ausgeschmückt habe.

Wir wollen in diesem § nichts anders sagen, als daß, wenn wir einmal an der Natur ein Vermögen entdeckt haben, Produkte hervorzubringen, die nur nach dem Begriffe der Endursachen von uns gedacht werden können, wir weiter gehen, und auch die, welche (oder ihr, obgleich zweckmäßiges, Verhältnis) es eben nicht notwendig machen, über den Mechanism der blind wirkenden Ursachen hinaus ein ander Prinzip für ihre Möglichkeit aufzusuchen, dennoch als zu einem System der Zwecke gehörig beurteilen dürfen; weil uns die erstere Idee schon, was ihren Grund betrifft, über die Sinnenwelt hinausführt: da denn die Einheit des übersinnlichen Prinzips nicht bloß für gewisse Spezies der Naturwesen, sondern für das Naturganze, als System, auf dieselbe Art als gültig betrachtet werden muß.

| § 68. VON DEM PRINZIP DER TELEOLOGIE ALS INNEREM PRINZIP DER NATURWISSENSCHAFT

Die Prinzipien einer Wissenschaft sind derselben entweder innerlich, und werden einheimisch genannt (principia domestica); oder sie sind auf Begriffe, die nur außer ihr Platz[1] finden können, gegründet, und sind auswärtige Prinzipien (peregrina). Wissenschaften, | welche die letzteren enthalten, legen ihren Lehren Lehnsätze (lemmata) zum Grunde; d.i. sie borgen irgend einen Begriff, und mit ihm einen Grund der Anordnung, von einer anderen Wissenschaft.

Eine jede Wissenschaft ist für sich ein System; und es ist nicht genug, in ihr nach Prinzipien zu bauen und also technisch zu verfahren, sondern man muß mit ihr, als einem für sich bestehenden Gebäude, auch architektonisch zu

[1] A: »außer ihr *ihren* Platz«.

Werke gehen, und sie nicht wie einen Anbau und als einen Teil eines anderen Gebäudes, sondern als ein Ganzes für sich behandeln, ob man gleich nachher einen Übergang aus diesem in jenes oder wechselseitig errichten kann.

Wenn man also für die Naturwissenschaft und in ihren Kontext den Begriff von Gott *hereinbringt*[1], um sich die Zweckmäßigkeit in der Natur erklärlich zu machen, und hernach diese Zweckmäßigkeit wiederum braucht, um zu beweisen, daß ein Gott sei: so ist in keiner von bei|den Wissenschaften innerer Bestand; und ein täuschendes Diallele bringt jede in Unsicherheit, dadurch, daß sie ihre Grenzen in einander laufen lassen.

Der Ausdruck eines Zwecks der Natur beugt dieser Verwirrung schon genugsam vor, um Naturwissenschaft und die Veranlassung, die sie zur teleologischen Beurteilung ihrer Gegenstände gibt, nicht mit der Gottesbetrachtung und also einer theologischen Ableitung zu vermengen; und man muß es nicht als | unbedeutend ansehen, ob man jenen Ausdruck mit dem eines göttlichen Zwecks in der Anordnung der Natur verwechsele, oder wohl gar den letztern für schicklicher und einer frommen Seele angemessener ausgebe, weil es doch am Ende dahin kommen müsse, jene zweckmäßige Formen in der Natur von einem weisen Welturheber abzuleiten: sondern sich sorgfältig und bescheiden auf den Ausdruck, der gerade *nur*[2] so viel sagt, als wir wissen, nämlich eines Zwecks der Natur, einschränken. Denn ehe wir noch nach der Ursache der Natur selbst fragen, finden wir in der Natur und dem Laufe ihrer Erzeugung dergleichen Produkte, die nach bekannten Erfahrungsgesetzen in ihr erzeugt werden, nach welchen die Naturwissenschaft ihre Gegenstände beurteilen, mithin auch deren Kausalität nach der Regel der Zwecke in ihr selbst suchen muß. Daher muß sie ihre Grenze nicht überspringen, um das, dessen Begriffe gar keine Erfahrung angemessen sein kann, und woran man sich allererst nach | Vollendung der Naturwissenschaft zu wagen befugt ist, in sie selbst als einheimisches Prinzip hinein zu ziehen.

[1] C: *»hineinbringt«*. – [2] Zusatz von B u. C.

|B 306 |A 302, 303

Naturbeschaffenheiten, die sich a priori demonstrieren, und also ihrer Möglichkeit nach aus allgemeinen Prinzipien ohne allen Beitritt der Erfahrung einsehen lassen, können, ob sie gleich eine technische Zweckmäßigkeit bei sich führen, dennoch, weil sie schlechterdings notwendig sind, gar nicht zur Teleologie der Natur, als einer in die Physik gehörigen Methode, die Fragen | derselben aufzulösen, gezählt werden. Arithmetische, geometrische Analogien, imgleichen allgemeine mechanische Gesetze, so sehr uns auch die Vereinigung verschiedener dem Anschein nach von einander ganz unabhängiger Regeln in einem Prinzip an ihnen befremdend und bewundernswürdig vorkommen mag, enthalten deswegen keinen Anspruch darauf, teleologische Erklärungsgründe in der Physik zu sein; und, wenn sie gleich in der allgemeinen Theorie der Zweckmäßigkeit der Dinge der Natur überhaupt mit in Betrachtung gezogen zu werden verdienen, so würde diese doch anderwärts hin, nämlich in die Metaphysik gehören, und kein inneres Prinzip der Naturwissenschaft ausmachen: wie es wohl mit den empirischen Gesetzen der Naturzwecke an organisierten Wesen nicht allein erlaubt, sondern auch unvermeidlich ist, die teleologische *Beurteilungsart* zum Prinzip der Naturlehre in Ansehung einer eigenen Klasse ihrer Gegenstände zu gebrauchen.

| Damit nun Physik sich genau in ihren Grenzen halte, so abstrahiert sie von der Frage, ob die Naturzwecke es *absichtlich* oder *unabsichtlich* sind, gänzlich; denn das würde Einmengung in ein fremdes Geschäft (nämlich das der Metaphysik) sein. Genug, es sind nach Naturgesetzen, die wir uns nur unter der Idee der Zwecke als Prinzip denken können, einzig und allein *erklärbare*, und bloß auf diese Weise, ihrer innern | Form nach, sogar auch nur innerlich *erkennbare* Gegenstände. Um sich also auch nicht der mindesten Anmaßung, als wollte man etwas, was gar nicht in die Physik gehört, nämlich eine übernatürliche Ursache, unter unsere Erkenntnisgründe mischen, verdächtig zu machen: spricht man in der Teleologie zwar von der Natur, als ob die Zweckmäßigkeit in ihr absichtlich sei, aber

doch zugleich so, daß man der Natur, d. i. der Materie, diese Absicht beilegt; wodurch man (weil hierüber kein Mißverstand Statt finden kann, indem von selbst schon keiner einem leblosen Stoffe Absicht in eigentlicher Bedeutung des Worts beilegen wird) anzeigen will, daß dieses Wort hier nur ein Prinzip der reflektierenden nicht der bestimmenden Urteilskraft bedeute, und also keinen besondern Grund der Kausalität einführen solle, sondern auch nur zum Gebrauche der Vernunft eine andere Art der Nachforschung, als die nach mechanischen Gesetzen ist, hinzufüge, um die Unzulänglichkeit der letzteren, selbst zur empirischen Aufsuchung aller besondern Gesetze der Na|tur, zu ergänzen. Daher spricht man in der Teleologie, so fern sie zur Physik gezogen wird, ganz recht von der Weisheit, der Sparsamkeit, der Vorsorge, der Wohltätigkeit der Natur, ohne dadurch aus ihr ein verständiges Wesen zu machen (weil das ungereimt wäre); aber auch ohne sich zu erkühnen, ein anderes verständiges Wesen über sie, als Werkmeister, setzen zu wollen, weil | dieses vermessen* sein würde: sondern es soll dadurch nur eine Art der Kausalität der Natur, nach einer Analogie mit der unsrigen im technischen Gebrauche der Vernunft, bezeichnet werden, um die Regel, *wornach*[1] gewissen Produkten der Natur nachgeforscht werden muß, vor Augen zu haben.

Warum aber macht doch die Teleologie gewöhnlich keinen eigenen Teil der theoretischen Naturwissenschaft aus, sondern wird zur Theologie als Propädeutik oder Übergang gezogen? Dieses geschieht, um das Studium der Natur nach ihrem Mechanism an demjenigen fest zu halten, was wir unserer Beobachtung oder *den*[2] Experimenten | so unter-

* Das deutsche Wort vermessen ist ein gutes bedeutungsvolles Wort. Ein Urteil, bei welchem man das Längenmaß seiner Kräfte (des Verstandes) zu überschlagen vergißt, kann bisweilen sehr demütig klingen, und macht doch große Ansprüche, und ist doch sehr vermessen. Von der Art sind die meisten, *wodurch*[3] man die göttliche Weisheit zu erheben vorgibt, indem man ihr in den Werken der Schöpfung und der Erhaltung Absichten unterlegt, die eigentlich der eigenen Weisheit des Vernünftlers Ehre machen sollen.

[1] A: »*darnach*«. – [2] Zusatz von B u. C. – [3] A: »*dadurch*«.

werfen können, daß wir es gleich der Natur, wenigstens der Ähnlichkeit der Gesetze nach, selbst hervorbringen könnten; denn nur so viel sieht man vollständig ein, als man nach Begriffen selbst machen und zu Stande bringen kann. Organisation aber, als innerer Zweck der Natur, übersteigt unendlich alles Ver|mögen einer ähnlichen Darstellung durch Kunst: und was äußere für zweckmäßig gehaltene Natureinrichtungen betrifft (z. B. Winde, Regen u. d. gl.), so betrachtet die Physik wohl den Mechanism derselben; aber ihre Beziehung auf Zwecke, so fern diese eine zur Ursache notwendig gehörige Bedingung sein soll, kann sie gar nicht darstellen, weil diese Notwendigkeit der Verknüpfung gänzlich die Verbindung unserer Begriffe, und nicht die Beschaffenheit der Dinge, angeht.

|| ZWEITE ABTEILUNG
DIALEKTIK DER TELEOLOGISCHEN URTEILSKRAFT

§ 69. WAS EINE ANTINOMIE DER URTEILSKRAFT SEI?

Die bestimmende Urteilskraft hat für sich keine Prinzipien, welche Begriffe von Objekten gründen. Sie ist keine Autonomie; denn sie subsumiert nur unter gegebenen Gesetzen, oder Begriffen, als Prinzipien. Eben darum ist sie auch keiner Gefahr ihrer eigenen Antinomie und einem[1] Widerstreit ihrer Prinzipien ausgesetzt. So war die transzendentale Urteilskraft, welche die Bedingungen, unter Kategorien zu subsumieren, *enthielt*[2], für sich nicht nomothetisch; sondern nannte nur die Bedingungen der sinnlichen Anschauung, unter *welchen*[3] einem gegebenen Begriffe, als Gesetze des Verstandes, Realität (Anwendung) gegeben werden kann: worüber sie niemals mit sich selbst in Uneinigkeit (wenigstens den Prinzipien nach) geraten konnte.

|| Allein die reflektierende Urteilskraft soll unter einem Gesetze subsumieren, *welches* noch[4] nicht gegeben und also in der Tat nur ein Prinzip der Reflexion über Gegen-

[1] Akad.-Ausg.: »keinem«. – [2] A: »*enthielte*«. – [3] A: »unter *denen*«. – [4] A: »*was* noch«.

stände ist, für die es uns objektiv gänzlich an einem Gesetze mangelt, oder an einem Begriffe vom Objekt, der zum Prinzip für vorkommende Fälle hinreichend wäre. Da nun kein Gebrauch der Erkenntnisvermögen ohne Prinzipien verstattet werden darf, so wird die reflektierende Urteilskraft in solchen Fällen ihr selbst zum Prinzip dienen müssen: welches, weil es nicht objektiv ist, und keinen für die Absicht hinreichenden Erkenntnisgrund des Objekts unterlegen kann, als bloß subjektives Prinzip, zum zweckmäßigen Gebrauche der Erkenntnisvermögen, nämlich über eine Art Gegenstände zu reflektieren, dienen soll. Also hat in Beziehung auf solche Fälle die reflektierende Urteilskraft ihre Maximen, und zwar notwendige, zum Behuf der Erkenntnis der Naturgesetze in der Erfahrung, um vermittelst derselben zu Begriffen zu gelangen, sollten diese auch Vernunftbegriffe sein; wenn sie solcher durchaus bedarf, um die Natur nach ihren empirischen Gesetzen bloß kennen zu lernen. – Zwischen diesen notwendigen Maximen der reflektierenden Urteilskraft kann nun ein Widerstreit, mithin eine Antinomie, Statt finden; worauf sich eine Dialektik gründet, die, wenn jede *von zwei* einander *widerstreitenden*[1] Maximen in der Natur der Erkenntnisvermögen ihren Grund hat, eine natürliche | Dia|lektik genannt werden kann, und ein unvermeidlicher Schein, den man in der Kritik entblößen und auflösen muß, damit er nicht betrüge.

§ 70. VORSTELLUNG DIESER ANTINOMIE

So fern die Vernunft es mit der Natur, als Inbegriff der Gegenstände äußerer Sinne, zu tun hat, kann sie sich auf Gesetze gründen, die der Verstand teils selbst a priori der Natur vorschreibt, teils, durch die in der Erfahrung vorkommenden empirischen Bestimmungen, ins Unabsehliche erweitern kann. Zur Anwendung der erstern Art von Gesetzen, nämlich *den* allgemeinen der[2] materiellen Natur überhaupt, braucht die Urteilskraft kein besonderes Prinzip

[1] A: »jede *zweier* einander *widerstreitender*«. – [2] C: »nämlich *der* allgemeinen *Gesetze* der«.

|B 313 |A 309

der Reflexion; denn da ist sie bestimmend, weil ihr ein objektives Prinzip durch den Verstand gegeben ist. Aber, was die besondern Gesetze betrifft, die uns nur durch Erfahrung kund werden können, so kann unter ihnen eine so große Mannigfaltigkeit und Ungleichartigkeit sein, daß die Urteilskraft *sich* selbst[1] zum Prinzip dienen muß, um auch nur in den Erscheinungen der Natur nach einem Gesetze zu forschen und es auszuspähen, indem sie ein solches zum Leitfaden bedarf, wenn sie ein zusammenhängendes Erfahrungserkenntnis nach einer durchgängigen Gesetzmäßigkeit der Natur, die Einheit derselben nach empirischen Gesetzen, auch nur hoffen soll. Bei dieser zufälligen Einheit der || besonderen Gesetze kann es sich nun zutragen: daß die Urteilskraft in ihrer Reflexion von zwei Maximen ausgeht, deren eine[2] ihr der bloße Verstand a priori an die Hand gibt; die andere aber durch besondere Erfahrungen veranlaßt wird, welche die Vernunft ins Spiel bringen, um nach einem besondern Prinzip die Beurteilung der körperlichen Natur und ihrer Gesetze anzustellen. Da trifft es sich dann, daß diese zweierlei Maximen nicht wohl neben einander bestehen zu können den Anschein haben, mithin sich eine Dialektik *hervortut*[3], welche die Urteilskraft in dem Prinzip ihrer Reflexion irre macht.

Die erste Maxime derselben ist der Satz: Alle Erzeugung materieller Dinge und ihrer Formen muß, als nach bloß mechanischen Gesetzen möglich, beurteilt werden.

Die zweite Maxime ist der Gegensatz: Einige Produkte der materiellen Natur können nicht, als nach bloß mechanischen Gesetzen möglich, beurteilt werden (ihre Beurteilung erfordert ein ganz anderes Gesetz der Kausalität, nämlich das der Endursachen).

Wenn man diese regulativen Grundsätze für die Nachforschung nun in konstitutive, der Möglichkeit der Objekte selbst, verwandelte, so würden sie so lauten:

Satz: Alle Erzeugung materieller Dinge ist nach bloß mechanischen Gesetzen möglich.

|| Gegensatz: Einige Erzeugung derselben ist nach bloß mechanischen Gesetzen nicht möglich.

[1] A: »*ihr* selbst«. – [2] A: »deren *die* eine«. – [3] A: »*hervorfindet*«.

In dieser letzteren Qualität, als objektive Prinzipien für die bestimmende Urteilskraft, würden sie einander widersprechen, mithin einer von beiden Sätzen notwendig falsch sein; aber das wäre alsdann zwar eine Antinomie, *doch* nicht[1] der Urteilskraft, sondern ein Widerstreit in der Gesetzgebung der Vernunft. Die Vernunft kann aber weder den einen noch den andern dieser Grundsätze beweisen; weil wir von Möglichkeit der Dinge nach bloß empirischen Gesetzen der Natur kein bestimmendes Prinzip a priori haben können.

Was dagegen die zuerst vorgetragene Maxime einer reflektierenden Urteilskraft betrifft, so enthält sie in der Tat gar keinen Widerspruch. Denn wenn ich sage: ich muß alle Ereignisse in der materiellen Natur, mithin auch alle Formen, als Produkte derselben, ihrer Möglichkeit nach, nach bloß mechanischen Gesetzen beurteilen: so sage ich damit nicht: sie sind darnach allein (ausschließungsweise von jeder andern Art Kausalität) möglich; sondern das will nur anzeigen, ich soll jederzeit über dieselben nach dem Prinzip des bloßen Mechanisms der Natur reflektieren, und mithin diesem, so weit ich kann, nachforschen, weil, ohne ihn zum Grunde der Nachforschung zu legen, es gar keine eigentliche Naturerkenntnis geben kann. Dieses hindert nun die zweite Maxime, bei gelegentlicher Veranlas|sung, | nicht, nämlich *bei*[2] einigen Naturformen (und auf deren Veranlassung sogar der ganzen Natur) nach einem Prinzip *zu spüren,* und[3] über sie zu reflektieren, welches von der Erklärung nach dem Mechanism der Natur ganz verschieden ist, nämlich dem Prinzip der Endursachen. Denn die Reflexion nach der ersten Maxime wird dadurch nicht aufgehoben, vielmehr wird es geboten, sie, so weit man kann, zu verfolgen; auch wird dadurch nicht gesagt, daß, nach dem Mechanism der Natur, jene Formen nicht möglich wären. Nur wird behauptet, daß die menschliche Vernunft, in Befolgung derselben und auf diese Art, niemals von dem, was das Spezifische eines Naturzwecks ausmacht, den mindesten Grund, wohl aber andere Erkenntnisse von

[1] A: »Antinomie, *aber* nicht«. – [2] Zusatz von B u. C. – [3] A: »nach einem Prinzip *nachzuspüren* und«.

|B 316 |A 312

Naturgesetzen wird auffinden können; wobei es als unausgemacht dahin gestellt wird, ob nicht in dem uns unbekannten inneren Grunde der Natur selbst die physisch-mechanische und die Zweckverbindung an denselben Dingen in einem Prinzip zusammen hängen mögen: nur daß unsere Vernunft sie in einem solchen nicht zu vereinigen im Stande[1] ist, und die Urteilskraft also, als (aus einem subjektiven Grunde) reflektierende, nicht als (einem objektiven Prinzip der Möglichkeit der Dinge an sich zufolge) bestimmende Urteilskraft, genötigt ist, für gewisse Formen in der Natur ein anderes Prinzip, als das des Naturmechanisms zum Grunde ihrer Möglichkeit zu denken.

|| § 71. VORBEREITUNG ZUR AUFLÖSUNG OBIGER ANTINOMIE

Wir können die Unmöglichkeit der Erzeugung der organisierten Naturprodukte durch den bloßen Mechanism der Natur keinesweges beweisen, weil wir die unendliche Mannigfaltigkeit der besondern Naturgesetze, die für uns zufällig sind, da sie nur empirisch erkannt werden, ihrem ersten innern Grunde nach nicht einsehen, und so das innere durchgängig zureichende Prinzip der Möglichkeit einer Natur (welches im Übersinnlichen liegt) schlechterdings nicht erreichen können. Ob also das produktive Vermögen der Natur auch für dasjenige, was wir, als nach der Idee von Zwekken geformt oder verbunden, beurteilen, nicht eben so gut als für das, wozu wir bloß ein Maschinenwesen der Natur zu bedürfen glauben, zulange; und ob in der Tat für Dinge als eigentliche Naturzwecke (wie wir sie notwendig beurteilen müssen) eine ganz andere Art von ursprünglicher Kausalität, die gar nicht in der materiellen Natur oder ihrem intelligibelen Substrat enthalten sein kann, nämlich ein architektonischer Verstand zum Grunde liege: darüber kann unsere in Ansehung des Begriffs der Kausalität, wenn er a priori spezifiziert werden soll, sehr enge eingeschränkte Vernunft schlechterdings keine Auskunft geben. – Aber daß, respek-

[1] A: »solchen zu vereinigen nicht im Stande«.

|B 317 |A 313

tiv auf unser Erkenntnis||vermögen, der bloße Mechanism der Natur für die Erzeugung organisierter Wesen auch keinen Erklärungsgrund abgeben könne, ist eben so ungezweifelt gewiß. Für die reflektierende Urteilskraft ist also das ein ganz richtiger Grundsatz: daß für die so offenbare Verknüpfung der Dinge nach Endursachen eine vom Mechanism unterschiedene Kausalität, nämlich einer nach Zwecken handelnden (verständigen) Weltursache gedacht werden müsse; so übereilt und unerweislich er *auch*[1] für die bestimmende sein würde. In dem ersteren Falle ist er bloße Maxime der Urteilskraft, wobei der Begriff jener Kausalität eine bloße Idee ist, der man keinesweges Realität zuzugestehen unternimmt, sondern sie nur zum Leitfaden der Reflexion braucht, die dabei für alle mechanische Erklärungsgründe immer offen bleibt, und sich nicht aus der Sinnenwelt verliert; im zweiten Falle würde der Grundsatz ein objektives Prinzip sein, das die Vernunft vorschriebe und dem die Urteilskraft sich bestimmend unterwerfen müßte, wobei sie aber über die Sinnenwelt hinaus sich ins Überschwengliche verliert, und vielleicht irre geführt wird.

Aller Anschein einer Antinomie zwischen den Maximen der eigentlich physischen (mechanischen) und der teleologischen (technischen) Erklärungsart beruht also darauf: daß man einen Grundsatz der reflektierenden Urteilskraft mit dem der bestimmenden, und die Autonomie der ersteren (die bloß subjektiv für unsern Ver||nunftgebrauch in Ansehung der besonderen Erfahrungsgesetze gilt) mit der Heteronomie der anderen, welche sich nach den von dem Verstande gegebenen (allgemeinen oder besondern) Gesetzen richten muß, verwechselt.

§ 72. VON DEN MANCHERLEI SYSTEMEN ÜBER DIE ZWECKMÄSSIGKEIT DER NATUR

Die Richtigkeit des Grundsatzes: daß über gewisse Dinge der Natur (organisierte Wesen) und ihre Möglichkeit nach dem Begriffe von Endursachen geurteilt werden müsse,

[1] Zusatz von B u. C.

selbst auch nur, wenn man, um ihre Beschaffenheit durch Beobachtung kennen zu lernen, einen Leitfaden verlangt, ohne sich bis zur Untersuchung über ihren ersten Ursprung zu versteigen, hat noch niemand bezweifelt. Die Frage kann also nur sein: ob dieser Grundsatz bloß subjektiv gültig, d. i. bloß Maxime unserer Urteilskraft oder ein objektives Prinzip der Natur sei, nach welchem ihr, außer ihrem Mechanism (nach bloßen Bewegungsgesetzen), noch eine andere Art von Kausalität zukomme, nämlich die der Endursachen, unter denen jene (der bewegenden[1] Kräfte) nur als Mittelursachen ständen.

Nun könnte man diese Frage, oder Aufgabe für die Spekulation, gänzlich unausgemacht und unaufgelöset lassen; weil, wenn wir uns mit der letzteren innerhalb den Grenzen der bloßen Naturerkenntnis begnügen, wir || an jenen Maximen genug haben, um die Natur, so weit als menschliche Kräfte reichen, zu studieren und ihren verborgensten Geheimnissen nachzuspüren. Es ist also wohl eine gewisse *Ahnung*[2] unserer Vernunft, oder ein von der Natur uns gleichsam gegebener Wink, daß wir vermittelst jenes Begriffs von Endursachen wohl gar über die Natur hinauslangen und sie selbst an den höchsten Punkt in der Reihe der Ursachen knüpfen könnten, wenn wir die Nachforschung der Natur (ob wir gleich darin noch nicht weit gekommen sind) verließen, oder wenigstens einige Zeit aussetzten, und vorher, worauf jener Fremdling in der Naturwissenschaft, nämlich der *Begriff* der Naturzwecke[3], führe, zu erkunden versuchten.

Hier müßte nun freilich jene unbestrittene Maxime in die ein weites Feld zu Streitigkeiten eröffnende Aufgabe übergehen: Ob die Zweckverknüpfung in der Natur eine besondere Art der Kausalität für dieselbe beweise; oder ob sie, an sich und nach objektiven Prinzipien betrachtet, nicht vielmehr mit dem Mechanism der Natur einerlei sei, oder auf einem und demselben Grunde beruhe: nur daß wir, da dieser für unsere Nachforschung in manchen Naturprodukten oft zu tief versteckt ist, es mit einem subjektiven Prin-

[1] Akad.-Ausg.: »die bewegenden«. – [2] A: »*Ahndung*«. – [3] A: »Fremdling *vom Begriffe* in der Naturwissenschaft, nämlich der der Naturzwecke«.

zip, nämlich dem der Kunst, d. i. der Kausalität nach Ideen versuchen, um sie der Natur der Analogie nach unterzulegen; welche Nothülfe uns auch in vielen Fällen gelingt, in einigen zwar zu mißlin|gen scheint, auf alle Fälle aber nicht berechtigt, eine ¦ besondere, von der Kausalität nach bloß mechanischen Gesetzen der Natur selbst unterschiedene, Wirkungsart in die Naturwissenschaft einzuführen. Wir wollen, indem wir das Verfahren (die Kausalität) der Natur, wegen des Zweckähnlichen, welches wir in ihren Produkten finden, Technik nennen, diese in die absichtliche (technica intentionalis), und in die unabsichtliche (technica naturalis), einteilen. Die erste soll bedeuten: daß das produktive Vermögen der Natur nach Endursachen für eine besondere Art von Kausalität gehalten werden müsse; die zweite: daß sie mit dem Mechanism der Natur im Grunde ganz einerlei sei, und das zufällige Zusammentreffen mit unseren Kunstbegriffen und ihren Regeln, als bloß subjektive Bedingung, sie zu beurteilen, fälschlich für eine besondere Art der Naturerzeugung ausgedeutet werde.

Wenn wir jetzt von den Systemen der Naturerklärung in Ansehung der Endursachen reden, so muß man wohl bemerken: daß sie insgesamt dogmatisch, d. i. über objektive Prinzipien der Möglichkeit der Dinge, es sei durch absichtlich oder lauter unabsichtlich wirkende Ursachen, unter einander streitig sind, nicht *aber* etwa[1] über die subjektive Maxime, über die Ursache solcher zweckmäßigen Produkte bloß zu urteilen: in welchem letztern Falle disparate Prinzipien noch wohl vereinigt werden könnten, anstatt daß im ersteren kontradikto||risch-entgegengesetzte einander aufheben und neben sich nicht bestehen können.

Die Systeme in Ansehung der Technik der Natur, d. i. ihrer produktiven Kraft nach der Regel der Zwecke, sind zwiefach: des Idealismus, oder des Realismus der Naturzwecke. Der erstere ist die Behauptung: daß alle Zweckmäßigkeit der Natur unabsichtlich, der zweite: daß einige derselben (in organisierten Wesen) absichtlich sei; woraus denn auch die als Hypothese gegründete Folge ge-

[1] A: »sind *und* nicht etwa«.

zogen werden könnte, daß die Technik der Natur, auch, was alle andere Produkte derselben in Beziehung auf das Naturganze betrifft, absichtlich, d. i. Zweck, sei.

1) Der Idealism der Zweckmäßigkeit (ich verstehe hier immer die objektive) ist nun entweder der der Kasualität oder der Fatalität der Naturbestimmung in der zweckmäßigen Form ihrer Produkte. Das erstere Prinzip betrifft die Beziehung der Materie auf den physischen Grund ihrer Form, nämlich die Bewegungsgesetze; das zweite auf ihren und der ganzen Natur hyperphysischen Grund. Das System der Kasualität, welches dem Epikur oder Democritus beigelegt wird, ist, nach dem Buchstaben genommen, so offenbar ungereimt, daß es uns nicht *aufhalten* darf[1]; dagegen ist das System der Fatalität (wovon man den Spinoza zum Urheber macht, ob es gleich allem Ansehen nach viel älter ist), welches sich auf etwas Übersinnliches || beruft, *wohin*[2] also unsere Einsicht nicht reicht, so leicht nicht zu widerlegen: darum, weil sein Begriff von dem Urwesen gar nicht zu verstehen ist. So viel ist aber klar: daß die Zweckverbindung in der Welt in demselben als unabsichtlich angenommen werden muß (weil sie von einem Urwesen, aber nicht von seinem Verstande, mithin keiner Absicht desselben, sondern aus der Notwendigkeit seiner Natur und der davon abstammenden Welteinheit abgeleitet wird), mithin der Fatalismus der Zweckmäßigkeit zugleich ein Idealism derselben ist.

2) Der Realism der Zweckmäßigkeit der Natur ist auch entweder physisch oder hyperphysisch. Der erste gründet die Zwecke in der Natur auf dem Analogon eines nach Absicht handelnden Vermögens, dem Leben der Materie (in ihr, oder auch durch ein belebendes inneres Prinzip, eine Weltseele); und heißt der Hylozoism. Der zweite leitet sie von dem Urgrunde des Weltalls, als einem mit Absicht hervorbringenden (ursprünglich lebenden) verständigen Wesen ab; und ist der Theism.*

* Man sieht hieraus: daß in den meisten spekulativen Dingen der reinen Vernunft, was die dogmatischen Behauptungen betrifft, die philosophischen Schulen gemeiniglich alle Auflösungen, die über eine gewisse

[1] A: »*verweilen* darf«. – [2] A: »*dahin*«.

|| § 73. KEINES DER OBIGEN SYSTEME LEISTET DAS WAS ES VORGIBT

Was wollen alle jene Systeme? Sie wollen unsere teleologischen Urteile über die Natur erklären, und gehen damit so zu Werke, daß ein Teil die Wahrheit derselben leugnet, mithin sie für einen Idealism der Natur (als Kunst vorgestellt) erklärt; der andere Teil sie als wahr anerkennt, und die Möglichkeit einer Natur nach der Idee der Endursachen darzutun verspricht.

1) Die für den Idealism der Endursachen in der Natur streitenden Systeme lassen nun einerseits zwar an dem Prinzip derselben eine Kausalität nach Bewegungsgesetzen zu (durch welche die Naturdinge zweckmäßig existieren); aber sie leugnen an ihr die Intentionalität, d. i. daß sie absichtlich zu dieser ihrer zweckmäßigen Hervorbringung bestimmt, oder, mit anderen Worten, ein Zweck die Ursache sei. Dieses ist die Erklärungsart Epikurs, nach welcher der Unterschied einer Technik der Natur von der bloßen Mechanik gänzlich abgeleugnet wird, und nicht allein für die Übereinstimmung der er||zeugten Produkte mit unsern Begriffen vom Zwecke, mithin für die Technik, sondern selbst für die Bestimmung der Ursachen dieser Erzeugung nach Bewegungsgesetzen, mithin ihre Mechanik, der blinde Zufall zum Erklärungsgrunde angenommen, also nichts, auch nicht einmal der Schein in unserm teleologischen Urteile erklärt, mithin der vorgebliche Idealism in demselben keinesweges dargetan wird.

Andererseits will Spinoza uns aller Nachfrage nach dem Grunde der Möglichkeit der Zwecke der Natur dadurch

Frage möglich sind, versucht haben. So hat man über die Zweckmäßigkeit der Natur bald entweder die leblose Materie, oder einen leblosen Gott, bald eine lebende Materie, oder auch einen lebendigen Gott zu diesem Behufe versucht. Für uns bleibt || nichts übrig, als, wenn es Not tun sollte, von allen diesen objektiven Behauptungen abzugehen, und unser Urteil bloß in Beziehung auf unsere Erkenntnisvermögen kritisch zu erwägen, um ihrem Prinzip eine, wo nicht dogmatische, doch zum sichern Vernunftgebrauch hinreichende Gültigkeit einer Maxime zu verschaffen.

|B 324, 325 |A 320, 321 Anm.: |B 324 |A 320

überheben, und dieser Idee alle Realität nehmen, daß er sie überhaupt nicht für Produkte, sondern für einem Urwesen inhärierende Akzidenzen gelten läßt, und diesem Wesen, als Substrat jener Naturdinge, in Ansehung derselben nicht Kausalität, sondern bloß Subsistenz beilegt, und (wegen der unbedingten Notwendigkeit desselben, samt allen Naturdingen, als ihm inhärierenden Akzidenzen) den Naturformen zwar die Einheit des Grundes, die zu aller Zweckmäßigkeit erforderlich ist, sichert, aber zugleich die Zufälligkeit derselben, ohne die keine Zweckeinheit gedacht werden kann, entreißt, und mit ihr alles Absichtliche, so wie dem Urgrunde der Naturdinge allen Verstand, wegnimmt.

Der Spinozism leistet aber das nicht, was er will. Er will einen Erklärungsgrund der Zweckverknüpfung (die er nicht leugnet) der Dinge der Natur angeben, und nennt bloß die Einheit des Subjekts, dem sie alle inhä||rieren. Aber, wenn man ihm auch diese Art zu existieren für die Weltwesen einräumt, so ist doch jene ontologische Einheit darum noch nicht sofort Zweckeinheit, und macht diese keinesweges begreiflich. Die letztere ist nämlich eine ganz besondere Art derselben, die aus der Verknüpfung der Dinge (Weltwesen) in einem Subjekte (dem Urwesen) gar nicht folgt, sondern durchaus die Beziehung auf eine Ursache, die Verstand hat, bei sich führt, und selbst, wenn man alle diese Dinge in einem einfachen Subjekte vereinigte, doch niemals eine Zweckbeziehung darstellt: wofern man unter ihnen nicht erstlich innere Wirkungen der Substanz, als einer Ursache; zweitens eben derselben, als Ursache durch ihren Verstand, denkt. Ohne diese formalen Bedingungen ist alle Einheit bloße Naturnotwendigkeit; und, wird sie gleichwohl Dingen beigelegt, die wir als außer einander vorstellen, blinde Notwendigkeit. Will man aber das, was die Schule die transzendentale Vollkommenheit der Dinge (in Beziehung auf ihr eigenes Wesen) nennt, nach welcher alle Dinge alles an sich haben, was erfordert wird, um so ein Ding und kein anderes zu sein, Zweckmäßigkeit der Natur nennen: so ist das ein kindisches Spielwerk mit Worten statt Begriffen. Denn, wenn alle Dinge als Zwecke gedacht werden

|B 326 |A 322

müssen, also ein Ding sein und Zweck sein einerlei ist, so gibt es im Grunde nichts, was besonders als Zweck vorgestellt zu werden verdiente.

|| Man sieht hieraus wohl: daß Spinoza dadurch, daß er unsere Begriffe von dem Zweckmäßigen in der Natur auf das Bewußtsein unserer selbst in einem allbefassenden (doch zugleich einfachen) Wesen zurückführte, und jene Form bloß in der Einheit der[1] letztern suchte, nicht den Realism, sondern bloß den Idealism der Zweckmäßigkeit derselben zu behaupten die Absicht haben mußte, diese aber selbst doch nicht bewerkstelligen konnte, weil die bloße Vorstellung der Einheit des Substrats auch nicht einmal die Idee von einer, auch nur unabsichtlichen, Zweckmäßigkeit bewirken kann.

2) Die, *welche*[2] den Realism der Naturzwecke nicht bloß behaupten, sondern ihn auch zu erklären vermeinen, glauben eine besondere Art der Kausalität, nämlich absichtlich wirkender Ursachen, wenigstens ihrer Möglichkeit nach einsehen zu können; sonst könnten sie es nicht unternehmen, jene erklären zu wollen. Denn zur Befugnis selbst der gewagtesten Hypothese muß wenigstens die Möglichkeit dessen, was man als Grund annimmt, gewiß sein, und man muß dem Begriffe desselben seine objektive Realität sichern können.

Aber die Möglichkeit einer lebenden Materie (deren Begriff einen Widerspruch enthält, weil Leblosigkeit, inertia, den wesentlichen Charakter derselben ausmacht) läßt sich nicht einmal denken; die einer belebten Materie und der gesamten Natur, als eines Tiers, kann nur sofern (zum Behuf einer Hypothese der Zweckmäßigkeit || im Großen der Natur) dürftiger Weise gebraucht werden, als sie uns an der Organisation derselben, im Kleinen, in der Erfahrung offenbart wird, keinesweges aber a priori *ihrer* Möglichkeit[3] nach eingesehen werden. Es muß also ein Zirkel im Erklären begangen werden, wenn man die Zweckmäßigkeit der Natur an organisierten Wesen aus dem Leben der Materie ableiten will, und dieses Leben wiederum nicht anders als *in*[4] organisierten Wesen kennt, also ohne dergleichen Erfahrung sich

[1] Akad.-Ausg.: »des«. – [2] Zusatz von B u. C. – [3] A: »*seiner* Möglichkeit«. – [4] A: »als *an*«.

keinen Begriff von der Möglichkeit derselben machen kann. Der Hylozoism leistet also das nicht, was er verspricht.

Der Theism kann endlich die Möglichkeit der Naturzwecke als einen Schlüssel zur Teleologie eben so wenig dogmatisch begründen; ob er zwar vor allen Erklärungsgründen derselben darin den Vorzug hat, daß er durch einen Verstand, den er dem Urwesen beilegt, die Zweckmäßigkeit der Natur dem Idealism am besten entreißt, und eine absichtliche Kausalität für die Erzeugung derselben einführt.

Denn da müßte allererst, für die bestimmende Urteilskraft hinreichend, die Unmöglichkeit der Zweckeinheit in der Materie durch den bloßen Mechanism derselben bewiesen werden, um berechtigt zu sein, den Grund derselben über die Natur hinaus auf bestimmte Weise zu setzen. Wir können aber nichts weiter herausbringen, als daß nach der Beschaffenheit und den Schranken unserer Erkenntnisvermögen (indem wir den ersten inneren || Grund selbst dieses Mechanisms nicht einsehen) wir auf keinerlei Weise in der Materie ein Prinzip bestimmter Zweckbeziehungen suchen müssen, sondern für uns keine andere Beurteilungsart der Erzeugung ihrer Produkte, als Naturzwecke, übrig bleibe, als die durch einen obersten Verstand als Weltursache. Das ist aber nur ein Grund für die reflektierende, nicht für die bestimmende Urteilskraft, und kann schlechterdings zu keiner objektiven Behauptung berechtigen.

§ 74. DIE URSACHE DER UNMÖGLICHKEIT, DEN BEGRIFF EINER TECHNIK DER NATUR DOGMATISCH ZU BEHANDELN, IST DIE UNERKLÄRLICHKEIT EINES NATURZWECKS

Wir verfahren mit einem Begriffe (wenn er gleich empirisch bedingt sein sollte) dogmatisch, wenn wir ihn als unter einem anderen Begriffe des Objekts, der ein Prinzip der Vernunft ausmacht, enthalten betrachten, und ihn diesem gemäß bestimmen. Wir verfahren aber mit ihm bloß kritisch, wenn wir ihn nur in Beziehung auf unser Erkenntnisvermögen, mithin auf die subjektiven Bedingungen, ihn zu denken, betrachten, ohne es zu unternehmen, über sein Objekt etwas zu entscheiden. Das dogmatische Verfahren mit einem Begriffe ist also *dasjenige, welches*[1] für die bestimmende, das kritische *das, welches* bloß[2] für die reflektierende Urteilskraft gesetzmäßig ist.

|| Nun ist der Begriff von einem Dinge als Naturzwecke ein Begriff, der die Natur unter eine Kausalität, die nur durch Vernunft denkbar ist, subsumiert, um nach diesem Prinzip über das, was vom Objekte in der Erfahrung gegeben ist, zu urteilen. Um ihn aber dogmatisch für die bestimmende Urteilskraft zu gebrauchen, mußten[3] wir der objektiven Realität dieses Begriffs zuvor versichert sein, weil wir sonst kein Naturding unter ihm subsumieren könnten. Der Begriff eines Dinges als Naturzwecks ist aber zwar ein empirisch bedingter, d. i. nur unter gewissen in der Erfahrung gegebenen Bedingungen möglicher, aber doch von derselben nicht zu abstrahierender, sondern nur nach einem Vernunftprinzip in der Beurteilung des Gegenstandes möglicher Begriff. Er kann also als ein solches Prinzip seiner objektiven Realität nach (d. i. daß ihm gemäß ein Objekt möglich sei) gar nicht eingesehen und dogmatisch begründet werden; und wir wissen nicht, ob er bloß[4] ein vernünftelnder und objektiv leerer (conceptus ratiocinans), oder ein Vernunftbegriff, ein Erkenntnis gründender, von der Vernunft bestätigter (conceptus ratiocinatus) sei. Also kann er nicht dogmatisch für die bestimmende Urteilskraft behandelt werden: d. i. es kann nicht allein nicht ausgemacht werden, ob Dinge der Natur, als Naturzwecke betrachtet, für ihre Erzeugung eine Kausalität von ganz besonderer Art (die nach Absichten) erfordern, oder nicht; sondern es kann auch nicht einmal *darnach*[5] | gefragt | werden, weil der Begriff eines Naturzwecks seiner objektiven Realität nach durch die Vernunft gar nicht erweislich ist (d. i. er ist nicht für die bestimmende Urteilskraft konstitutiv, sondern für die reflektierende bloß regulativ).

Daß er es aber nicht sei, ist daraus klar, weil er, als Begriff von einem Naturprodukt, Naturnotwendigkeit und

[1] A: »*das, was*«. – [2] A: »kritische, *was* bloß«. – [3] Akad.-Ausg.: »müßten«. – [4] A: »er *nicht* bloß«. – [5] Zusatz von B u. C.

doch zugleich eine Zufälligkeit der Form des Objekts (in Beziehung auf bloße Gesetze der Natur) an eben demselben Dinge als Zweck in sich faßt; folglich, wenn hierin kein Widerspruch sein soll, einen Grund für die Möglichkeit des Dinges in der Natur, und doch auch einen Grund der Möglichkeit dieser Natur selbst und ihrer Beziehung auf etwas, *das* nicht[1] empirisch erkennbare Natur (übersinnlich), mithin für uns gar nicht erkennbar ist, enthalten muß, um nach einer andern Art Kausalität als der des Naturmechanisms beurteilt zu werden, wenn man seine Möglichkeit ausmachen will. Da also der Begriff eines Dinges, als Naturzwecks, für die bestimmende Urteilskraft überschwenglich ist, wenn man das Objekt durch die Vernunft betrachtet (ob er zwar für die reflektierende Urteilskraft in Ansehung der Gegenstände der Erfahrung immanent sein mag), mithin ihm für bestimmende Urteile die objektive Realität nicht verschafft werden kann: so ist hieraus begreiflich, wie alle Systeme, die man für die dog||matische Behandlung des Begriffs der Naturzwecke und *der* Natur, als *eines* durch Endursachen *zusammenhängenden Ganzen*, nur[2] immer entwerfen mag, weder objektiv bejahend, noch objektiv verneinend, irgend etwas entscheiden können; weil, wenn Dinge unter einem Begriffe, der bloß problematisch ist, subsumiert werden, die synthetischen Prädikate desselben (z. B. hier: ob der Zweck der Natur, den wir uns zu der Erzeugung der Dinge denken, absichtlich oder unabsichtlich *sei*[3]) eben solche (problematische) Urteile, sie mögen nun bejahend oder verneinend sein, vom Objekt abgeben müssen, indem man nicht weiß, ob man über etwas oder nichts urteilt. Der Begriff einer Kausalität durch Zwecke (der Kunst) hat allerdings objektive Realität, der einer Kausalität nach dem Mechanism der Natur eben sowohl[4]. Aber der Begriff einer Kausalität der Natur nach der Regel der Zwecke, noch mehr aber eines Wesens, dergleichen uns gar nicht in der Erfahrung gegeben werden kann, nämlich eines solchen, als Urgrundes der Natur: kann zwar ohne Widerspruch gedacht

[1] A: »*was* nicht«. – [2] A: »und *die* Natur, als *ein* ... *zusammenhängendes Ganzes*, nur«. – [3] A: »*sind*«. – [4] A: »eben so wohl«.

werden, aber zu dogmatischen Bestimmungen doch nicht taugen; weil ihm, da er nicht aus der Erfahrung gezogen werden kann, auch zur Möglichkeit derselben nicht erforderlich ist, seine objektive Realität durch nichts gesichert werden kann. Geschähe dieses aber auch: wie kann ich Dinge, die für Produkte göttlicher Kunst bestimmt an|gegeben werden, noch unter Produkte der Natur zählen, deren | Unfähigkeit, dergleichen nach ihren Gesetzen hervorzubringen, eben die Berufung auf eine von ihr unterschiedene Ursache notwendig machte?

§ 75. DER BEGRIFF EINER OBJEKTIVEN ZWECKMÄSSIGKEIT DER NATUR IST EIN KRITISCHES PRINZIP DER VERNUNFT FÜR DIE REFLEKTIERENDE URTEILSKRAFT

Es ist doch etwas ganz anderes, ob ich sage: die Erzeugung gewisser Dinge der Natur, oder auch der gesamten Natur, ist nur durch eine Ursache, die sich nach Absichten zum Handeln bestimmt, möglich; oder: ich kann nach der eigentümlichen Beschaffenheit meiner Erkenntnisvermögen über die Möglichkeit jener Dinge und ihre Erzeugung nicht anders urteilen, als wenn ich mir zu dieser eine Ursache, die nach Absichten wirkt, mithin ein Wesen denke, welches, nach der Analogie mit der Kausalität eines Verstandes, produktiv ist. Im ersteren Falle will ich etwas über das Objekt ausmachen, und bin verbunden, die objektive Realität eines angenommenen Begriffs darzutun; im zweiten bestimmt die Vernunft nur den Gebrauch meiner Erkenntnisvermögen, angemessen ihrer Eigentümlichkeit, und den wesentlichen Bedingungen, ihres Umfanges sowohl, als ihrer Schranken. Also ist das erste Prinzip ein objektiver Grund|satz für die bestimmende, das zweite ein subjektiver Grundsatz bloß für die reflektie|rende Urteilskraft, mithin eine Maxime derselben, die ihr die Vernunft auferlegt.

Wir haben nämlich unentbehrlich nötig, der Natur den Begriff einer Absicht unterzulegen, wenn wir ihr auch nur in ihren organisierten Produkten durch fortgesetzte Beobachtung nachforschen wollen; und dieser Begriff ist also schon für den Erfahrungsgebrauch unserer Vernunft eine schlechterdings notwendige Maxime. Es ist offenbar: daß, da einmal ein solcher Leitfaden, die Natur zu studieren, aufgenommen und bewährt gefunden ist, wir die gedachte Maxime der Urteilskraft auch am Ganzen der Natur wenigstens versuchen müssen, weil sich nach derselben noch manche Gesetze derselben dürften auffinden lassen, die uns, nach der Beschränkung unserer Einsichten in das Innere des Mechanisms derselben, sonst verborgen bleiben würden. Aber in Ansehung des letztern Gebrauchs ist jene Maxime der Urteilskraft zwar nützlich, aber nicht unentbehrlich, weil uns die Natur im Ganzen als organisiert (in der oben angeführten engsten Bedeutung des Worts) nicht gegeben ist. *Hingegen*[1] in Ansehung der Produkte derselben, welche nur als absichtlich so und nicht anders geformt müssen beurteilt werden, um auch nur eine Erfahrungserkenntnis ihrer innern Beschaffenheit zu bekommen, ist | jene Maxime der reflektierenden Urteilskraft wesentlich notwendig: weil selbst der Gedanke von ihnen, als organisierten Dingen, ohne *den Gedan|ken* einer Erzeugung[2] mit Absicht damit zu verbinden, unmöglich ist.

Nun ist der Begriff eines Dinges, dessen Existenz oder Form wir uns unter der Bedingung eines Zwecks *als* möglich vorstellen[3], mit dem Begriffe einer Zufälligkeit desselben (nach Naturgesetzen) unzertrennlich verbunden. Daher machen auch die Naturdinge, welche wir nur als Zwecke möglich finden, den vornehmsten Beweis für die Zufälligkeit des Weltganzen aus, und sind der einzige für den gemeinen Verstand eben sowohl als den Philosophen geltende Beweisgrund der Abhängigkeit und *des*[4] Ursprungs desselben von einem außer der Welt existierenden, und zwar (um jener zweckmäßigen Form willen) verständigen, *Wesens: daß also* die Teleologie keine Vollendung des Aufschlusses für ihre Nachforschungen, als in einer Theologie, findet[5].

[1] A: »ist; *dagegen*«. – [2] A: »ohne *die* einer Erzeugung«. – [3] A: »Zwecks möglich *zu sein* vorstellen«. – [4] Zusatz von B u. C. – [5] A: »*Wesen, und* die Teleologie findet keine ... als in einer Theologie«.

Was beweiset nun aber am Ende auch die allervollständigste Teleologie? Beweiset sie etwa, daß ein solches verständiges Wesen da sei? Nein; *nichts* weiter, als daß wir nach Beschaffenheit[1] unserer Erkenntnisvermögen, also in Verbindung der Erfahrung mit den obersten Prinzipien der Vernunft, uns schlechterdings keinen Begriff von der Möglichkeit einer solchen Welt machen können, als so, daß wir uns eine absichtlich-wirkende oberste Ursache derselben denken. Objektiv können wir | also nicht den Satz dartun: es ist ein verständiges Urwesen; sondern nur subjektiv für den Gebrauch unserer | Urteilskraft in ihrer Reflexion über die Zwecke in der Natur, die nach keinem anderen Prinzip als dem einer absichtlichen Kausalität einer höchsten Ursache gedacht werden können.

Wollten wir den obersten Satz dogmatisch, aus teleologischen Gründen, dartun: so würden wir *von* Schwierigkeiten[2] befangen werden, aus denen wir uns nicht herauswickeln könnten. Denn da würde diesen Schlüssen der Satz zum Grunde gelegt werden müssen: die organisierten Wesen in der Welt sind nicht anders, als durch eine absichtlich-wirkende Ursache möglich. Daß aber, weil wir diese Dinge nur unter der Idee der Zwecke in ihrer Kausalverbindung verfolgen und diese nach ihrer Gesetzmäßigkeit erkennen können, wir auch berechtigt wären, eben dieses auch für jedes denkende und erkennende Wesen, als notwendige, mithin dem Objekte und nicht bloß unserm Subjekte anhängende Bedingung, vorauszusetzen: das müßten wir hiebei unvermeidlich behaupten wollen. Aber mit einer solchen Behauptung kommen wir nicht durch. Denn, da wir die Zwecke in der Natur als absichtliche eigentlich nicht beobachten, sondern nur, in der Reflexion über ihre Produkte, diesen Begriff als einen Leitfaden der Urteilskraft hinzu denken: so sind sie uns nicht durch das Objekt gegeben. A priori ist es sogar für uns unmöglich, einen solchen Begriff, sei|ner objektiven Realität nach, als annehmungsfähig zu rechtfertigen. Es bleibt also schlechter|dings ein nur auf subjek-

[1] A: »*nicht* weiter . . . nach *der* Beschaffenheit«. – [2] A: »*unter* Schwierigkeiten«.

|B 336, 337 |A 332, 333

tiven Bedingungen, nämlich der unseren Erkenntnisvermögen angemessen reflektierenden Urteilskraft, beruhender Satz, der, wenn man ihn als objektiv-dogmatisch geltend ausdrückte, heißen würde: Es ist ein Gott; nun aber, für uns Menschen[1], nur die eingeschränkte Formel erlaubt: Wir können uns die Zweckmäßigkeit, die selbst unserer Erkenntnis der inneren Möglichkeit vieler Naturdinge zum Grunde gelegt werden muß, gar nicht anders denken und begreiflich machen, als indem wir sie und überhaupt die Welt uns als ein Produkt einer verständigen Ursache *(eines Gottes)*[2] vorstellen.

Wenn nun dieser auf einer unumgänglich notwendigen Maxime unserer Urteilskraft gegründete Satz allem sowohl spekulativen als praktischen Gebrauche unserer Vernunft in jeder menschlichen Absicht vollkommen genugtuend ist: so möchte ich wohl wissen, was uns dann darunter abgehe, daß wir ihn nicht auch für höhere Wesen gültig, nämlich aus reinen objektiven Gründen (die leider unser Vermögen übersteigen) beweisen können. Es ist nämlich ganz gewiß, daß wir die organisierten Wesen und deren innere Möglichkeit nach bloß mechanischen Prinzipien der Natur nicht einmal zureichend kennen lernen, viel weniger uns erklären können; und zwar so gewiß, daß man dreist sagen kann, es ist für Menschen | ungereimt, auch nur einen solchen | Anschlag zu fassen, oder zu hoffen, daß noch etwa dereinst ein Newton aufstehen könne, der auch nur die Erzeugung eines Grashalms nach Naturgesetzen, die keine Absicht geordnet hat, begreiflich machen werde: sondern man muß diese Einsicht den Menschen schlechterdings absprechen. Daß dann aber auch in der Natur, wenn wir bis zum Prinzip derselben in der Spezifikation ihrer allgemeinen uns bekannten Gesetze durchdringen könnten, ein hinreichender Grund der Möglichkeit organisierter Wesen, ohne ihrer Erzeugung eine Absicht unterzulegen (also im bloßen Mechanism derselben), gar nicht verborgen liegen könne, das wäre wiederum von uns zu vermessen geurteilt; denn woher wollen wir das wissen? Wahrscheinlichkeiten fallen hier gar weg, wo es auf Urteile der reinen Vernunft ankommt. – Also können wir

[1] A: »uns *als* Menschen«. – [2] Zusatz von B u. C.

über den Satz: ob ein nach Absichten handelndes Wesen als Weltursache (mithin als Urheber) dem, was wir mit Recht Naturzwecke nennen, zum Grunde liege, objektiv gar nicht, weder bejahend noch verneinend, urteilen; nur so viel ist sicher, daß, wenn wir doch wenigstens nach dem, was uns einzusehen durch unsere eigene Natur vergönnt ist (nach den Bedingungen und Schranken unserer Vernunft), urteilen sollen, wir schlechterdings nichts anders als ein verständiges Wesen der Möglichkeit jener Naturzwecke zum Grunde legen können: welches der Maxime unserer reflektierenden Urteilskraft, folglich | einem sub|jektiven, aber dem menschlichen Geschlecht unnachlaßlich anhängenden, Grunde allein gemäß ist.

§ 76. ANMERKUNG

Diese Betrachtung, welche es gar sehr verdient, in der Transzendentalphilosophie umständlich ausgeführt zu werden, mag hier nur episodisch, zur Erläuterung (nicht zum Beweise des hier Vorgetragenen), eintreten.

Die Vernunft ist ein Vermögen der Prinzipien, und geht in ihrer äußersten Forderung auf das Unbedingte; da hingegen der Verstand ihr immer nur unter einer gewissen Bedingung, die gegeben werden muß, zu Diensten steht. Ohne Begriffe des Verstandes aber, *welchen*[1] objektive Realität gegeben werden muß, kann die Vernunft gar nicht objektiv (synthetisch) urteilen, und enthält, als theoretische Vernunft, für sich schlechterdings keine konstitutive, sondern bloß regulative Prinzipien. Man wird bald inne: daß, wo der Verstand nicht folgen kann, die Vernunft überschwenglich wird, und in zuvor gegründeten[2] Ideen (als regulativen Prinzipien), aber nicht objektiv gültigen Begriffen sich hervortut; der Verstand aber, der mit ihr nicht Schritt halten kann, aber doch zur Gültigkeit für Objekte nötig sein würde, die Gültigkeit jener Ideen der Vernunft nur auf das Subjekt, aber doch allgemein für alle von dieser Gattung, d. i. auf die Bedingung einschränke, daß nach der Natur

[1] A: »*denen*«. – [2] Akad.-Ausg.: »in zwar gegründeten«.

unseres (menschlichen) Erkenntnisvermögens oder gar überhaupt nach dem Begriffe, den wir uns von dem Vermögen eines endlichen vernünftigen Wesens überhaupt machen können, nicht anders als so könne und müsse gedacht werden: ohne doch zu behaupten, daß der Grund eines sol|chen Urteils im Objekte | *liege*[1]. Wir wollen Beispiele anführen, die zwar zu viel Wichtigkeit *und auch Schwierigkeit*[2] haben, um sie hier so fort als erwiesene Sätze dem Leser aufzudringen, die ihm aber Stoff zum Nachdenken geben, und dem, was hier unser eigentümliches Geschäft ist, zur Erläuterung dienen können.

Es ist dem menschlichen Verstande unumgänglich notwendig, Möglichkeit und Wirklichkeit der Dinge zu unterscheiden. Der Grund davon liegt im Subjekte und der Natur seiner Erkenntnisvermögen. Denn, wären zu dieser ihrer Ausübung nicht zwei ganz heterogene Stücke, Verstand für Begriffe, und sinnliche Anschauung für Objekte, die ihnen korrespondieren, erforderlich: so würde es keine solche Unterscheidung (zwischen dem Möglichen und Wirklichen) geben. Wäre nämlich unser Verstand anschauend, so hätte er keine Gegenstände als das Wirkliche. Begriffe (die bloß auf die Möglichkeit eines Gegenstandes *gehen*[2]), und sinnliche Anschauungen (welche uns etwas geben, ohne es dadurch doch als Gegenstand erkennen zu lassen), würden beide wegfallen. Nun beruht aber alle unsere Unterscheidung des bloß Möglichen vom Wirklichen darauf, daß das erstere nur die Position der Vorstellung eines Dinges respektiv auf unsern Begriff und überhaupt das Vermögen zu denken, das letztere aber die Setzung des Dinges an sich selbst *(außer diesem Begriffe)*[2] bedeutet. Also ist die Unterscheidung möglicher Dinge von wirklichen eine solche, die bloß subjektiv für den menschlichen Verstand gilt, da wir nämlich etwas immer noch in Gedanken haben können, ob es gleich nicht ist, oder etwas als gegeben uns vorstellen, ob wir gleich noch keinen Begriff davon haben. Die Sätze also: daß Dinge möglich sein können, ohne wirklich zu sein, daß also aus der bloßen Möglichkeit auf die Wirklichkeit gar nicht geschlos-

[1] C: »*liegt*«. – [2] Zusatz von B u. C.

|B 340 |A 336

sen werden könne, | gelten ganz richtig für die menschliche Vernunft, ohne darum zu beweisen, daß dieser Unter|schied in den Dingen selbst liege. Denn, daß dieses nicht daraus gefolgert werden könne, mithin jene Sätze zwar allerdings auch von Objekten gelten, so fern unser Erkenntnisvermögen, als sinnlich-bedingt, sich auch mit Objekten der Sinne beschäftigt, aber nicht von Dingen überhaupt: leuchtet aus der *unablaßlichen*[1] Forderung der Vernunft ein, irgend ein Etwas (den Urgrund) als unbedingt notwendig existierend anzunehmen, an welchem Möglichkeit und Wirklichkeit gar nicht mehr unterschieden werden sollen, und für welche Idee unser Verstand schlechterdings keinen Begriff hat, d.i. keine Art ausfinden kann, wie er ein solches Ding und seine Art zu existieren sich vorstellen solle. Denn, wenn er es denkt (er mag es denken wie er will), so ist es bloß als möglich vorgestellt. Ist er sich dessen, als in der Anschauung gegeben bewußt, so ist es wirklich, ohne sich hiebei irgend etwas von Möglichkeit zu denken. Daher ist der Begriff eines absolutnotwendigen Wesens zwar eine unentbehrliche Vernunftidee, aber ein für den menschlichen Verstand unerreichbarer problematischer Begriff. Er gilt aber doch für den Gebrauch unserer Erkenntnisvermögen, nach der eigentümlichen Beschaffenheit derselben, mithin nicht vom Objekte und hiemit für jedes erkennende Wesen: weil ich nicht bei jedem das Denken und die Anschauung, als zwei verschiedene Bedingungen der Ausübung ihrer[2] Erkenntnisvermögen, mithin der Möglichkeit und Wirklichkeit der Dinge, voraussetzen kann. Für einen Verstand, bei dem dieser Unterschied nicht einträte, würde es heißen: alle Objekte, die ich erkenne, sind (existieren); und die Möglichkeit einiger, die doch nicht existierten, d. i. Zufälligkeit[3] derselben wenn sie existieren, also auch die davon zu unterscheidende Notwendigkeit, würde in die Vorstellung eines | solchen Wesens gar nicht kommen können. Was unserm Verstande aber so beschwerlich fällt, | der Vernunft hier mit seinen Begriffen es gleich zu tun, ist bloß: daß für ihn,

[1] A: »*unnachlaßlichen*«. – [2] Akad.-Ausg.: »seiner«. – [3] A: »d.i. *die* Zufälligkeit«.

als menschlichen Verstand, *dasjenige* überschwenglich[1] (d. i. den subjektiven Bedingungen seines Erkenntnisses unmöglich) ist, was doch die Vernunft als zum Objekt gehörig zum Prinzip macht. – Hierbei gilt nun immer die Maxime, daß wir alle Objekte, da wo ihr Erkenntnis das Vermögen des Verstandes übersteigt, nach den subjektiven, unserer (d. i. der menschlichen) Natur notwendig anhängenden, Bedingungen der Ausübung ihrer Vermögen denken; und, wenn die auf *diese* Art[2] gefällten Urteile (wie es auch in Ansehung der überschwenglichen Begriffe nicht anders sein kann) nicht konstitutive Prinzipien, die das Objekt, wie es beschaffen ist, bestimmen, sein können, so werden es doch regulative, in der Ausübung immanente und sichere, der menschlichen Absicht angemessene, Prinzipien bleiben.

So wie die Vernunft, in theoretischer Betrachtung der Natur, die Idee einer unbedingten Notwendigkeit ihres Urgrundes annehmen muß: so setzt sie auch, in praktischer, ihre eigene (in Ansehung der Natur) unbedingte Kausalität, d. i. Freiheit, voraus, indem sie sich ihres moralischen Gebots bewußt ist. Weil nun aber hier die objektive Notwendigkeit der Handlung, als Pflicht, derjenigen, die sie, als Begebenheit, haben würde, wenn ihr Grund in der Natur und nicht in der Freiheit (d. i. der[3] Vernunftkausalität) läge, entgegengesetzt, und die moralisch-schlechthin-notwendige Handlung physisch als ganz zufällig angesehen wird (d. i. daß das, was notwendig geschehen s o l l t e, doch öfter nicht geschieht): so ist klar, daß es nur von der subjektiven Beschaffenheit unsers praktischen Vermögens herrührt, daß die moralischen Gesetze als Gebote (und die ihnen gemäße | Handlungen als Pflichten) vorgestellt werden müssen, und die Ver|nunft diese Notwendigkeit nicht durch ein S e i n (Geschehen), sondern Sein-Sollen ausdrückt: welches nicht Statt finden würde, wenn die Vernunft ohne Sinnlichkeit (als subjektive Bedingung ihrer Anwendung auf Gegenstände der Natur), ihrer Kausalität nach, mithin als Ursache in einer intelligibelen, mit dem moralischen Gesetze durchgängig übereinstimmenden, Welt betrachtet würde, wo zwi-

[1] A: »*das* überschwenglich«. – [2] A: »*die* Art«. – [3] C: »d. i. *in* der«.

schen Sollen und Tun, zwischen einem praktischen Gesetze von dem, was durch uns möglich ist, und dem theoretischen von dem, was durch uns wirklich ist, kein Unterschied sein würde. Ob nun aber gleich eine intelligibele Welt, in welcher alles darum wirklich sein würde, bloß nur weil es (als etwas Gutes) möglich ist, und selbst die Freiheit, als formale Bedingung derselben, für uns ein überschwenglicher Begriff ist, der zu keinem konstitutiven Prinzip, ein Objekt und dessen objektive Realität zu bestimmen, tauglich ist: so dient die letztere doch, nach der Beschaffenheit unserer (zum Teil sinnlichen) Natur und Vermögens, für uns und alle vernünftige mit der Sinnenwelt in Verbindung stehende Wesen, so weit wir sie uns nach der Beschaffenheit unserer Vernunft vorstellen können, zu einem allgemeinen regulativen Prinzip, welches die Beschaffenheit der Freiheit, als Form der Kausalität, nicht objektiv bestimmt, sondern, und zwar mit nicht minderer[1] Gültigkeit, als ob dieses geschähe, die Regel der Handlungen nach jener Idee für jedermann zu Geboten macht.

Eben so kann man auch, was unsern *vorhabenden*[2] Fall betrifft, einräumen: wir würden zwischen Naturmechanism und Technik der Natur, d. i. Zweckverknüpfung in derselben, keinen Unterschied finden, wäre unser Verstand nicht von der Art, daß er vom Allgemeinen zum Besondern gehen muß, | und die Urteilskraft also in Ansehung des Besondern keine Zweckmäßigkeit erkennen, mithin keine bestimmende Urteile | fällen kann, ohne ein allgemeines Gesetz zu haben, *worunter*[3] sie jenes subsumieren könne. Da nun aber das Besondere, als ein solches, in Ansehung des Allgemeinen etwas Zufälliges enthält, gleichwohl aber die Vernunft in der Verbindung besonderer Gesetze der Natur doch auch Einheit, mithin Gesetzlichkeit, erfordert (welche Gesetzlichkeit des Zufälligen Zweckmäßigkeit heißt), und die Ableitung der besonderen Gesetze aus den allgemeinen, in Ansehung dessen, was jene Zufälliges in sich enthalten, a priori durch Bestimmung des Begriffs vom Objekte unmöglich ist: so wird der Begriff der Zweckmäßigkeit der

[1] C: »zwar nicht mit minderer«. – [2] C: *»vorliegenden«*. – [3] A: *»darunter«*.

Natur in ihren Produkten ein für die menschliche Urteilskraft in Ansehung der Natur notwendiger, aber nicht die Bestimmung der Objekte selbst angehender, Begriff sein, also ein subjektives Prinzip der Vernunft für die Urteilskraft, welches als regulativ (nicht konstitutiv) für unsere menschliche Urteilskraft eben so notwendig gilt, als ob es ein objektives Prinzip wäre.

§ 77. VON DER EIGENTÜMLICHKEIT DES MENSCHLICHEN VERSTANDES, *WODURCH*[1] UNS DER BEGRIFF EINES NATURZWECKS MÖGLICH WIRD

Wir haben in der Anmerkung Eigentümlichkeiten unseres (selbst des oberen) Erkenntnisvermögens, welche wir leichtlich als objektive Prädikate auf die Sachen selbst überzutragen verleitet werden, angeführt; aber sie betreffen Ideen, denen angemessen kein Gegenstand in | der Erfahrung gegeben werden kann, und die alsdann nur zu regulativen Prinzipien in Verfolgung der letzte|ren dienen konnten. Mit dem Begriffe eines Naturzwecks verhält es sich zwar eben so, was die Ursache der Möglichkeit eines solchen Prädikats betrifft, die nur in der Idee liegen kann; aber die ihr gemäße Folge (das Produkt selbst) ist doch in der Natur gegeben, und der Begriff einer Kausalität der letzteren, als eines nach Zwecken handelnden Wesens, scheint die Idee eines Naturzwecks zu einem konstitutiven Prinzip desselben zu machen: und darin hat sie etwas von allen andern Ideen Unterscheidendes.

Dieses Unterscheidende besteht aber darin: daß gedachte Idee nicht ein Vernunftprinzip für den Verstand, sondern für die Urteilskraft, mithin lediglich die Anwendung eines Verstandes überhaupt auf mögliche Gegenstände der Erfahrung ist; und zwar da, wo das Urteil nicht bestimmend, sondern bloß reflektierend sein kann, mithin der Gegenstand zwar in der Erfahrung gegeben, aber darüber der Idee gemäß gar nicht einmal bestimmt (geschweige völlig angemessen) geurteilt, sondern nur über ihn reflektiert werden kann.

[1] A: *»dadurch«*.

|B 345 |A 341

Es betrifft also eine Eigentümlichkeit unseres (menschlichen) Verstandes in Ansehung der Urteilskraft, in der Reflexion derselben über Dinge der Natur. Wenn das aber ist, so muß hier die Idee von einem andern möglichen Verstande, als dem menschlichen, zum | Grunde liegen (so wie wir in der Kritik der r. V. eine andere mögliche Anschauung in Gedanken haben mußten, | wenn die unsrige als eine besondere Art, nämlich der[1], für welche Gegenstände nur als Erscheinungen gelten, gehalten werden sollte), damit man sagen könne: gewisse Naturprodukte müssen, nach der besondern Beschaffenheit unseres Verstandes, von uns, ihrer Möglichkeit nach absichtlich[2] und als Zwecke erzeugt, betrachtet werden, ohne doch darum zu verlangen, daß es wirklich eine besondere Ursache, welche die Vorstellung eines Zwecks zu ihrem Bestimmungsgrunde hat, gebe, mithin ohne in Abrede zu ziehen, daß nicht ein anderer (höherer) Verstand, als der menschliche, auch im Mechanism der Natur, d. i. einer Kausalverbindung, zu der nicht ausschließungsweise ein Verstand als Ursache angenommen wird, den Grund der Möglichkeit solcher Produkte der Natur antreffen könne.

Es kommt hier also auf das Verhalten unseres Verstandes zur Urteilskraft an, daß wir nämlich darin eine gewisse Zufälligkeit der Beschaffenheit des unsrigen aufsuchen, um *die* als[3] Eigentümlichkeit unseres Verstandes, zum Unterschiede von anderen möglichen, anzumerken.

Diese Zufälligkeit findet sich ganz natürlich in dem Besondern, welches die Urteilskraft unter das Allgemeine der Verstandesbegriffe bringen soll; denn durch das Allgemeine unseres (menschlichen) Verstan|des ist das Besondere nicht bestimmt; und es ist zufällig, auf wie vielerlei Art unterschiedene Dinge, die doch in | einem gemeinsamen Merkmale übereinkommen, unserer Wahrnehmung vorkommen können. Unser Verstand ist ein Vermögen der Begriffe, d. i. ein diskursiver Verstand, für den es freilich zu-

[1] Akad.-Ausg.: »die«. – [2] A: »Verstandes ihrer Möglichkeit nach von uns *als* absichtlich«; Akad.-Ausg.: »Verstandes von uns ihrer Möglichkeit nach als absichtlich«. – [3] A: »um *diese* als«.

fällig sein muß, welcherlei und wie sehr verschieden das Besondere sein mag, das ihm in der Natur gegeben werden, und *das* unter[1] seine Begriffe gebracht werden kann. Weil aber zum Erkenntnis doch auch Anschauung gehört, und ein Vermögen einer völligen Spontaneität der Anschauung ein von der Sinnlichkeit unterschiedenes und davon ganz unabhängiges Erkenntnisvermögen, mithin Verstand in der allgemeinsten Bedeutung sein würde: so kann man sich auch einen intuitiven Verstand *(negativ, nämlich bloß als nicht diskursiven)*[2] denken, welcher nicht vom Allgemeinen zum Besonderen und so zum Einzelnen (durch Begriffe) geht, und für welchen jene Zufälligkeit *der* Zusammenstimmung[3] der Natur in ihren Produkten nach besondern Gesetzen zum Verstande nicht angetroffen wird, welche dem unsrigen es so schwer macht, das Mannigfaltige derselben zur Einheit des Erkenntnisses zu bringen; ein Geschäft, das der unsrige nur durch Übereinstimmung der Naturmerkmale zu unserm Vermögen der Begriffe, welche sehr zufällig ist, zu Stande bringen kann, *dessen*[2] ein anschauender Verstand aber nicht bedarf.

| Unser Verstand hat also das Eigene für die Urteilskraft, daß im Erkenntnis durch denselben, durch das Allgemeine das Besondere nicht bestimmt wird, und | dieses also von jenem allein nicht abgeleitet werden kann; gleichwohl aber dieses Besondere in der Mannigfaltigkeit der Natur zum Allgemeinen (durch Begriffe und Gesetze) zusammenstimmen soll, um darunter subsumiert werden zu können, welche Zusammenstimmung unter solchen Umständen sehr zufällig und für die Urteilskraft ohne bestimmtes Prinzip sein muß.

Um nun gleichwohl die Möglichkeit einer solchen Zusammenstimmung der Dinge der Natur zur Urteilskraft (welche wir als zufällig, mithin nur durch einen darauf gerichteten Zweck als möglich vorstellen) wenigstens denken zu können, müssen wir uns zugleich einen andern Verstand denken, in Beziehung auf welchen, und zwar vor allem ihm beigelegten Zweck, wir jene Zusammenstimmung der Naturgesetze mit unserer Urteilskraft, die für unsern Verstand

[1] A: »und *was* unter«. – [2] Zusatz von B u. C. – [3] A: »*die* Zusammenstimmung«.

nur durch das Verbindungsmittel der Zwecke denkbar ist, als notwendig vorstellen können.

Unser Verstand nämlich hat die Eigenschaft, daß er in seinem Erkenntnisse, z. B. der Ursache eines Produkts, vom Analytisch-Allgemeinen (von Begriffen) zum Besondern (der gegebenen empirischen Anschauung) gehen muß; *wobei*[1] er also in Ansehung der Mannigfaltigkeit des letztern nichts bestimmt, sondern diese Bestim|mung für die Urteilskraft von der Subsumtion der empirischen Anschauung (wenn der Gegenstand ein Naturprodukt ist) unter dem Begriff erwarten muß. Nun | können wir uns aber auch einen Verstand denken, der, weil er nicht wie der unsrige diskursiv, sondern intuitiv ist, vom Synthetisch-Allgemeinen (der Anschauung eines Ganzen, als eines solchen) zum Besondern geht, d. i. vom Ganzen zu den Teilen; der also und dessen Vorstellung des Ganzen die Zufälligkeit der Verbindung der Teile nicht in sich enthält, um eine bestimmte Form des Ganzen möglich zu machen, die unser Verstand bedarf, welcher von den Teilen, als allgemein-gedachten Gründen, zu verschiedenen darunter zu subsumierenden möglichen Formen, als Folgen, fortgehen muß. Nach der Beschaffenheit unseres Verstandes ist hingegen ein reales Ganze der Natur nur als Wirkung der konkurrierenden bewegenden Kräfte der Teile anzusehen. Wollen wir uns also nicht die Möglichkeit des Ganzen als von den Teilen, wie es unserm diskursiven Verstande gemäß ist, sondern, nach Maßgabe des intuitiven (urbildlichen), die Möglichkeit der Teile (ihrer Beschaffenheit und Verbindung nach) als vom Ganzen abhängend vorstellen: so kann dieses, nach eben derselben Eigentümlichkeit unseres Verstandes, nicht so geschehen, daß das Ganze den Grund der Möglichkeit der Verknüpfung der Teile (welches in der diskursiven Erkenntnisart Widerspruch sein würde), sondern nur, daß die | Vorstellung eines Ganzen den Grund der Möglichkeit der Form desselben und der dazu gehörigen Verknüpfung | der Teile enthalte. Da das Ganze nun aber alsdann eine Wirkung (Produkt) sein würde, dessen Vorstellung als die

[1] A: *»dabei«*.

Ursache seiner Möglichkeit angesehen wird, das Produkt aber einer Ursache, deren Bestimmungsgrund bloß die Vorstellung seiner[1] Wirkung ist, ein Zweck heißt: so folgt daraus: daß es bloß eine Folge aus der besondern Beschaffenheit unseres Verstandes sei, wenn wir Produkte der Natur nach einer andern Art der Kausalität, als der der Naturgesetze der Materie, nämlich nur nach der der Zwecke und Endursachen uns als möglich vorstellen, und daß dieses Prinzip nicht die Möglichkeit solcher Dinge selbst (selbst als Phänomene betrachtet) nach dieser Erzeugungsart, sondern nur der unserem Verstande möglichen[2] Beurteilung derselben angehe. Wobei wir zugleich einsehen, warum wir in der Naturkunde mit einer Erklärung der Produkte der Natur durch Kausalität nach Zwecken lange nicht zufrieden sind, weil wir nämlich in derselben die Naturerzeugung bloß unserm Vermögen, sie zu beurteilen, d. i. der reflektierenden Urteilskraft, und nicht den Dingen selbst zum Behuf der bestimmenden Urteilskraft angemessen zu beurteilen verlangen. Es ist hiebei auch gar nicht nötig zu beweisen, daß ein solcher intellectus archetypus möglich sei, sondern nur, daß wir in der Dagegenhaltung unseres diskursiven, der Bilder bedürfti|gen, Verstandes (intellectus ectypus), und der Zufälligkeit einer solchen Beschaffenheit, auf jene Idee (eines | intellectus archetypus) geführet werden, diese auch keinen Widerspruch enthalte.

Wenn wir nun ein Ganzes der Materie, seiner Form nach, als ein Produkt der Teile und ihrer Kräfte und Vermögen, sich von selbst zu verbinden, (andere Materien, die diese einander zuführen, hinzugedacht) betrachten: so stellen wir uns eine mechanische Erzeugungsart desselben vor. Aber es kommt auf solche Art kein Begriff von einem Ganzen als Zweck heraus, dessen innere Möglichkeit durchaus die Idee von einem Ganzen voraussetzt, von der selbst die Beschaffenheit und Wirkungsart der Teile abhängt, wie wir uns doch einen organisierten Körper vorstellen müssen. Hieraus folgt aber, wie eben gewiesen worden, nicht, daß die mechanische

[1] Akad.-Ausg.: »ihrer«. – [2] Akad.-Ausg.: »nur die unserem Verstande mögliche«.

Erzeugung eines solchen Körpers unmöglich sei; denn das würde soviel sagen, als, es sei eine solche Einheit in der Verknüpfung des Mannigfaltigen für jeden Verstand unmöglich (d. i. widersprechend) sich vorzustellen, ohne daß die Idee derselben zugleich die erzeugende Ursache derselben sei, d. i. ohne absichtliche Hervorbringung. Gleichwohl würde dieses in der Tat folgen, wenn wir materielle Wesen, als Dinge an sich selbst, anzusehen berechtigt wären. Denn alsdann würde die Einheit, welche den Grund der Möglichkeit der Naturbildungen ausmacht, lediglich die Einheit des ¦ Raums sein, welcher aber kein Realgrund der Erzeugungen, sondern nur die formale Bedingung derselben ist; obwohl | er mit dem Realgrunde, welchen wir suchen, darin einige Ähnlichkeit hat, daß in ihm kein Teil ohne in Verhältnis auf das Ganze (dessen Vorstellung also der Möglichkeit der Teile zum Grunde liegt) bestimmt werden kann. Da es aber doch wenigstens möglich ist, die materielle Welt als bloße Erscheinung zu betrachten, und etwas als Ding an sich selbst (welches nicht Erscheinung ist) als Substrat zu denken, diesem aber eine korrespondierende intellektuelle Anschauung (wenn sie gleich nicht die unsrige ist) unterzulegen: so würde ein, ob zwar für uns unerkennbarer, übersinnlicher Realgrund für die Natur Statt finden, zu der wir selbst mitgehören, in welcher wir also das, was in ihr als Gegenstand der Sinne notwendig ist, nach mechanischen Gesetzen, die Zusammenstimmung und Einheit aber der besonderen Gesetze und der Formen nach denselben, die wir in Ansehung jener als zufällig beurteilen müssen, in ihr als Gegenstande der Vernunft (ja das Naturganze als System) zugleich nach teleologischen Gesetzen betrachten, und sie nach zweierlei Prinzipien beurteilen würden, ohne daß die mechanische Erklärungsart durch die teleologische, als ob sie einander widersprächen, ausgeschlossen wird.

Hieraus läßt sich auch das, was man sonst zwar leicht vermuten, aber schwerlich mit Gewißheit behaup¦ten und beweisen konnte, einsehen, daß zwar das Prinzip einer mechanischen Ableitung zweckmäßiger Naturprodukte neben dem teleologischen bestehen, dieses letztere | aber keinesweges entbehrlich machen könnte: d. i. man kann an einem Dinge, welches wir als Naturzweck beurteilen müssen (einem organisierten Wesen), zwar alle bekannte und noch zu entdeckende Gesetze der mechanischen Erzeugung versuchen, und auch hoffen dürfen, damit guten Fortgang zu haben, niemals aber der Berufung auf einen davon ganz unterschiedenen Erzeugungsgrund, nämlich der Kausalität durch Zwecke, für die Möglichkeit eines solchen Produkts überhoben sein; und schlechterdings kann keine menschliche Vernunft (auch keine endliche, die der Qualität nach der unsrigen ähnlich wäre, sie aber dem Grade nach noch so sehr überstiege) die Erzeugung auch nur eines Gräschens aus bloß mechanischen Ursachen zu verstehen hoffen. Denn, wenn die teleologische Verknüpfung der Ursachen und Wirkungen zur Möglichkeit eines solchen Gegenstandes für die Urteilskraft ganz unentbehrlich ist, selbst um diese nur am Leitfaden der Erfahrung zu studieren; wenn für äußere Gegenstände, als Erscheinungen, ein sich auf Zwecke beziehender hinreichender Grund gar nicht angetroffen werden kann, sondern dieser, der auch in der Natur liegt, doch nur im übersinnlichen Substrat derselben gesucht werden muß, von welchem uns aber alle mögliche Einsicht abgeschnitten ist: so ist es uns schlechterdings ¦ unmöglich, aus der Natur selbst hergenommene Erklärungsgründe für Zweckverbindungen zu schöpfen, und *es ist*[1] nach der Beschaffenheit des menschlichen Erkenntnisver|mögens notwendig, den obersten Grund dazu in einem ursprünglichen Verstande als Weltursache zu suchen.

§ 78. VON DER VEREINIGUNG DES PRINZIPS DES ALLGEMEINEN MECHANISMUS DER MATERIE MIT DEM TELEOLOGISCHEN IN DER TECHNIK DER NATUR

Es liegt der Vernunft unendlich viel daran, den Mechanism der Natur in ihren Erzeugungen nicht fallen zu lassen und in der Erklärung derselben nicht vorbei zu gehen; weil ohne diesen keine Einsicht in der Natur[2] der Dinge erlangt

[1] Zusatz von B u. C. – [2] Akad.-Ausg.: »in die Natur«.

werden kann. Wenn man uns gleich einräumt: daß ein höchster Architekt die Formen der Natur, so wie sie von je her da sind, unmittelbar geschaffen, oder die, *welche* sich[1] in ihrem Laufe kontinuierlich nach eben demselben Muster bilden, prädeterminiert habe: so ist doch dadurch unsere Erkenntnis der Natur nicht im mindesten gefördert; weil wir jenes Wesens Handlungsart und die Ideen desselben, welche die Prinzipien der Möglichkeit der Naturwesen enthalten sollen, gar nicht kennen, und von demselben als von oben herab (a priori) die Natur nicht erklären können. Wollen wir aber von den Formen der Gegenstände der Erfahrung, also von unten hinauf (a posteriori), weil wir in diesen Zweckmäßigkeit ¦ anzutreffen glauben, um diese zu erklären, uns auf eine nach Zwecken wirkende Ursache berufen: so würden wir ganz tautologisch erklären, und die Vernunft mit Worten | täuschen, ohne noch zu erwähnen: daß da, wo wir uns mit dieser Erklärungsart ins Überschwengliche verlieren, wohin uns die *Naturkenntnis*[2] nicht folgen kann, die Vernunft dichterisch zu schwärmen verleitet wird, welches zu verhüten eben ihre vorzüglichste Bestimmung ist.

Von der andern Seite ist es eine eben sowohl notwendige Maxime der Vernunft, das Prinzip der Zwecke an den Produkten der Natur nicht vorbei zu gehen; weil es, wenn es gleich die Entstehungsart derselben uns eben nicht begreiflicher macht, doch ein heuristisches Prinzip ist, den besondern Gesetzen der Natur nachzuforschen; gesetzt auch, daß man davon keinen Gebrauch machen wollte, um die Natur selbst darnach zu erklären, indem man sie so lange, ob sie gleich absichtliche Zweckeinheit augenscheinlich darleget[3], noch immer nur Naturzwecke nennt, d. i. ohne über die Natur hinaus den Grund der Möglichkeit derselben zu suchen. Weil es aber doch am Ende zur Frage wegen der letzteren kommen muß: so ist es eben so notwendig für sie, eine besondere Art der Kausalität, die sich nicht in der Natur vorfindet, zu denken, als die Mechanik der Naturursachen die ihrige hat, indem zu der Rezeptivität mehrerer und anderer

[1] A: »*so* sich«. – [2] C: »*Naturerkenntnis*«. – [3] Akad.-Ausg.: »darlegen«.

|B 355 |A 351

Formen, als deren die Materie nach der letzteren fähig | ist, noch eine Spontaneität einer Ursache (die also nicht Materie sein kann) hinzukommen muß, ohne welche von jenen Formen kein Grund angegeben werden kann. | Zwar muß die Vernunft, ehe sie diesen Schritt tut, behutsam verfahren, und nicht jede Technik der Natur, d. i. ein produktives Vermögen derselben, welches Zweckmäßigkeit der Gestalt für unsere bloße Apprehension an sich zeigt (wie bei regulären Körpern), für teleologisch zu erklären suchen, sondern immer so lange für bloß mechanisch-möglich ansehen; allein darüber das teleologische Prinzip gar ausschließen, und, wo die Zweckmäßigkeit, für die Vernunftuntersuchung der Möglichkeit der Naturformen, durch ihre Ursachen, sich ganz unleugbar als Beziehung auf eine andere Art der Kausalität zeigt, doch immer den bloßen Mechanism befolgen wollen, muß die Vernunft eben so phantastisch und unter Hirngespinsten von Naturvermögen, die sich gar nicht denken lassen, herumschweifend machen, als eine bloß teleologische Erklärungsart, die gar keine Rücksicht auf den Naturmechanism nimmt, sie schwärmerisch machte.

An einem und eben demselben Dinge der Natur lassen sich nicht beide Prinzipien, als Grundsätze der Erklärung (Deduktion) eines von dem andern, verknüpfen, d. i. als dogmatische und konstitutive Prinzipien der Natureinsicht für die bestimmende Urteilskraft, vereinigen. Wenn ich z. B. von einer Made annehme, sie sei als Produkt des bloßen Mechanismus der Ma|terie (der neuen Bildung, die sie für sich selbst bewerkstelligt, wenn ihre Elemente durch Fäulnis in Freiheit gesetzt werden) anzusehen: so kann ich nun nicht von | eben derselben Materie, als einer Kausalität, nach Zwecken zu handeln, eben dasselbe Produkt ableiten. Umgekehrt, wenn ich dasselbe Produkt als Naturzweck annehme, kann ich nicht auf eine mechanische Erzeugungsart desselben rechnen, und solche als konstitutives Prinzip zur Beurteilung desselben seiner Möglichkeit nach annehmen, und so beide Prinzipien vereinigen. Denn eine Erklärungsart schließt die andere aus; gesetzt auch, daß objektiv beide Gründe der Möglichkeit eines solchen Produkts auf einem einzigen beruheten, wir aber auf diesen nicht Rücksicht nähmen. Das Prinzip, welches die Vereinbarkeit beider in Beurteilung der Natur nach denselben möglich machen soll, muß in *dem*, was[1] außerhalb beiden (mithin auch außer der möglichen empirischen Naturvorstellung) liegt, von dieser aber doch den Grund enthält, d. i. *im Übersinnlichen*[2], gesetzt, und eine jede beider Erklärungsarten darauf bezogen werden. Da wir nun von diesem nichts als den unbestimmten Begriff eines Grundes haben können, der die Beurteilung der Natur nach empirischen Gesetzen möglich macht, übrigens aber ihn durch kein Prädikat näher bestimmen können: so folgt, daß die Vereinigung beider Prinzipien nicht auf einem Grunde der Erklärung (Explikation) der Möglichkeit eines Produkts nach gegebenen Gesetzen | für die bestimmende, sondern nur auf einem Grunde der Erörterung (Exposition) derselben für die reflektierende Urteilskraft beruhen könne. – Denn erklären | heißt von einem Prinzip ableiten, welches man also deutlich muß erkennen und angeben können. Nun müssen zwar das Prinzip des Mechanisms der Natur und das der Kausalität derselben an[3] einem und eben demselben Naturprodukte in einem einzigen oberen Prinzip zusammenhängen und daraus gemeinschaftlich abfließen, weil sie sonst in der Naturbetrachtung nicht neben einander bestehen könnten. Wenn aber dieses objektiv-gemeinschaftliche, und also auch die Gemeinschaft der davon abhängenden Maxime der Naturforschung berechtigende, Prinzip von der Art ist, daß es zwar angezeigt, nie aber bestimmt erkannt und für den Gebrauch in vorkommenden Fällen deutlich angegeben werden kann: so läßt sich aus einem solchen Prinzip keine Erklärung, d. i. deutliche und bestimmte Ableitung der Möglichkeit eines nach jenen zweien heterogenen Prinzipien möglichen Naturprodukts ziehen. Nun ist aber das gemeinschaftliche Prinzip der mechanischen einerseits und der teleologischen Ableitung andrerseits das Übersinnliche, welches wir der Natur als Phänomen unterlegen müssen. Von diesem aber kön-

[1] C: »in *das* was«. – [2] C: »*ins Übersinnliche*«. – [3] Akad.-Ausg.: »Causalität derselben nach Zwecken an«.

|B 358 |A 354

nen wir uns in theoretischer Absicht nicht den mindesten bejahend bestimmten Begriff machen. Wie also nach demselben, als Prinzip, die Natur (nach ihren besondern Gesetzen) für uns ein System *ausmacht*[1], welches | sowohl nach dem Prinzip der Erzeugung von physischen als dem der Endursachen als möglich erkannt werden könne: läßt sich keinesweges erklären; sondern nur, wenn | es sich zuträgt, daß Gegenstände der Natur vorkommen, die nach dem Prinzip des Mechanisms (welches jederzeit an *einem* Naturwesen[2] Anspruch hat) ihrer Möglichkeit nach, ohne uns auf teleologische Grundsätze zu stützen, von uns nicht können gedacht werden, voraussetzen, daß man nur getrost beiden gemäß den Naturgesetzen nachforschen dürfe (nachdem die Möglichkeit ihres Produkts, aus einem oder dem andern Prinzip, unserm Verstande erkennbar ist), ohne sich an den scheinbaren Widerstreit zu stoßen, der sich zwischen den Prinzipien der Beurteilung desselben hervortut: weil wenigstens die Möglichkeit, daß beide auch objektiv in einem Prinzip vereinbar sein möchten (da sie Erscheinungen betreffen, die einen übersinnlichen Grund voraussetzen), gesichert ist.

Ob also gleich sowohl der Mechanism als der teleologische (absichtliche) Technizism der Natur, in Ansehung ebendesselben Produkts und seiner Möglichkeit, unter einem gemeinschaftlichen obern Prinzip der Natur nach besondern Gesetzen stehen mögen: so können wir doch, da dieses Prinzip transzendent ist, nach der Eingeschränktheit unseres Verstandes beide Prinzipien in der Erklärung eben derselben Naturerzeugung alsdenn nicht vereinigen, wenn selbst die innere Möglichkeit dieses Produkts nur durch eine Kausalität nach | Zwecken verständlich ist (wie organisierte Materien von der Art sind). Es bleibt also bei dem obigen Grundsatze der Teleologie: daß, nach der Beschaffenheit des | menschlichen Verstandes, für die Möglichkeit organischer Wesen in der Natur keine andere als absichtlich[3] wirkende Ursache könne angenommen werden, und der bloße Mechanism der Natur zur Erklärung dieser ihrer Produkte

[1] A: »*ausmache*«. – [2] C: »*ein* Naturwesen«. – [3] Akad.-Ausg. erwägt: »als eine absichtlich«.

gar nicht hinlänglich sein könne; ohne doch dadurch in Ansehung der Möglichkeit solcher Dinge selbst durch diesen Grundsatz entscheiden zu wollen.

Da nämlich dieser nur eine Maxime der reflektierenden, nicht der bestimmenden Urteilskraft, daher[1] nur subjektiv für uns, nicht objektiv für die Möglichkeit dieser Art Dinge selbst, gilt (wo beiderlei Erzeugungsarten wohl in einem und demselben Grunde zusammenhangen könnten); da ferner, ohne allen zu der teleologisch-gedachten Erzeugungsart hinzukommenden Begriff von einem dabei zugleich anzutreffenden Mechanism der Natur, dergleichen Erzeugung gar nicht als Naturprodukt beurteilt werden könnte: so führt obige Maxime zugleich die Notwendigkeit einer Vereinigung beider Prinzipien in der Beurteilung der Dinge als Naturzwecke bei sich, aber nicht, um eine ganz, oder in gewissen Stücken, an die Stelle der andern zu setzen. Denn an die Stelle dessen, was (von uns wenigstens) nur als nach Absicht möglich gedacht wird, läßt sich kein Mechanism, und an die Stelle dessen, was nach diesem als notwendig er|kannt wird, läßt sich keine Zufälligkeit, die eines Zwecks zum Bestimmungsgrunde bedürfe, annehmen: sondern nur die eine (der Mechanism) der andern (dem absicht|lichen Technizism) unterordnen, welches, nach dem transzendentalen Prinzip der Zweckmäßigkeit der Natur, ganz wohl geschehen darf.

Denn, wo Zwecke als Gründe der Möglichkeit gewisser Dinge gedacht werden, da muß man auch Mittel annehmen, deren Wirkungsgesetz für sich nichts einen Zweck Voraussetzendes bedarf, mithin mechanisch und doch eine untergeordnete Ursache absichtlicher Wirkungen sein kann. Daher läßt sich selbst in organischen Produkten der Natur, noch mehr aber, wenn wir, durch die unendliche Menge derselben veranlaßt, das Absichtliche in der Verbindung der Natururschen nach besondern Gesetzen nun auch (wenigstens durch erlaubte Hypothese) zum allgemeinen Prinzip der reflektierenden Urteilskraft für das Naturganze (die Welt) annehmen, eine große und sogar allgemeine Verbin-

[1] Akad.-Ausg.: »Urtheilskraft ist, daher«.

|B 361 |A 357

dung der mechanischen Gesetze mit den teleologischen in den Erzeugungen der Natur denken, ohne die Prinzipien der Beurteilung derselben zu verwechseln und eines an die Stelle des andern zu setzen; weil in einer teleologischen Beurteilung die Materie, selbst, wenn die Form, welche sie annimmt, nur als nach Absicht möglich beurteilt wird, doch, ihrer Natur nach, mechanischen Gesetzen gemäß, jenem vorgestellten Zwecke auch zum Mittel untergeordnet sein | kann: wiewohl, da der Grund dieser Vereinbarkeit in demjenigen *liegt*[1], was weder das eine noch das andere (weder Mechanism, noch Zweckverbindung), sondern das über|sinnliche Substrat der Natur ist, von dem wir nichts erkennen, für unsere (die menschliche) Vernunft beide Vorstellungsarten der Möglichkeit solcher Objekte nicht zusammenzuschmelzen sind, sondern wir sie nicht anders, als nach der Verknüpfung der Endursachen, auf einem obersten Verstande gegründet beurteilen können, wodurch also der teleologischen Erklärungsart nichts benommen wird.

Weil nun aber ganz unbestimmt, und für unsere Vernunft auch auf immer unbestimmbar ist, wieviel der Mechanism der Natur als Mittel zu jeder Endabsicht in derselben tue; und, wegen des oberwähnten intelligibelen Prinzips der Möglichkeit einer Natur überhaupt, gar angenommen werden kann, daß sie durchgängig nach beiderlei allgemein zusammenstimmenden Gesetzen (den physischen und den der Endursachen) möglich sei, wiewohl wir die Art, wie dieses zugehe, gar nicht einsehen können: so wissen wir auch nicht, wie weit die für uns mögliche mechanische Erklärungsart gehe, sondern nur so viel gewiß: daß, so weit wir nur immer darin kommen mögen, sie doch allemal für Dinge, die wir einmal als Naturzwecke anerkennen, unzureichend sein[2], und wir also, nach der Beschaffenheit unseres Ver|standes, jene Gründe insgesamt einem teleologischen Prinzip unterordnen müssen.

Hierauf gründet sich nun die Befugnis, und, wegen der Wichtigkeit, welche das Naturstudium nach dem | Prinzip des Mechanisms für unsern theoretischen Vernunftgebrauch

[1] Zusatz von B u. C. – [2] Akad.-Ausg. erwägt: »sei« oder »seien«.

hat, auch der Beruf: alle Produkte und Ereignisse der Natur, selbst die zweckmäßigsten, so weit mechanisch zu erklären, als es immer in unserm Vermögen (dessen Schranken wir innerhalb dieser Untersuchungsart nicht angeben können) steht, dabei aber niemals aus den Augen zu verlieren, daß wir die, welche wir allein unter dem Begriffe vom Zwecke der Vernunft zur Untersuchung selbst auch nur aufstellen können, der wesentlichen Beschaffenheit unserer Vernunft gemäß, jene mechanischen Ursachen ungeachtet, doch zuletzt der Kausalität nach Zwecken unterordnen müssen.

| *ANHANG*[1]

METHODENLEHRE DER TELEOLOGISCHEN URTEILSKRAFT

§79. OB DIE TELEOLOGIE, ALS ZUR NATURLEHRE GEHÖREND, ABGEHANDELT WERDEN MÜSSE

Eine jede Wissenschaft muß in der Enzyklopädie aller Wissenschaften ihre bestimmte Stelle haben. Ist es eine philosophische Wissenschaft, so muß ihr ihre Stelle in dem theoretischen oder praktischen Teil derselben, und, hat sie ihren Platz im ersteren, entweder in der Naturlehre, so fern sie das, was Gegenstand der Erfahrung | sein kann, erwägt (folglich der Körperlehre, der Seelenlehre, und allgemeinen Weltwissenschaft), oder in der Gotteslehre (von dem Urgrunde der Welt als Inbegriff aller Gegenstände der Erfahrung) angewiesen werden.

Nun fragt sich: welche Stelle gebührt der Teleologie? Gehört sie zur (eigentlich sogenannten) Naturwissenschaft, oder zur Theologie? Eins von beiden muß sein; denn zum Übergange aus einer in die andere kann gar keine Wissenschaft gehören, weil dieser nur die Artikulation oder Organisation des Systems und keinen Platz in demselben bedeutet.

| Daß sie in die Theologie als ein Teil derselben nicht gehöre, ob gleich in derselben von ihr der wichtigste Gebrauch gemacht werden kann, ist für sich selbst klar. Denn sie hat Naturerzeugungen und die Ursache derselben zu ihrem Ge-

[1] Zusatz von B u. C.

genstande; und, ob sie gleich auf die letztere, als einen außer und über die Natur belegenen Grund (göttlichen Urheber), hinausweiset, so tut sie dieses doch nicht für die bestimmende, sondern nur (um die Beurteilung der Dinge in der Welt durch eine solche Idee, dem menschlichen Verstande angemessen, als regulatives Prinzip zu leiten) bloß für die reflektierende Urteilskraft in der Naturbetrachtung.

Eben so wenig scheint sie aber auch in die Naturwissenschaft zu gehören, welche bestimmender und nicht bloß reflektierender Prinzipien bedarf, um von Naturwirkungen objektive Gründe anzugeben. In der Tat ist | auch für die Theorie der Natur, oder die mechanische Erklärung der Phänomene derselben, durch ihre wirkenden Ursachen, dadurch nichts gewonnen, daß man sie nach dem Verhältnisse der Zwecke zu einander betrachtet. Die Aufstellung der Zwecke der Natur an ihren Produkten, so fern sie ein System nach teleologischen Begriffen ausmachen, ist eigentlich nur zur Naturbeschreibung gehörig, welche nach einem besondern Leitfaden abgefasset ist: wo die Vernunft zwar ein herrliches unterrichtendes und praktisch in mancherlei Absicht zweckmäßiges Geschäft verrichtet, aber über das Entstehen und die in|nere Möglichkeit dieser Formen gar keinen Aufschluß gibt, worum es doch der theoretischen Naturwissenschaft eigentlich zu tun ist.

Die Teleologie, als Wissenschaft, gehört also zu gar keiner Doktrin, sondern nur zur Kritik, und zwar eines besondern Erkenntnisvermögens, nämlich der Urteilskraft. Aber, so fern sie Prinzipien a priori enthält, kann und muß sie die Methode, wie über die Natur nach dem Prinzip der Endursachen geurteilt werden müsse, angeben; und so hat ihre Methodenlehre wenigstens negativen Einfluß auf das Verfahren in der theoretischen Naturwissenschaft, und auch auf das Verhältnis, welches diese in der Metaphysik zur Theologie, als Propädeutik derselben, haben kann.

| § 80. VON DER NOTWENDIGEN UNTERORDNUNG DES PRINZIPS DES MECHANISMS UNTER DEM TELEOLOGISCHEN IN ERKLÄRUNG EINES DINGES ALS NATURZWECKS

Die Befugnis, auf eine bloß mechanische Erklärungsart aller Naturprodukte auszugehen, ist an sich ganz unbeschränkt; aber das Vermögen, damit allein auszulangen, ist, nach der Beschaffenheit unseres Verstandes, sofern er es mit Dingen als Naturzwecken zu tun hat, nicht allein sehr beschränkt, sondern auch | deutlich begrenzt: nämlich so, daß, nach einem Prinzip der Urteilskraft, durch das erstere Verfahren allein zur Erklärung der letzteren gar nichts ausgerichtet werden könne, mithin die Beurteilung solcher Produkte jederzeit von uns zugleich einem teleologischen Prinzip untergeordnet werden müsse.

Es ist daher vernünftig, ja verdienstlich, dem Naturmechanism, zum Behuf einer Erklärung der Naturprodukte, soweit nachzugehen, als es mit Wahrscheinlichkeit geschehen kann, ja diesen Versuch nicht darum aufzugeben, weil es an sich unmöglich sei, auf seinem Wege mit der Zweckmäßigkeit der Natur zusammenzutreffen, sondern nur darum, weil es für uns als Menschen unmöglich ist; indem dazu eine andere als sinnliche Anschauung und ein bestimmtes Erkenntnis des in|telligibelen Substrats der Natur, woraus selbst von dem Mechanism der Erscheinungen nach besondern Gesetzen Grund angegeben werden könne, erforderlich sein würde, welches alles unser Vermögen gänzlich übersteigt.

Damit also der Naturforscher nicht auf reinen Verlust arbeite, so muß er in Beurteilung der Dinge, deren Begriff als Naturzwecke unbezweifelt gegründet ist (organisierter Wesen), immer irgend eine ursprüngliche Organisation zum Grunde legen, welche jenen Mechanism selbst benutzt, um andere organisierte Formen hervorzubringen, oder die seinige zu neuen Gestalten (die | doch aber immer aus jenem Zwecke und ihm gemäß erfolgen) zu entwickeln.

Es ist rühmlich, vermittelst einer komparativen Anatomie die große Schöpfung organisierter Naturen durchzugehen, um zu sehen: ob sich daran nicht etwas einem System Ähnliches, und zwar dem Erzeugungsprinzip nach, vorfinde; ohne daß wir nötig haben, beim bloßen Beurteilungsprinzip (welches für die Einsicht ihrer Erzeugung keinen Aufschluß gibt) stehen zu bleiben, und mutlos allen Anspruch auf Natureinsicht in diesem Felde aufzugeben. Die Übereinkunft so vieler Tiergattungen in einem gewissen gemeinsamen Schema, das nicht allein in ihrem Knochenbau, sondern auch in der Anordnung der übrigen Teile zum Grunde zu liegen scheint, wo bewundrungswürdige Einfalt des Grundrisses durch Verkürzung einer und Verlängerung ande|rer, durch Einwickelung dieser und Auswickelung jener Teile, eine so große Mannigfaltigkeit von Spezies hat hervorbringen können, läßt einen obgleich schwachen Strahl von Hoffnung in das Gemüt fallen, daß hier wohl etwas mit dem Prinzip des Mechanismus der Natur, ohne *welches* es *überhaupt* keine[1] Naturwissenschaft geben kann, auszurichten sein möchte. Diese Analogie der Formen, sofern sie bei aller Verschiedenheit einem gemeinschaftlichen Urbilde gemäß erzeugt zu sein scheinen, verstärkt die Vermutung einer wirklichen Verwandtschaft derselben in der Erzeugung von einer gemein|schaftlichen Urmutter, durch die stufenartige Annäherung einer Tiergattung zur andern, von derjenigen an, in welcher das Prinzip der Zwecke am meisten bewährt zu sein scheint, nämlich dem Menschen, bis zum Polyp, von diesem so gar bis zu Moosen und Flechten, und endlich zu der niedrigsten uns merklichen Stufe der Natur, zur rohen Materie: aus welcher und ihren Kräften, nach mechanischen Gesetzen (gleich denen, *wornach*[2] sie in Kristallerzeugungen wirkt), die ganze Technik der Natur, die uns in organisierten Wesen so unbegreiflich ist, daß wir uns dazu ein anderes Prinzip zu denken genötigt glauben, abzustammen scheint.

Hier steht es nun dem Archäologen der Natur frei, aus den übriggebliebenen Spuren ihrer ältesten Revolutionen, nach allem ihm bekannten oder gemutmaßten Mechanism derselben, jene große Familie von | Geschöpfen (denn

[1] A: »ohne *das* es *ohnedem* keine«. – [2] A: »*darnach*«.

so *müßte* man [1] sie sich vorstellen, wenn die genannte durchgängig zusammenhangende Verwandtschaft einen Grund haben soll) entspringen zu lassen. Er kann den Mutterschoß der Erde, die eben aus ihrem chaotischen Zustande herausging (gleichsam als ein großes Tier), anfänglich Geschöpfe von minder-zweckmäßiger Form, diese wiederum andere, welche angemessener ihrem Zeugungsplatze und ihrem Verhältnisse unter einander sich ausbildeten, gebären lassen; bis diese Gebärmutter selbst, erstarrt, sich verknöchert, ihre Geburten auf bestimmte fernerhin nicht ausartende Spezies ¦ eingeschränkt hätte, und die Mannigfaltigkeit so bliebe, wie sie am Ende der Operation jener fruchtbaren Bildungskraft ausgefallen war. – Allein er muß gleichwohl zu dem Ende dieser allgemeinen Mutter eine auf alle diese Geschöpfe zweckmäßig gestellte Organisation beilegen, widrigenfalls die Zweckform der Produkte des Tier- und Pflanzenreichs ihrer Möglichkeit nach gar nicht zu denken ist.* Alsdann aber hat er den Erklä|rungsgrund nur weiter aufgeschoben, und kann sich nicht ¦ anmaßen, die Erzeugung jener zweien Reiche von der Bedingung der Endursachen unabhängig gemacht zu haben.

* Eine Hypothese von solcher Art kann man ein gewagtes Abenteuer der Vernunft nennen; und es mögen wenige, selbst von den scharfsinnigsten Naturforschern, sein, denen es nicht bisweilen durch den Kopf gegangen wäre. Denn ungereimt ist es eben nicht, wie die generatio aequivoca, worunter man die Erzeugung eines organisierten Wesens durch die Mechanik der rohen unorganisierten. Materie versteht. Sie wäre immer noch generatio univoca in der allgemeinsten Bedeutung des Worts, so fern nur etwas Orga|nisches aus einem andern Organischen, ob zwar unter dieser Art Wesen spezifisch von ihm unterschiedenen, erzeugt *würde* [2]; z. B. wenn gewisse Wassertiere sich nach und nach zu Sumpftieren, und aus diesen, nach einigen Zeugungen, zu Landtieren ausbildeten. A priori, im Urteile der bloßen Vernunft, widerstreitet sich das nicht. Allein die Erfahrung zeigt davon kein Beispiel; nach der vielmehr alle Zeugung, die wir kennen, generatio homonyma ist, nicht bloß univoca, im Gegensatz mit der Zeugung aus unorganisiertem Stoffe, sondern auch ein in der Organisation selbst mit dem Erzeugenden gleichartiges Produkt hervorbringt, und die generatio heteronyma, so weit unsere Erfahrungskenntnis der Natur reicht, nirgend angetroffen wird.

[1] A: »*mußte* man«. – [2] A: »erzeugt *wurde*«.

|B 370, 371 |A 366 Anm.: |A 366

Selbst, was die Veränderung betrifft, *welcher* gewisse[1] Individuen der organisierten Gattungen zufälligerweise unterworfen werden, wenn man findet, daß ihr so abgeänderter Charakter erblich und in die Zeugungskraft aufgenommen wird, *so*[2] kann *sie*[2] nicht füglich anders als[3] gelegentliche Entwickelung einer in der Spezies ursprünglich vorhandenen zweckmäßigen Anlage, zur Selbsterhaltung der Art, beurteilt werden; weil das Zeugen seines gleichen, bei der durchgängigen inneren Zweckmäßigkeit eines organisierten Wesens, mit der Bedingung, nichts in die Zeugungskraft aufzunehmen, was nicht auch in einem solchen System von Zwekken zu einer der unent|wickelten ursprünglichen Anlagen gehört, so nahe verbunden ist. Denn, wenn man von diesem Prinzip abgeht, so kann man mit Sicherheit nicht wissen, ob nicht mehrere Stücke der jetzt an einer Spezies anzutreffenden Form eben so zufälligen zwecklosen Ursprungs sein mögen; und das Prinzip der Teleologie: in einem organisierten Wesen nichts von dem, was sich in der Fortpflanzung desselben erhält, als unzweckmäßig zu beurteilen, müßte dadurch in der Anwendung sehr unzuverlässig werden, und lediglich für den Urstamm (den wir aber nicht mehr kennen) gültig sein.

| Hume macht wider diejenigen, welche für alle solche Naturzwecke ein teleologisches Prinzip der Beurteilung, d.i. einen architektonischen Verstand anzunehmen nötig finden, die Einwendung: daß man mit eben dem Rechte fragen könnte, wie denn ein solcher Verstand möglich sei, d. i. wie die mancherlei Vermögen und Eigenschaften, welche die Möglichkeit eines Verstandes, der zugleich ausführende Macht hat, ausmachen, sich so zweckmäßig in einem Wesen haben zusammen finden können. Allein dieser Einwurf ist nichtig. Denn die ganze Schwierigkeit, welche die Frage wegen der ersten Erzeugung eines in sich selbst Zwecke enthaltenden und durch sie allein begreiflichen Dinges umgibt, beruht auf der Nachfrage nach Einheit des Grundes der Verbindung des Mannigfaltigen außer einander in diesem Produkte; da denn, wenn dieser Grund in dem Verstande |

[1] A: »*der* gewisse«. – [2] Zusatz von B u. C. – [3] Akad.-Ausg.: »anders denn als«.

einer hervorbringenden Ursache als einfacher Substanz gesetzt wird, jene Frage, sofern sie teleologisch ist, hinreichend beantwortet wird, wenn aber die Ursache bloß in der Materie, als einem Aggregat vieler Substanzen aus einander[1], gesucht wird, die Einheit des Prinzips für die innerlich zweckmäßige Form ihrer Bildung gänzlich ermangelt; und die Autokratie der Materie in Erzeugungen, welche von unserm Verstande nur als Zwecke begriffen werden können, ist ein Wort ohne Bedeutung.

Daher kommt es, daß diejenigen, welche für die objektiv-zweckmäßigen Formen der Materie einen ober|sten Grund der Möglichkeit derselben suchen, ohne ihm eben einen Verstand zuzugestehen, das Weltganze doch gern zu einer einigen allbefassenden Substanz (Pantheism), oder (welches nur eine bestimmtere Erklärung des Vorigen ist) zu einem Inbegriffe vieler einer einigen einfachen Substanz inhärierenden Bestimmungen (Spinozism), machen, bloß um jene Bedingung aller Zweckmäßigkeit, die Einheit des Grundes, heraus zu bekommen; wobei sie zwar einer Bedingung der Aufgabe, nämlich der Einheit in der *Zweckbeziehung*[2], vermittelst des bloß ontologischen Begriffs einer einfachen Substanz, ein Genüge tun, aber für die andere Bedingung, nämlich das Verhältnis derselben zu ihrer Folge als Zweck, wodurch jener ontologische Grund für die Frage näher bestimmt werden soll, nichts anführen, mithin die ganze Frage keinesweges beantwor|ten. Auch bleibt *sie* schlechterdings unbeantwortlich (für unsere Vernunft), wenn[3] wir jenen Urgrund der Dinge nicht als einfache Substanz und dieser ihre Eigenschaft zu der spezifischen Beschaffenheit der auf sie sich gründenden Naturformen, nämlich der Zweckeinheit, nicht als einer[4] *intelligenten* Substanz[5], das Verhältnis aber derselben zu den letzteren (wegen der Zufälligkeit, die wir an allem was[6] wir uns nur als Zweck möglich denken) nicht als das Verhältnis einer Kausalität uns vorstellen.

[1] Akad.-Ausg.: »außer einander«. – [2] C: »*Zweckverbindung*«. – [3] A: »beantworten, *die* auch schlechterdings ... Vernunft) bleibt, wenn«. – [4] Akad.-Ausg.: »nicht als die einer«. – [5] A: »*intelligibelen* Substanz«. – [6] Akad.-Ausg.: »an allem finden, was«.

| § 81. VON DER BEIGESELLUNG DES MECHANISMUS, ZUM TELEOLOGISCHEN *PRINZIP*[1] IN DER ERKLÄRUNG EINES NATURZWECKS ALS NATURPRODUKTS

Gleich wie der Mechanism der Natur nach dem vorhergehenden § allein nicht zulangen kann, um sich die Möglichkeit eines organisierten Wesens darnach zu denken, sondern (wenigstens nach der Beschaffenheit unsers Erkenntnisvermögens) einer absichtlich wirkenden Ursache ursprünglich untergeordnet werden muß: so langt eben so wenig der bloße teleologische Grund eines solchen Wesens *hin*[1], es zugleich als ein Produkt der Natur zu betrachten und zu beurteilen, wenn nicht der Mechanism *des* letzteren[2] dem ersteren beigesellt wird, gleichsam als das Werkzeug einer absichtlich wirkenden Ursache, deren Zwecke die Natur in ihren mechanischen Gesetzen | gleichwohl untergeordnet ist. Die Möglichkeit einer solchen Vereinigung zweier ganz verschiedener Arten von Kausalität, der Natur in ihrer allgemeinen Gesetzmäßigkeit, mit einer Idee, welche jene auf eine besondere Form einschränkt, wozu sie für sich gar keinen Grund enthält, begreift unsere Vernunft nicht; sie liegt im übersinnlichen Substrat der Natur, wovon wir nichts bejahend bestimmen können, als daß es das Wesen an sich sei, von welchem wir bloß die Erscheinung kennen. Aber das Prinzip: alles, was wir als zu dieser Natur | (phaenomenon) gehörig und als Produkt derselben annehmen, auch nach mechanischen Gesetzen mit ihr verknüpft denken zu müssen, bleibt nichts desto weniger in seiner Kraft; weil, ohne diese Art von Kausalität, organisierte Wesen, als Zwecke der Natur, doch keine Naturprodukte sein würden.

Wenn nun das teleologische Prinzip der Erzeugung dieser Wesen angenommen wird (wie es denn nicht anders sein kann): so kann man entweder den Okkasionalism, oder den Prästabilism der Ursache ihrer innerlich zweckmäßigen Form zum Grunde legen. Nach dem ersteren würde die oberste Weltursache, ihrer Idee gemäß, bei Gelegenheit einer jeden Begattung der in derselben sich mischenden

[1] Zusatz von B u. C. – [2] A: »*der* letzteren«.

|B 374, 375 |A 370

Materie unmittelbar die organische Bildung geben; nach dem zweiten würde sie in die anfänglichen Produkte dieser ihrer Weisheit nur die Anlage gebracht haben, vermittelst deren ein organisches Wesen | seines Gleichen hervorbringt und die Spezies sich selbst beständig erhält, imgleichen der Abgang der Individuen durch ihre zugleich an ihrer Zerstörung arbeitende Natur kontinuierlich ersetzt wird. Wenn man den Okkasionalism der Hervorbringung organisierter Wesen annimmt, so geht alle Natur hiebei gänzlich verloren, mit ihr auch aller Vernunftgebrauch, über die Möglichkeit einer solchen Art Produkte zu urteilen; daher man voraussetzen kann, daß niemand dieses System annehmen wird, dem es irgend um Philosophie zu tun ist.

| Der Prästabilism kann nun wiederum auf zwiefache Art verfahren. Er betrachtet nämlich ein jedes von seines Gleichen gezeugte organische Wesen entweder als das Edukt, oder als das Produkt des ersteren. Das System der Zeugungen als bloßer Edukte heißt das der individuellen Präformation, oder auch die Evolutionstheorie; das der Zeugungen als Produkte wird das System der Epigenesis genannt. Dieses *letztere* kann auch System[1] der generischen Präformation genannt werden; weil das produktive Vermögen der Zeugenden doch nach den inneren zweckmäßigen Anlagen, die ihrem Stamme zu Teil wurden, also die spezifische Form virtualiter präformiert war. Diesem gemäß würde man die entgegenstehende Theorie der individuellen Präformation auch besser Involutionstheorie (oder die der Einschachtelung) nennen können.

| Die Verfechter der Evolutionstheorie, welche jedes Individuum von der bildenden Kraft der Natur ausnehmen, um es unmittelbar aus der Hand des Schöpfers kommen zu lassen, *wollten*[2] es also doch nicht wagen, dieses nach der Hypothese des Okkasionalisms geschehen zu lassen, so daß die Begattung eine bloße Formalität wäre, unter der eine oberste verständige Weltursache beschlossen hätte, jedesmal eine Frucht mit unmittelbarer Hand zu bilden und der Mutter nur die Auswickelung und Ernährung derselben

[1] A: »genannt, dieses kann auch *das* System«. – [2] A: »*wollen*«.

zu überlassen. Sie | erklärten sich für die Präformation; gleich als wenn es nicht einerlei wäre, übernatürlicher Weise, im[1] Anfange, oder im Fortlaufe der Welt, dergleichen Formen entstehen zu lassen, und nicht vielmehr eine große Menge übernatürlicher Anstalten durch gelegentliche Schöpfung erspart *würde*[2], welche erforderlich *wären*[3], damit der im Anfange der Welt gebildete Embryo die lange Zeit hindurch, bis zu seiner Entwickelung, nicht von den zerstörenden Kräften der Natur litte und sich unverletzt erhielte, imgleichen eine unermeßlich größere Zahl solcher vorgebildeten Wesen, als jemals entwickelt werden sollten, und mit ihnen eben so viel Schöpfungen dadurch unnötig und zwecklos gemacht *würden*[4]. Allein sie wollten doch wenigstens etwas hierin der Natur überlassen, um nicht gar in völlige Hyperphysik zu geraten, die aller Naturerklärung entbehren kann. Sie hielten zwar noch fest an ihrer Hyperphysik, selbst da sie an Mißge|burten (die man doch unmöglich für Zwecke der Natur halten kann) eine bewunderungswürdige Zweckmäßigkeit finden[5], sollte sie auch nur darauf abgezielt sein, daß ein Anatomiker einmal daran, als einer zwecklosen Zweckmäßigkeit, Anstoß nehmen und niederschlagende Bewunderung fühlen sollte. Aber die Erzeugung der Bastarde konnten sie schlechterdings nicht in das System der Präformation hineinpassen, sondern mußten dem Samen der männlichen Geschöpfe, dem sie übrigens nichts als die mechanische Eigenschaft, zum ersten Nahrungsmittel | des Embryo zu dienen, zugestanden hatten, doch noch obenein eine zweckmäßig bildende Kraft zugestehen: welche sie doch in Ansehung des ganzen Produkts einer Erzeugung von zweien Geschöpfen derselben Gattung keinem von beiden einräumen wollten.

Wenn man dagegen an dem Verteidiger der Epigenesis den großen Vorzug, den er in Ansehung der Erfahrungsgründe zum Beweise seiner Theorie vor dem ersteren hat, gleich nicht kennete: so würde die Vernunft doch schon zum voraus für seine Erklärungsart mit vorzüglicher Gunst ein-

[1] A: »Weise, *ob* im«. – [2] A: »*wurde*«. – [3] A: »erforderlich *sein würden*«. – [4] A: »*wurden*«. – [5] Akad.-Ausg.: »fanden«.

genommen sein, weil sie die Natur in Ansehung der Dinge, welche man ursprünglich nur nach der Kausalität der Zwekke sich als möglich vorstellen kann, doch wenigstens, was die Fortpflanzung betrifft, als selbst hervorbringend, nicht bloß als entwickelnd, betrachtet, und so doch mit dem kleinst-möglichen Aufwande des Übernatürlichen alles Folgende vom ersten | Anfange an der Natur überläßt (ohne aber über diesen ersten Anfang, an dem die Physik überhaupt scheitert, sie mag es mit einer Kette der Ursachen versuchen, mit welcher sie wolle, etwas zu bestimmen).

In Ansehung dieser Theorie der Epigenesis hat niemand mehr, so wohl zum Beweise derselben, als auch zur Gründung der echten Prinzipien ihrer Anwendung, zum Teil durch die Beschränkung eines zu vermessenen Gebrauchs derselben, geleistet, als Herr Hofr. Blumenbach. Von organisierter Materie hebt | er alle physische Erklärungsart dieser Bildungen an. Denn, daß rohe Materie sich nach mechanischen Gesetzen ursprünglich selbst gebildet habe, daß aus der Natur des Leblosen Leben habe entspringen, und Materie in die Form einer sich selbst erhaltenden Zweckmäßigkeit sich von selbst habe fügen können, erklärt er mit Recht für vernunftwidrig; läßt aber zugleich dem Naturmechanism unter diesem uns unerforschlichen Prinzip einer ursprünglichen Organisation einen unbestimmbaren, zugleich doch auch unverkennbaren Anteil, wozu das Vermögen der Materie (zum Unterschiede von der, ihr allgemein beiwohnenden, bloß mechanischen Bildungskraft) von ihm in einem organisierten Körper ein (gleichsam unter der höheren Leitung und Anweisung der ersteren stehender) Bildungstrieb genannt wird.

| § 82. VON DEM TELEOLOGISCHEN SYSTEM IN DEN ÄUSSERN VERHÄLTNISSEN ORGANISIERTER WESEN

Unter der äußern Zweckmäßigkeit verstehe ich diejenige, da ein Ding der Natur einem andern als Mittel zum Zwecke dient. Nun können Dinge, die keine innere Zweckmäßigkeit haben, oder zu ihrer Möglichkeit voraussetzen, z. B. Erden,

Luft, Wasser, u.s.w. gleichwohl äußerlich, d. i. im Verhältnis auf andere Wesen, sehr zweckmäßig sein; aber diese | müssen jederzeit organisierte Wesen, d. i. Naturzwecke sein, denn sonst könnten jene auch nicht als Mittel beurteilt werden. So können Wasser, Luft und Erden nicht als Mittel zu Anhäufung von Gebirgen angesehen werden, weil diese an sich gar nichts enthalten, was einen Grund ihrer Möglichkeit nach Zwecken erforderte, worauf in Beziehung also ihre Ursache niemals unter dem Prädikate eines Mittels (das dazu nützte) vorgestellt werden kann.

Die äußere Zweckmäßigkeit ist ein ganz anderer Begriff, als der *Begriff*[1] der inneren, welche mit der Möglichkeit eines Gegenstandes, unangesehen ob seine Wirklichkeit selbst Zweck sei oder nicht, verbunden ist. Man kann von einem organisierten Wesen noch fragen: wozu ist es da? aber nicht leicht von Dingen, an denen man bloß die Wirkung vom Mechanism | der Natur erkennt. Denn in jenen stellen wir uns schon eine Kausalität nach Zwecken zu ihrer inneren Möglichkeit, einen schaffenden Verstand vor, und beziehen dieses tätige Vermögen auf den Bestimmungsgrund desselben, die Absicht. Es gibt nur eine einzige äußere Zweckmäßigkeit, die mit der innern der Organisation zusammenhängt, und, ohne daß die Frage sein darf, zu welchem Ende dieses so organisierte Wesen eben habe existieren müssen, dennoch im äußeren Verhältnis eines Mittels zum Zwecke dient. *Dieses* | ist[2] die Organisation beiderlei Geschlechts in Beziehung auf einander zur Fortpflanzung ihrer Art; denn hier kann man immer noch, eben so wie bei einem Individuum, fragen: warum mußte ein solches Paar existieren? Die Antwort ist: Dieses hier macht allererst ein organisierendes Ganze aus, ob zwar nicht ein organisiertes in einem einzigen Körper.

Wenn man nun fragt, wozu ein Ding da ist: so ist die Antwort entweder: sein Dasein und seine Erzeugung hat gar keine Beziehung auf eine nach Absichten wirkende Ursache, und alsdann versteht man immer einen Ursprung derselben aus dem Mechanism der Natur; oder es ist irgend ein ab-

[1] Zusatz von B u. C. – [2] A: »dient *und diese* ist«.

sichtlicher Grund seines Daseins (als eines zufälligen Naturwesens), und diesen Gedanken kann man schwerlich von dem Begriffe eines organisierten Dinges trennen: weil, da wir einmal seiner innern Möglichkeit eine Kausalität der | Endursachen und eine Idee, die dieser zum Grunde liegt, unterlegen müssen, wir auch die Existenz dieses Produktes nicht anders als [1] Zweck denken können. Denn, die vorgestellte Wirkung, *deren Vorstellung* zugleich [2] der Bestimmungsgrund der verständigen wirkenden Ursache zu ihrer Hervorbringung ist, heißt Zweck. In diesem Falle also kann man entweder sagen: der Zweck der Existenz eines solchen Naturwesens ist in ihm selbst, d. i. es ist nicht bloß Zweck, sondern auch Endzweck; oder dieser ist außer ihm in anderen Naturwesen, d. i. | es existiert zweckmäßig nicht als Endzweck, sondern notwendig zugleich als Mittel.

Wenn wir aber die ganze Natur durchgehen, so finden wir in ihr, als Natur, kein Wesen, *welches* auf [3] den Vorzug, Endzweck der Schöpfung zu sein, Anspruch machen könnte; und man kann sogar a priori beweisen: daß dasjenige, was etwa noch für die Natur ein letzter Zweck sein könnte, nach allen erdenklichen Bestimmungen und Eigenschaften, womit man es ausrüsten möchte, doch als Naturding niemals ein Endzweck sein könne.

Wenn man das Gewächsreich ansieht, so könnte man anfänglich durch die unermeßliche Fruchtbarkeit, durch welche es sich beinahe über jeden Boden verbreitet, auf *den* Gedanken [4] gebracht werden, es für ein bloßes Produkt des Mechanisms der Natur, *welches* sie [5] in den Bildungen des Mineralreichs zeigt, zu hal|ten. Eine nähere Kenntnis aber der unbeschreiblich weisen Organisation in demselben läßt uns an diesem Gedanken nicht haften, sondern veranlaßt die Frage: Wozu sind diese Geschöpfe da? Wenn man sich antwortet: für das Tierreich, welches dadurch genährt wird, damit es sich in so mannigfaltige Gattungen über die Erde habe verbreiten können: so kommt die Frage wieder: Wozu sind denn diese Pflanzen-verzehrenden Tiere da? Die Ant-

[1] Akad.-Ausg.: »anders denn als«. – [2] A: »Wirkung, *die* zugleich«. – [3] A: »*was* auf«. – [4] A: »*die* Gedanken«. – [5] C: »*welchen* sie«.

wort würde etwa sein: für die Raubtiere, die sich nur von dem nähren können | was Leben hat. Endlich ist die Frage: wozu sind diese samt den vorigen Naturreichen gut? Für den Menschen, zu dem mannigfaltigen Gebrauche, den ihn sein Verstand von allen jenen Geschöpfen machen lehrt; und er ist der letzte Zweck der Schöpfung hier auf Erden, weil er das einzige Wesen auf derselben ist, welches sich einen Begriff von Zwecken machen und aus einem Aggregat von zweckmäßig gebildeten Dingen durch seine Vernunft ein System der Zwecke machen kann.

Man könnte auch, mit dem Ritter Linné, den dem Scheine nach umgekehrten Weg gehen, und sagen: Die gewächsfressenden Tiere sind da, um den üppigen Wuchs des Pflanzenreichs, *wodurch*[1] viele Spezies derselben erstickt werden würden, zu mäßigen; die Raubtiere, *um der* Gefräßigkeit jener Grenzen[2] zu setzen; endlich der Mensch, damit, indem er diese verfolgt | und vermindert, ein gewisses Gleichgewicht unter den hervorbringenden und den zerstörenden Kräften der Natur gestiftet werde. Und so würde der Mensch, so sehr er auch in gewisser Beziehung als Zweck gewürdigt sein möchte, doch in anderer wiederum nur den Rang eines Mittels haben.

Wenn man sich eine objektive Zweckmäßigkeit in der Mannigfaltigkeit der Gattungen der Erdgeschöpfe und ihrem äußern Verhältnisse zu einander, als zweckmäßig konstruierter Wesen, zum Prinzip macht: so ist es der Vernunft gemäß, sich in diesem Verhältnisse wiederum | eine gewisse Organisation und ein System aller Naturreiche nach Endursachen zu denken. Allein hier scheint die Erfahrung der Vernunftmaxime laut zu widersprechen, vornehmlich was einen letzten Zweck der Natur betrifft, der doch zu der Möglichkeit eines solchen Systems erforderlich ist, und den wir nirgend anders als im Menschen setzen können: da vielmehr in Ansehung dieses, als einer der vielen Tiergattungen, die Natur so wenig von den zerstörenden als erzeugenden Kräften die mindeste Ausnahme gemacht hat, alles einem Mechanism derselben, ohne einen Zweck, zu unterwerfen.

[1] A: »*dadurch*«. – [2] A: »Raubtiere jener *ihrer* Gefräßigkeit Grenzen«.

Das erste, was in einer Anordnung zu einem zweckmäßigen Ganzen der Naturwesen auf der Erde absichtlich eingerichtet sein müßte, würde wohl ihr Wohnplatz, der Boden und das Element sein, auf und in welchem sie ihr Fortkommen haben sollten. Allein eine genauere | Kenntnis der Beschaffenheit dieser Grundlage aller organischen Erzeugung gibt auf keine anderen als ganz unabsichtlich wirkende, ja eher noch verwüstende, als Erzeugung, Ordnung und Zwecke begünstigende Ursachen Anzeige. Land und Meer enthalten nicht allein Denkmäler von alten mächtigen Verwüstungen, die sie und alle Geschöpfe, auf und in demselben betroffen haben, in sich; sondern ihr ganzes Bauwerk, die Erdlager des einen und die Grenzen des andern, haben gänzlich das Ansehen des Produkts wilder allgewaltiger Kräfte einer im chaotischen Zustande arbeitenden Natur. So zweck|mäßig auch[1] jetzt die Gestalt, das Bauwerk und der Abhang der Länder für die Aufnahme der Gewässer aus der Luft, *für*[2] die Quelladern zwischen Erdschichten von mannigfaltiger Art (für mancherlei Produkte), und den Lauf der Ströme angeordnet zu sein scheinen mögen: so beweiset doch eine nähere Untersuchung derselben, daß sie bloß als die Wirkung teils feuriger, teils wässeriger Eruptionen, oder auch Empörungen des Ozeans, zu Stande gekommen sind: so wohl was die erste Erzeugung dieser Gestalt, als vornehmlich die nachmalige Umbildung derselben, zugleich mit dem Untergange ihrer ersten organischen Erzeugungen, betrifft.* Wenn nun | der Wohnplatz, der Mutterboden (des

* Wenn der einmal angenommene Name Naturgeschichte für Naturbeschreibung bleiben soll, so kann man das[3], was die erstere buchstäblich anzeigt, nämlich eine Vorstellung des ehemaligen alten Zustandes der Erde, worüber man, | wenn man gleich keine Gewißheit hoffen darf, doch mit gutem Grunde Vermutungen wagt, die Archäologie der Natur, im Gegensatz mit der Kunst, nennen. Zu jener würden die Petrefakten, so wie zu dieser die geschnittenen Steine u.s.w. gehören. Denn da man doch wirklich an einer solchen (unter dem Namen einer Theorie der Erde) beständig, wenn gleich, wie billig, langsam arbeitet, so wäre dieser Namen eben nicht einer bloß eingebildeten Naturforschung gegeben, sondern einer solchen, zu der die Natur selbst uns einladet und auffordert.

[1] A: »zweckmäßig, *wie* auch «. – [2] Zusatz von B u. C. – [3] A: »man *für* das «.

Landes) und der Mutterschoß (des Meeres) für alle diese Geschöpfe auf keinen andern als gänzlich[1] unabsichtlichen Mechanism | seiner Erzeugung Anzeige gibt: wie und mit welchem Recht können wir für diese letztern Produkte einen andern Ursprung verlangen und behaupten? Wenn gleich der Mensch, wie die genaueste Prüfung der Überreste jener Naturverwüstungen (nach Campers Urteile) zu beweisen scheint, in diesen Revolutionen nicht mit begriffen war: so ist er doch von den übrigen Erdgeschöpfen so abhängig, daß, wenn ein über die anderen allgemeinwaltender Mechanism der Natur eingeräumt wird, er als darunter mit begriffen angesehen werden muß: wenn ihn gleich sein Verstand (großenteils wenigstens) unter ihren Verwüstungen hat retten können.

Dieses Argument scheint aber mehr zu beweisen, als die Absicht enthielt, wozu es aufgestellt war: nämlich, nicht bloß, daß der Mensch kein letzter Zweck der Natur, und, aus dem nämlichen Grunde, das Aggre|gat der organisierten Naturdinge auf der Erde nicht ein System von Zwecken sein könne; sondern, daß gar die vorher für Naturzwecke gehaltenen Naturprodukte keinen andern Ursprung haben, als den Mechanism der Natur.

Allein in der obigen Auflösung der Antinomie der Prinzipien, der mechanischen und der teleologischen Erzeugungsart der organischen Naturwesen, haben wir gesehen: daß, da sie, in Ansehung der nach ihren besondern Gesetzen (zu deren systematischem Zusammenhange uns aber der Schlüssel fehlt) bildenden Natur, bloß | Prinzipien der reflektierenden Urteilskraft sind, die nämlich ihren Ursprung nicht an sich bestimmen, sondern nur sagen, daß wir, nach der Beschaffenheit unseres Verstandes und unsrer Vernunft, ihn in dieser Art Wesen nicht anders als nach Endursachen denken können, die größtmögliche Bestrebung, ja Kühnheit in Versuchen, sie mechanisch zu erklären, nicht allein erlaubt ist, sondern wir auch durch Vernunft dazu aufgerufen sind, ungeachtet wir wissen, daß wir damit aus subjektiven Gründen der besondern Art und Beschränkung unseres

[1] Akad.-Ausg.: »als einen gänzlich«.

Verstandes (und nicht etwa, weil der Mechanism der Erzeugung einem Ursprunge nach Zwecken an sich widerspräche) niemals auslangen können; und daß[1] endlich in dem übersinnlichen Prinzip der Natur (so wohl außer uns als in uns) gar wohl die Vereinbarkeit beider Arten, *sich* | die[2] Möglichkeit der Natur vorzustellen, liegen könne, indem die Vorstellungsart nach Endursachen nur eine subjektive Bedingung unseres Vernunftgebrauchs sei, wenn sie die Beurteilung der Gegenstände nicht bloß als Erscheinungen angestellt wissen will, sondern diese Erscheinungen selbst, samt ihren Prinzipien, auf das übersinnliche Substrat zu beziehen verlangt, um gewisse Gesetze der Einheit derselben möglich zu finden, die sie sich nicht anders als durch Zwekke (*wovon*[3] die Vernunft auch solche hat, die übersinnlich sind) vorstellig machen kann.

| § 83. VON DEM LETZTEN ZWECKE DER NATUR ALS EINES TELEOLOGISCHEN SYSTEMS

Wir haben im Vorigen gezeigt, daß wir den Menschen nicht bloß, wie alle organisierte Wesen, als Naturzweck, sondern auch hier auf Erden als den letzten Zweck der Natur, in Beziehung auf *welchen* alle[4] übrige Naturdinge ein System von Zwecken ausmachen, nach Grundsätzen der Vernunft, zwar nicht für die bestimmende, doch für die reflektierende Urteilskraft, zu beurteilen hinreichende Ursache haben. Wenn nun dasjenige im Menschen selbst angetroffen werden muß, was als Zweck durch seine Verknüpfung mit der Natur befördert werden soll: so muß entweder der Zweck von der Art sein, daß er selbst durch die Natur in | ihrer Wohltätigkeit befriedigt werden kann; oder es ist die Tauglichkeit und Geschicklichkeit zu allerlei Zwecken, *wozu*[5] die Natur (äußerlich und innerlich) von ihm gebraucht werden könne. Der erste Zweck der Natur würde die Glückseligkeit, der zweite die Kultur des Menschen sein.

[1] A: »Verstandes niemals auslangen können, (und nicht ... widerspräche) und daß«. – [2] A: »Arten *und* | die«. – [3] A: »*davon*«. – [4] A: »auf *den* alle«. – [5] A: »*dazu*«.

Der Begriff der Glückseligkeit ist nicht ein solcher, den der Mensch etwa von seinen Instinkten abstrahiert, und so aus der Tierheit in ihm selbst hernimmt; sondern ist eine bloße Idee eines Zustandes, *welcher* er[1] den letzteren unter bloß empirischen Bedingungen (welches | unmöglich ist) adäquat machen will. Er entwirft sie sich selbst, und zwar auf so verschiedene Art, durch seinen mit der Einbildungskraft und den Sinnen verwickelten Verstand; er ändert sogar diesen so oft, daß die Natur, wenn sie auch seiner Willkür gänzlich unterworfen wäre, doch schlechterdings kein bestimmtes allgemeines und festes Gesetz annehmen könnte, um mit diesem schwankenden Begriff, und so mit dem Zweck, den jeder sich willkürlicher Weise vorsetzt, übereinzustimmen. Aber, selbst wenn wir entweder diesen auf das wahrhafte Naturbedürfnis, worin unsere Gattung durchgängig mit sich übereinstimmt, herabsetzen, oder, andererseits, die Geschicklichkeit, sich eingebildete Zwecke zu verschaffen, noch so hoch steigern wollten: so würde doch, was der Mensch unter Glückseligkeit versteht, und was in der | Tat sein eigener letzter Naturzweck (nicht Zweck der Freiheit) ist, von ihm nie erreicht werden; denn seine Natur ist nicht von der Art, irgendwo im Besitze und Genusse aufzuhören und befriedigt zu werden. Andrerseits ist so weit gefehlt: daß die Natur ihn zu ihrem besondern Liebling aufgenommen und vor allen Tieren mit Wohltun begünstigt habe, daß sie ihn vielmehr in ihren verderblichen Wirkungen, in Pest, Hunger, Wassergefahr, Frost, Anfall von andern großen und kleinen Tieren u.d.gl. eben so wenig verschont, wie jedes andere Tier; noch mehr aber, daß das Widersinnische der Naturanlagen *in ihm* ihn *noch* in *selbstersonnene*[2] | Plagen und noch andere von seiner eigenen Gattung, durch den Druck der Herrschaft, die Barbarei der Kriege u.s.w. in solche Not versetzt und er selbst, so viel an ihm ist, an der Zerstörung seiner eigenen Gattung arbeitet, daß, selbst bei der wohltätigsten Natur außer uns, der Zweck derselben, wenn er auf die Glückseligkeit unserer Spezies gestellet wäre, in einem System derselben auf Erden

[1] A: »*der* er«. – [2] A: »Naturanlagen ihn *selbst* in *selbstersonnenen*«.

nicht erreicht werden würde, weil die Natur in uns derselben nicht empfänglich ist. Er ist also immer nur Glied in der Kette der Naturzwecke: zwar Prinzip in Ansehung manches Zwecks, *wozu*[1] die Natur ihn in ihrer Anlage bestimmt zu haben scheint, indem er sich selbst dazu macht; aber doch auch Mittel zur Erhaltung der Zweckmäßigkeit im Mechanism der übrigen Glieder. Als das einzige Wesen auf Erden, *welches* Verstand[2], mithin | ein Vermögen hat, sich selbst willkürlich Zwecke zu setzen, ist er zwar betitelter Herr der Natur, und, wenn man diese als ein teleologisches System ansieht, seiner Bestimmung nach der letzte Zweck der Natur; aber immer nur bedingt, nämlich daß er es verstehe und den Willen habe, dieser und ihm selbst eine solche Zweckbeziehung zu geben, die unabhängig von der Natur sich selbst *genug*, mithin[3] Endzweck, sein könne, der aber in der Natur gar nicht gesucht werden muß.

Um aber auszufinden, *worein* wir[4] am Menschen wenigstens jenen letzten Zweck der Natur zu setzen ha|ben, müssen wir dasjenige, was die Natur zu leisten vermag, um ihn *zu dem* vorzubereiten[5], was er selbst tun muß, um Endzweck zu sein, heraussuchen, und es von allen den Zwecken absondern, deren Möglichkeit auf Dingen beruht, die man allein von der Natur erwarten darf. Von der letztern Art ist die Glückseligkeit auf Erden, worunter der Inbegriff aller durch die Natur außer und in dem Menschen möglichen Zwecke desselben verstanden wird; das ist die Materie aller seiner Zwecke auf Erden, die, wenn er sie zu seinem ganzen Zwecke macht, ihn unfähig macht, seiner eigenen Existenz einen Endzweck zu setzen und dazu zusammen zu stimmen. Es bleibt also von allen seinen Zwecken in der Natur nur die formale, subjektive Bedingung, nämlich der Tauglichkeit: sich selbst überhaupt Zwecke zu setzen, und (unabhängig von der Natur in seiner Zweckbestimmung) die | Natur den Maximen seiner freien Zwecke überhaupt angemessen, als Mittel, zu gebrauchen, übrig, was die Natur, in Absicht auf den Endzweck, der außer ihr liegt, ausrichten, und welches

[1] A: »*dazu*«. – [2] A: »*das* Verstand«. – [3] A: »*gnugsam*, mithin«. – [4] A: »*worin* wir«. – [5] A: »ihn *dazu* vorzubereiten«.

also als ihr letzter Zweck angesehen werden kann. Die Hervorbringung der Tauglichkeit eines vernünftigen Wesens zu beliebigen Zwecken überhaupt (folglich in seiner Freiheit) ist die Kultur. Also kann nur die Kultur der letzte Zweck sein, den man der Natur in Ansehung der Menschengattung beizulegen Ursache hat (nicht seine eigene Glückseligkeit auf Erden, oder wohl gar bloß das vornehmste Werkzeug zu sein, | Ordnung und Einhelligkeit in der vernunftlosen Natur außer ihm zu stiften).

Aber nicht jede Kultur ist zu diesem letzten Zwecke der Natur hinlänglich. Die der Geschicklichkeit ist freilich die vornehmste subjektive Bedingung der Tauglichkeit zur Beförderung der Zwecke überhaupt; aber doch nicht hinreichend, *den Willen*, in[1] der Bestimmung und Wahl seiner Zwecke, zu befördern, welche doch zum ganzen Umfange einer Tauglichkeit zu Zwecken wesentlich gehört. Die letztere Bedingung der Tauglichkeit, welche man die Kultur der Zucht (Disziplin) nennen könnte, ist negativ, und besteht in der Befreiung des Willens von dem Despotism der Begierden, wodurch wir, an gewisse Naturdinge geheftet, unfähig gemacht werden, selbst zu wählen, indem wir uns die Triebe zu Fesseln dienen lassen, die uns die Natur nur statt Leit|fäden beigegeben hat, um die Bestimmung der Tierheit in uns nicht zu vernachlässigen, oder gar zu verletzen, *indes* wir[2] doch frei genug sind, sie anzuziehen oder nachzulassen, zu verlängern oder zu verkürzen, nachdem es die Zwecke der Vernunft erfordern.

Die Geschicklichkeit kann in der Menschengattung nicht wohl entwickelt werden, als vermittelst der Ungleichheit unter Menschen; da die größte Zahl die Notwendigkeiten des Lebens gleichsam mechanisch, ohne dazu besonders Kunst zu bedürfen, zur Gemächlichkeit und Muße anderer, besorget, welche die minder notwendi|gen Stücke der Kultur, Wissenschaft und Kunst, bearbeiten, und von diesen in einem Stande des Drucks, saurer Arbeit und wenig Genusses gehalten wird, auf welche Klasse sich denn doch manches von der Kultur der höheren nach und nach auch

[1] A: »hinreichend *die Freiheit*, in«. – [2] A: »*indessen daß* wir«.

|B 392, 393 |A 388

verbreitet. Die Plagen aber wachsen im Fortschritte derselben (dessen Höhe, wenn der Hang zum Entbehrlichen schon dem Unentbehrlichen Abbruch zu tun anfängt, Luxus heißt) auf beiden Seiten gleich mächtig, auf der einen durch fremde Gewalttätigkeit, auf der andern durch innere Ungenügsamkeit; aber das glänzende Elend ist doch mit der Entwickelung der Naturanlagen in der Menschengattung verbunden, und der Zweck der Natur selbst, wenn es gleich nicht unser Zweck ist, wird doch hiebei erreicht. Die formale Bedingung, unter welcher die Natur diese ihre Endabsicht allein erreichen kann, ist diejenige Verfassung im | Verhältnisse der Menschen untereinander, *wo* dem[1] Abbruche der einander wechselseitig widerstreitenden Freiheit gesetzmäßige Gewalt in einem Ganzen, welches bürgerliche Gesellschaft heißt, entgegengesetzt wird; denn nur in ihr kann die größte Entwickelung der Naturanlagen geschehen. Zu *derselben* wäre aber doch, wenn gleich Menschen sie auszufinden klug und sich ihrem Zwange willig zu unterwerfen weise genug wären, noch ein weltbürgerliches Ganze, d. i. ein System aller Staaten, die auf einander nachteilig zu wirken in Gefahr sind, erforderlich. In dessen Ermangelung, und[2] bei dem Hinder|nis, welches Ehrsucht, Herrschsucht und Habsucht, vornehmlich *bei* denen[3], die Gewalt in Händen haben, selbst der Möglichkeit eines solchen Entwurfs entgegen setzen, ist der Krieg (teils in welchem sich Staaten zerspalten und in kleinere auflösen, teils ein Staat andere kleinere mit sich vereinigt und ein größeres Ganze zu bilden strebt) unvermeidlich: der[4], so wie er ein unabsichtlicher (durch zügellose Leidenschaften angeregter) Versuch der Menschen, doch tief verborgener *vielleicht*[5] absichtlicher der obersten Weisheit ist, Gesetzmäßigkeit mit der Freiheit der Staaten und dadurch Einheit eines moralisch begründeten Systems derselben, wo nicht zu stiften, dennoch vorzubereiten, *und*[5] ungeachtet der schrecklichsten Drangsale,

[1] A: »*da* dem«. – [2] A: »geschehen, zu *welcher* aber ... erforderlich wäre, in Ermangelung dessen und«. – [3] A: »vornehmlich *an* denen«. – [4] A: »entgegensetzen, der Krieg (...) unvermeidlich ist, der«. – [5] Zusatz von B u. C.

womit er das menschliche Geschlecht belegt, und der vielleicht noch größern, womit die beständige Bereitschaft dazu im Frieden drückt, dennoch eine Trieb|feder mehr ist (indessen die[1] Hoffnung zu dem Ruhestande einer Volksglückseligkeit sich immer weiter entfernt), alle Talente, die zur Kultur dienen, bis zum höchsten Grade zu entwickeln.

Was die Disziplin der Neigungen betrifft, zu denen die Naturanlage in Absicht auf unsere Bestimmung, als einer Tiergattung, ganz zweckmäßig ist, die aber die Entwickelung der Menschheit sehr erschweren: so zeigt sich doch auch in Ansehung dieses zweiten Erfordernisses zur Kultur ein zweckmäßiges Streben der Natur zu einer Ausbildung, welche uns höherer Zwecke, als die Natur selbst liefern kann, empfänglich macht. Das Übergewicht | der Übel, welche die Verfeinerung des Geschmacks bis zur Idealisierung desselben, *und*[2] selbst der Luxus in Wissenschaften, als einer Nahrung für die Eitelkeit, durch die unzubefriedigende Menge der dadurch erzeugten Neigungen über uns ausschüttet, ist nicht zu bestreiten: dagegen aber der Zweck der Natur auch nicht zu verkennen, der Rohigkeit und dem Ungestüm derjenigen Neigungen, welche mehr der Tierheit in uns *angehören*[3] und der Ausbildung zu unserer höheren Bestimmung am meisten entgegen sind (*der Neigungen* des Genusses[4]), immer mehr abzugewinnen und der Entwickelung der Menschheit Platz zu machen. Schöne Kunst und Wissenschaften, die durch eine Lust, die sich allgemein mitteilen läßt, und *durch* Geschliffenheit[5] und Verfeinerung für die Gesellschaft, wenn gleich den Menschen nicht sittlich besser, doch gesittet | machen, gewinnen der Tyrannei des Sinnenhanges sehr viel ab, und bereiten dadurch den Menschen zu einer Herrschaft vor, in *welcher* die[6] Vernunft allein Gewalt haben soll: *indes* die[7] Übel, womit uns teils die Natur, teils die unvertragsame Selbstsucht der Menschen heimsucht, zugleich die Kräfte der Seele aufbieten, steigern

[1] A: »indessen *daß* die«. – [2] Zusatz von B u. C. – [3] C: »uns *gehören*«. – [4] A: »*denen* des Genusses«; C: »*den Neigungen* des Genusses«. – [5] A: »und *die* Geschliffenheit«. – [6] A: »in *der* die«. – [7] A: »*indessen daß* die«.

und stählen, um jenen nicht unterzuliegen[1], und uns so eine Tauglichkeit zu höheren Zwecken, die in uns verborgen liegt, fühlen lassen.*

| § 84. VON DEM ENDZWECKE DES DASEINS EINER WELT, D. I. DER SCHÖPFUNG SELBST

Endzweck ist derjenige Zweck, der keines andern als Bedingung seiner Möglichkeit bedarf.

Wenn für die Zweckmäßigkeit der Natur der bloße Mechanism derselben zum Erklärungsgrunde angenom|men wird, so kann man nicht fragen: wozu die Dinge in der Welt da sind; denn es ist alsdann, nach einem solchen idealistischen System, nur von der physischen Möglichkeit der Dinge (welche uns als Zwecke zu denken bloße Vernünftelei, ohne Objekt, sein würde) die Rede: man mag nun diese Form der Dinge auf den Zufall, oder blinde Notwendigkeit deuten, in beiden Fällen | wäre jene Frage leer. Nehmen wir aber die Zweckverbindung in der Welt für real und für sie eine besondere Art der Kausalität, nämlich einer absichtlich wirkenden Ursache an, so können wir bei der Frage nicht stehen bleiben: wozu Dinge der Welt (organisierte Wesen) diese oder jene Form haben, in diese oder jene Verhältnisse gegen andere von der Natur gesetzt sind; son-

* Was das Leben für uns für einen Wert habe, wenn dieser bloß nach dem geschätzt wird, was man genießt (dem natürlichen Zweck der Summe aller Neigungen, der Glück|seligkeit), ist leicht zu entscheiden. Er sinkt unter Null; denn wer wollte wohl das Leben unter denselben Bedingungen, *oder* auch[2] nach einem neuen, selbst entworfenen (doch dem Naturlaufe gemäßen) Plane, der aber auch bloß auf Genuß gestellt wäre, aufs neue antreten? Welchen Wert das Leben *dem zufolge* habe, was[3] es, nach dem Zwecke, den die Natur mit uns hat, geführt, in sich enthält und *welches*[4] in dem besteht, was man tut (nicht bloß genießt), wo wir aber immer doch nur Mittel zu unbestimmtem Endzwecke sind, ist oben gezeigt worden. Es | bleibt also wohl nichts übrig, als der Wert, den wir unserem Leben selbst geben, durch das, was wir nicht allein tun, sondern auch so unabhängig von der Natur zweckmäßig tun, daß selbst die Existenz der Natur nur unter dieser Bedingung Zweck sein kann.

[1] C: »zu unterliegen«. – [2] A: »*aber* auch«. – [3] A: »Leben habe, *nach dem*, was«. – [4] Zusatz von B u. C.

dern, da einmal ein Verstand gedacht wird, der als die Ursache der Möglichkeit solcher Formen angesehen werden muß, wie sie wirklich an Dingen gefunden werden, so muß auch in eben demselben nach dem objektiven Grunde gefragt werden, der diesen produktiven Verstand zu einer Wirkung dieser Art bestimmt haben könne, welcher dann der Endzweck ist, wozu dergleichen Dinge da sind.

Ich habe oben gesagt: daß der Endzweck kein Zweck sei, welchen zu bewirken und der Idee desselben | gemäß hervorzubringen die Natur hinreichend wäre, weil er unbedingt ist. Denn es ist nichts in der Natur (als einem Sinnenwesen), wozu der in ihr selbst befindliche Bestimmungsgrund nicht immer wiederum bedingt wäre; und dieses gilt nicht bloß von der Natur außer uns (der materiellen), sondern auch in uns (der denkenden): wohl zu verstehen, daß ich in mir nur das betrachte was Natur ist. Ein Ding aber, *was* notwendig[1], seiner objektiven Beschaffenheit wegen, als Endzweck einer verständigen Ursache existieren soll, muß von der Art sein, daß es in der Ordnung der Zwecke von | keiner anderweitigen Bedingung, als bloß seiner Idee, abhängig ist.

Nun haben wir nur eine einzige Art Wesen in der Welt, deren Kausalität teleologisch, d. i. auf Zwecke gerichtet und doch zugleich so beschaffen ist, daß das Gesetz, nach welchem sie sich Zwecke zu bestimmen haben, von ihnen selbst als unbedingt und von Naturbedingungen unabhängig, an sich aber als notwendig, vorgestellt wird. Das Wesen dieser Art ist der Mensch, aber als Noumenon betrachtet; das einzige Naturwesen, an welchem wir doch ein übersinnliches Vermögen (die Freiheit) und sogar das Gesetz der Kausalität, samt dem Objekte derselben, welches es sich als höchsten Zweck vorsetzen kann (das höchste Gut in der Welt), von Seiten seiner eigenen Beschaffenheit erkennen können.

Von dem Menschen nun (und so jedem vernünftigen Wesen in der Welt), als einem moralischen Wesen, | kann nicht weiter gefragt werden: wozu (quem in finem) er existiere. Sein Dasein hat den höchsten Zweck selbst in sich, dem, so viel er vermag, er die ganze Natur unterwerfen kann, wenig-

[1] C: »*das* notwendig«.

stens welchem zuwider er sich keinem Einflusse der Natur unterworfen halten darf. – Wenn nun Dinge der Welt, als ihrer Existenz nach abhängige Wesen, einer nach Zwecken handelnden obersten Ursache bedürfen, so ist der Mensch der Schöpfung Endzweck; denn ohne diesen wäre die Kette der einander untergeordneten Zwecke nicht vollständig gegründet; und nur im | Menschen, aber auch in diesem nur als Subjekte der Moralität, ist die unbedingte Gesetzgebung in Ansehung der Zwecke anzutreffen, welche ihn also allein fähig macht, *ein*[1] Endzweck zu sein, dem die ganze Natur teleologisch untergeordnet ist.*

* Es wäre möglich, daß Glückseligkeit der vernünftigen Wesen in der Welt ein Zweck der Natur wäre, und alsdenn wäre sie auch ihr letzter Zweck. Wenigstens kann man a priori nicht einsehen, warum die Natur nicht so eingerichtet sein sollte, weil durch ihren Mechanism diese Wirkung, wenigstens so viel wir einsehen, wohl möglich wäre. Aber Moralität und eine ihr untergeordnete Kausalität nach Zwecken ist schlechterdings durch Naturursachen unmöglich; denn das Prinzip ihrer Bestimmung zum Handeln ist übersinnlich, ist also das einzige Mögliche in der Ordnung der Zwecke, *was* in[2] Ansehung der Natur schlechthin unbedingt ist, und ihr Subjekt dadurch zum Endzwecke der Schöpfung, dem die ganze Natur untergeordnet ist, allein qualifiziert. – Glückseligkeit dagegen ist, wie im vorigen § nach dem Zeugnis der Erfahrung | gezeigt worden, nicht einmal ein Zweck der Natur in Ansehung *der* Menschen[3], mit einem Vorzuge vor anderen Geschöpfen: weit gefehlt, daß sie ein Endzweck der Schöpfung sein sollte. Menschen mögen sie sich immer zu ihrem letzten subjektiven Zwecke machen. Wenn ich aber nach dem Endzwecke der Schöpfung frage: Wozu haben Menschen existieren müssen? so ist von einem objektiven obersten Zwecke die Rede, wie ihn die höchste Vernunft zu ihrer Schöpfung erfordern würde. Antwortet man nun darauf: damit Wesen existieren, denen jene oberste Ursache wohltun könne: so widerspricht man der Bedingung, *welcher* die[4] Vernunft des Menschen selbst seinen innigsten Wunsch der Glückseligkeit unterwirft (nämlich die Übereinstimmung mit seiner eigenen inneren moralischen | Gesetzgebung). Dies beweiset: daß die Glückseligkeit nur bedingter Zweck, der Mensch also, nur als moralisches Wesen, Endzweck der Schöpfung sein könne; was aber seinen Zustand betrifft, Glückseligkeit nur als Folge, nach Maßgabe der Übereinstimmung mit jenem Zwecke, als dem Zwecke seines Daseins, in Verbindung stehe.

[1] Zusatz von B u. C. – [2] C: »Zwecke, *das* in«. – [3] A: »*des* Menschen«. – [4] A: »*der* die«.

|| § 85. VON DER PHYSIKOTHEOLOGIE

Die Physikotheologie ist der Versuch der Vernunft, aus den Zwecken der Natur (die nur empirisch erkannt werden können) auf die oberste Ursache der Natur und ihre Eigenschaften zu schließen. Eine Moraltheologie (Ethikotheologie) wäre der Versuch, aus dem moralischen Zwecke vernünftiger Wesen in der Natur (der a priori erkannt werden kann) auf jene Ursache und ihre Eigenschaften zu schließen.

| Die erstere geht natürlicher Weise vor der zweiten vorher. Denn, wenn wir von den Dingen in der Welt auf eine Weltursache teleologisch schließen wollen: so müssen Zwecke der Natur zuerst gegeben sein, für die wir nachher einen Endzweck und für diesen dann das Prinzip der Kausalität dieser obersten Ursache zu suchen haben.

Nach dem teleologischen Prinzip können und müssen viele Nachforschungen der Natur geschehen, ohne daß man nach dem Grunde der Möglichkeit, zweckmäßig zu ¦ wirken, welche wir an verschiedenen der Produkte der Natur antreffen, zu fragen Ursache hat. Will man nun aber auch hievon einen Begriff haben, so haben wir dazu schlechterdings keine weitergehende Einsicht, als bloß die Maxime der reflektierenden Urteilskraft: daß nämlich, wenn uns auch nur ein einziges organisches Produkt der Natur gegeben wäre, wir, nach der Beschaffenheit unseres Erkenntnisvermögens, dafür keinen andern Grund denken können, als den einer Ursache der Natur selbst (es sei der ganzen Natur oder auch nur dieses Stücks derselben), die durch Verstand die Kausalität zu demselben enthält; ein Beurteilungsprinzip, wodurch wir in der Erklärung der Naturdinge und ihres Ursprungs zwar um nichts weiter gebracht werden, *das* uns[1] aber doch über die Natur hinaus einige Aussicht eröffnet, um den sonst so unfruchtbaren Begriff eines Urwesens vielleicht näher bestimmen zu können.

| Nun sage ich: die Physikotheologie, so weit sie auch getrieben werden mag, kann uns doch nichts von einem

[1] A: »*die* uns«.

Endzwecke der Schöpfung eröffnen; denn sie reicht nicht einmal bis zur Frage nach demselben. Sie kann also zwar den Begriff einer verständigen Weltursache, als einen subjektiv für die Beschaffenheit unseres Erkenntnisvermögens allein tauglichen Begriff von der Möglichkeit der Dinge, die wir uns nach Zwecken verständlich machen können, rechtfertigen, aber diesen Begriff weder in theoretischer noch praktischer Absicht weiter bestim|men; und ihr Versuch erreicht seine Absicht nicht, eine Theologie zu gründen, sondern sie bleibt immer nur eine physische Teleologie: weil die Zweckbeziehung in ihr immer nur als in der Natur bedingt betrachtet wird und werden muß; mithin den Zweck, wozu die Natur selbst existiert (*wozu*[1] der Grund außer der Natur gesucht werden muß), gar nicht einmal in Anfrage bringen kann, auf dessen bestimmte Idee gleichwohl der bestimmte Begriff jener oberen verständigen Weltursache, mithin die Möglichkeit einer Theologie, ankommt.

Wozu die Dinge in der Welt einander nützen; wozu das Mannigfaltige in einem Dinge für dieses Ding selbst gut ist; wie man sogar Grund habe anzunehmen, daß nichts in der Welt umsonst, sondern alles irgend wozu in der Natur, unter der Bedingung, daß gewisse Dinge (als Zwecke) existieren sollten, gut sei, wobei mithin unsere Vernunft für die Urteilskraft kein ande|res Prinzip der Möglichkeit des Objekts ihrer unvermeidlichen teleologischen Beurteilung in ihrem Vermögen hat, als das, den Mechanism der Natur der Architektonik eines verständigen Welturhebers unterzuordnen: das alles leistet die teleologische Weltbetrachtung sehr herrlich und zur äußersten Bewunderung. Weil aber die Data, mithin die Prinzipien, jenen Begriff einer intelligenten Weltursache (als höchsten Künstlers) zu bestimmen, bloß empirisch sind: so lassen sie auf keine Eigenschaften weiter schließen, als uns die Erfahrung an den Wirkungen derselben offenbart: welche, da sie | nie die gesamte Natur als System befassen kann, oft auf (dem Anscheine nach) jenem Begriffe und unter einander widerstreitende Beweisgründe stoßen muß, niemals aber, wenn wir gleich

[1] A: »*dazu*«.

|B 402, 403 |A 398

vermögend wären, auch das ganze System, sofern es bloße Natur betrifft, empirisch zu überschauen, uns, über die Natur, zu dem Zwecke ihrer Existenz selber, und dadurch zum bestimmten Begriffe jener obern Intelligenz, erheben können[1].

Wenn man sich die Aufgabe, um deren Auflösung *es*[2] einer Physikotheologie zu tun ist, klein macht, so scheint ihre Auflösung leicht. Verschwendet man nämlich den Begriff von einer Gottheit an jedes von uns gedachte verständige Wesen, deren es eines oder mehrere geben mag, *welches* viel[3] und sehr große, aber eben nicht alle Eigenschaften habe, die zu Gründung einer mit dem größtmöglichen Zwecke übereinstimmenden Natur | überhaupt erforderlich sind: oder hält man es für nichts, in einer Theorie den Mangel dessen, was die Beweisgründe leisten, durch willkürliche Zusätze zu ergänzen, und, wo man nur Grund hat, viel Vollkommenheit anzunehmen (und was ist viel für uns?), sich da befugt hält, alle mögliche vorauszusetzen: so macht die physische Teleologie wichtige Ansprüche auf den Ruhm, eine Theologie zu begründen. Wenn aber verlangt wird anzuzeigen: was uns denn antreibe und überdem berechtige, jene Ergänzungen zu machen: so werden wir in den Prinzipien des theoretischen Gebrauchs der | Vernunft, welcher durchaus verlangt, zu Erklärung eines Objekts der Erfahrung diesem nicht mehr Eigenschaften beizulegen, als empirische Data zu ihrer Möglichkeit anzutreffen sind, vergeblich Grund zu unserer Rechtfertigung suchen. Bei näherer Prüfung *würden wir* sehen[4], daß eigentlich eine Idee von einem höchsten Wesen, die auf ganz verschiedenem Vernunftgebrauch (dem praktischen) beruht, in uns a priori zum Grunde liege, welche uns antreibt, die mangelhafte Vorstellung einer physischen *Teleologie*[5], von dem Urgrunde der Zwecke in der Natur, bis zum Begriffe einer Gottheit zu ergänzen; und wir würden uns nicht fälschlich einbilden, diese Idee, mit ihr aber eine Theologie, durch den theoretischen Vernunftgebrauch der physischen Weltkenntnis zu Stande gebracht, viel weniger, ihre Realität bewiesen zu haben.

[1] Akad.-Ausg.: »erheben kann«. – [2] Zusatz von B u. C. – [3] A: »*das* viel«. – [4] A: »suchen, *und* bei näherer Prüfung sehen«. – [5] A: »*Theologie*«.

|B 404 |A 399

| Man kann es den Alten nicht so hoch zum Tadel anrechnen, wenn sie sich ihre Götter als, teils[1] ihrem Vermögen, teils den Absichten und Willensmeinungen nach, sehr mannigfaltig verschieden, alle aber, selbst ihr Oberhaupt nicht ausgenommen, noch immer auf menschliche Weise eingeschränkt dachten. Denn, wenn sie die Einrichtung und den Gang der Dinge in der Natur betrachteten: so fanden sie zwar Grund genug, etwas mehr als Mechanisches zur Ursache derselben anzunehmen, und Absichten gewisser oberer Ursachen, die sie nicht anders als übermenschlich denken konnten, hinter dem Maschinenwerk dieser Welt zu vermuten. Weil ¦ sie aber das Gute und Böse, das Zweckmäßige und Zweckwidrige in ihr, wenigstens für unsere Einsicht, sehr gemischt antrafen, und sich nicht erlauben konnten, insgeheim dennoch zum Grunde liegende weise und wohltätige Zwecke, von denen sie doch den Beweis nicht sahen, zum Behuf der willkürlichen Idee eines höchstvollkommenen[2] Urhebers anzunehmen: so konnte ihr Urteil von der obersten Weltursache schwerlich anders ausfallen, so fern sie nämlich nach Maximen des bloß theoretischen Gebrauchs der Vernunft ganz konsequent verfuhren. Andere, die als Physiker zugleich Theologen sein wollten, dachten Befriedigung für die Vernunft darin zu finden, daß sie für die absolute Einheit des Prinzips der Naturdinge, welche die Vernunft fordert, vermittelst der Idee von einem Wesen sorgten, in wel|chem, als alleiniger Substanz, jene insgesamt nur inhärierende Bestimmungen wären: *welche Substanz* zwar[3] nicht, durch Verstand, Ursache der Welt, in *welcher* aber[4] doch, als Subjekt, aller Verstand der Weltwesen anzutreffen wäre; *ein Wesen folglich, das* zwar[5] nicht nach Zwecken etwas hervorbrächte, in welchem aber doch alle Dinge, wegen der Einheit des Subjekts, von dem sie bloß Bestimmungen sind, auch ohne Zweck und Absicht notwendig sich auf einander zweckmäßig beziehen mußten. So *führten sie* den Idealism der Endursachen *ein*:

[1] A: »wenn sie *entweder* ihre Götter sich als, teils«. – [2] A: »eines *einigen* höchstvollkommenen«. – [3] A: »wären, *die* zwar«. – [4] A: »in *der* aber«. – [5] A: »wäre, *welches* zwar«.

indem[1] sie die so schwer herauszubringende Einheit einer Menge zweckmäßig verbundener Substanzen, statt | der Kausalabhängigkeit von einer, in die der Inhärenz in einer verwandelten; welches System in der Folge, von Seiten der inhärierenden Weltwesen betrachtet, als Pantheism, von Seiten des allein subsistierenden Subjekts, als Urwesens, (späterhin) als Spinozism, nicht sowohl die Frage vom ersten Grunde der Zweckmäßigkeit der Natur auflösete, als sie vielmehr für nichtig erklärte, indem der letztere Begriff, aller seiner Realität beraubt, zur bloßen Mißdeutung eines allgemeinen ontologischen Begriffs von einem Dinge überhaupt gemacht wurde.

Nach bloß theoretischen Prinzipien des Vernunftgebrauchs (worauf die Physikotheologie sich allein gründet) kann also niemals der Begriff einer Gottheit, der für unsere teleologische Beurteilung der Natur zureichte, herausgebracht werden. Denn wir erklären entweder | alle Teleologie für bloße Täuschung der Urteilskraft in der Beurteilung der Kausalverbindung der Dinge, und flüchten uns zu dem alleinigen Prinzip eines bloßen Mechanisms der Natur, welche, wegen der Einheit der Substanz, von der sie nichts als das Mannigfaltige *der* Bestimmungen *derselben* sei[2], uns eine allgemeine Beziehung auf Zwecke zu enthalten bloß scheine; oder, wenn wir, statt dieses Idealisms der Endursachen, dem Grundsatze des Realisms dieser besondern Art der Kausalität anhänglich bleiben wollen, so mögen wir viele verständige Urwesen, oder nur ein einiges, den Naturzwekken unterlegen: sobald wir zu Begründung des Begriffs von | demselben nichts als Erfahrungsprinzipien, von der wirklichen Zweckverbindung in der Welt hergenommen, zur Hand haben, so können wir einerseits wider die Mißhelligkeit, die die Natur in Ansehung der Zweckeinheit in vielen Beispielen aufstellt, keinen Rat finden, andrerseits den Begriff einer einigen intelligenten Ursache, so wie wir ihn, durch bloße Erfahrung berechtigt, herausbringen, niemals für irgend eine, auf welche Art es auch sei (theoretisch oder

[1] A: »mußten, *und* so den Idealism der Endursachen *einführeten*: indem«. – [2] A: »Mannigfaltige *seiner* Bestimmungen sei«.

praktisch), brauchbare Theologie bestimmt genug daraus ziehen.

Die physische Teleologie treibt uns zwar an, eine Theologie zu suchen; aber kann keine hervorbringen, so weit wir auch der Natur durch Erfahrung nachspüren, und der in ihr entdeckten Zweckverbindung, durch Vernunftideen (die zu physischen Aufgaben theoretisch sein | müssen), zu Hülfe kommen mögen. Was hilft's, wird man mit Recht klagen: daß wir allen diesen Einrichtungen einen großen, einen für uns unermeßlichen Verstand zum Grunde legen, und ihn diese Welt nach Absichten anordnen lassen? wenn uns die Natur von der Endabsicht nichts sagt, noch jemals sagen kann, ohne welche wir uns doch keinen gemeinschaftlichen Beziehungspunkt aller dieser Naturzwecke, kein hinreichendes teleologisches Prinzip machen können, teils die Zwecke insgesamt in einem System zu erkennen, teils uns von dem obersten Verstande, als Ursache einer solchen Natur, einen Begriff zu machen, der unserer über sie teleologisch reflektie|renden Urteilskraft zum Richtmaße dienen könnte. Ich hätte alsdann zwar einen Kunstverstand, für zerstreute Zwecke; aber keine Weisheit, für einen Endzweck, der doch eigentlich den Bestimmungsgrund von jenem enthalten muß. In Ermangelung aber eines Endzwecks, den nur die reine Vernunft a priori an die Hand geben kann (weil alle Zwecke in der Welt empirisch bedingt sind, und nichts, als was hiezu oder dazu, als zufälliger Absicht, nicht was schlechthin gut ist, enthalten können), und der mich allein lehren würde: welche Eigenschaften, welchen Grad und welches Verhältnis der obersten Ursache *der* Natur[1] ich mir zu denken habe, um diese als teleologisches System zu beurteilen: wie und mit welchem Rechte darf ich da meinen sehr eingeschränkten Begriff von jenem ursprünglichen Verstande, | den ich auf meine geringe Weltkenntnis gründen kann, von der Macht dieses Urwesens, seine Ideen zur Wirklichkeit zu bringen, von seinem Willen, es zu tun u.s.w., nach Belieben erweitern, und bis zur Idee eines allweisen unendlichen Wesens ergänzen? *Dies* würde, wenn es theore-

[1] A: »Ursache *zur* Natur«.

tisch geschehen sollte, in mir selbst Allwissenheit voraussetzen, um[1] die Zwecke der Natur in ihrem ganzen Zusammenhange einzusehen, und noch oben ein alle andere mögliche Plane denken zu können, mit denen in Vergleichung der gegenwärtige als der beste mit Grunde beurteilt werden müßte. Denn, ohne diese vollendete Kenntnis der Wirkung, kann ich auf keinen bestimmten | Begriff von der obersten Ursache, der nur in dem von einer in allem Betracht unendlichen Intelligenz, d. i. dem Begriffe einer Gottheit, angetroffen werden kann, schließen, und eine Grundlage zur Theologie zu Stande bringen.

Wir können also, bei aller möglichen Erweiterung der physischen Teleologie, nach dem oben angeführten Grundsatze, wohl sagen: daß wir, nach der Beschaffenheit und den Prinzipien unseres Erkenntnisvermögens, die Natur, in ihren uns bekannt gewordenen zweckmäßigen Anordnungen, nicht anders als[2] das Produkt eines Verstandes, dem diese unterworfen ist, denken können. Ob aber dieser Verstand mit dem Ganzen derselben und dessen Hervorbringung noch eine Endabsicht gehabt haben möge (die alsdann nicht in der Natur der Sinnenwelt | liegen würde): das kann uns die theoretische Naturforschung nie eröffnen; sondern es bleibt, bei aller Kenntnis derselben, unausgemacht, ob jene oberste Ursache überall nach einem Endzwecke, und nicht vielmehr durch einen von der bloßen Notwendigkeit seiner Natur zu Hervorbringung gewisser Formen bestimmten Verstand (nach der Analogie mit dem, was wir bei den Tieren den Kunstinstinkt nennen), Urgrund derselben sei: ohne daß es nötig sei, ihr darum auch nur Weisheit, viel weniger höchste und mit allen andern zur Vollkommenheit ihres Produkts erforderlichen Eigenschaften verbundene Weisheit, beizulegen.

| Also ist Physikotheologie[3], eine mißverstandene physische Teleologie, nur als Vorbereitung (Propädeutik) zur Theologie brauchbar, und nur durch Hinzukunft eines anderweitigen Prinzips, auf das sie sich stützen kann, nicht

[1] A: »ergänzen, *welches,* wenn ... voraussetzen würde, um«. – [2] Akad.-Ausg.: »anders denn als«. – [3] C: »ist *die* Physikotheologie«.

aber an sich selbst, wie ihr Name es anzeigen will, zu dieser Absicht zureichend.

§ 86. VON DER ETHIKOTHEOLOGIE

Es ist ein Urteil, dessen sich selbst der gemeinste Verstand nicht entschlagen kann, wenn er über das Dasein der Dinge in der Welt und die Existenz der Welt selbst nachdenkt: daß nämlich alle die mannigfaltigen Geschöpfe, von *wie*[1] großer Kunsteinrichtung und *wie*[1] mannigfaltigem, zweckmäßig auf einander bezogenen Zusammen|hange sie auch sein mögen, *ja*[2] selbst das Ganze so vieler Systeme derselben, die wir unrichtiger Weise Welten nennen, zu nichts da sein würden, wenn es in ihnen nicht Menschen (vernünftige Wesen überhaupt) gäbe; d. i. daß, ohne den Menschen, die ganze Schöpfung *eine bloße Wüste*[2], umsonst und ohne Endzweck sein würde. Es ist aber auch nicht das Erkenntnisvermögen desselben (theoretische Vernunft), in Beziehung *auf welches* das[3] Dasein alles übrigen in der Welt allererst seinen Wert bekommt, etwa damit irgend *jemand*[4] da sei, welcher die Welt betrachten könne. Denn, wenn diese *Betrachtung der Welt* ihm[5] doch nichts als Dinge ohne End-|zweck vorstellig machte, so kann daraus, daß sie erkannt wird, dem Dasein derselben kein Wert erwachsen; und man muß schon einen Endzweck derselben voraussetzen, in Beziehung auf welchen die Weltbetrachtung selbst einen Wert habe. Auch ist es nicht das Gefühl der Lust und der Summe derselben, in Beziehung *auf welches* wir[6] einen Endzweck der Schöpfung als gegeben denken, d. i. nicht das Wohlsein, der Genuß (er sei körperlich oder geistig), mit einem Worte die Glückseligkeit, wornach wir jenen absoluten Wert schätzen. Denn: daß, wenn der Mensch da ist, er diese ihm selbst zur Endabsicht macht, gibt keinen Begriff, wozu er dann überhaupt da sei, und welchen Wert er dann[7] selbst

[1] A: »*so*«. – [2] Zusatz von B u. C. – [3] A: »Vernunft), *worauf* in Beziehung das«. – [4] A: »bekommt, *nicht* etwa damit irgend *wer*«. – [5] A: »diese *Weltbetrachtung* ihm«. – [6] A: »derselben, *worauf* in Beziehung wir«. – [7] A: »er, *der Mensch*, dann«.

|B 411 |A 406

habe, um ihm seine Existenz angenehm zu machen. Er muß also schon als Endzweck der Schöpfung vorausgesetzt werden, um | einen Vernunftgrund zu haben, warum die Natur zu seiner Glückseligkeit zusammen stimmen müsse, wenn sie als ein absolutes Ganze nach Prinzipien der Zwecke betrachtet wird. – Also ist es nur das Begehrungsvermögen: aber nicht dasjenige, was ihn von der Natur (durch sinnliche Antriebe) abhängig macht, nicht das, in Ansehung dessen der Wert seines Daseins auf dem, was er empfängt und genießt, beruht; sondern der Wert, welchen er allein sich selbst geben kann, und *welcher*[1] in dem besteht was er tut, wie und nach welchen Prinzipien er, nicht als Naturglied, sondern in der Freiheit seines Begehrungsvermögens, handelt; d. h. | ein guter Wille *ist*[1] dasjenige, wodurch sein Dasein allein einen absoluten Wert und in Beziehung *auf welches* das[2] Dasein der Welt einen Endzweck haben kann.

Auch stimmt damit das gemeinste Urteil der gesunden Menschenvernunft vollkommen zusammen: nämlich daß der Mensch nur als moralisches Wesen ein Endzweck der Schöpfung sein könne, wenn man die Beurteilung nur auf diese Frage leitet und veranlaßt, sie zu versuchen. Was hilft's, wird man sagen, daß dieser Mensch so viel Talent hat, daß er damit sogar sehr tätig ist, und dadurch einen nützlichen Einfluß auf das gemeine Wesen ausübt, und also in Verhältnis, so wohl auf seine Glücksumstände, als auch auf anderer Nutzen, einen großen Wert hat, wenn er keinen guten Willen besitzt? Er ist ein verachtungswürdiges Objekt, wenn man ihn nach | seinem Innern betrachtet; und, wenn die Schöpfung nicht überall ohne Endzweck sein soll, so muß er, der, als Mensch, auch dazu gehört, doch, als böser Mensch, in einer Welt unter moralischen Gesetzen, diesen gemäß, seines subjektiven Zwecks (der Glückseligkeit) verlustig gehen, als der einzigen Bedingung, unter der seine Existenz mit dem Endzwecke zusammen bestehen kann.

Wenn wir nun in der Welt Zweckanordnungen antreffen, und, wie es die Vernunft unvermeidlich fordert, die Zwecke, die es nur bedingt sind, einem unbedingten obersten, d. i.

[1] Zusatz von B u. C. – [2] A: »und *worauf* in Beziehung das«.

einem Endzwecke, unterordnen: so sieht | man erstlich leicht, daß alsdann nicht von einem Zwecke der Natur (innerhalb derselben), sofern sie existiert, sondern dem Zwecke ihrer Existenz mit allen ihren Einrichtungen, mithin von dem[1] letzten Zwecke der Schöpfung die Rede *ist*[2], und in diesem auch eigentlich von der obersten Bedingung, unter der allein ein Endzweck (d. i. der Bestimmungsgrund eines höchsten Verstandes zu Hervorbringung der Weltwesen) Statt finden kann.

Da wir nun den Menschen, nur als moralisches Wesen, für den Zweck der Schöpfung anerkennen: so haben wir erstlich einen Grund, wenigstens die Hauptbedingung, die Welt, als ein nach Zwecken zusammenhangendes Ganze und als System von Endursachen anzusehen; vornehmlich aber, für die, nach Beschaffenheit[3] unserer Vernunft, uns notwendige Beziehung der Naturzwecke auf eine verständige Weltursache, | ein Prinzip, die Natur und Eigenschaften dieser ersten Ursache, als obersten Grundes im Reiche der Zwecke, zu denken, und so den Begriff derselben zu bestimmen: welches die physische Teleologie nicht vermochte, die nur unbestimmte und eben darum, zum theoretischen so wohl als praktischen Gebrauche, untaugliche Begriffe von demselben veranlassen konnte.

Aus diesem so bestimmten Prinzip der Kausalität des Urwesens werden wir es nicht bloß als Intelligenz und gesetzgebend für die Natur, sondern auch als gesetzgebendes Oberhaupt in einem moralischen Reiche der | Zwecke, denken müssen. In Beziehung auf das höchste unter seiner Herrschaft allein mögliche Gut, nämlich die Existenz vernünftiger Wesen unter moralischen Gesetzen, werden wir uns dieses Urwesen als allwissend denken: damit selbst das Innerste der Gesinnungen (welches den eigentlichen moralischen Wert der Handlungen vernünftiger Weltwesen ausmacht) ihm nicht verborgen sei; als allmächtig: damit er[4] die ganze Natur diesem höchsten Zwecke angemessen machen könne; als allgütig, und zugleich gerecht: weil diese

[1] A: »sondern von dem Zwecke ..., mithin dem«. – [2] A: »Rede *sei*«. – [3] A: »nach *der* Beschaffenheit«. – [4] Akad.-Ausg.: »damit es«.

beiden Eigenschaften (vereinigt, die Weisheit) die Bedingungen der Kausalität einer obersten Ursache der Welt als höchsten Guts, unter moralischen Gesetzen, ausmachen; und so auch alle *noch*[1] übrigen transzendentalen Eigenschaften, als Ewigkeit, Allgegenwart, u.s.w. *(denn Güte und Gerechtigkeit sind moralische Eigenschaften)* [1], die in Beziehung auf einen solchen Endzweck vorausgesetzt werden, |an demselben denken müssen. – Auf solche Weise ergänzt die moralische Teleologie den Mangel der physischen, und gründet allererst eine Theologie; da die letztere, wenn sie nicht unbemerkt aus der ersteren borgte, sondern konsequent verfahren sollte, für sich allein nichts als eine Dämonologie, welche keines bestimmten Begriffs fähig ist, begründen könnte.

Aber das Prinzip der Beziehung der Welt, wegen der moralischen Zweckbestimmung gewisser Wesen in der|selben, auf eine oberste Ursache, als Gottheit, tut dieses nicht bloß dadurch, daß es den physisch-teleologischen Beweisgrund ergänzt, und also diesen notwendig zum Grunde legt; sondern es ist dazu auch für sich hinreichend, und treibt die Aufmerksamkeit auf die Zwecke der Natur, und die Nachforschung der hinter ihren Formen verborgen liegenden unbegreiflich großen Kunst, um den Ideen, die die reine praktische Vernunft herbeischafft, an den Naturzwecken beiläufige Bestätigung zu geben. Denn der Begriff von Weltwesen unter moralischen Gesetzen ist ein Prinzip a priori, wornach sich der Mensch notwendig beurteilen muß. Daß ferner, wenn es überall eine absichtlich wirkende und auf einen Zweck gerichtete Weltursache gibt, jenes moralische Verhältnis eben so notwendig die Bedingung der Möglichkeit einer Schöpfung sein müsse, als das nach physischen Gesetzen (wenn nämlich jene verständige Ursache auch einen Endzweck hat): sieht die Vernunft, auch a priori, als einen| für sie zur teleologischen Beurteilung der Existenz der Dinge notwendigen Grundsatz an. Nun kommt es nur darauf an: ob wir irgend einen für die Vernunft (es sei die spekulative oder praktische) hinreichenden Grund haben, der nach Zwecken handelnden obersten Ursache einen End-

[1] Zusatz von B u. C.

zweck beizulegen. Denn, daß alsdann dieser, nach der subjektiven Beschaffenheit unserer Vernunft, und selbst wie wir uns auch die Vernunft anderer Wesen nur immer denken mögen, ¦ kein anderer als der Mensch unter moralischen Gesetzen sein könne: kann a priori für uns als gewiß gelten; da hingegen die Zwecke der Natur in der physischen Ordnung a priori gar nicht können erkannt, vornehmlich, daß eine Natur ohne solche nicht existieren könne, auf keine Weise kann eingesehen werden[1].

Anmerkung

Setzet einen Menschen in den Augenblicken der Stimmung seines Gemüts zur moralischen Empfindung. Wenn er sich, umgeben von einer schönen Natur, in einem ruhigen heitern Genusse seines Daseins befindet, so fühlt er in sich ein Bedürfnis, irgend jemand dafür dankbar zu sein. Oder er sehe sich einandermal in derselben Gemütsverfassung im Gedränge von Pflichten, denen er nur durch freiwillige Aufopferung Genüge leisten kann und will: so fühlt er in sich ein Bedürfnis, hiemit zugleich etwas Befohlnes ausgerichtet und einem Oberherren gehorcht zu haben. Oder er habe sich etwa unbedachtsamer Weise wider seine Pflicht vergangen, wodurch er doch eben nicht Menschen verantwort|lich geworden ist: so werden die strengen Selbstverweise dennoch eine Sprache in ihm führen, als ob sie die Stimme eines Richters wären, dem er darüber Rechenschaft abzulegen hatte[2]. Mit einem Worte: er bedarf einer moralischen Intelligenz, um für den Zweck, *wozu*[3] er existiert, ein Wesen zu haben, welches *diesem gemäß* von[4] ihm und der Welt die Ursache sei. Triebfedern hinter diesen Gefühlen herauszukünsteln ist vergeblich; denn sie hängen unmittelbar mit der reinsten moralischen Gesinnung zusammen, weil Dankbarkeit, Gehorsam, und Demütigung (Unterwerfung un¦ter verdiente Züchtigung) besondere *Gemütsstimmungen*[5] zur Pflicht sind, und das zu Erweiterung seiner moralischen

[1] A: »Weise eingesehen werden kann«. – [2] Akad.-Ausg.: »hätte«. – [3] A: »*dazu*«. – [4] A: »welches *darnach* von«. – [5] A: »*Gemütsbestimmungen*«.

|B 416, 417 |A 412

Gesinnung geneigte Gemüt hier sich nur einen Gegenstand freiwillig denkt, der nicht in der Welt ist, um, wo möglich, auch gegen einen solchen seine Pflicht zu beweisen. Es ist also wenigstens möglich und auch der Grund dazu in moralischer Denkungsart gelegen, ein reines moralisches Bedürfnis der Existenz eines Wesens *sich vorzustellen*[1], unter welchem entweder unsere Sittlichkeit mehr Stärke oder auch (wenigstens unserer *Vorstellung*[2] nach) mehr Umfang, nämlich einen neuen Gegenstand für ihre Ausübung *gewinnt*[3]; d. i. ein moralisch-gesetzgebendes Wesen außer der Welt, ohne alle Rücksicht auf theoretischen Beweis, noch weniger auf selbstsüchtiges Interesse, aus reinem moralischen, von allem fremden Einflusse freien (dabei freilich nur subjektiven) Grunde, anzunehmen, auf bloße Anpreisung einer für sich allein gesetzgebenden reinen praktischen Vernunft. Und, ob gleich eine solche Stimmung des Gemüts selten vorkäme, oder auch nicht lange haftete, sondern flüchtig und ohne dauernde Wirkung, oder auch ohne einiges Nachdenken über den in einem solchen Schattenbilde vorgestellten Gegenstand, und ohne Bemühung, ihn unter deutliche Begriffe zu bringen, vorüber|ginge: so ist doch der Grund dazu, die moralische Anlage in uns, als subjektives Prinzip, sich in der Weltbetrachtung mit ihrer Zweckmäßigkeit durch NatururSachen nicht zu begnügen, sondern ihr eine oberste nach moralischen Prinzipien die Natur beherrschende Ursache unterzulegen, unverkennbar. – Wozu noch kommt, daß wir, nach einem allgemeinen höchsten Zwecke zu streben, uns durch das moralische Gesetz gedrungen, uns aber doch und die gesamte Natur ihn zu erreichen unvermögend fühlen; daß wir, nur so fern wir darnach streben, dem Endzwecke einer verständigen | Weltursache (wenn es eine solche gäbe) gemäß zu sein urteilen dürfen; und so ist ein reiner moralischer Grund der praktischen Vernunft vorhanden, diese Ursache (da es ohne Widerspruch geschehen kann) anzunehmen, wo nicht mehr, doch damit wir jene Bestrebung, *in ihren Wirkungen*,[1] nicht für ganz eitel anzusehen und dadurch sie ermatten zu lassen Gefahr laufen.

[1] Zusatz von B u. C. – [2] A: »*Vorstellungsart*«. – [3] A: »*gewinne*«.

|B 418 |A 413

Mit *diesem allen*[1] soll hier nur so viel gesagt werden: daß die Furcht zwar zuerst Götter (Dämonen), aber die Vernunft, vermittelst ihrer moralischen Prinzipien, zuerst den Begriff von Gott habe hervorbringen können (auch selbst, wenn man in der Teleologie der Natur, wie gemeiniglich, sehr unwissend, oder auch, wegen der Schwierigkeit, die einander hierin widersprechenden Erscheinungen durch ein genugsam bewährtes Prinzip auszugleichen, sehr zweifelhaft war); und daß die innere moralische Zweckbestimmung seines Daseins das ergänzte, was der Naturkenntnis abging, indem sie nämlich anwies, zu dem Endzwecke vom Dasein aller Dinge, *wozu*[2] das Prinzip nicht anders, als ethisch, der Vernunft genugtuend ist, die oberste Ursache mit Eigenschaften, womit sie die ganze Natur jener einzigen Absicht (zu der diese bloß Werkzeug ist) zu unterwerfen vermögend ist (d. i. als eine Gottheit), zu denken.

| § 87. VON DEM MORALISCHEN BEWEISE DES DASEINS GOTTES

Es gibt eine physische *Teleologie*[3], welche einen für unsere theoretisch reflektierende Urteilskraft hinreichenden Beweisgrund an die Hand gibt, das Da|sein einer verständigen Weltursache anzunehmen. Wir finden aber in uns selbst, und noch mehr in dem Begriffe eines vernünftigen mit Freiheit (seiner Kausalität) begabten Wesens überhaupt, auch eine moralische Teleologie, die aber, weil die Zweckbeziehung in uns selbst a priori, samt dem Gesetze derselben, bestimmt, mithin als notwendig erkannt werden kann, zu diesem Behuf keiner verständigen Ursache außer uns für diese innere Gesetzmäßigkeit bedarf: so wenig, als wir bei dem, was wir in den geometrischen Eigenschaften der Figuren (für allerlei mögliche Kunstausübung) Zweckmäßiges finden, auf einen ihnen dieses erteilenden höchsten Verstand hinaus sehen dürfen. Aber diese moralische Teleologie betrifft doch uns, als Weltwesen, und also mit andern Dingen in der Welt verbundene Wesen: auf welche letzte-

[1] A: »Mit *allem*«. – [2] A: »*dazu*«. – [3] A: »*Theologie*«.

|B 419 |A 414

ren, entweder als Zwecke oder als *Gegenstände*, in Ansehung *deren wir* selbst Endzweck *sind*, unsere[1] Beurteilung zu richten eben dieselben moralischen Gesetze uns zur Vorschrift machen. Von dieser moralischen Teleologie nun, welche die Beziehung unserer eigenen | Kausalität auf Zwecke und sogar auf einen Endzweck, der von uns in der Welt beabsichtigt werden muß, imgleichen *die wechselseitige*[2] Beziehung der Welt auf jenen sittlichen Zweck und die äußere Möglichkeit seiner Ausführung (wozu keine physische Teleologie uns Anleitung geben kann) *betrifft*[3], geht nun die notwendige Frage aus: ob sie unsere vernünftige Beurteilung | nötige, über die Welt hinaus zu gehen, und, zu jener Beziehung der Natur auf das Sittliche in uns, ein verständiges oberstes Prinzip zu suchen, um die Natur, auch in Beziehung auf die moralische innere Gesetzgebung und deren mögliche Ausführung, uns als zweckmäßig vorzustellen. Folglich gibt es allerdings eine moralische Teleologie; und diese hängt mit der Nomothetik der Freiheit einerseits, und der der Natur andererseits, eben so notwendig zusammen, als bürgerliche Gesetzgebung mit der Frage, wo man die exekutive Gewalt suchen soll, und überhaupt in allem, worin die Vernunft ein Prinzip der Wirklichkeit einer gewissen gesetzmäßigen, nur nach Ideen möglichen, Ordnung der Dinge angeben soll, *Zusammenhang ist*[4]. – Wir wollen den Fortschritt der Vernunft von jener moralischen Teleologie, und ihrer Beziehung auf die physische, zur Theologie allererst vortragen, und nachher über die Möglichkeit und Bündigkeit dieser Schlußart Betrachtungen anstellen.

Wenn man das Dasein gewisser Dinge (oder auch nur gewisser Formen der Dinge) als zufällig, mithin | nur durch etwas anderes, als Ursache, möglich annimmt: so kann man zu dieser Kausalität der obersten[5] und also zu dem Bedingten den unbedingten Grund entweder in der physischen, oder teleologischen Ordnung suchen (nach dem nexu effectivo, oder finali). D. i. man kann fragen: welches ist die

[1] A: »oder *uns* selbst in Ansehung *ihrer* als Endzweck, unsere«. – [2] A: »imgleichen *der wechselseitigen*«. – [3] Zusatz von B u. C. – [4] A: »soll, *zusammenhängt*«. – [5] Akad.-Ausg.: »den obersten«.

oberste hervorbringende Ur|sache? oder was ist der oberste (schlechthin unbedingte) Zweck derselben, d.i. der Endzweck ihrer Hervorbringung dieser oder aller ihrer Produkte überhaupt? wobei dann freilich vorausgesetzt wird, daß diese Ursache einer Vorstellung der Zwecke fähig, mithin ein verständiges Wesen sei, oder wenigstens von uns als nach den Gesetzen eines solchen Wesens handelnd *gedacht* werden[1] müsse.

Nun ist, wenn man der letztern Ordnung nachgeht, es ein Grundsatz, dem selbst die gemeinste Menschenvernunft unmittelbar Beifall zu geben genötigt ist: daß, wenn überall ein Endzweck, den die Vernunft a priori angeben muß, Statt finden soll, dieser kein anderer, als der Mensch (ein jedes vernünftige Weltwesen) unter moralischen Gesetzen sein könne.* Denn: (so urteilt ein jeder) bestände die || Welt aus lauter leblosen, oder zwar zum Teil aus[2] lebenden aber vernunftlosen Wesen, so *würde* das[3] Dasein | einer solchen Welt gar keinen Wert haben, weil in ihr kein Wesen existierte, *das* von[4] einem Werte den mindesten Begriff hat. Wären dagegen auch vernünftige Wesen, deren Vernunft aber den Wert des Daseins der Dinge nur im Verhältnisse der Natur zu ihnen (ihrem | Wohlbefinden) zu setzen, nicht aber sich einen solchen ursprünglich (in der Freiheit) selbst zu verschaffen im Stande wäre: so wären zwar (relative) Zwecke in der Welt, aber kein (absoluter)

* Ich sage mit Fleiß: unter moralischen Gesetzen. Nicht der Mensch nach moralischen Gesetzen, d.i. ein solcher, der sich ihnen gemäß verhält, ist der Endzweck der Schöpfung. Denn mit dem letztern Ausdrucke würden wir mehr sagen, als wir wissen: nämlich daß es in der Gewalt eines Welturhebers stehe, zu machen, daß der Mensch den moralischen | Gesetzen jederzeit sich angemessen *verhalten*[5]; welches einen Begriff von Freiheit und der Natur (von welcher letztern man allein einen äußern Urheber denken kann) voraussetzt, der eine Einsicht in das übersinnliche Substrat der Natur, und dessen Einerleiheit mit dem, was die Kausalität durch Freiheit in der Welt möglich macht, enthalten *müßte*[6], die weit über unsere Vernunfteinsicht hinausgeht. Nur vom | Menschen unter moralischen Gesetzen können wir, ohne die Schranken unserer Einsicht zu überschreiten, sagen: sein Dasein mache der Welt Endzweck aus. Dieses stimmt auch vollkommen

[1] A: »handelnd *vorgestellt* werden«. – [2] A: »oder zum Teil zwar aus«. – [3] A: »so *werde* das«. – [4] A: »*was* von«. – [5] A: »*verhält*«; C: »*verhalte*«. – [6] A: »*mußte*«.

Endzweck, weil das Dasein solcher vernünftigen Wesen doch immer zwecklos sein würde. Die moralischen Gesetze aber sind von der eigentümlichen Beschaffenheit, daß sie etwas als Zweck ohne Bedingung, mithin gerade so, wie der Begriff eines Endzwecks es bedarf, für die Vernunft vorschreiben: und die Existenz einer solchen Vernunft, die in der Zweckbeziehung ihr selbst das oberste Gesetz sein kann, mit andern Worten die Existenz vernünftiger Wesen unter moralischen Gesetzen, kann also allein als Endzweck vom Dasein einer Welt gedacht werden. Ist dagegen dieses nicht so bewandt, so liegt dem Dasein derselben entweder gar kein Zweck in der Ursache, oder es liegen ihm Zwecke ohne Endzweck zum Grunde.

Das moralische Gesetz, als formale Vernunftbedingung des Gebrauchs unserer Freiheit, verbindet uns für sich allein, ohne von irgend einem Zwecke, als materialer Bedingung, abzuhangen; aber es bestimmt uns doch auch, und zwar a priori, einen Endzweck, welchem | nachzustreben es uns verbindlich macht: und dieser ist das höchste durch Freiheit mögliche Gut in der Welt.

Die subjektive Bedingung, unter welcher der Mensch (und nach allen unsern Begriffen auch jedes vernünftige endliche Wesen) sich, unter dem obigen Gesetze, einen | Endzweck setzen kann, ist die Glückseligkeit. Folglich das

mit dem Urteile der moralisch über den Weltlauf reflektierenden Menschenvernunft. Wir glauben die Spuren einer weisen Zweckbeziehung auch am Bösen wahrzunehmen, wenn wir nur sehen, daß der frevelhafte Bösewicht nicht eher stirbt, als bis er die wohlverschuldete Strafe seiner Untaten erlitten hat. Nach unseren Begriffen von freier Kausalität beruht das Wohl- oder Übelverhalten auf uns; die höchste Weisheit aber der Weltregierung setzen wir darin, daß zu dem ersteren die Veranlassung, für beides aber der Erfolg, nach moralischen Gesetzen verhängt sei. In dem letzteren besteht eigentlich die Ehre Gottes, welche daher von Theologen nicht unschicklich der letzte Zweck der Schöpfung genannt wird. – Noch ist anzumerken, daß wir unter dem Wort Schöpfung, wenn wir uns dessen bedienen, nichts anders, als was hier gesagt worden ist, nämlich die Ursache vom Dasein einer Welt, oder der Dinge in ihr (der Substanzen), verstehen; wie das auch der eigentliche Begriff dieses Worts mit sich bringt (actuatio substantiae est creatio): welches mithin nicht schon die Voraussetzung einer freiwirkenden, folglich verständigen Ursache (deren Dasein wir allererst beweisen wollen) bei sich führt.

höchste in der Welt mögliche, und, so viel an uns ist, als Endzweck zu befördernde, physische Gut ist Glückseligkeit: unter der objektiven Bedingung der Einstimmung des Menschen mit dem Gesetze der Sittlichkeit, als der Würdigkeit glücklich zu sein.

Diese zwei Erfordernisse des uns durch das moralische Gesetz aufgegebenen Endzwecks können wir aber, nach allen unsern Vernunftvermögen, als durch bloße Natursachen verknüpft, und der Idee des gedachten Endzwecks angemessen, unmöglich uns vorstellen. Also stimmt der Begriff von der praktischen Notwendigkeit eines solchen Zwecks, durch die Anwendung unserer Kräfte, nicht mit dem theoretischen Begriffe von der physischen Möglichkeit der Bewirkung desselben zusammen, wenn wir mit unserer Freiheit keine andere Kausalität (eines Mittels), als die der Natur, verknüpfen.

Folglich müssen wir eine moralische Weltursache (einen Welturheber) annehmen, um uns, gemäß dem moralischen Gesetze, einen Endzweck vorzusetzen; und, so weit als das letztere notwendig ist, so weit (d.i. in | demselben Grade und aus demselben Grunde) ist auch das erstere notwendig anzunehmen: nämlich es sei ein Gott.*

* * *

| Dieser Beweis, dem man leicht die Form der logischen Präzision anpassen kann, will nicht sagen: es ist eben so notwendig, das Dasein Gottes anzunehmen, als die Gültigkeit des moralischen Gesetzes anzuerkennen; mithin, *wer* sich[1] vom *letztern*[2] nicht überzeugen kann, könne sich von

* *Dieses moralische Argument soll keinen objektiv-gültigen Beweis vom Dasein Gottes an die Hand geben, nicht | dem Zweifelgläubigen beweisen, daß ein Gott sei; sondern daß, wenn er moralisch konsequent denken will, er die Annehmung dieses Satzes unter die Maximen seiner praktischen Vernunft aufnehmen müsse. – Es soll damit auch nicht gesagt werden: es ist zur Sittlichkeit notwendig, die Glückseligkeit aller vernünftigen Weltwesen gemäß ihrer Moralität anzunehmen; sondern: es ist durch sie notwendig. Mithin ist es ein subjektiv, für moralische Wesen, hinreichendes Argument.*[3]

[1] A: »mithin *der, welcher* sich«. – [2] C: »vom *erstern*«. – [3] Zusatz von B u. C.

den Verbindlichkeiten nach dem *ersteren*[1] los zu sein urteilen. Nein! nur die Beabsichtigung des durch die Befolgung des *ersteren*[2] zu bewirkenden Endzwecks in der Welt (einer mit der Befolgung moralischer Gesetze harmonisch zusammentreffenden Glückseligkeit vernünftiger Wesen, als das höchste Weltbeste) müßte alsdann aufgegeben werden. Ein jeder Vernünftige würde sich an der Vorschrift der Sitten immer noch als strenge gebunden erkennen müssen; denn die Gesetze derselben sind formal und gebieten unbedingt, *ohne Rücksicht auf* Zwecke (als *die* Materie[3] des Wollens). Aber das eine Erfordernis des Endzwecks, wie ihn die praktische Vernunft den Weltwesen vorschreibt, | ist ein in sie durch ihre Natur (als endlicher Wesen) gelegter unwiderstehlicher Zweck, den die Vernunft nur dem moralischen Gesetze als unverletzlicher Bedingung unterworfen, oder auch nach demselben allgemein gemacht wissen will, und so die Beförderung der Glückse|ligkeit, in Einstimmung mit der Sittlichkeit, zum Endzwecke macht. Diesen nun, so viel (was die ersteren betrifft) in unserem Vermögen ist, zu befördern, wird uns durch das moralische Gesetz geboten; der Ausschlag, den diese Bemühung hat, mag sein welcher er wolle. Die Erfüllung der Pflicht besteht in der Form des ernstlichen Willens, nicht in den Mittelursachen des Gelingens.

Gesetzt also: ein Mensch überredete sich, teils durch die Schwäche aller so sehr gepriesenen spekulativen Argumente, teils durch manche in der Natur und Sittenwelt ihm vorkommende Unregelmäßigkeiten bewogen, von dem Satze: es sei kein Gott: so würde er doch in seinen eigenen Augen ein Nichtswürdiger sein, wenn er darum die Gesetze der Pflicht für bloß eingebildet, ungültig, unverbindlich halten, und *ungescheut*[4] zu übertreten beschließen wollte. Ein solcher würde auch alsdann noch, wenn er sich in der Folge von dem, was er anfangs bezweifelt hatte, überzeugen könnte, mit jener Denkungsart doch immer ein Nichtswürdiger bleiben: ob er gleich seine Pflicht, aber aus Furcht,

[1] C: »nach dem *letzteren*«. – [2] C: »*letzteren*«. – [3] A: »unbedingt, *unangesehen aller* Zwecke (als *der* Materie«. – [4] A: »*ohngescheut*«.

|B 426 |A 421

oder aus *lohnsüchtiger*[1] Absicht, ohne pflichtverehrende Gesinnung, der Wirkung nach so pünktlich, | wie es immer verlangt werden mag, erfüllte. Umgekehrt[2], wenn er sie als Gläubiger seinem Bewußtsein nach aufrichtig und uneigennützig befolgt, und gleichwohl, so oft er zum Versuche den Fall setzt, er könnte einmal überzeuget werden, es sei kein Gott, | sich sogleich von aller sittlichen Verbindlichkeit frei glaubte: müßte es doch mit der innern moralischen Gesinnung in ihm nur schlecht bestellt sein.

Wir können also einen rechtschaffenen Mann *(wie etwa den Spinoza)*[3] annehmen, der sich *fest*[4] überredet hält: es sei kein Gott, und (weil es in Ansehung des Objekts der Moralität auf einerlei Folge hinausläuft) auch kein künftiges Leben; wie wird er seine eigene innere Zweckbestimmung durch das moralische Gesetz, welches er tätig verehrt, beurteilen? Er verlangt von Befolgung desselben für sich keinen Vorteil, weder in dieser noch in einer andern Welt; uneigennützig will er vielmehr nur das Gute stiften, wozu jenes heilige Gesetz allen seinen Kräften die Richtung gibt. Aber sein Bestreben ist begrenzt; und von der Natur kann er zwar hin und wieder einen zufälligen Beitritt, niemals aber eine gesetzmäßige und nach beständigen Regeln (so wie innerlich seine Maximen sind und sein müssen) eintreffende Zusammenstimmung zu[5] dem Zwecke erwarten, welchen zu bewirken er sich doch verbunden und angetrieben fühlt. Betrug, Gewalttätigkeit und Neid werden | immer um ihn im Schwange gehen, ob er gleich selbst redlich, friedfertig und wohlwollend ist; und die Rechtschaffenen, die er außer sich noch antrifft, werden, unangesehen aller ihrer Würdigkeit glücklich zu sein, dennoch durch die Natur, die darauf nicht ach|tet, allen Übeln des Mangels, der Krankheiten und des unzeitigen Todes, gleich den übrigen Tieren der Erde, unterworfen sein und es auch immer bleiben, bis ein weites Grab sie insgesamt (redlich oder unredlich, das gilt hier gleichviel) verschlingt, und sie, die da glauben konnten, Endzweck der Schöpfung zu sein, in den

[1] A: »*lohnsichtiger*«. – [2] A: »erfüllte; *und* umgekehrt«. – [3] Zusatz von B u. C. – [4] A: »*festiglich*«. – [5] A: »Zusammenstimmung *der Natur* zu«.

Schlund des zwecklosen Chaos der Materie zurück wirft, aus dem sie gezogen waren. – Den Zweck also, den dieser Wohlgesinnte in Befolgung der moralischen Gesetze vor Augen hatte und haben sollte, müßte er allerdings, als unmöglich, aufgeben; oder will er auch hierin dem Rufe seiner sittlichen inneren Bestimmung anhänglich bleiben, und die Achtung, welche das sittliche Gesetz ihm unmittelbar zum Gehorchen einflößt, nicht durch die Nichtigkeit des einzigen ihrer hohen Forderung angemessenen idealischen Endzwecks schwächen (welches ohne einen der moralischen Gesinnung widerfahrenden Abbruch nicht geschehen kann): so muß er, welches er auch gar wohl tun kann, indem es an sich wenigstens nicht widersprechend ist, in praktischer Absicht, d. i. um sich wenigstens von der Möglichkeit des ihm moralisch vorgeschriebenen Endzwecks einen Begriff zu | machen, das Dasein eines moralischen Welturhebers, d. i. Gottes, annehmen.

| § 88. BESCHRÄNKUNG DER GÜLTIGKEIT DES MORALISCHEN BEWEISES

Die reine Vernunft, als praktisches Vermögen, d. i. als Vermögen, den freien Gebrauch unserer Kausalität durch Ideen (reine Vernunftbegriffe) zu bestimmen, enthält nicht allein im moralischen Gesetze ein regulatives Prinzip unserer Handlungen, sondern gibt auch dadurch zugleich ein subjektiv-konstitutives, in dem Begriffe eines Objekts an die Hand, welches nur Vernunft denken kann, *und welches* durch[1] unsere Handlungen in der Welt nach jenem Gesetze wirklich gemacht werden soll. Die Idee eines Endzwecks im Gebrauche der Freiheit nach moralischen Gesetzen hat also subjektiv-praktische Realität. Wir sind a priori durch die Vernunft bestimmt, das Weltbeste, welches in der Verbindung des größten Wohls der vernünftigen Weltwesen mit der höchsten Bedingung des Guten an *demselben*[2], d. i. der allgemeinen Glückseligkeit mit der gesetzmäßigsten Sittlichkeit, besteht, nach allen Kräften zu befördern. In die-

[1] A: »Objekts, welches ... kann, an die Hand, *das* durch«. – [2] C: »*denselben*«.

sem Endzwecke ist die Möglichkeit des einen Teils, nämlich der Glückseligkeit, empirisch bedingt, d. i. von der Beschaffenheit der Natur (ob sie zu diesem Zwecke übereinstimme oder nicht) abhängig, und in | theoretischer Rücksicht problematisch; *indes* der[1] andere Teil, nämlich die Sittlichkeit, | in Ansehung deren wir von der Naturmitwirkung frei sind, seiner Möglichkeit nach a priori fest steht und dogmatisch gewiß ist. Zur objektiven theoretischen Realität also des Begriffs von dem Endzwecke vernünftiger Weltwesen wird erfordert, daß nicht allein wir einen uns a priori vorgesetzten Endzweck haben, sondern daß auch die Schöpfung, d. i. die Welt selbst, ihrer Existenz nach einen Endzweck habe: welches, wenn es a priori bewiesen werden könnte, zur subjektiven Realität des Endzwecks die objektive hinzutun würde. Denn, hat die Schöpfung überall einen Endzweck, so können wir ihn nicht anders denken, als so, daß er mit dem moralischen (der allein den Begriff von einem Zwecke möglich macht) übereinstimmen müsse. Nun finden wir aber in der Welt zwar Zwecke: und die physische Teleologie stellt sie in solchem Maße dar, daß, wenn wir der Vernunft gemäß urteilen, wir zum Prinzip der Nachforschung der Natur zuletzt anzunehmen Grund haben, daß in der Natur gar nichts ohne Zweck sei; allein den Endzweck der Natur suchen wir in ihr selbst vergeblich. Dieser kann und muß daher, so wie die Idee davon nur in der Vernunft liegt, selbst seiner objektiven Möglichkeit nach, nur in vernünftigen Wesen gesucht werden. Die praktische Vernunft der letzteren aber gibt diesen Endzweck nicht allein an, sondern bestimmt auch diesen Begriff in Ansehung der Bedingun|gen, unter *welchen* ein[2] | Endzweck der Schöpfung allein von uns gedacht werden kann.

Es ist nun die Frage: ob die objektive Realität des Begriffs von einem Endzweck der Schöpfung nicht auch für die theoretischen Forderungen der reinen Vernunft hinreichend, wenn gleich nicht apodiktisch, für die bestimmende, doch hinreichend für die Maximen der theoretisch-reflektierenden Urteilskraft könne dargetan werden. Dieses

[1] A: »*indessen daß* der«. – [2] A: »unter *denen* ein«.

ist das mindeste, was man der spekulativen Philosophie ansinnen kann, die den sittlichen Zweck mit den Naturzwekken vermittelst der Idee eines einzigen Zwecks zu verbinden sich anheischig macht; aber auch dieses wenige ist doch weit mehr, als sie je zu leisten vermag.

Nach dem Prinzip der theoretisch-reflektierenden Urteilskraft würden wir sagen: Wenn wir Grund haben, zu den zweckmäßigen Produkten der Natur eine oberste Ursache der Natur anzunehmen, deren Kausalität in Ansehung der Wirklichkeit der letzteren (die Schöpfung) von anderer Art, als zum[1] Mechanism der Natur erforderlich ist, nämlich als die eines Verstandes, gedacht werden *mußte*[2]: so werden wir auch an diesem Urwesen nicht bloß allenthalben in der Natur Zwecke, sondern auch einen Endzweck zu denken hinreichenden Grund haben, wenn gleich nicht, um das Dasein eines solchen Wesens darzutun, doch wenigstens (so wie es in der physischen Teleologie geschah) uns zu überzeugen, daß | wir die Möglichkeit einer solchen Welt nicht bloß nach Zwecken, | sondern auch nur dadurch, daß wir ihrer Existenz einen Endzweck unterlegen, uns begreiflich machen können.

Allein Endzweck ist bloß ein Begriff unserer praktischen Vernunft, und kann aus keinen Datis der Erfahrung zu theoretischer Beurteilung der Natur gefolgert, noch auf Erkenntnis derselben bezogen werden. Es ist kein Gebrauch von diesem Begriffe möglich, als lediglich für die praktische Vernunft nach moralischen Gesetzen; und der Endzweck der Schöpfung ist diejenige Beschaffenheit der Welt, die zu dem, was wir allein nach Gesetzen bestimmt angeben können, nämlich dem Endzwecke unserer reinen praktischen Vernunft, und zwar so fern sie praktisch sein soll, übereinstimmt. – Nun haben wir durch das moralische Gesetz, welches uns diesen letztern auferlegt, in praktischer Absicht, nämlich um unsere Kräfte zur Bewirkung desselben anzuwenden, einen Grund, die Möglichkeit, Ausführbarkeit desselben, mithin auch (weil, ohne Beitritt der Natur zu einer in unserer Gewalt nicht stehenden Bedingung derselben, die Bewirkung desselben unmöglich sein würde) eine Natur der

[1] A: »als *der* zum«. – [2] C: *»muß«*.

|B 432 |A 427

Dinge, die dazu übereinstimmt, anzunehmen. Also haben wir einen moralischen Grund, uns an einer Welt auch einen Endzweck der Schöpfung zu denken.

| Dieses ist nun noch nicht der Schluß von der moralischen Teleologie auf eine Theologie, d. i. auf das Dasein eines moralischen Welturhebers, sondern nur auf einen Endzweck der Schöpfung, der auf diese Art bestimmt | wird. Daß nun zu dieser Schöpfung, d. i. der Existenz der Dinge, gemäß einem Endzwecke, erstlich ein verständiges, aber zweitens nicht bloß (wie zu der Möglichkeit der Dinge der Natur, die wir als Zwecke zu beurteilen genötiget waren) ein verständiges, sondern ein zugleich moralisches Wesen, als Welturheber, mithin ein Gott angenommen werden *mußte*[1]: ist ein zweiter Schluß, welcher so beschaffen ist, daß man sieht, er sei bloß für die Urteilskraft, nach Begriffen der praktischen Vernunft, und, als ein solcher, für die reflektierende, nicht die bestimmende, Urteilskraft gefället. Denn wir können uns nicht anmaßen einzusehen: daß, obzwar in uns die moralisch-praktische Vernunft von der technisch-praktischen ihren Prinzipien nach wesentlich unterschieden ist, in der obersten Weltursache, wenn sie als Intelligenz angenommen wird, es auch so sein *mußte*[1], und eine besondere und verschiedene Art der Kausalität derselben zum Endzwecke, als bloß zu Zwecken der Natur, erforderlich sei; *daß* wir mithin an[2] unserm Endzweck nicht bloß einen moralischen Grund haben, einen Endzweck der Schöpfung (als Wirkung), sondern auch ein moralisches Wesen, als Urgrund der Schöpfung, anzunehmen. Wohl aber | können wir sagen: daß, nach der Beschaffenheit unseres Vernunftvermögens, wir uns die Möglichkeit einer solchen auf das moralische Gesetz und dessen Objekt bezo|genen Zweckmäßigkeit, als in diesem Endzwecke ist, ohne einen Welturheber und Regierer, der zugleich moralischer Gesetzgeber ist, gar nicht begreiflich machen können.

Die Wirklichkeit eines höchsten moralisch-gesetzgebenden Urhebers ist also bloß für den praktischen Ge-

[1] C: »*müsse*«. – [2] A: »sei, mithin wir an«.

brauch unserer Vernunft hinreichend dargetan, ohne in Ansehung des Daseins desselben etwas theoretisch zu bestimmen. Denn diese bedarf zur Möglichkeit ihres Zwecks, der uns auch ohnedas durch ihre eigene Gesetzgebung aufgegeben ist, einer Idee, wodurch das Hindernis, aus dem Unvermögen ihrer Befolgung nach dem bloßen Naturbegriffe von der Welt (für die reflektierende Urteilskraft hinreichend) weggeräumt wird; und diese Idee bekommt dadurch praktische Realität, wenn ihr gleich alle Mittel, ihr eine solche in theoretischer Absicht, zur Erklärung der Natur und Bestimmung der obersten Ursache zu verschaffen, für das spekulative Erkenntnis gänzlich abgehen. Für die theoretisch reflektierende Urteilskraft bewies die physische Teleologie aus den Zwecken der Natur hinreichend eine verständige Weltursache; für die praktische bewirkt dieses die moralische durch den Begriff eines Endzwecks, den sie in praktischer Absicht der Schöpfung beizule|gen genötiget ist. Die objektive Realität der Idee von Gott, als moralischen Welturhebers, kann nun zwar nicht durch physische Zwecke allein dargetan werden; | gleichwohl aber, wenn ihr Erkenntnis mit dem des moralischen verbunden[1] wird, sind jene, vermöge der Maxime der reinen Vernunft, Einheit der Prinzipien, so viel sich tun läßt, zu befolgen, von großer Bedeutung, um der praktischen Realität jener Idee, durch die, welche sie in theoretischer Absicht für die Urteilskraft bereit hat[2], zu Hülfe zu kommen.

Hiebei ist nun, zu Verhütung eines leicht eintretenden Mißverständnisses, höchst nötig anzumerken, daß wir erstlich diese Eigenschaften des höchsten Wesens nur nach der Analogie denken können. Denn wie wollten wir seine Natur, *wovon*[3] uns die Erfahrung nichts Ähnliches zeigen kann, erforschen? Zweitens, daß wir es durch dasselbe auch[4] nur denken, nicht darnach erkennen, und sie ihm etwa theoretisch beilegen können; denn das wäre für die *bestimmende* Urteilskraft[5] in spekulativer Absicht unserer Vernunft, um,

[1] Akad.-Ausg. erwägt: »moralischen Endzwecks verbunden«. – [2] Akad.-Ausg.: »Urtheilskraft bereits hat«. – [3] A: *»davon«*. – [4] Akad.-Ausg.: »durch dieselbe auch«. – [5] A: »die *bestimmte* Urteilskraft«.

|B 435 |A 430

was die oberste Weltursache an sich sei, einzusehen. Hier aber ist es nur darum zu tun, welchen Begriff wir uns, nach der Beschaffenheit unserer Erkenntnisvermögen, von demselben zu machen, und ob wir seine Existenz anzunehmen haben, um einem Zwecke, den uns reine praktische Vernunft, ohne alle solche Voraussetzung, a priori nach allen Kräften zu bewirken aufer|legt, gleichfalls nur praktische Realität zu verschaffen, d. i. nur eine beabsichtete Wirkung als möglich denken zu können. Immerhin mag jener Begriff | für die spekulative Vernunft überschwenglich sein; auch mögen die Eigenschaften, die wir dem dadurch gedachten Wesen beilegen, objektiv gebraucht, einen Anthropomorphism in sich verbergen: die Absicht ihres Gebrauchs ist auch nicht, seine für uns unerreichbare Natur, sondern uns selbst und unseren Willen, darnach bestimmen zu wollen. So wie wir eine Ursache nach dem Begriffe, den wir von der Wirkung haben (aber nur in Ansehung ihrer Relation dieser[1]), benennen, ohne darum die innere Beschaffenheit derselben durch die Eigenschaften, die uns von dergleichen Ursachen einzig und allein bekannt und durch Erfahrung gegeben werden müssen, innerlich bestimmen zu wollen; so wie wir z. B. der Seele unter andern auch eine vim locomotivam beilegen, weil wirklich Bewegungen des Körpers entspringen, deren Ursache in ihren Vorstellungen liegt, ohne ihr darum die einzige Art, wie wir bewegende Kräfte kennen (nämlich durch *Anziehung*,[2] Druck, Stoß, mithin Bewegung, welche jederzeit ein ausgedehntes Wesen voraussetzen), beilegen zu wollen: – eben so werden wir etwas, *das* den[3] Grund der Möglichkeit und der praktischen Realität, d. i. der Ausführbarkeit, eines notwendigen moralischen Endzwecks enthält, annehmen müssen; dieses aber, nach Beschaffenheit der von ihm | erwarteten Wirkung, uns als ein weises nach moralischen Gesetzen die Welt beherrschenden Wesen denken | können, und der Beschaffenheit unserer Erkenntnisvermögen gemäß, als von der Natur unterschiedene Ursache der Dinge denken müssen, um nur das Ver-

[1] Akad.-Ausg.: »Relation zu dieser«. – [2] Zusatz von B u. C. – [3] A: »etwas, *was* den«.

hältnis dieses alle unsere Erkenntnisvermögen übersteigenden Wesens zum Objekte unserer praktischen Vernunft auszudrücken: ohne doch dadurch die einzige uns bekannte Kausalität dieser Art, nämlich einen Verstand und Willen, ihm darum theoretisch beilegen, ja selbst auch nur die an ihm gedachte Kausalität in Ansehung dessen, was für uns Endzweck ist, als in diesem Wesen selbst von der Kausalität in Ansehung der Natur (und deren Zweckbestimmungen überhaupt) objektiv unterscheiden zu wollen, sondern diesen Unterschied nur als subjektiv notwendig, für die Beschaffenheit unseres Erkenntnisvermögens, und gültig für die reflektierende, nicht für die objektiv bestimmende Urteilskraft, annehmen können. Wenn es aber auf das Praktische ankommt, so ist ein solches regulatives Prinzip (für die Klugheit oder Weisheit): dem, was nach Beschaffenheit unserer Erkenntnisvermögen von uns auf gewisse Weise allein als möglich gedacht werden kann, als Zwecke gemäß zu handeln, zugleich konstitutiv, d. i. praktisch bestimmend; *indes* eben[1] dasselbe, als Prinzip, die objektive Möglichkeit der Dinge zu beurteilen, keinesweges theoretisch-bestimmend (daß nämlich auch dem Objekte die einzige Art | der Möglichkeit zukomme, die unserm Vermögen zu denken zukommt), sondern ein bloß | regulatives Prinzip für die reflektierende Urteilskraft ist.

Anmerkung

Dieser moralische Beweis ist nicht etwa ein neu erfundener, sondern allenfalls nur ein neuerörterter Beweisgrund; denn er hat vor der frühesten Aufkeimung des menschlichen Vernunftvermögens schon in demselben gelegen, und wird mit der fortgehenden Kultur desselben nur immer mehr entwickelt. Sobald die Menschen über Recht und Unrecht zu reflektieren anfingen, in einer Zeit, wo sie über die Zweckmäßigkeit der Natur noch gleichgültig wegsahen, sie nützten, ohne sich dabei etwas anderes als den gewohnten Lauf der Natur zu denken, mußte sich das Urteil unvermeidlich

[1] A: »*indessen daß* eben«.

einfinden: daß es im Ausgange nimmermehr einerlei sein könne, ob ein Mensch sich redlich oder falsch, billig oder gewalttätig verhalten habe, wenn er gleich bis an sein Lebensende, wenigstens sichtbarlich, für seine Tugenden kein Glück, oder für seine Verbrechen keine Strafe angetroffen habe. Es ist: als ob sie in sich eine Stimme wahrnähmen, es müsse anders zugehen; mithin mußte auch die, obgleich dunkle, Vorstellung von etwas, dem sie nachzustreben sich verbunden fühlten, verborgen liegen, womit ein solcher Ausschlag sich gar nicht zusammenreimen lasse, oder womit, wenn sie den Weltlauf einmal als die einzige Ordnung der Dinge ansahen, sie wiederum jene innere Zweckbestimmung ihres Gemüts nicht zu vereinigen wußten. Nun mochten sie die Art, wie eine solche Unregelmäßigkeit (welche dem menschlichen Gemüte weit empörender sein muß, als der blinde Zufall, den man etwa der Naturbeurteilung zum Prinzip unterlegen | wollte) ausgeglichen werden könne, sich auf mancherlei noch so grobe *Weise*[1] vorstellen: so konnten sie sich doch niemals ein anderes Prinzip der Mög|lichkeit der Vereinigung der Natur mit ihrem inneren Sittengesetze erdenken, als eine nach moralischen Gesetzen die Welt beherrschende oberste Ursache: weil ein als Pflicht aufgegebener Endzweck in ihnen, und eine Natur ohne allen Endzweck, außer ihnen, in welcher gleichwohl jener Zweck wirklich werden soll, im Widerspruche stehen. Über die *innere*[2] Beschaffenheit jener Weltursache konnten sie nun manchen Unsinn ausbrüten; jenes moralische Verhältnis in der Weltregierung blieb immer dasselbe, welches für die unangebauteste Vernunft, sofern sie sich als praktisch betrachtet, allgemein faßlich ist, mit *welcher* hingegen[3] die spekulative bei weitem nicht gleichen Schritt halten kann. – Auch wurde, aller Wahrscheinlichkeit nach, durch dieses moralische Interesse allererst die Aufmerksamkeit auf die Schönheit und Zwecke in der Natur rege gemacht, die alsdenn jene Idee zu bestärken vortrefflich diente, sie aber doch nicht *begründen*[4], noch weniger jenes entbehren konnte, weil selbst die Nachfor-

[1] A: »grobe *Art*«. – [2] Zusatz von B u. C. – [3] A: »mit *der* hingegen«. – [4] A: »*gründen*«.

|B 439 |A 434

schung der Zwecke der Natur nur in Beziehung auf den Endzweck dasjenige unmittelbare Interesse bekommt, welches sich in der Bewunderung derselben, ohne Rücksicht auf irgend daraus zu ziehenden Vorteil, in so großem Maße zeigt.

§ 89. VON DEM NUTZEN DES MORALISCHEN ARGUMENTS

Die Einschränkung der Vernunft, in Ansehung aller unserer Ideen vom Übersinnlichen, auf die Bedin|gungen ihres praktischen Gebrauchs, hat, was die Idee von Gott betrifft, den unverkennbaren Nutzen: daß sie verhütet, daß Theologie sich nicht in Theosophie (in vernunftverwirrende überschwengliche Begriffe) versteige, oder zur Dämonologie (einer anthropo|morphistischen Vorstellungsart des höchsten Wesens) herabsinke; daß Religion nicht in Theurgie (ein schwärmerischer Wahn, von anderen übersinnlichen Wesen Gefühl und auf sie wiederum Einfluß haben zu können), oder in Idololatrie (ein abergläubischer Wahn, dem höchsten Wesen sich durch andere Mittel, als durch eine moralische Gesinnung, wohlgefällig machen zu können) gerate.*

Denn, wenn man der Eitelkeit oder Vermessenheit des Vernünftelns in Ansehung dessen, was über die Sinnenwelt hinausliegt, auch nur das mindeste theoretisch (und Erkenntnis-erweiternd) zu bestimmen einräumt; wenn man mit Einsichten vom Dasein und *von*[1] | der Beschaffenheit der göttlichen Natur, von seinem Verstande und Willen, den Gesetzen beider und den daraus auf die Welt abfließenden Eigenschaften groß zu tun verstattet: so möchte ich wohl wissen, wo und an welcher Stelle man die Anmaßungen der

* Abgötterei in praktischem Verstande ist noch immer diejenige Religion, welche sich das höchste Wesen mit Eigenschaften denkt, nach denen noch etwa anders, als Moralität, die für sich taugliche Bedingung sein könne, seinem Willen in dem, was der Mensch zu tun vermag, gemäß zu sein. Denn so rein und frei von sinnlichen Bildern man auch in theoretischer Rücksicht jenen Begriff gefaßt haben mag, so ist er *im praktischen* alsdann[2] dennoch als ein *Idol*[3], d. i. der Beschaffenheit seines Willens nach anthropomorphistisch, vorgestellt.

[1] Zusatz von B u. C. – [2] C: »er *in praktischer* alsdann«. – [3] A: »ein *Ideal*«.

Vernunft be|grenzen wolle; denn, wo jene Einsichten hergenommen sind, eben daher können ja noch mehrere (wenn man nur, wie man meint, sein Nachdenken anstrengte) erwartet werden. Die Begrenzung solcher Ansprüche müßte doch nach einem gewissen Prinzip geschehen, nicht etwa bloß aus dem Grunde, weil wir finden, daß alle Versuche mit denselben bisher fehlgeschlagen sind; denn das beweiset nichts wider die Möglichkeit eines besseren Ausschlags. Hier aber ist kein[1] Prinzip möglich, als entweder anzunehmen: daß in Ansehung des Übersinnlichen schlechterdings gar nichts theoretisch (als lediglich nur negativ) bestimmt werden könne, oder daß unsere Vernunft eine noch unbenutzte Fundgrube, zu wer weiß wie großen, für uns und unsere Nachkommen aufbewahrten erweiternden Kenntnissen, in sich enthalte. – Was aber Religion betrifft, d. i. die Moral in Beziehung auf Gott als Gesetzgeber: so muß, wenn die theoretische Erkenntnis desselben vorhergehen müßte, die Moral sich nach der Theologie richten, und, nicht allein, statt einer inneren notwendigen Gesetzgebung der Vernunft, eine äußere willkürliche eines obersten Wesens eingeführt, sondern[2] auch in dieser alles, was | unsere Einsicht in die Natur desselben Mangelhaftes hat, sich auf[3] die sittliche *Vorsicht*[4] erstrecken, und so die Religion unmoralisch machen und verkehren.

In Ansehung der Hoffnung eines künftigen Lebens, wenn wir, statt des Endzwecks, den wir, der | Vorschrift des moralischen Gesetzes gemäß, selbst zu vollführen haben, zum Leitfaden des Vernunfturteils *für* unsere[5] Bestimmung (welches also nur in praktischer Beziehung als notwendig, oder annehmungswürdig, betrachtet wird) unser theoretisches Erkenntnisvermögen befragen, gibt die Seelenlehre in dieser Absicht, so wie oben die Theologie, nichts mehr als einen negativen Begriff von unserm denkenden Wesen: daß nämlich keines[6] seiner Handlungen und Erscheinungen des innern Sinnes materialistisch erklärt werden könne; daß also von ihrer abgesonderten Natur, und der Dauer oder Nicht-

[1] C: »Hier ist aber kein«. – [2] Akad.-Ausg.: »eingeführt werden, sondern«. – [3] A: »sich *auch* auf«. – [4] A u. C: »*Vorschrift*«. – [5] A: »*über* unsere«. – [6] Akad.-Ausg.: »keine«.

dauer ihrer Persönlichkeit nach dem Tode, uns schlechterdings kein erweiterndes bestimmendes Urteil aus spekulativen Gründen durch unser gesamtes theoretisches Erkenntnisvermögen möglich sei. Da also alles hier der teleologischen Beurteilung unseres Daseins in praktischer notwendiger Rücksicht und der Annehmung unserer Fortdauer, als der zu dem uns von der Vernunft schlechterdings aufgegebenen Endzweck erforderlichen Bedingung, überlassen bleibt, so zeigt sich hier zugleich der Nutzen (der zwar beim ersten Anblick Verlust zu sein scheint): daß, so wie die Theologie für | uns nie Theosophie werden kann, die rationale Psychologie niemals Pneumatologie als erweiternde *Wissenschaft*[1] werden könne, so wie sie andrerseits auch gesichert ist, in keinen Materialism zu verfallen; sondern daß sie vielmehr bloß Anthropolo|gie des innern Sinnes, d. i. Kenntnis unseres denkenden Selbst im Leben sei, und als theoretisches Erkenntnis auch bloß empirisch bleibe; dagegen die rationale Psychologie, was die Frage über unsere ewige Existenz betrifft, gar keine theoretische Wissenschaft ist, sondern auf einem einzigen Schlusse der moralischen Teleologie beruht, wie denn auch ihr ganzer Gebrauch, bloß der letztern als unserer praktischen Bestimmung wegen, notwendig ist.

§ 90. VON DER ART DES FÜRWAHRHALTENS IN EINEM MORALISCHEN BEWEISE[2] DES DASEINS GOTTES

Zuerst wird zu jedem Beweise, er mag (wie bei dem *Beweise*[3] durch Beobachtung des Gegenstandes oder Experiment) durch unmittelbare empirische Darstellung dessen, was bewiesen werden soll, oder durch Vernunft a priori aus Prinzipien geführt werden, erfordert: daß er nicht überrede, sondern überzeuge, oder wenigstens auf Überzeugung wirke; d. i. daß der Beweis|grund, oder der Schluß, nicht bloß ein subjektiver[4] (ästhetischer) Bestimmungsgrund des Beifalls (bloßer Schein), sondern objektivgültig und ein logischer Grund der Erkenntnis sei: denn sonst wird

[1] A: »*Wissenschaften*«. – [2] Akad.-Ausg.: »teleologischen Beweise«. – [3] Zusatz von B u. C. – [4] A: »nicht ein bloß subjektiver«.

der Verstand berückt, aber nicht überführt. Von jener Art eines Scheinbeweises ist derjenige, welcher vielleicht in guter Absicht, aber doch mit vorsätzli|cher Verhehlung seiner Schwäche, in der natürlichen Theologie geführt wird: wenn man die große Menge der Beweistümer eines Ursprungs der Naturdinge nach dem Prinzip der Zwecke herbeizieht, und sich den bloß subjektiven Grund der menschlichen Vernunft zu Nutze macht, nämlich den ihr eigenen Hang, wo es nur ohne Widerspruch geschehen kann, statt vieler Prinzipien ein einziges, und, wo in diesem Prinzip nur einige oder auch viele Erfordernisse zur Bestimmung eines Begriffs angetroffen werden, die übrigen hinzuzudenken, um den Begriff des Dinges durch willkürliche Ergänzung zu vollenden. Denn freilich, wenn wir so viele Produkte in der Natur antreffen, die für uns Anzeigen einer verständigen Ursache sind: warum sollen wir, statt vieler solcher Ursachen, nicht lieber eine einzige, und zwar an dieser nicht etwa bloß großen Verstand, Macht u.s.w., sondern nicht vielmehr Allweisheit, Allmacht, mit einem Worte sie als eine solche, die den für alle mögliche Dinge zureichenden Grund solcher Eigenschaften enthalte, denken? und über das diesem einigen alles vermögenden Urwesen nicht | bloß für die Naturgesetze und Produkte Verstand, sondern auch, als *einer*[1] moralischen Weltursache, höchste sittliche praktische Vernunft beilegen; da durch diese Vollendung des Begriffs ein für Natureinsicht so wohl als moralische Weisheit zusammen hinreichendes Prinzip angegeben wird, und kein nur einigermaßen gegründeter Einwurf wider die Möglichkeit einer solchen Idee gemacht werden | kann? Werden hiebei nun zugleich die moralischen Triebfedern des Gemüts in Bewegung gesetzt, und ein lebhaftes Interesse der letzteren mit rednerischer Stärke (deren sie auch wohl würdig sind) hinzugefügt: so entspringt daraus eine Überredung von der objektiven Zulänglichkeit des Beweises, und ein (in den meisten Fällen seines Gebrauchs) auch heilsamer Schein, der aller Prüfung der logischen Schärfe desselben sich ganz überhebt, und sogar dawider, als ob ihr ein frevelhafter Zweifel

[1] Zusatz von B u. C.

zum Grunde läge, Abscheu und Widerwillen trägt. – Nun ist hierwider wohl nichts zu sagen, so fern man auf populäre Brauchbarkeit eigentlich Rücksicht nimmt. Allein, da doch die Zerfällung desselben in die zwei ungleichartigen Stücke, die dieses Argument enthält, nämlich in das, was zur physischen, und das, was zur moralischen Teleologie gehört, nicht abgehalten werden kann und darf, indem die Zusammenschmelzung beider es unkenntlich macht, wo der eigentliche Nerve des Beweises liege, und an welchem Teile und wie er *müßte*[1] bearbeitet wer|den, um für die Gültigkeit desselben vor der schärfsten Prüfung Stand halten zu können (selbst wenn man an einem Teile die Schwäche unserer Vernunfteinsicht einzugestehen genötigt sein sollte): so ist es für den Philosophen Pflicht (gesetzt daß er auch die Anforderung der Aufrichtigkeit an ihn für nichts rechnete), den obgleich noch so heilsamen Schein, welchen eine solche Vermengung hervorbringen kann, aufzudecken, und, was bloß | zur Überredung gehört, von dem, was auf Überzeugung führt (die beide nicht bloß dem Grade, sondern selbst der Art nach, unterschiedene Bestimmungen des Beifalls sind), abzusondern, um die Gemütsfassung in diesem Beweise in ihrer ganzen Lauterkeit offen darzustellen, und diesen der strengsten Prüfung freimütig unterwerfen zu können.

Ein Beweis aber, der auf Überzeugung angelegt ist, kann wiederum zwiefacher Art sein, entweder ein solcher, der, was der Gegenstand an sich sei, oder was er für uns (Menschen überhaupt), nach den uns notwendigen Vernunftprinzipien seiner Beurteilung, sei (ein Beweis **κατ' ἀλήθειαν** oder **κατ' ἄνθρωπον**, das letztere Wort in allgemeiner Bedeutung für Menschen überhaupt genommen), ausmachen soll. Im ersteren Falle ist er auf hinreichende Prinzipien für die bestimmende, im zweiten bloß für die reflektierende Urteilskraft gegründet. Im letztern Falle kann er, auf bloß theoretischen Prinzipien beruhend, niemals auf Überzeugung | wirken; legt er aber ein praktisches Vernunftprinzip zum Grunde (welches mithin allgemein und notwendig gilt), so darf er wohl auf eine, in reiner praktischer Absicht hin-

[1] A: »er *mußte*«.

reichende, d. i. moralische, Überzeugung Anspruch machen. Ein Beweis aber wirkt auf Überzeugung, ohne noch zu überzeugen, wenn er *bloß*[1] auf dem Wege *dahin* geführt[2] wird, d. i. nur objektive Gründe dazu in sich enthält, die, ob sie gleich noch nicht zur Gewißheit hinreichend, dennoch | von der Art sind, daß sie nicht bloß als subjektive Gründe des *Urteils*[3] zur Überredung dienen.

Alle theoretische Beweisgründe reichen nun entweder zu: 1) zum Beweise durch logisch-strenge Vernunftschlüsse; oder, wo dieses nicht ist, 2) zum Schlusse nach der Analogie; oder, findet auch dieses etwa nicht Statt, doch noch 3) zur wahrscheinlichen Meinung; oder endlich, was das mindeste ist, 4) zur[4] Annehmung eines bloß möglichen Erklärungsgrundes, als Hypothese. – Nun sage ich: daß alle Beweisgründe überhaupt, die auf theoretische Überzeugung wirken, kein Fürwahrhalten dieser Art, von dem höchsten bis zum niedrigsten Grade desselben, bewirken können, wenn der Satz *von der* Existenz[5] eines Urwesens, als eines Gottes, in der dem ganzen Inhalte dieses Begriffs angemessenen Bedeutung, nämlich als eines moralischen Welturhebers, mithin so, daß durch ihn | zugleich der Endzweck der Schöpfung angegeben wird, bewiesen werden soll.

1) Was den logisch-gerechten, vom Allgemeinen zum Besonderen fortgehenden, Beweis betrifft, so ist in der Kritik hinreichend dargetan worden: daß, da dem Begriffe von einem Wesen, welches über die Natur hinaus zu suchen ist, keine uns mögliche Anschauung korrespondiert, dessen Begriff also selbst, sofern er durch synthetische Prädikate theoretisch bestimmt werden soll, für uns jederzeit problematisch bleibt, schlechterdings kein Erkenntnis desselben (wo|durch der Umfang unseres theoretischen Wissens im mindesten erweitert würde) Statt finde, und unter die allgemeinen Prinzipien der Natur der Dinge der besondere Begriff eines übersinnlichen Wesens gar nicht subsumiert werden könne, um von jenen auf dieses zu schließen; weil jene Prinzipien lediglich für die Natur, als Gegenstand der Sinne, gelten.

[1] Zusatz von B u. C. – [2] A: »Wege *dazu* geführt«. – [3] A: »des *Urteilens*«. – [4] A: »endlich 4) was ... ist, zur«. – [5] A: »Satz, *die* Existenz«.

2) Man kann sich zwar von zwei ungleichartigen Dingen, eben in dem Punkte ihrer Ungleichartigkeit, eines derselben doch nach einer Analogie* mit dem|| andern denken; aber aus dem, worin sie ungleichartig sind, nicht von einem nach der Analogie auf das andere |schließen, d. i. dieses

* Analogie (in qualitativer Bedeutung) ist die Identität des Verhältnisses zwischen Gründen und Folgen (Ursachen und Wirkungen), sofern sie, ungeachtet der spezifischen Verschiedenheit der Dinge, oder derjenigen Eigenschaften an sich, welche den Grund von ähnlichen Folgen enthalten (d. i. außer diesem Verhältnisse betrachtet), Statt findet[1]. | So denken wir uns zu den Kunsthandlungen der Tiere, in Vergleichung mit denen des Menschen, den Grund dieser Wirkungen in den ersteren, den wir nicht kennen, mit dem Grunde ähnlicher Wirkungen des Menschen (der Vernunft), den wir kennen, als *Anlagen*[2] der Vernunft; und wollen damit zugleich anzeigen: daß der Grund des tierischen Kunstvermögens, unter der Benennung eines Instinkts, von der Vernunft in der Tat spezifisch unterschieden, doch auf die Wirkung (der Bau der Biber mit dem der Menschen verglichen) ein ähnliches Verhältnis habe. – Deswegen aber kann ich daraus, weil der Mensch zu seinem Bauen Vernunft braucht, nicht schließen, daß der Biber auch dergleichen haben müsse, und es einen Schluß nach der Analogie nennen. Aber aus der ähnlichen Wirkungsart der Tiere (wovon wir den Grund nicht unmittelbar wahr|nehmen können), mit der des Menschen (dessen wir uns unmittelbar bewußt sind) verglichen, können wir ganz richtig nach der Analogie schließen, daß die Tiere auch nach Vorstellungen handeln (nicht, wie Cartesius will, Maschinen sind), und, ungeachtet ihrer spezifischen Verschiedenheit, doch der Gattung nach (als lebende Wesen) mit dem Menschen einerlei sind. Das Prinzip der Befugnis, so zu schließen, liegt in der Einerleiheit des Grundes, die Tiere in Ansehung gedachter Bestimmung mit dem Menschen, als Menschen, so weit wir sie äußerlich nach ihren Handlungen mit einander vergleichen, zu einerlei Gattung zu zählen. Es ist par ratio. Eben so kann ich die Kausalität der obersten Weltursache, in der Vergleichung der zweckmäßigen Produkte derselben in der Welt mit den Kunstwerken des Menschen, nach der Analogie eines Verstandes denken, aber nicht auf diese Eigenschaften in demselben nach der Analo|gie schließen; weil hier das Prinzip der Möglichkeit einer solchen Schlußart gerade mangelt, nämlich die paritas rationis, das höchste Wesen mit dem Menschen (in Ansehung ihrer beiderseitigen Kausalität) zu einer und derselben Gattung zu zählen. Die Kausalität der Weltwesen, die immer sinnlich-bedingt (dergleichen die durch Verstand) ist, kann[3] nicht auf ein Wesen übertragen werden, welches mit jenen keinen Gattungsbegriff, als den eines Dinges überhaupt, gemein hat.

[1] A: »an sich (d. i. außer ... betrachtet), welche ... enthalten, statt findet«. – [2] A u. C: »als *Analogon*«. – [3] A: »bedingt, (dergleichen ist die durch Verstand) kann«.

Merkmal des spezifischen Unterschiedes auf das andere übertragen. So kann ich mir, nach der Analogie mit dem Gesetze der Gleichheit der Wirkung und Gegenwirkung, in der wechselseitigen Anziehung und Abstoßung der Körper unter einander, auch die Gemein|schaft der Glieder eines gemeinen Wesens nach Regeln des Rechts denken; aber jene spezifischen Bestimmungen (die materielle Anziehung oder Abstoßung) nicht auf diese übertragen, und sie den Bürgern beilegen, um ein System, welches Staat heißt, auszumachen. – Eben so dürfen wir wohl die Kausalität des Urwesens in Ansehung der Dinge der Welt, als Naturzwecke, nach der Analogie eines Verstandes, als Grundes der Formen gewisser Produkte, die wir Kunstwerke nennen, denken (denn dieses geschieht nur zum Behuf des theoretischen oder praktischen Gebrauchs unseres Erkenntnisvermögens, den wir von diesem Begriffe in Ansehung der Naturdinge in der Welt, nach einem gewissen Prinzip, zu machen haben); aber wir | können daraus, daß unter Weltwesen der Ursache einer Wirkung, die als künstlich beurteilt wird, Verstand beigelegt werden muß, keinesweges nach einer Analogie schließen, daß auch dem Wesen, *welches* von[1] der Natur gänzlich unterschieden ist, in Ansehung der Natur selbst eben dieselbe Kausalität, die wir am Menschen wahrnehmen, zukomme: weil dieses eben den Punkt der Ungleichartigkeit betrifft, der zwischen einer in Ansehung ihrer Wirkungen sinnlich-bedingten Ursache und dem übersinnlichen Urwesen selbst im Begriffe desselben gedacht wird, und also auf diesen nicht übergetragen werden kann. – Eben darin, daß ich mir die göttliche Kausalität nur nach der Analogie mit einem Verstande (welches Vermögen wir an keinem an|deren Wesen als dem sinnlich-bedingten Menschen kennen) denken soll, liegt das Verbot, ihm diesen *nicht* in[2] der eigentlichen Bedeutung beizulegen.*

* Man vermißt dadurch nicht das mindeste in der Vorstellung der Verhältnisse dieses Wesens zur Welt, so wohl was die theoretischen als praktischen Folgerungen aus diesem Begriffe betrifft. Was es an sich selbst sei, erforschen zu wollen, ist ein eben so zweckloser als vergeblicher Vorwitz.

[1] A: »Wesen, *was* von«. – [2] C: »diesen *Verstand* in«.

3) Meinen findet in Urteilen a priori gar nicht Statt; sondern man erkennt durch sie entweder etwas als ganz gewiß, oder gar nichts. Wenn aber auch die gegebenen Beweisgründe, von denen wir ausgehen (wie hier von den Zwecken in der Welt), empirisch sind, | so kann man mit diesen doch über die Sinnenwelt hinaus nichts meinen, und solchen gewagten Urteilen den mindesten Anspruch auf Wahrscheinlichkeit zugestehen. Denn Wahrscheinlichkeit ist ein Teil einer in einer gewissen Reihe der Gründe möglichen Gewißheit (die Gründe derselben werden darin mit dem Zureichenden, als Teile mit einem Ganzen, verglichen), zu welchen jener unzureichende Grund muß ergänzt werden können. Weil sie aber als Bestimmungsgründe der Gewißheit eines und desselben Urteils gleichartig sein müssen, indem sie sonst nicht zusammen eine Größe (dergleichen die Gewißheit ist) ausmachen würden: so kann nicht ein Teil derselben innerhalb den Grenzen möglicher Erfahrung, ein anderer außerhalb aller möglichen Erfahrung liegen. Mithin, da bloß-empirische Beweisgründe auf nichts Über|sinnliches führen, der Mangel in der Reihe derselben auch durch nichts ergänzt werden kann: so findet in dem Versuche, durch sie zum Übersinnlichen und einer Erkenntnis desselben zu gelangen, nicht die mindeste Annäherung, folglich in einem Urteile über das letztere, durch von der Erfahrung hergenommene Argumente, auch keine Wahrscheinlichkeit Statt.

4) Was als Hypothese zu Erklärung der Möglichkeit einer gegebenen Erscheinung dienen soll, davon muß wenigstens die Möglichkeit völlig gewiß sein. Es ist genug, daß ich bei einer Hypothese auf die Erkenntnis der Wirklichkeit (die in einer für wahrscheinlich aus|gegebenen Meinung noch behauptet wird) Verzicht tue: mehr kann ich nicht Preis geben; die Möglichkeit dessen, was ich einer Erklärung zum Grunde lege, muß wenigstens keinem Zweifel ausgesetzt sein, weil sonst der leeren Hirngespinste kein Ende sein würde. Die Möglichkeit aber eines nach gewissen Begriffen bestimmten übersinnlichen Wesens anzunehmen, da hiezu keine von den erforderlichen Bedingungen einer Erkenntnis, nach dem was in ihr auf Anschauung beruht, gegeben ist, und

also der bloße Satz des Widerspruchs (der nichts als die Möglichkeit des Denkens und nicht des gedachten Gegenstandes selbst beweisen kann) als Kriterium dieser Möglichkeit übrig bleibt, würde eine völlig grundlose Voraussetzung sein.

| Das Resultat hievon ist: daß für das Dasein des Urwesens, als einer Gottheit, oder der Seele, als eines unsterblichen Geistes, schlechterdings kein Beweis in theoretischer Absicht, um auch nur den mindesten Grad des Fürwahrhaltens zu wirken, für die menschliche Vernunft möglich sei; und dieses aus dem ganz begreiflichen Grunde: weil zur Bestimmung der Ideen des Übersinnlichen für uns gar kein Stoff da ist, indem wir diesen letzteren von Dingen in der Sinnenwelt hernehmen müßten, ein solcher aber jenem Objekte schlechterdings nicht angemessen ist, *aber*, ohne[1] alle Bestimmung derselben, nichts mehr, als der Begriff von einem nichtsinnlichen Etwas übrig bleibt, welches den letzten Grund | der Sinnenwelt enthalte, der noch kein Erkenntnis (als Erweiterung des Begriffs) von seiner inneren Beschaffenheit ausmacht.

§ 91. VON DER ART DES FÜRWAHRHALTENS DURCH EINEN PRAKTISCHEN GLAUBEN

Wenn wir bloß auf die Art sehen, wie etwas für uns (nach der subjektiven Beschaffenheit unserer Vorstellungskräfte) Objekt der Erkenntnis (res cognoscibilis) sein kann: so werden alsdann die Begriffe nicht mit den Objekten, sondern bloß mit *unsern*[2] Erkenntnisvermögen und dem Gebrauche, den diese von der gegebenen Vorstellung (in theoretischer oder praktischer Absicht) machen | können, zusammengehalten; und die Frage, ob etwas ein erkennbares Wesen sei oder nicht, ist keine Frage, die die Möglichkeit der Dinge selbst, sondern unserer Erkenntnis derselben angeht.

Erkennbare Dinge sind nun von dreifacher Art: Sachen der Meinung (opinabile), Tatsachen (scibile), und Glaubenssachen (mere credibile).

1) Gegenstände der bloßen Vernunftideen, die für das theoretische Erkenntnis gar nicht in irgend einer möglichen

[1] C: »ist, *also*, ohne«. – [2] A: »*unserm*«.

|B 454 |A 448, 449

Erfahrung dargestellt werden können, sind sofern auch gar nicht erkennbare Dinge, mithin kann man in Ansehung ihrer nicht einmal meinen; wie | denn a priori zu meinen schon an sich ungereimt und der gerade Weg zu lauter *Hirngespenstern*[1] ist. Entweder unser Satz a priori ist also gewiß, oder er enthält gar nichts zum Fürwahrhalten. Also sind Meinungssachen jederzeit Objekte einer wenigstens an sich möglichen Erfahrungserkenntnis (Gegenstände der Sinnenwelt), die aber, nach dem bloßen Grade dieses Vermögens, den wir besitzen, für uns unmöglich ist. So ist der Äther der neuern Physiker, eine elastische alle andere Materien durchdringende (mit ihnen innigst vermischte) Flüssigkeit, eine bloße Meinungssache, immer doch noch von der Art, daß, wenn die äußern Sinne im höchsten Grade geschärft wären, er wahrgenommen werden könnte; der aber nie in irgend einer Beobachtung, oder Experimente, darge|stellt werden kann. Vernünftige Bewohner anderer Planeten anzunehmen, ist eine Sache der Meinung; denn, wenn wir diesen näher kommen könnten, welches an sich möglich ist, würden wir, ob sie sind, oder nicht sind, durch Erfahrung ausmachen; aber wir werden ihnen niemals so nahe kommen, und so bleibt es beim Meinen. Allein meinen: daß es reine, ohne Körper denkende, Geister im materiellen Univers gebe (wenn man nämlich gewisse dafür ausgegebene *wirkliche*[2] Erscheinungen, wie billig, von der Hand weiset), heißt dichten, und ist gar keine Sache der Meinung, sondern eine bloße Idee, welche übrig bleibt, wenn man von einem denkenden Wesen alles Materielle wegnimmt, und ihm doch | das Denken übrig läßt. Ob aber alsdann das letztere (welches wir nur am Menschen, d. i. in Verbindung mit einem Körper, kennen) übrig bleibe, können wir nicht ausmachen. Ein solches Ding ist ein vernünfteltes Wesen (ens rationis ratiocinantis), kein Vernunftwesen (ens rationis ratiocinatae); von welchem letzteren es doch möglich ist, die objektive Realität seines Begriffs, wenigstens für den praktischen Gebrauch der Vernunft, hinreichend darzutun, weil dieser, der seine eigentümlichen und apodiktisch ge-

[1] A: »*Hirngespinstern*«. – [2] Zusatz von B u. C.

wissen Prinzipien a priori hat, ihn sogar erheischt (postuliert).

2) Gegenstände für Begriffe, deren objektive Realität (es sei durch reine Vernunft, oder durch Erfahrung, und, im ersteren Falle, aus theoretischen oder praktischen Datis derselben, in allen Fällen aber vermittelst|einer ihnen korrespondierenden Anschauung) bewiesen werden kann, sind (res facti) Tatsachen.* Dergleichen[1] sind die mathematischen Eigenschaften der Größen (in der Geometrie), weil sie einer Darstellung a priori für den theoretischen Vernunftgebrauch fähig sind. Fer|ner sind Dinge, oder Beschaffenheiten derselben, die durch Erfahrung (eigene oder fremde Erfahrung, vermittelst der Zeugnisse) dargetan werden können, gleichfalls Tatsachen. – Was aber sehr merkwürdig ist, so findet sich sogar eine Vernunftidee (die sich an keiner[2] Darstellung in der Anschauung, mithin auch keines theoretischen Beweises ihrer Möglichkeit, fähig ist) unter den Tatsachen; und das ist die Idee der Freiheit, deren Realität, als einer besondern Art von Kausalität (von welcher der Begriff in theoretischem Betracht überschwenglich sein würde), sich durch praktische Gesetze der reinen Vernunft, und, diesen gemäß, in wirklichen Handlungen, mithin in der Erfahrung, dartun läßt. – Die einzige unter allen Ideen der reinen Vernunft, deren |Gegenstand Tatsache ist, und unter die Scibilia mit gerechnet werden muß.

3) Gegenstände, die in Beziehung auf den pflichtmäßigen Gebrauch der reinen praktischen Vernunft (es sei als Folgen, oder als Gründe) a priori gedacht werden müssen, aber für den theoretischen Gebrauch derselben überschwenglich sind, sind bloße Glaubenssachen. Dergleichen ist das höchste durch Freiheit zu bewirkende Gut in der Welt; dessen

* Ich erweitere hier, wie mich dünkt mit Recht, den Begriff einer Tatsache über die gewöhnliche Bedeutung dieses Worts. Denn es ist nicht nötig, ja nicht einmal tunlich, diesen Ausdruck bloß auf die wirkliche Erfahrung einzuschränken, wenn von dem Verhältnisse der Dinge zu unseren Erkenntnisvermögen die Rede ist, da eine bloß mögliche Erfahrung schon hinreichend ist, um von ihnen, bloß als Gegenständen einer bestimmten Erkenntnisart, zu reden.

[1] A: »sind Tatsachen (res facti)* dergleichen«. – [2] A u. C: »(die an sich keiner«.

Begriff in keiner für uns möglichen Erfahrung, mithin für den theoretischen Vernunftgebrauch hinreichend, seiner objektiven Realität nach bewiesen werden kann, *dessen Gebrauch*[1] aber *zur bestmöglichen Bewirkung jenes Zwecks*[1] doch durch prakti|sche reine Vernunft geboten ist, und mithin als möglich angenommen werden muß. Diese gebotene Wirkung, zusamt den einzigen für uns denkbaren Bedingungen ihrer Möglichkeit, nämlich dem Dasein Gottes und der Seelen-Unsterblichkeit, *sind* Glaubenssachen[2] (res fidei), und zwar die einzigen unter allen Gegenständen, die so genannt werden können.* Denn, ob von uns | gleich, was wir nur von der Erfahrung anderer durch Zeugnis lernen können, geglaubt werden muß, so ist es darum doch noch nicht an sich Glaubenssache; denn bei jener Zeugen einem war es doch eigene Erfahrung und Tatsache, oder wird als solche vorausgesetzt. Zudem muß es möglich sein, durch diesen Weg (des historischen Glaubens) zum Wissen zu gelangen; und die Objekte der Geschichte *und Geographie*[1], wie alles überhaupt, was zu wissen nach der Beschaffenheit unserer Erkenntnisvermögen wenigstens möglich ist, gehören nicht zu Glaubenssachen, sondern zu Tatsachen. Nur Gegenstände der reinen Vernunft kön|nen allenfalls Glaubenssachen sein, aber nicht als Gegenstände der bloßen reinen spekulativen Vernunft; denn da können sie gar nicht einmal mit Sicherheit zu den Sachen, d. i. Objekten jenes für uns möglichen Erkenntnisses, gezählt werden. Es sind Ideen, d. i. Begriffe, denen man die objektive Realität theoretisch nicht sichern kann. Dagegen ist der von uns zu bewirkende höchste Endzweck, das wodurch wir allein würdig werden können, selbst Endzweck einer Schöpfung zu sein,

* Glaubenssachen sind aber darum nicht Glaubensartikel; wenn man unter den letzteren solche Glaubenssachen versteht, zu deren Bekenntnis (*innerem*[3] oder äußeren) man verpflichtet werden kann: dergleichen also die natürliche Theologie nicht enthält. Denn da sie, als Glaubenssachen *sich* (gleich[4] den Tatsachen) auf theoretische Beweise nicht gründen können: so ist es ein freies Fürwahrhalten, und auch nur als ein solches mit der Moralität des Subjekts vereinbar.

[1] Zusatz von B u. C. – [2] A: »Wirkung *ist*, zusamt ... Seelen-Unsterblichkeit, Glaubenssachen«. – [3] A: »*inneren*«. – [4] A: »Glaubenssachen *Fürwahrhalten* (gleich«.

eine Idee, die für uns in praktischer Beziehung objektive Realität hat, und Sache; aber darum, weil wir diesem Begriffe in theoretischer Absicht diese Realität nicht verschaffen können, bloße Glaubenssache der reinen Vernunft, mit ihm aber zugleich Gott und Unsterblichkeit, als die Bedingungen, unter denen allein wir, nach der Beschaffenheit unserer (der menschlichen) Vernunft, uns die | Möglichkeit jenes Effekts des gesetzmäßigen Gebrauchs unserer Freiheit denken können. Das Fürwahrhalten aber in Glaubenssachen ist ein Fürwahrhalten in reiner praktischer Absicht, d. i. ein moralischer Glaube, der nichts für das theoretische, sondern bloß für das praktische, auf Befolgung seiner Pflichten gerichtete, reine Vernunfterkenntnis, beweiset, und die Spekulation, *oder die praktischen Klugheitsregeln nach dem Prinzip der Selbstliebe,*[1] gar nicht erweitert. Wenn das oberste Prinzip aller Sittengesetze ein Postulat ist, so wird zugleich die Möglichkeit ihres höchsten Objekts, mithin | auch die Bedingung, unter der wir diese Möglichkeit denken können, dadurch *zugleich* mit[2] postuliert. Dadurch wird nun das Erkenntnis der letzteren weder Wissen noch Meinung von dem Dasein und der Beschaffenheit dieser Bedingungen, als theoretische Erkenntnisart, sondern bloß Annahme, in praktischer und dazu gebotener Beziehung für den moralischen Gebrauch unserer Vernunft.

Würden wir auch auf die Zwecke der Natur, die uns die physische Teleologie in so reichem Maße vorlegt, einen bestimmten Begriff von einer verständigen Weltursache scheinbar gründen können, so wäre das Dasein dieses Wesens doch nicht Glaubenssache. Denn da dieses nicht zum Behuf der Erfüllung meiner Pflicht, sondern nur zur Erklärung der Natur angenommen wird, so würde es bloß die unserer Vernunft angemessenste Meinung und Hypothese sein. Nun führt | jene Teleologie keinesweges auf einen bestimmten Begriff von Gott, der hingegen allein in dem von einem moralischen Welturheber angetroffen wird, weil dieser allein den Endzweck angibt, zu welchem wir uns nur sofern zählen können, als wir dem, was uns das moralische

[1] Zusatz von B u. C. – [2] C: »dadurch mit«.

Gesetz als Endzweck auferlegt, mithin uns verpflichtet, uns gemäß verhalten. Folglich bekommt der Begriff von Gott nur durch die Beziehung auf das Objekt unserer Pflicht, als Bedingung der Möglichkeit, den Endzweck derselben zu erreichen, den Vorzug, in unserm Fürwahrhalten als | Glaubenssache zu gelten; dagegen eben derselbe Begriff doch sein Objekt nicht als Tatsache geltend machen kann: weil, obzwar die Notwendigkeit der Pflicht für die praktische Vernunft wohl klar ist, doch die Erreichung des Endzwecks derselben, sofern er nicht ganz in unserer Gewalt ist, nur zum Behuf des praktischen Gebrauchs der Vernunft angenommen, also nicht so, wie die Pflicht selbst, praktisch notwendig ist.*

* Der Endzweck, den das moralische Gesetz zu befördern auferlegt, ist nicht der Grund der Pflicht; denn dieser liegt im moralischen Gesetze, welches, als formales praktisches Prinzip, kategorisch leitet, unangesehen der Objekte des Begehrungsvermögens (der Materie des Wollens), mithin irgend eines Zwecks. Diese formale Beschaffenheit meiner Handlungen (Unterordnung derselben unter das Prinzip der Allgemeingültigkeit), worin allein ihr innerer moralischer Wert besteht, ist gänzlich in unserer Gewalt; und ich kann von der Möglichkeit, oder Unausführbarkeit, der Zwecke, die mir jenem Gesetze gemäß zu befördern obliegen, gar wohl | abstrahieren (weil in ihnen nur der äußere Wert meiner Handlungen besteht), als etwas[1], *welches* nie[2] völlig in meiner Gewalt ist, um nur *auf das* zu[3] sehen, was meines Tuns ist. Allein die Absicht, den Endzweck aller vernünftigen Wesen (Glückseligkeit, so weit sie einstimmig mit der *Absicht*[4] möglich ist) zu befördern, ist doch, eben durch das Gesetz der Pflicht, auferlegt. Aber die spekulative Vernunft sieht die Ausführbarkeit derselben (weder von Seiten unseres eigenen physischen Vermögens, noch der Mitwirkung der Natur) gar nicht ein; vielmehr muß sie aus solchen Ursachen, so viel wir vernünftiger Weise urteilen können, einen solchen Erfolg unseres Wohlverhaltens von der bloßen Natur (in uns und außer uns), ohne Gott und | Unsterblichkeit anzunehmen, für eine ungegründete *und*[5] nichtige wenn gleich wohlgemeinte Erwartung halten, und, wenn sie von diesem Urteile völlige Gewißheit haben könnte, das moralische Gesetz selbst als bloße Täuschung unserer Vernunft in praktischer Rücksicht ansehen. Da aber die spekulative Vernunft sich völlig überzeugt, daß das letztere nie geschehen kann, dagegen aber jene Ideen, deren Gegenstand über die Natur hinaus liegt, ohne Widerspruch gedacht werden können: so wird sie für ihr eigenes praktisches Gesetz und die dadurch auferlegte Aufgabe, also in moralischer Rücksicht, jene Ideen als real anerkennen müssen, um nicht mit sich selbst in Widerspruch zu kommen.

[1] Akad.-Ausg.: »als von etwas«. – [2] A: »*was* nie«. – [3] A: »nur *darauf* zu«. – [4] A u. C: »*Pflicht*«. – [5] Zusatz von B u. C.

|B 461 Anm.: |B 462 |A 456

|| Glaube (als Habitus, nicht als Actus) ist die moralische Denkungsart der Vernunft im Fürwahrhalten desjenigen, was für das theoretische Erkenntnis unzugänglich ist. Er ist also der beharrliche Grundsatz des Gemüts, das, was zur Möglichkeit des höchsten moralischen Endzwecks als Bedingung vorauszusetzen notwendig ist, *wegen* der Verbindlichkeit zu demselben | als[1] wahr anzunehmen;* ob zwar die Möglichkeit dessel|ben, *aber* eben[2] so wohl auch die Unmöglichkeit, von uns nicht eingesehen werden kann. Der Glaube (schlechthin so genannt) ist ein Vertrauen zu der Erreichung einer Absicht, deren Beförderung Pflicht, die Möglichkeit der Ausführung derselben aber für uns nicht einzusehen ist (folglich auch nicht die der einzigen für uns denkbaren Bedingungen). Der Glaube also, der sich auf besondere Gegenstände, die nicht Gegenstände des möglichen Wissens oder Meinens sind, bezieht (in welchem letztern Falle er, vornehmlich im Historischen, Leichtgläu|bigkeit und nicht Glaube heißen müßte), ist ganz moralisch. Er ist ein freies Fürwahrhalten, nicht *dessen*[3], wozu dogmatische Beweise für die theoretisch bestimmende Urteilskraft anzutreffen sind, noch wozu wir uns verbunden halten, son-

* Er ist ein Vertrauen auf die Verheißung des moralischen Gesetzes; *aber nicht als eine solche, die in demselben enthalten ist, sondern die ich hineinlege, und zwar aus moralisch hinreichendem Grunde.*[3] Denn ein Endzweck kann durch kein Gesetz der Vernunft geboten sein, ohne daß diese zugleich die Erreichbarkeit desselben, wenn gleich ungewiß, verspreche, und hiemit auch das Fürwahrhalten der einzigen Bedingungen berechtige, unter denen unsere Vernunft sich diese allein denken kann. Das Wort fides drückt dieses auch schon aus; und es kann nur bedenklich scheinen, wie dieser Ausdruck und diese besondere Idee in die | moralische Philosophie hineinkomme, da sie allererst mit dem Christentum eingeführt worden, und die Annahme derselben vielleicht nur eine schmeichlerische Nachahmung *ihrer*[4] Sprache zu sein scheinen dürfte. Aber das ist nicht der einzige Fall, da diese wundersame Religion in der größten Einfalt ihres Vortrages die Philosophie mit weit bestimmteren und reineren Begriffen der Sittlichkeit bereichert hat, als diese bis dahin hatte liefern können, die aber, wenn sie einmal da sind, von der Vernunft frei gebilligt, und als solche angenommen werden, auf die sie wohl von selbst hätte kommen und sie einführen können und sollen.

[1] A: »ist, *um* der ... demselben *willen* | als«. – [2] C: »*jedoch* eben«. – [3] Zusatz von B u. C. – [4] C: »*seiner*«.

|B 462, 463 |A 456, 457, 458 Anm.: |B 463

dern dessen, was wir, zum Behuf einer Absicht nach Gesetzen der Freiheit, annehmen; aber doch nicht, wie etwa eine Meinung, ohne hinreichenden Grund, sondern als in der Vernunft (obwohl | nur in Ansehung ihres praktischen Gebrauchs), für die Absicht derselben hinreichend, gegründet: denn ohne ihn hat die moralische Denkungsart bei dem Verstoß gegen die Aufforderung der theoretischen Vernunft zum Beweise (der Möglichkeit des Objekts der Moralität) keine feste Beharrlichkeit, sondern schwankt zwischen praktischen Geboten und theoretischen Zweifeln. Ungläubisch sein heißt der Maxime nachhängen, Zeugnissen überhaupt nicht zu glauben; ungläubig aber ist der, welcher jenen Vernunftideen, weil es ihnen an theoretischer Begründung ihrer Realität fehlt, darum alle Gültigkeit abspricht. Er urteilt also dogmatisch. Ein dogmatischer Unglaube kann aber mit einer in der Denkungsart herrschenden sittlichen Maxime nicht zusammen bestehen (denn einem Zwecke, der für nichts als Hirngespinst erkannt wird, nachzugehen, kann die Vernunft nicht gebieten); wohl aber ein Zweifelglaube, dem der Mangel der Überzeugung durch Gründe der spekulativen Vernunft nur Hindernis ist, welchem eine kritische Ein|sicht in die Schranken der letztern den Einfluß auf das Verhalten benehmen und ihm ein überwiegendes praktisches Fürwahrhalten zum Ersatz hinstellen kann.

* * *

Wenn man an die Stelle gewisser verfehlten Versuche in der Philosophie ein anderes Prinzip aufführen und ihm Einfluß verschaffen will, so gereicht es zu gro|ßer Befriedigung, einzusehen, wie jene und warum sie fehlschlagen mußten.

Gott, Freiheit und Seelenunsterblichkeit sind diejenigen Aufgaben, zu deren Auflösung alle Zurüstungen der Metaphysik, als ihrem letzten und alleinigen Zwecke, abzielen. Nun glaubte man, daß die Lehre von der Freiheit nur als negative Bedingung für die praktische Philosophie nötig sei, die Lehre von Gott und der Seelenbeschaffenheit hingegen, zur theoretischen gehörig, für sich und abgeson-

|B 464, 465 |A 459

dert dargetan werden müsse, um beide nachher mit dem, was das moralische Gesetz (das nur unter der Bedingung der Freiheit möglich ist) gebietet, zu [1] verknüpfen und so eine Religion zu Stande zu bringen. Man kann aber bald einsehen, daß diese Versuche fehl schlagen mußten. Denn aus bloßen ontologischen Begriffen von Dingen überhaupt, oder der Existenz eines notwendigen Wesens läßt sich schlechterdings kein, durch Prädikate, die sich in der Erfahrung geben lassen und also zum Erkenntnisse dienen könnten, bestimmter, Begriff von einem Urwesen machen; der aber, | welcher auf Erfahrung von der physischen Zweckmäßigkeit der Natur gegründet wurde, konnte wiederum keinen für die Moral, mithin zur Erkenntnis eines Gottes, hinreichenden Beweis abgeben. Eben so wenig konnte auch die Seelenkenntnis durch Erfahrung (die wir nur in diesem Leben anstellen) einen Begriff von der geistigen, unsterblichen Natur derselben, mithin für die | Moral zureichend, verschaffen. Theologie und Pneumatologie, als Aufgaben zum Behuf der Wissenschaften einer spekulativen Vernunft, weil deren Begriff für alle unsere Erkenntnisvermögen überschwenglich ist, können durch keine empirische Data und Prädikate zu Stande kommen. – Die Bestimmung beider Begriffe, Gottes sowohl als der Seele (in Ansehung ihrer [2] Unsterblichkeit), kann nur durch Prädikate geschehen, die, ob sie gleich selbst nur aus einem übersinnlichen Grunde möglich sind, dennoch in der Erfahrung ihre Realität beweisen müssen: denn so allein können sie von ganz übersinnlichen Wesen ein Erkenntnis möglich machen. – Dergleichen ist nun der einzige in der menschlichen Vernunft anzutreffende Begriff der Freiheit des Menschen unter moralischen Gesetzen, zusamt dem Endzwecke, den jene durch diese vorschreibt, wovon die erstern dem Urheber der Natur, der zweite dem Menschen diejenigen Eigenschaften beizulegen tauglich sind, welche zu der Möglichkeit beider die notwendige Bedingung enthalten; so daß eben aus dieser Idee auf die Existenz und die Be|schaffenheit jener sonst gänzlich für uns verborgenen Wesen geschlossen werden kann.

[1] A: »gebietet, *damit* zu«. – [2] A: »Ansehung *dieser* ihrer«.

|B 466 |A 460, 461

Also liegt der Grund der auf dem bloß theoretischen Wege verfehlten Absicht, Gott und Unsterblichkeit zu beweisen, darin: daß von dem Übersinnlichen auf diesem Wege (der Naturbegriffe) gar kein Erkenntnis möglich ist. Daß[1] es dagegen auf dem moralischen (des | Freiheitsbegriffs) gelingt, hat diesen Grund: daß hier das Übersinnliche, *welches* dabei[2] zum Grunde liegt (die Freiheit), durch ein bestimmtes Gesetz der Kausalität, welches aus ihm entspringt, nicht allein Stoff zum Erkenntnis des andern Übersinnlichen (des moralischen Endzwecks und *der Bedingungen*[3] seiner Ausführbarkeit) verschafft, sondern auch als Tatsache seine Realität in Handlungen dartut, aber eben darum auch keinen andern, als nur in praktischer Absicht (welche auch die einzige ist, *deren* die[4] Religion bedarf) gültigen, Beweisgrund abgeben kann.

Es bleibt hiebei immer sehr merkwürdig: daß unter den drei reinen Vernunftideen, Gott, Freiheit und Unsterblichkeit, die der Freiheit der einzige Begriff des Übersinnlichen ist, welcher seine objektive Realität (vermittelst der Kausalität, die in ihm gedacht wird) an der Natur, durch ihre in derselben mögliche Wirkung, beweiset, und eben dadurch die Verknüpfung der beiden andern mit der Natur, aller dreien aber unter einander zu einer Religion möglich macht; und daß wir also in | uns ein Prinzip haben, welches die Idee des Übersinnlichen in uns, dadurch aber auch die *desselben* außer[5] uns, zu einer, ob gleich nur in praktischer Absicht möglichen, Erkenntnis zu bestimmen vermögend ist, woran die bloß spekulative Philosophie (die auch von der Freiheit einen bloß negativen Begriff geben konnte) verzweifeln mußte: mithin der Freiheitsbegriff (als Grundbe-| griff aller unbedingt-praktischen Gesetze) die Vernunft über diejenigen Grenzen erweitern kann, innerhalb deren jeder Naturbegriff (theoretischer) ohne Hoffnung eingeschränkt bleiben müßte.

* * *

[1] A: »ist, *und*, daß«. – [2] A: »*was* dabei«. – [3] A: »und *den Bedingen*«. – [4] A: »ist, *die* die«. – [5] A: »die *desjenigen* außer«.

|B 467, 468 |A 462

ALLGEMEINE ANMERKUNG ZUR TELEOLOGIE

Wenn die Frage ist: welchen Rang das moralische Argument, welches das Dasein Gottes nur als Glaubenssache für die *praktisch*[1] reine Vernunft beweiset, unter den übrigen in der Philosophie behaupte: so läßt sich *der ganze* Besitz dieser *letzteren* leicht[2] überschlagen, wo es sich dann ausweiset, daß hier nicht zu wählen sei, sondern ihr theoretisches Vermögen, vor einer unparteiischen Kritik, alle seine Ansprüche von selbst aufgeben müsse.

Auf Tatsache muß *sie* alles[3] Fürwahrhalten zuvörderst gründen, wenn es nicht völlig grundlos sein soll; und es kann also nur der einzige Unterschied im Beweisen Statt finden, ob auf diese Tatsache ein Fürwahrhalten der daraus gezogenen Folgerung, als Wissen, für das theoretische, oder, bloß als Glauben, für das praktische Erkenntnis könne gegründet werden. Alle Tatsachen gehören entweder zum Naturbegriff, der seine Realität an den vor allen Naturbegriffen gegebenen (oder zu geben möglichen) Gegenständen der Sinne beweiset; | oder zum Freiheitsbegriffe, der seine Realität durch die Kausalität der Vernunft, in Ansehung gewisser durch sie möglichen Wirkungen in der Sinnenwelt, die sie im moralischen Gesetze unwiderleglich postuliert, hinreichend dartut. Der Naturbegriff (bloß zur theoretischen Erkenntnis gehörige) ist nun entweder metaphysisch, und völlig a priori; oder physisch, d. i. a posteriori | und notwendig nur durch bestimmte Erfahrung denkbar. Der metaphysische Naturbegriff (der keine bestimmte Erfahrung voraussetzt) ist also ontologisch.

Der ontologische Beweis vom Dasein Gottes aus dem Begriffe eines Urwesens ist nun entweder der, welcher aus ontologischen Prädikaten, wodurch es allein durchgängig bestimmt gedacht werden kann, auf das absolut-notwendige Dasein, oder aus der absoluten Notwendigkeit des Daseins irgend eines Dinges, welches es auch sei, auf die Prädikate des Urwesens schließt: denn zum Begriffe eines Urwesens

[1] A: »*praktische*«. – [2] A: »sich dieser *ihr ganzer* Besitz leicht«. – [3] C: »muß *sich* alles«.

|B 469 |A 463

gehört, damit es nicht abgeleitet sei, die unbedingte Notwendigkeit seines Daseins, und (um diese sich vorzustellen) die durchgängige Bestimmung durch den Begriff[1] desselben. Beide Erfordernisse glaubte man nun im Begriffe der ontologischen Idee eines allerrealsten Wesens zu finden: und so entsprangen zwei metaphysische Beweise.

Der einen bloß metaphysischen Naturbegriff zum Grunde legende (eigentlich-ontologisch genannte) Beweis schloß aus dem Begriffe des allerrealsten Wesens auf seine schlechthin notwendige Existenz; denn (heißt es) wenn es nicht existierte, so würde ihm eine Realität, nämlich die Existenz, mangeln. – Der andere (den man auch den metaphysisch-kosmologischen Beweis nennt) schloß aus der Notwendigkeit der Existenz irgend eines Dinges (dergleichen, da *wir* im[2] Selbstbewußtsein ein Dasein gegeben ist, durchaus eingeräumt werden muß) auf die durchgängige Bestimmung desselben, als allerrealsten We|sens: weil alles Existierende durchgängig bestimmt, das schlechterdings Notwendige aber (nämlich was wir als ein solches, mithin a priori, erkennen sollen) durch seinen Begriff durchgängig bestimmt sein *müsse*[3]; welches sich aber nur im Begriffe eines allerrealsten Dinges antreffen *lasse*[4]. Es ist hier nicht nötig, die Sophi|sterei in beiden Schlüssen aufzudecken, welches schon anderwärts geschehen ist; sondern nur zu bemerken, daß solche Beweise, wenn sie sich auch durch allerlei dialektische Subtilität verfechten ließen, doch niemals über die Schule hinaus in das gemeine Wesen hinüberkommen, und auf den bloßen gesunden Verstand den mindesten Einfluß haben könnten.

Der Beweis, welcher einen Naturbegriff, der nur empirisch sein kann, dennoch aber über die Grenzen der Natur, als Inbegriffs der Gegenstände der Sinne, hinausführen soll, zum Grunde legt, kann kein anderer, als der von den Zwecken der Natur sein: deren Begriff sich zwar nicht a priori, sondern nur durch die Erfahrung geben läßt, aber doch einen solchen Begriff von dem Urgrunde der Natur

[1] A: »den *bloßen* Begriff«. – [2] A: »da *mir* im«; C: »da *uns* im«. – [3] A: »sein *muß*«. – [4] A: »antreffen *läßt*«.

verheißt, welcher unter allen, die wir denken können, allein sich zum Übersinnlichen schickt, nämlich *der* von[1] einem höchsten Verstande, als Weltursache; welches er auch in der Tat nach Prinzipien der reflektierenden Urteilskraft, d. i. nach der Beschaffenheit unseres (menschlichen) Erkenntnisvermögens, vollkommen ausrichtet. – Ob er nun aber aus denselben Datis diesen Begriff eines obersten, d. i. unabhängigen verständigen Wesens auch als eines Gottes, d. i. Urhebers einer Welt unter moralischen Gesetzen, mithin hinreichend bestimmt für die Idee von einem Endzwecke des Daseins der Welt, zu liefern im Stande sei, das ist eine Frage, worauf alles ankommt; wir mögen *nun* einen[2] theoretisch hinlänglichen Begriff von | dem Urwesen zum Behuf der gesamten *Naturkenntnis*[3], oder einen praktischen für die Religion verlangen.

Dieses aus der physischen Teleologie genommene Argument ist verehrungswert. Es tut gleiche Wirkung zur Überzeugung auf den gemeinen Verstand, als auf den sub|tilsten Denker; und ein Reimarus in seinem noch nicht übertroffenen Werke, worin er diesen Beweisgrund mit der ihm eigenen Gründlichkeit und Klarheit weitläuftig ausführt, hat sich dadurch ein unsterbliches Verdienst erworben. – Allein, wodurch gewinnt dieser Beweis so gewaltigen Einfluß auf das Gemüt, vornehmlich in der Beurteilung durch kalte Vernunft (denn die Rührung und Erhebung desselben durch die Wunder der Natur könnte man zur Überredung rechnen), auf eine ruhige, sich gänzlich dahin gebende Beistimmung? Es sind nicht die physischen Zwecke, die alle auf einen unergründlichen Verstand in der Weltursache hindeuten; denn diese sind dazu unzureichend, weil sie das Bedürfnis der fragenden Vernunft nicht befriedigen. Denn wozu sind (fragt diese) alle jene künstliche Naturdinge; wozu der Mensch selbst, bei dem wir, als dem letzten für uns denkbaren Zwecke der Natur stehen bleiben müssen; wozu ist diese gesamte Natur da, und was ist der Endzweck so großer und mannigfaltiger Kunst? Zum Genießen, oder zum

[1] C: »nämlich *den* von«. – [2] A: »mögen *uns* einen«. – [3] A: »*Naturerkenntnis*«.

|B 471 |A 465

Anschauen, Betrachten und Bewundern (welches, wenn es dabei bleibt, auch nichts weiter als Genuß von besonderer Art ist), als dem letzten Endzweck, warum die Welt und der Mensch selbst da ist, geschaffen zu sein, kann die Vernunft nicht befriedigen: denn diese setzt einen persönlichen Wert, den der Mensch sich allein geben kann, als Bedingung, unter *welcher* allein[1] er und sein Dasein Endzweck sein kann, voraus. In Ermangelung *desselben* (der allein eines bestimmten Begriffs fähig ist) tun die Zwecke der Natur seiner Nachfrage nicht Genüge, | vornehmlich[2], weil sie keinen bestimmten Begriff von dem höchsten Wesen als einem allgenugsamen (und eben darum einigen, eigentlich so zu nennenden höchsten) Wesen und den Gesetzen, nach denen *ein*[3] Verstand Ursache der Welt ist, an die Hand geben können.

| Daß also der physisch-teleologische Beweis, gleich als ob er zugleich ein theologischer wäre, überzeugt, rührt nicht von der Bemühung[4] der Ideen von Zwecken der Natur, als so viel empirischen Beweisgründen eines höchsten Verstandes her; sondern es mischt sich unvermerkt der jedem Menschen beiwohnende und *ihn*[5] so innigst bewegende moralische Beweisgrund in den Schluß mit ein, nach welchem man dem Wesen, welches sich so unbegreiflich künstlich *in den* Zwecken[6] der Natur offenbart, auch einen Endzweck, mithin Weisheit (obzwar ohne dazu durch die Wahrnehmung der ersteren berechtigt zu sein), beilegt, und also jenes Argument, in Ansehung des Mangelhaften, welches ihm noch anhängt, willkürlich ergänzt. In der Tat *bringt also* nur der moralische Beweisgrund die Überzeugung, und auch diese nur in moralischer Rücksicht, wozu jedermann seine Beistimmung innigst fühlt, *hervor*; der physisch-teleologische aber hat nur das Verdienst, das[7] Gemüt in der Weltbetrachtung auf den Weg der Zwecke, dadurch aber auf einen verständigen Welturheber zu leiten: da denn die moralische Beziehung auf Zwecke und die Idee eines

[1] A: »unter *der* allein«. – [2] A: »voraus; in Ermangelung *dessen* (der ... ist) die Zwecke ... Genüge tun, | vornehmlich«. – [3] A: »*sein*«. – [4] Akad.-Ausg.: »Benützung«. – [5] Zusatz von B u. C. – [6] A: »künstlich *im* Zwecken«. – [7] A: »ergänzt, *so daß* in der Tat nur ... fühlt, *hervorbringt*, der ... aber nur das Verdienst hat, das«.

eben solchen Gesetzgebers und Welturhebers, als *theoretischer* Begriff[1], ob er zwar reine Zugabe ist, sich dennoch aus jenem Beweisgrunde von selbst zu entwickeln scheint.

Hiebei kann man es in dem gewöhnlichen Vortrage fernerhin auch bewenden lassen. Denn dem gemeinen und gesunden Verstande wird es gemeiniglich schwer, die verschiedenen Prinzipien, die er vermischt, und aus deren einem er wirklich allein und richtig folgert, wenn die Absonderung viel | Nachdenken bedarf, als ungleichartig von einander zu scheiden. Der moralische Beweisgrund vom Dasein Gottes ergänzt aber eigentlich auch nicht *etwa*[2] bloß den physisch-teleologischen zu einem vollständigen Beweise; sondern *er*[2] ist | ein besonderer Beweis, der den Mangel der Überzeugung aus dem letzteren ersetzt: indem dieser in der Tat nichts leisten kann, als die Vernunft in der Beurteilung des Grundes der Natur und der zufälligen, aber bewunderungswürdigen, Ordnung derselben, welche uns nur durch Erfahrung bekannt wird, auf die Kausalität einer Ursache, die nach Zwecken den Grund derselben enthält (die wir nach der Beschaffenheit unserer Erkenntnisvermögen als verständige Ursache denken müssen), zu lenken und aufmerksam, so aber des moralischen Beweises empfänglicher, zu machen. Denn das, was zu dem letztern Begriffe[3] erforderlich ist, ist von allem, was Naturbegriffe enthalten und lehren können, so wesentlich unterschieden, daß es eines besondern von den vorigen ganz unabhängigen Beweisgrundes und Beweises bedarf, um den Begriff vom Urwesen für eine Theologie hinreichend anzugeben, und auf seine Existenz zu schließen. – Der moralische Beweis (der aber freilich nur das Dasein Gottes in praktischer, doch auch unnachlaßlicher, Rücksicht der Vernunft beweiset) würde daher noch immer in seiner Kraft bleiben, wenn wir in der Welt gar keinen, oder nur zweideutigen Stoff zur physischen Teleologie anträfen. Es läßt sich denken, daß sich vernünftige Wesen von[4] einer solchen Natur, welche keine deutliche Spur von Organisation, sondern nur Wirkungen von einem

[1] A u. C: »als *theologischer* Begriff«. – [2] Zusatz von B u. C. – [3] Akad.-Ausg. erwägt: »Beweise«. – [4] C: »daß vernünftige Wesen sich von«.

bloßen Mechanism der rohen Materie zeigte, umgeben sähen, um derentwillen, und bei der Veränderlichkeit einiger bloß zufällig zweckmäßigen Formen und Verhältnisse, kein Grund zu sein schiene, auf einen verständigen Urheber zu schließen; wo alsdann auch zu einer physischen Teleologie keine Veranlas|sung sein würde: und dennoch würde die Vernunft, die durch Naturbegriffe hier keine Anleitung bekommt, im Freiheitsbegriffe und *in*[1] den sich darauf gründenden sittlichen Ideen einen praktisch-|hinreichenden Grund finden, den Begriff des Urwesens diesen angemessen, d.i. als einer Gottheit, und die Natur (selbst unser eigenes Dasein) als einen *jener* und[2] ihren Gesetzen gemäßen Endzweck zu postulieren, und zwar in Rücksicht auf das unnachlaßliche Gebot der praktischen Vernunft. – Daß nun aber in der wirklichen Welt für die vernünftigen Wesen in ihr reichlicher Stoff zur physischen Teleologie ist (welches eben nicht notwendig wäre), dient dem moralischen Argument zu erwünschter Bestätigung, soweit Natur etwas den Vernunftideen (den moralischen) Analoges aufzustellen vermag. Denn der Begriff einer obersten Ursache, die Verstand hat, (*welches* aber[3] für eine Theologie lange nicht hinreichend ist) bekommt dadurch die, für die reflektierende Urteilskraft hinreichende, Realität; aber er ist nicht erforderlich, um den moralischen Beweis darauf zu gründen: noch dient dieser, um jenen, der für sich allein gar nicht auf Moralität hinweiset, durch fortgesetzten Schluß nach einem einzigen Prinzip, zu einem Beweise zu ergänzen. Zwei so ungleichartige Prinzipien, als Natur und Freiheit, können nur zwei verschiedene Beweisarten abgeben, da denn der Versuch, denselben aus der ersteren zu führen, für das was bewiesen werden soll, unzulänglich befunden wird.

Wenn der physisch-teleologische Beweisgrund zu dem gesuchten Beweise zureichte, so wäre es für die spekulative Vernunft sehr befriedigend; denn er würde Hoffnung geben, eine Theosophie hervorzubringen (so würde man nämlich die theoretische Erkenntnis der göttlichen Natur und seiner Existenz, welche zur Erklärung der Weltbeschaffenheit und zugleich der Bestimmung der sittlichen Gesetze zureichte,

[1] Zusatz von B u. C. – [2] A: »einen *jenen* und«. – [3] A: »*welcher* aber«.

|B 474 |A 468

nennen | müssen). Eben so, wenn Psychologie zureichte, um dadurch zur Erkenntnis der Unsterblichkeit der Seele zu gelan|gen, so würde sie eine Pneumatologie, welche der spekulativen Vernunft eben so willkommen wäre, möglich machen. Beide aber, so lieb es auch dem Dünkel der Wißbegierde sein mag, erfüllen nicht den Wunsch der Vernunft in Absicht auf die Theorie, die auf Kenntnis der Natur der Dinge gegründet sein *müßte*[1]. Ob aber nicht die erstere, als Theologie, die zweite, als Anthropologie, beide auf das sittliche, d. i. das Freiheitsprinzip gegründet, mithin dem praktischen Gebrauche der Vernunft angemessen, ihre objektive Endabsicht besser erfüllen, ist eine andere Frage, die wir hier nicht nötig haben weiter zu verfolgen.

Der physisch-teleologische Beweisgrund reicht aber darum nicht zur Theologie zu, weil er keinen für diese Absicht hinreichend bestimmten Begriff von dem Urwesen gibt, noch geben kann, sondern man diesen gänzlich anderwärts hernehmen, oder seinen Mangel dadurch, als durch einen willkürlichen Zusatz, ersetzen muß. Ihr schließt aus der großen Zweckmäßigkeit der Naturformen und ihrer Verhältnisse auf eine verständige Weltursache; aber auf welchen Grad dieses Verstandes? Ohne Zweifel könnt ihr euch nicht anmaßen, auf den höchst-möglichen Verstand; denn dazu würde erfordert werden, daß ihr einsähet, ein größerer Verstand, als *wovon*[2] ihr Beweistümer in der Welt wahrnehmet, sei nicht denkbar: welches euch selber Allwissenheit beilegen hieße. Eben so schließt ihr aus der Größe der Welt auf eine sehr große Macht des Urhebers; aber ihr werdet euch bescheiden, daß dieses nur komparativ für eure Fassungskraft Bedeutung hat, und, da ihr nicht alles Mögliche erkennt, um es mit der Weltgröße, so weit ihr sie kennt, zu vergleichen, ihr nach einem so kleinen Maßstabe keine Allmacht des Urhebers fol|gern könnet, u.s.w. Nun gelangt ihr dadurch zu keinem bestimmten, für eine Theologie tauglichen, | Begriffe eines Urwesens; denn dieser kann nur in dem der Allheit der mit einem Verstande vereinbarten Vollkommenheiten gefunden werden, wozu *auch* bloß[3] empiri-

[1] A: »*mußte*«. – [2] A: »*davon*«. – [3] A u. C: »wozu *euch* bloß«.

|B 475, 476 |A 469, 470

sche Data gar nicht verhelfen können: ohne einen solchen bestimmten Begriff aber könnt ihr auch nicht auf ein einiges verständiges Urwesen schließen, sondern (es sei zu welchem Behuf) ein solches nur annehmen. – Nun kann man es zwar ganz wohl einräumen, daß ihr (da die Vernunft nichts Gegründetes dawider zu sagen hat) willkürlich hinzusetzt: wo so viel Vollkommenheit angetroffen wird, möge man wohl alle Vollkommenheit in einer einzigen Weltursache vereinigt annehmen; weil die Vernunft mit einem so bestimmten Prinzip, theoretisch und praktisch, besser zurecht kommt. Aber ihr könnt denn doch diesen Begriff des Urwesens nicht als von euch bewiesen *anpreisen*[1], da ihr ihn nur zum Behuf eines bessern Vernunftgebrauchs angenommen habt. Alles Jammern also oder ohnmächtiges Zürnen über den *vorgeblichen*[2] Frevel, die Bündigkeit *eurer* Schlußkette[3] in Zweifel zu ziehen, ist eitle Großtuerei, die gern haben möchte, daß man den Zweifel, *welchen man* gegen euer Argument frei *heraussagt*, für[4] Bezweifelung heiliger Wahrheit halten möchte, um nur hinter dieser Decke die Seichtigkeit desselben durchschlüpfen zu lassen.

Die moralische Teleologie hingegen, welche nicht minder fest gegründet ist, wie die physische, vielmehr dadurch, daß sie a priori auf von unserer Vernunft untrennbaren Prinzipien beruht, Vorzug verdient, führt auf das, was zur Möglichkeit einer Theologie erfordert wird, nämlich auf einen bestimmten Begriff der obersten Ursache, als Weltursache nach moralischen Gesetzen, mithin einer solchen, die unserm moralischen Endzwecke Genüge tut: wozu nichts weniger als | Allwissenheit, Allmacht, Allgegenwart u.s.w. als | dazu gehörige Natureigenschaften erforderlich sind, die mit dem moralischen Endzwecke, der unendlich ist, als verbunden, *mithin* ihm[5] adäquat gedacht werden müssen, und kann so den Begriff eines einzigen Welturhebers, der zu einer Theologie tauglich ist, ganz allein verschaffen.

Auf solche Weise führt eine Theologie auch unmittelbar

[1] A: »*auspreisen*«. – [2] A: »*vergeblichen*«. – [3] A: »Bündigkeit *einer* Schlußkette«. – [4] A: »Zweifel, *den man* ... für«; C: »Zweifel, *welcher* gegen ... frei *herausgesagt wird*, für«. – [5] A: »verbunden *mit* ihm«.

|B 477 |A 471

zur Religion, d. i. der Erkenntnis unserer Pflichten, als göttlicher Gebote; weil die Erkenntnis unserer Pflicht, und des darin uns durch Vernunft auferlegten Endzwecks, den Begriff von Gott zuerst bestimmt hervorbringen konnte, der also schon in seinem Ursprunge von der Verbindlichkeit gegen dieses Wesen unzertrennlich ist: anstatt daß, wenn der Begriff vom Urwesen auf dem bloß theoretischen Wege (nämlich desselben als bloßer Ursache der Natur) auch bestimmt gefunden werden könnte, es nachher noch mit großer Schwierigkeit, vielleicht gar Unmöglichkeit, es ohne willkürliche Einschiebung zu leisten, verbunden sein würde, diesem Wesen eine Kausalität nach moralischen Gesetzen durch gründliche Beweise beizulegen; ohne die doch jener angeblich theologische Begriff keine Grundlage zur Religion ausmachen kann. Selbst wenn eine Religion auf diesem theoretischen Wege gegründet werden könnte, würde sie in Ansehung der Gesinnung (*worin*[1] doch ihr Wesentliches besteht) wirklich von derjenigen unterschieden sein, *in welcher* der[2] Begriff von Gott und die (praktische) Überzeugung von seinem Dasein aus Grundideen der Sittlichkeit entspringt. Denn wenn wir Allgewalt, Allwissenheit u.s.w. eines Welturhebers, als anderwärts her uns gegebene Begriffe voraussetzen müßten, um nachher unsere Begriffe von Pflichten auf unser Verhältnis zu ihm nur anzuwenden, so müßten diese sehr stark den Anstrich von Zwang und abgenötigter Unterwerfung bei sich führen; | statt dessen, wenn die Hochachtung für das sittliche Gesetz | uns ganz frei, laut Vorschrift unserer eigenen Vernunft, den Endzweck unserer Bestimmung vorstellt, wir eine damit und zu dessen Ausführung zusammenstimmende Ursache mit der wahrhaftesten Ehrfurcht, die gänzlich von pathologischer Furcht unterschieden ist, in unsere moralischen Aussichten mit aufnehmen und uns derselben willig unterwerfen.*

* Die Bewunderung der *Schönheit*[3] sowohl, als die Rührung durch die so mannigfaltigen Zwecke der Natur, *welche* ein[4] nachdenkendes Gemüt, noch vor einer klaren Vorstellung eines vernünftigen Urhebers der Welt, zu fühlen im Stande ist, haben etwas einem religiösen Ge-

[1] A: »*darin*«. – [2] A: »sein, *darin* der«. – [3] A: »*Schönheiten*«. – [4] A: »*die* ein«.

Wenn man fragt: warum uns denn etwas daran gelegen sei, überhaupt eine Theologie zu haben: so leuchtet klar ein, daß sie nicht zur Erweiterung oder Berichtigung unserer *Naturkenntnis*[1] und überhaupt irgend einer Theorie, sondern lediglich zur Religion, d.i. dem praktischen, namentlich dem moralischen Gebrauche der Vernunft in subjektiver Absicht nötig sei. Findet sich nun: daß das einzige Argument, welches zu einem bestimmten Begriffe des Gegenstandes der Theologie führt, selbst moralisch ist: so wird es nicht allein *nicht*[2] befremden, sondern man wird auch in Ansehung der Zulänglichkeit des Fürwahrhaltens aus diesem Beweisgrunde zur Endabsicht derselben[3] nichts vermissen, wenn gestanden wird, daß ein solches Argument das Dasein Gottes nur für unsere moralische Bestimmung, d.i. in praktischer | Absicht hinreichend dartue, und die Spekulation in demselben | ihre Stärke keinesweges beweise, oder den Umfang ihres Gebiets dadurch erweitere. Auch wird die Befremdung, oder der vorgebliche Widerspruch einer hier behaupteten Möglichkeit einer Theologie, mit dem was die Kritik der spekulativen Vernunft von den Kategorien sagte: daß diese nämlich nur in Anwendung auf Gegenstände der Sinne, keinesweges aber auf das Übersinnliche angewandt, Erkenntnis hervorbringen können, verschwinden, wenn man sie hier zu einem Erkenntnis Gottes, aber nicht in theoretischer (nach dem was seine uns unerforschliche Natur an sich sei), sondern lediglich in praktischer Absicht gebraucht sieht. – Um bei dieser Gelegenheit der Mißdeutung jener sehr notwendigen, aber auch, zum Verdruß des blinden Dogmatikers, die Vernunft in[4] ihre Grenzen zurückweisenden, Lehre der Kritik ein Ende zu machen, füge ich hier *nachstehende* Erläuterung[5] derselben bei.

fühl Ähnliches an sich. Sie scheinen daher zuerst durch eine der moralischen analoge Beurteilungsart derselben auf das moralische Gefühl (der Dankbarkeit und der Verehrung gegen die uns unbekannte Ursache) und also durch Erregung moralischer Ideen auf das Gemüt zu wirken, wenn sie diejenige Bewunderung einflößen, die mit weit mehrerem Interesse verbunden ist, als bloße theoretische Betrachtung wirken kann.

[1] A: »*Naturerkenntnis*«. – [2] Zusatz von B u. C. – [3] Akad.-Ausg.: »desselben«. – [4] A: »aber zum ... Vernunft, auch in«. – [5] A: »hier *beigehende* Erläuterung«.

|B 479 |A 473

Wenn ich einem Körper bewegende Kraft beilege, mithin ihn durch die Kategorie der Kausalität denke: so erkenne ich ihn dadurch zugleich, d. i. ich bestimme den Begriff desselben, als Objekts überhaupt, durch das, was ihm, als Gegenstande der Sinne, für sich (als Bedingung der Möglichkeit jener Relation) zukommt. Denn, ist die bewegende Kraft, die ich *ihm* beilege[1], eine abstoßende: so kommt ihm (wenn ich gleich noch nicht einen andern, gegen den er sie ausübt, neben ihm setze) ein Ort im Raume, ferner eine Ausdehnung, d. i. Raum in ihm selbst, überdem Erfüllung desselben durch die abstoßenden Kräfte seiner Teile zu, endlich auch das Gesetz dieser Erfüllung (daß der Grund der Abstoßung der letzteren in derselben Proportion abnehmen müsse, als die Ausdehnung des Körpers wächst, und der Raum, den er mit denselben Teilen durch diese Kraft erfüllt, zunimmt). – Dagegen, wenn ich mir ein übersinnliches Wesen als den ersten Beweger, mithin durch die Ka|tegorie der Kausalität in Ansehung derselben Weltbestimmung (der Bewegung der Ma|terie), denke: so muß ich es nicht in irgend einem Orte im Raume, eben so wenig als ausgedehnt, ja ich darf es nicht einmal als in der Zeit und mit andern zugleich existierend denken. Also habe ich gar keine Bestimmungen, welche mir die Bedingung der Möglichkeit der Bewegung durch dieses Wesen als Grund verständlich machen könnten. Folglich erkenne ich dasselbe durch das Prädikat der Ursache (als *ersteren* Beweger[2]) für sich nicht im mindesten: sondern ich habe nur die Vorstellung von einem Etwas, *welches* den[3] Grund der Bewegungen in der Welt enthält; und die Relation derselben[4] zu diesen, als deren Ursache, da sie mir sonst nichts zur Beschaffenheit des Dinges, welches Ursache ist, Gehöriges an die Hand gibt, läßt den Begriff von dieser ganz leer. Der Grund davon ist: weil ich mit Prädikaten, die nur in der Sinnenwelt ihr Objekt finden, zwar zu dem Dasein von etwas, was den Grund der letzteren enthalten muß, aber nicht zu der Bestimmung seines Begriffs als übersinnlichen Wesens, welcher alle jene

[1] A: »ich *ihnen* beilege«. – [2] A: »*ersten* Beweger«. – [3] A: »*was* den«. – [4] Akad.-Ausg.: »desselben«.

Prädikate ausstößt, fortschreiten kann. Durch die Kategorie der Kausalität also, wenn ich sie durch den Begriff eines ersten Bewegers bestimme, erkenne ich, was Gott sei, nicht im mindesten; vielleicht aber wird es besser gelingen, wenn ich aus der Weltordnung Anlaß nehme, seine Kausalität, als die eines obersten Verstandes nicht bloß zu denken, sondern ihn auch durch diese Bestimmung des genannten Begriffs zu erkennen: weil da die lästige Bedingung des Raumes und der Ausdehnung wegfällt. – Allerdings nötigt uns die große *Zweckmäßigkeit*[1] in der Welt, eine oberste Ursache zu derselben und deren Kausalität als durch einen Verstand zu denken; aber dadurch sind wir gar nicht befugt, ihr diesen beizulegen (wie z.B. die Ewigkeit Gottes als Dasein zu aller Zeit zu denken, weil wir | sonst gar *uns*[2] keinen Begriff vom bloßen Dasein als einer Größe, d. i. | als Dauer, machen können; oder die göttliche Allgegenwart als Dasein in allen Orten zu denken, um die unmittelbare Gegenwart für Dinge außer einander uns faßlich zu machen, ohne gleichwohl eine dieser Bestimmungen Gott, als etwas an ihm Erkanntes, beilegen zu dürfen). Wenn ich die Kausalität des Menschen in Ansehung gewisser Produkte, welche *nur* durch[3] absichtliche Zweckmäßigkeit erklärlich sind, dadurch bestimme, daß ich sie als einen Verstand desselben denke: so brauche ich nicht dabei stehen zu bleiben, sondern kann ihm dieses Prädikat als wohlbekannte Eigenschaft desselben beilegen und ihn dadurch erkennen. Denn ich weiß, daß Anschauungen den Sinnen des Menschen gegeben, und durch den Verstand unter einen Begriff und hiemit unter eine Regel gebracht werden; daß dieser Begriff nur das gemeinsame Merkmal (mit Weglassung des Besondern) enthalte, und also diskursiv sei; daß die Regeln, um gegebene Vorstellungen unter ein Bewußtsein überhaupt zu bringen, von ihm noch vor jenen Anschauungen gegeben werden, u.s.w.: *ich* lege[4] also diese Eigenschaft dem Menschen bei, als eine solche, wodurch ich ihn erkenne. Will ich nun aber ein übersinnliches Wesen (Gott) als Intelligenz

[1] A: »*Zweckverbindung*«. – [2] Zusatz von B. – [3] A: »welche *mir* durch«. – [4] A: »u.s.w. *und* lege«.

denken, so ist dieses in gewisser Rücksicht meines Vernunftgebrauchs nicht allein erlaubt, sondern auch unvermeidlich; aber ihm Verstand beizulegen, und es dadurch als *durch eine* Eigenschaft[1] desselben erkennen zu können sich schmeicheln, ist keinesweges erlaubt: weil ich alsdann alle jene Bedingungen, unter denen ich allein einen Verstand kenne, weglassen muß, mithin das Prädikat, das nur zur Bestimmung des Menschen dient, auf ein übersinnliches Objekt gar nicht bezogen werden kann, und also durch eine so bestimmte Kausalität, was Gott sei, gar nicht erkannt werden kann. Und so geht es mit allen Kategorien, die gar keine Bedeutung zum Erkenntnis in theoretischer Rücksicht | ha|ben können, wenn sie nicht auf Gegenstände möglicher Erfahrung angewandt werden. – Aber nach der Analogie mit einem Verstande kann ich, ja muß ich, mir wohl in gewisser anderer Rücksicht selbst ein übersinnliches Wesen denken, ohne es gleichwohl dadurch theoretisch erkennen zu wollen; wenn nämlich diese Bestimmung seiner Kausalität eine Wirkung in der Welt betrifft, die eine moralisch-notwendige, aber für Sinnenwesen unausführbare Absicht enthält: da alsdann ein Erkenntnis Gottes und seines Daseins (Theologie) durch bloß nach der Analogie an ihm gedachte Eigenschaften und Bestimmungen seiner Kausalität möglich ist, welches in praktischer Beziehung, aber auch nur in Rücksicht auf diese (als moralische), alle erforderliche Realität hat. – Es ist also wohl eine Ethikotheologie möglich; denn die Moral kann zwar mit ihrer Regel, aber nicht mit der Endabsicht, welche eben dieselbe auferlegt, ohne Theologie bestehen, ohne die Vernunft in Ansehung der letzteren im Bloßen zu lassen. Aber eine theologische Ethik (der reinen Vernunft) ist unmöglich; weil Gesetze, die nicht die Vernunft ursprünglich selbst gibt, und deren Befolgung sie als reines praktisches Vermögen auch bewirkt, nicht moralisch sein können. Eben so würde eine theologische Physik ein Unding sein, weil sie keine Naturgesetze sondern Anordnungen eines höchsten Willens vortragen würde; *wogegen*[2] eine physische (eigentlich physisch-teleolo-

[1] A: »als *einer* Eigenschaft«. – [2] A: »*dagegen*«.

gische) Theologie doch wenigstens als Propädeutik zur eigentlichen Theologie dienen kann: indem sie durch die Betrachtung der Naturzwecke, von denen sie reichen Stoff darbietet, zur Idee eines Endzweckes, den die Natur nicht aufstellen kann, Anlaß gibt; mithin das Bedürfnis einer Theologie, die den Begriff von Gott für den höchsten praktischen Gebrauch der Vernunft zureichend bestimmte, zwar fühlbar machen, aber sie nicht hervorbringen und auf ihre Beweistümer zulänglich gründen kann.

AUS DEM NACHWORT DES HERAUSGEBERS ZUR THEORIE-WERKAUSGABE

[...]

Dagegen war es möglich, für die *»Erste Fassung der Einleitung in die Kritik der Urteilskraft«* auf das in der Rostokker Kanthandschrift enthaltene Manuskript – die saubere Arbeit eines Kopisten mit zahlreichen Verbesserungen und Zusätzen von Kants Hand – zurückzugreifen. Der vorliegende Druck tritt somit an die Stelle des von Jacob Sigismund Beck angefertigten Auszugs, der sich in den älteren Ausgaben unter den verschiedensten Titeln findet, und bringt den vollständigen Text in der von Kant als definitiv angesehenen Fassung. Die vielen Korrekturen und Ergänzungen wurden stillschweigend berücksichtigt und nur in einigen Fällen, in denen es für das Verständnis des endgültigen Textes notwendig ist, eigens als solche gekennzeichnet. In den Anmerkungen wurden ferner die wichtigsten Textverbesserungen der Akademie-Ausgabe vermerkt. Dabei handelt es sich in jedem Fall um Textverbesserungen späterer Herausgeber, nicht um den originalen Text der Handschrift: dies auch da, wo die Akademie-Ausgabe solche Verbesserungen, ohne es eigens zu vermerken, in den Text aufgenommen hat.

Für den Text der *»Kritik der Urteilskraft«* wurden die drei zu Lebzeiten Kants erschienenen Auflagen (1790, 1793 und 1799; zitiert als A, B und C) verglichen. Da sich kein Hinweis dafür findet, daß Kant selbst an der dritten Auflage noch beteiligt gewesen ist, wurde die zweite Auflage dem Druck zugrunde gelegt. Doch wurden sämtliche Abweichungen der ersten Auflage und des ersten Drucks der dritten Auflage angemerkt. Da die Seitenzahlen der dritten Auflage mit denen der zweiten bis auf gelegentliche, geringfügige Abweichungen im Zeilenbestand übereinstimmen, wurden unter dem Text lediglich die Seitenzahlen der ersten und zweiten Auflage angegeben. Das von Kant selber aufgestellte Druckfehlerverzeichnis der ersten Auflage wurde in der Regel stillschweigend berücksichtigt und nur da, wo dies für die Textlage der einzelnen Auflagen von Belang ist, eigens angemerkt.

Die Anmerkungen Kants sind mit Sternchen bzw. Kreuzen, die des Herausgebers mit Ziffern bezeichnet. Unter dem Text sind die Seitenzahlen der jeweils herangezogenen Auflagen angegeben, und zwar so, daß die der Textgestaltung zugrundegelegte Auflage voransteht. Im Text selber sind die Seiten der Originalausgaben durch Striche gekennzeichnet, und zwar durch einen ausgezogenen für die erste, durch einen punktierten für die zweite Auflage. Soweit die Originalauflagen Inhaltsverzeichnisse enthalten, sind diese mit abgedruckt.

Wiederum schuldet der Herausgeber seinen Mitarbeitern – Dr. Käte Weischedel, cand. phil. Monika Bock und Dr. Norbert Hinske – besonderen Dank, und ebenso den Bibliotheken, die die Originale zur Verfügung stellten, insbesondere der Bibliothek der Freien Universität Berlin für ihre ständige bereitwillige Hilfe, sowie der Rostocker Universitätsbibliothek, die durch freundliche Vermittlung der Berliner Staatsbibliothek die Handschrift der Ersten Fassung der Einleitung in die Kritik der Urteilskraft zur Verfügung stellte.

Wilhelm Weischedel

INHALTSVERZEICHNIS

ERSTE FASSUNG DER EINLEITUNG IN DIE KRITIK DER URTEILSKRAFT

KRITIK DER URTEILSKRAFT

INHALTSVERZEICHNIS

[illegible]

[illegible] Theodor W. Adorno
[illegible]

Theodor W. Adorno
[illegible]
[illegible]
[illegible]

Die Utopie, das [illegible] bisher noch nicht [illegible] [illegible]

[illegible]

[illegible]

suhrkamp taschenbücher wissenschaft

stw 1 Jürgen Habermas
Erkenntnis und Interesse
Mit einem neuen Nachwort
420 Seiten
Einzig als Gesellschaftstheorie ist radikale Erkenntniskritik möglich, heißt die Grundthese von Habermas. Damit greift er nicht nur in die an Methodenfragen orientierte Positivismus-Diskussion ein, sondern auch in die auf Praxis gerichtete politische Diskussion.

stw 2 Theodor W. Adorno
Ästhetische Theorie
Mit einem Begriffsregister
Herausgegeben von Gretel Adorno und Rolf Tiedemann
568 Seiten
Die Ästhetische Theorie ist die letzte große Arbeit Adornos, die bei seinem Tode kurz vor ihrer Vollendung stand. Sie sollte neben der Negativen Dialektik und einem geplanten moralphilosophischen Werk das darstellen, was Adorno »in die Waagschale zu werfen« hatte.

stw 3 Ernst Bloch
Das Prinzip Hoffnung
3 Bände. 1655 Seiten
»Die Utopie, das philosophisch bisher noch nicht zureichend bedachte Zukünftige, ohne das es kein Gegenwärtiges geben kann, steht im Zentrum des riesigen Buches ... Wie verwandelt sich Träumen in Begehren, Begehren in Wünschen? Wie gelangt das Streben nach Glück, ohne dessen messianischen Vorschein kein Jammertag ertragbar wäre, zu der Entschlossenheit, eine gewaltige Veränderung zu wagen?«
Walter Jens in »Die Zeit«

stw 4 Walter Benjamin
Der Begriff der Kunstkritik in der deutschen Romantik
Herausgegeben von Hermann Schweppenhäuser
120 Seiten
Man muß den Begriff der Kunstkritik zusammen sehen mit Lukács' *Theorie des Romans* oder den kunstphilosophischen Teilen von Blochs *Geist der Utopie:* schon in dieser frühen

Arbeit Benjamins scheint die neue Ästhetik auf, das Bemühen, Ästhetik und Geschichtsphilosophie zu verknüpfen, wie er selber es dann in inzwischen geradezu klassisch gewordener Weise im *Ursprung des deutschen Trauerspiels* verwirklichte.

stw 5 Ludwig Wittgenstein
Philosophische Grammatik
Herausgegeben von Rush Rhees
491 Seiten
Die *Philosophische Grammatik* gibt Auskunft über Wittgensteins Weg von der Konzeption einer Idealsprache zur Theorie der Sprachspiele und zur mathematischen Grundlagenforschung der Spätzeit.

stw 6 Jean Piaget
Einführung in die genetische Erkenntnistheorie
Vier Vorlesungen
Aus dem Amerikanischen von Friedhelm Herborth
104 Seiten
»Die Forschungen über genetische Erkenntnistheorie versuchen, die Mechanismen zu analysieren, nach denen Erkenntnis – sofern sie zu wissenschaftlichem Denken gehört – sich entwickelt ...« Bärbel Inhelder

stw 7 J. Laplanche – J.-B. Pontalis
Das Vokabular der Psychoanalyse
Aus dem Französischen von Emma Moersch
2 Bände. 652 Seiten
Dieses Vokabular ist nicht nur ein Wörterbuch. Hier wird eine Theorie, die unser aller Denken verändert hat, von ihrer Sprache her erforscht. Damit ist dem Fachmann wie dem Laien ein Arbeitsinstrument zur Verfügung gestellt, das bisher fehlte.

stw 8 G. W. F. Hegel
Phänomenologie des Geistes
622 Seiten
Die Phänomenologie ist »ein Werk, das im philosophischen Schrifttum nicht seinesgleichen hat, vielsträhnig und zentral, dithyrambisch und streng geordnet zugleich. Nirgends kann genauer gesehen werden, was großer Gedanke im Aufgang ist, und nirgends ist sein Lauf bereits vollständiger«.

Ernst Bloch

stw 9 *Materialien zu Hegels ›Phänomenologie des Geistes‹*
Herausgegeben von Hans Friedrich Fulda
und Dieter Henrich
445 Seiten
Die hier zusammengestellten Aufsätze zu Hegels Phänomenologie wollen dem Leser die Irrwege, Umwege und Holzwege ersparen, auf die andere in ihrem Bemühen, sich dieses »dunkelste und tiefsinnigste« Werk Hegels (Ernst Bloch) zugänglich zu machen, geraten sind.

stw 10 *Einführung in den Strukturalismus*
Mit Beiträgen von Ducrot, Todorov, Sperber,
Safouan und Wahl
Aus dem Französischen von Eva Moldenhauer
480 Seiten
Die Essays zum Strukturalismus gehen nicht von einer Apriori-Definition einer so zu nennenden strukturalen Methode aus, was nach Ansicht der Autoren nicht möglich ist. Vielmehr überprüfen die Verfasser – alle Strukturalisten der zweiten Generation – an ihrem jeweiligen Forschungsgebiet, was ihr Strukturalismus überhaupt sei.

stw 11 Siegfried Kracauer
Geschichte – Vor den letzten Dingen
Aus dem Englischen von Karsten Witte
309 Seiten
»Kracauer prüft mit skeptischem Blick geschichtsphilosophische Mythen und historiographische Methoden in der Absicht, das Interesse der Menschen an der Geschichte zu erhellen. Die Schlußfolgerungen: Geschichte tritt als eine Folge irreduzibler, einmaliger Wesenheiten in Erscheinung, die der Historiker letztlich als ›stories‹, also in ihrer ›epischen Qualität‹ zu begreifen hat.« Viktor Zmegač

stw 12 Niklas Luhmann
Zweckbegriff und Systemrationalität
Über die Funktion von Zwecken in sozialen Systemen
390 Seiten
Mit seinem Entwurf einer Systemtheorie erneuert Luhmann den von der gegenwärtigen Soziologie vernachlässigten Versuch, Gesellschaft im ganzen zu begreifen. Er untersucht die Funktion der Zweckorientierung in sozialen Systemen und bestimmt sie als Reduktion von Komplexität, als Vereinfachung, die das System handlungsfähig macht.

stw 13 Gershom Scholem
Zur Kabbala und ihrer Symbolik
303 Seiten
Scholems Studien zur Kabbala, der jüdischen Mystik des Mittelalters, deren esoterische Lehren in verschiedenen Schulen verbreitet wurden, erläutern die wiederkehrenden Bilder und Symbole im kabbalistischen Judentum aus einem lebendigen Zusammenhang der mystischen Tradition. Sie sind ein faszinierender Beitrag zum Verständnis der Geschichte und Psychologie des jüdischen Volkes.

stw 14 Claude Lévi-Strauss
Das wilde Denken
334 Seiten
Aus dem Französischen von Hans Neumann
Thema dieses inzwischen berühmt gewordenen Werkes ist das Denken in seinem »wilden Zustand«, das in jedem Menschen, ob zeitgenössisch oder vorgeschichtlich, wirksam ist als ein Element der nichtkultivierten und nicht domestizierten Geistestätigkeit.

stw 15 Peter Szondi
Zur Theorie des bürgerlichen Trauerspiels im 18. Jahrhundert
Der Kaufmann, der Hausvater, der Hofmeister
Herausgegeben von Gerd Mattenklott
Mit einem Anhang von Wolfgang Fietkau
280 Seiten
Der gemeinsame Gegenstand der literaturwissenschaftlichen Arbeiten Peter Szondis war die Geschichte des bürgerlichen Subjekts in der Moderne, insofern als sie in Literatur und Literaturtheorie wesentlichen Ausdruck fand. Sein Interesse in den letzten Jahren galt den frühen Formen bürgerlichen Bewußtseins, die sich in der Dramatik und ihrer Theorie des 18. Jahrhunderts präsentierte.

stw 16 Erik H. Erikson
Identität und Lebenszyklus
Drei Aufsätze. Aus dem Amerikanischen von Käte Hügel
224 Seiten
»Erikson verfügt über die Fähigkeit, Tatsachen verschiedener Fachgebiete sowohl isoliert aufzuzeigen als auch zu seiner Idee von der Identitätssuche des Menschen, der biologischen, kulturellen und psychodynamischen Lebens-

zyklen unterworfen ist, zu synthetisieren. Die Arbeiten sind ein Stimulans für jeden, dessen Denken ... bereit ist, den Umweltraum wie den Inweltraum des Menschen gemäß der Anforderung eines präsumptiv ›Humanen‹ zu verändern.« *Helmut Junker, Das Argument*

stw 17 Rudolf Bilz
Wie frei ist der Mensch?
Paläoanthropologie Bd. 1
470 Seiten
Das besondere Interesse von Bilz gilt den »biologischen Archaismen des Menschen«, den »Wildheitsqualitäten« des homo sapiens, ohne daß doch, wie es in der heutigen Verhaltensforschung häufig geschieht, vorschnell vom Tier auf den Menschen geschlossen würde.

stw 18 Viktor von Weizsäcker
Der Gestaltkreis
Mit einem Vorwort von Rolf Denker
294 Seiten
Von Weizsäcker fordert eine ganzheitlich anthropologisch fundierte Medizin und wurde damit zum Mitbegründer der Psychosomatik. Sein Werk hat über die Medizin hinaus Anthropologie, Sozialwissenschaften und speziellere Handlungstheorien entscheidend beeinflußt.

stw 19 Noam Chomsky
Sprache und Geist
Aus dem Amerikanischen von Siegfried Kanngießer, Gerd Lingrün, Ulrike Schwarz und Anna Kamp
189 Seiten
»Die Theorien Noam Chomskys haben in der Linguistik während der letzten Jahre zu einem ›Paradigmenwechsel‹ (Th. Kuhn) geführt. Forschungsstrategisch sinnvolle Fragestellungen, die Bewertung neuer Methoden und Standards und die Einschätzung linguistisch relevanter Problemlösungen folgen dem theoretischen Rahmen, den Chomsky der Linguistik gegeben hat.« *Anton Leist, Das Argument*

stw 20 Jakob von Uexküll
Theoretische Biologie
Mit einem Vorwort von Rudolf Bilz
408 Seiten
Im Vordergrund der heutigen biologischen Forschungen stehen in erster Linie die Probleme der physiologischen

Chemie. Insofern mutet die *Theoretische Biologie* Jakob von Uexkülls eher wie ein Vorläufer der Wahrnehmungspsychologie oder der Ethologie an.

stw 21 Victor Erlich
Russischer Formalismus
Aus dem Englischen von Marlene Lohner
Mit einem Geleitwort von René Wellek
Etwa 410 Seiten
»Erlichs Buch ist die einzige umfassende Darstellung des russischen Formalismus in einer westlichen Sprache ... (es) ist eine vorzügliche, authentische Studie über eine Gruppe von Schriftstellern und ein zusammenhängendes Gedankengebäude, die jedem Literaturwissenschaftler bekannt sein sollte.« *René Wellek*

stw 22 *Seminar: Politische Ökonomie*
Zur Kritik der herrschenden Nationalökonomie
Herausgegeben von Winfried Vogt
334 Seiten
Dieser Band repräsentiert die Breite der Kritik an der herrschenden bürgerlichen Nationalökonomie. Die vertretenen Positionen reichen von der Keynesschen Theorie über eine pragmatische Richtung bis hin zur marxistischen Kritik. Von hier aus wird man sehen müssen, inwieweit eine übergreifende theoretische Konzeption möglich ist.

stw 23 Theodor W. Adorno
Philosophische Terminologie Bd. 1
Herausgegeben von Rudolf zur Lippe
240 Seiten
In der »Philosophischen Terminologie« schlägt Adorno den Weg ein, zentrale Begriffe der Philosophie historisch und thematisch zu untersuchen. Die Begriffsanalysen führen in das Denken Adornos, gleichzeitig aber auch in die Kritische Theorie ein.

stw 24 Hans Blumenberg
Der Prozeß der theoretischen Neugierde
Erweiterte und überarbeitete Neuausgabe
von »Die Legitimität der Neuzeit«, dritter Teil
320 Seiten
Die bestimmenden Attribute der Neuzeit leiten sich aus der humanen Selbstbehauptung gegenüber dem theologi-

schen Absolutismus des ausgehenden Mittelalters her. Zur Begründung dieser These wird der Prozeß der Diskriminierung und Rehabilitierung der »theoretischen Neugierde« von der Antike bis zum Ende des 18. Jahrhunderts verfolgt.

stw 25 Thomas S. Kuhn
Die Struktur wissenschaftlicher Revolutionen
Aus dem Amerikanischen von Kurt Simon
227 Seiten
Fortschritt in der Wissenschaft – das ist Kuhns These – vollzieht sich nicht durch kontinuierliche Veränderung, sondern durch revolutionäre Prozesse: Ein bisher geltendes Erklärungsmodell wird verworfen und durch ein anderes ersetzt. Diesen Vorgang bezeichnet sein berühmt gewordener Terminus »Paradigmenwechsel«.

stw 26 Heinrich Zimmer
Philosophie und Religion Indiens
Aus dem Amerikanischen von Lucy Heyer-Grote
597 Seiten
»Es ist das vollständigste und zugleich intelligenteste Buch über die außerordentlich reiche und komplexe Philosophie Indiens, das je geschrieben wurde.« *New York Times*

stw 27 Jean Piaget
Das moralische Urteil beim Kinde
Aus dem Französischen von Lucien Goldmann
463 Seiten
Piaget zeigt, welche Bedeutung in der Entwicklung des moralischen Urteils den gegenseitigen Beziehungen zwischen gleichgestellten Kindern, also dem Solidaritäts- und Verantwortungsbewußtsein, zukommt.

stw 28 George Herbert Mead
Geist, Identität und Gesellschaft
Mit einer Einleitung von Charles W. Morris
Aus dem Amerikanischen von Ulf Pacher
456 Seiten
Mind, Self and Society ist *der* Klassiker der Sozialpsychologie. Das postum aus Vorlesungsnachschriften veröffentlichte Werk verschmilzt »einen von einem moralischen Ethos idealistischer Vernunft beseelten Pragmatismus mit Evolutionismus und einem sozial interpretierten Behaviorismus«. *Helmut Kuhn*

stw 29 Eike von Savigny
Die Philosophie der normalen Sprache
Eine kritische Einführung
in die »ordinary language philosophy«
Etwa 300 Seiten
Von Savignys Buch ist die erste zusammenfassende Darstellung der Methoden, Probleme und Ergebnisse einer philosophischen Richtung, die in den angelsächsischen Ländern heute dominiert: der *ordinary language philosophy* mit ihren Hauptvertretern, dem späten Wittgenstein, Gilbert Ryle, J. L. Austin und J. Wisdom.

stw 30 *Seminar: Die Entstehung von Klassengesellschaften*
Herausgegeben von Klaus Eder
384 Seiten
Mit der Entwicklung von der »menschlichen Naturgeschichte« zur »menschlichen Vorgeschichte« befassen sich so renommierte Autoren wie Sahlins, Moscovici u. a. Ihre Beiträge sind Ansätze zu einer Theorie der Genese und Struktur von Klassengesellschaften.

stw 31 Alfred Lorenzer
Sprachzerstörung und Rekonstruktion
Vorarbeiten zu einer Metatheorie der Psychoanalyse
248 Seiten
Lorenzers Versuch einer wissenschaftstheoretischen Bestimmung des psychoanalytischen Vorgehens nimmt seinen Ausgang von dem alten Gegensatz von »Erklären« und »Verstehen«. Aus der Untersuchung der psychoanalytischen Operationsschritte wird eine Metatheorie entwickelt, die die Züge einer Sprachanalyse annimmt: Neurose erweist sich als »Sprachzerstörung« und die psychoanalytische Therapie als Rekonstruktion von Sprache.

stw 33 Georg Lukács
Der junge Hegel
896 Seiten
Lukács' Studie untersucht Hegels Auffassung von der Dialektik der menschlichen Gesellschaft in ihrer Entwicklung von den Jugendschriften bis zur Phänomenologie des Geistes. Mit scharfsinniger Polemik gegen die bürgerliche Hegelforschung deckt er ideologiekritisch die idealistischen Züge dieser Dialektik auf. Dabei geht es Lukács um den inneren Zusammenhang von Philosophie und Ökonomie.

stw 34 W. Ross Ashby
Einführung in die Kybernetik
Aus dem Englischen von Jörg Adrian Huber
ca. 400 Seiten
Die Einführung in die Kybernetik ist eines der Standardwerke der jungen Wissenschaft Kybernetik, nicht zuletzt durch des Autors didaktisches Geschick der Grundlagenvermittlung. Ashby vermeidet es, für den Laien unnötig verwirrende Bereiche der Elektronik und der höheren Mathematik in seine Einführung einzubeziehen und verwendet statt dessen allgemeinverständliche Beispiele aus dem Alltag.

stw 35 Ernst Bloch
Geist der Utopie
Unveränderter Nachdruck der bearbeiteten Neuauflage der 2. Fassung von 1923
351 Seiten
Geist der Utopie ist ein Manifest gegen die Leere, Ungläubigkeit und Hohlheit dieser Zeit; es ist die beschwörende Proklamation eines neuen, reichen, frommen Lebens. Von einer Verzweiflung über die Barbarei des Krieges getrieben, eifert Bloch für eine umfassende Revolution, deren politischer Aspekt zwar conditio sine qua non ist, die aber weit darüber hinaus in ein neues Zeitalter führen soll.

stw 36 Reinhart Koselleck
Kritik und Krise
Ein Beitrag zur Pathogenese der bürgerlichen Welt
248 Seiten
Die Frage nach dem Zusammenhang von Kritik und Krise ist geschichtlich und aktuell zugleich. Die Untersuchung umspannt den Zeitraum von den religiösen Bürgerkriegen bis zur Französischen Revolution. Die hypokritischen Züge der Aufklärung werden begriffsgeschichtlich und ideologiekritisch herausgearbeitet. Dabei stoßen wir auf die politischen Grenzen der Aufklärung, die ihr Ziel verfehlt, sobald sie zur reinen Utopie gerinnt.

stw 37 Siegfried Bernfeld
Sisyphos oder die Grenzen der Erziehung
156 Seiten
Bernfeld macht Marx und Freud zu »Schutzpatronen der neuen Erziehungswissenschaft«. Er will, wenn möglich, den

Determinismus der Vererbungslehre, der Konstitutionsforschung, der Psychoanalyse, des Darwinismus und den der Klassenlage überwinden. *Klaus Horn*

stw 38 *Seminar: Ideen und Interessen*
Studien zu Max Webers »Protestantischer Ethik«
Herausgegeben von Constans Seyfarth und
Walter M. Sprondel
ca. 360 Seiten
Die Zusammenstellung neuerer Beiträge zu Max Webers »Protestantischer Ethik« zielt auf die Klärung verschiedener Aspekte der Beziehung Webers zum Marxismus, der Komplexität der Genese des kapitalistischen Systems, der Argumente, die in die Richtung einer allgemeinen Theorie soziokultureller Wandlungsprozesse weisen und schließlich der heute höchst aktuellen Frage von Schwellen der soziokulturellen Evolution.

stw 39 Michel Foucault
Wahnsinn und Gesellschaft
Eine Geschichte des Wahns im Zeitalter der Vernunft
Aus dem Französischen von Ulrich Köppen
562 Seiten
Michel Foucault erzählt die Geschichte des Wahnsinns vom 16. bis zum 18. Jahrhundert. Er erzählt zugleich die Geschichte seines Gegenspielers, der Vernunft, denn er sieht die beiden als Paar, das sich nicht trennen läßt. Der Wahn ist für ihn weniger eine Krankheit als eine andere Art von Erkenntnis, eine Gegenvernunft, die ihre eigene Sprache hat oder besser: ihr eigenes Schweigen.

stw 40 Peter Szondi
Poetik und Geschichtsphilosophie I
Antike und Moderne in der Ästhetik der Goethezeit
Hegels Lehre von der Dichtung
Herausgegeben von Hans-Hagen Hildebrandt
und Senta Metz
537 Seiten
In den Vorlesungen dieses Bandes betrachtet Szondi anhand des Verhältnisses von Antike und Moderne die ästhetische Theorie der Epoche, die etwa als Zeitalter Goethes umschrieben werden kann. Die Darstellung hält die entscheidenden Impulse fest, die den Weg bestimmen, der von der normativen Aufklärungspoetik zur Philosophie der Kunst in den Systemen des deutschen Idealismus führt.

stw 41 C. B. Macpherson
Die politische Theorie des Besitzindividualismus
Von Hobbes bis Locke
Aus dem Englischen von Arno Wittekind
348 Seiten
Macphersons Untersuchung gilt dem Problem einer gesicherten theoretischen Grundlage für den liberal-demokratischen Staat. Als gemeinsame Voraussetzung der englischen politischen Theorie von Hobbes bis Locke erkennt er einen auf Besitz gegründeten und am Besitz orientierten Individualismus.

stw 42 Noam Chomsky
Aspekte der Syntax-Theorie
Aus dem Amerikanischen übersetzt und herausgegeben von einem Kollektiv unter der Leitung von Ewald Lang, Arbeitsstelle Strukturelle Grammatik, Deutsche Akademie der Wissenschaften, Berlin
314 Seiten
In dem Buch wird der Versuch unternommen, jenen Teil einer linguistischen Theorie zu entwerfen, der sich auf die syntaktische, die den Bau des Satzes betreffende Komponente bezieht. Unter der von Chomsky beschriebenen »generativen Grammatik« ist ein System von Regeln zu verstehen, mit denen eine beliebige Zahl von Sätzen erzeugt werden kann. Jeder Sprecher hat sich eine solche generative Grammatik offenbar vollständig angeeignet.

stw 43 Robert Minder
Glaube, Skepsis und Rationalismus
Dargestellt aufgrund der autobiographischen Schriften von Karl Philipp Moritz
294 Seiten
Minders Arbeit gilt als Wendepunkt in der Moritz-Forschung. Er entdeckte damit gewissermaßen einen Zeitgenossen Goethes neu, der ganz zu Unrecht immer gegenüber der Popularität der idealistischen Klassik im Hintergrund blieb. An den Werken von Moritz zeigt Minder nicht nur dessen literarische Qualität und aufklärerischen Impetus, es entsteht auch ein Bild des sektiererischen Kleinbürgertums im ausgehenden 18. Jahrhundert.

stw 44 Rudolf Bilz
Studien über Angst und Schmerz
Paläoanthropologie Band I/2
330 Seiten

Paläoanthropologie: das ist für Bilz die Lehre vom Menschen, der als eigene Art gesehen wird, aber als eine Art, die sozusagen noch nicht fertig ist. Das besondere Interesse von Bilz gilt den Verhaltensähnlichkeiten zwischen Mensch und Tier in typischen Situationen, ohne daß doch vorschnell vom Tier auf den Menschen geschlossen würde.

stw 52 Karl Griewank
Der neuzeitliche Revolutionsbegriff
Entstehung und Entwicklung
Aus dem Nachlaß herausgegeben von
Ingeborg Horn-Staiger
Mit einem Nachwort von Hermann Heimpel
271 Seiten
Karl Griewank war der erste Historiker, der den spezifischen Revolutionsbegriff der Neuzeit herausgearbeitet hat. Es geht ihm dabei nicht um eine Begriffsbestimmung, sondern um die Geschichte des Revolutionsverständnisses seit dem Beginn der sogenannten Neuzeit im Bewußtsein der Beteiligten und historischen Beobachter.

stw 54 Barrington Moore
Soziale Ursprünge von Diktatur und Demokratie
Die Rolle der Grundbesitzer und Bauern
bei der Entstehung der modernen Welt
Aus dem Amerikanischen von Gert H. Müller
635 Seiten
Moores Buch knüpft an die Tradition soziologischer Analysen von geschichtlichen Zusammenhängen an, in der die Soziologie von Marx bis Max Weber stand. Er versucht, die politische Rolle zu erklären, die landbesitzende Oberschicht und Bauernschaft bei der Umwandlung der Agrargesellschaften zu modernen Industriegesellschaften gespielt haben.

Alphabetisches Verzeichnis der suhrkamp taschenbücher wissenschaft